D1177972

Francisco P. Moreno

VIAJE A LA
PATAGONIA AUSTRAL

el ELEFANTE

BLANCO

EDICIONES EL ELEFANTE BLANCO

1ª edición: junio 1997

© 1997, El Elefante Blanco
Posadas 1359 - (1011) Buenos Aires - Argentina

Queda hecho el depósito que marca la ley 11.723

ISBN: 987- 96054-7-0

Editado e Impreso en la Argentina

Impreso en Erre Eme S.A. en el mes de mayo de 1997
Talcahuano 277 - (1013) Buenos Aires - Argentina
Telefax: 01-382-4452/1931

Al lector

La enfermedad adquirida durante el viaje, cuyo "diario" es este libro, que me ha aquejado desde mi regreso, me ha impedido publicar mis observaciones; hoy, que puedo hacerlo, presento estas páginas como la primera parte del trabajo. La segunda, que debe contener los resultados científicos así como la descripción de las colecciones formadas, verá la luz en cuento sea posible. En un volumen igual a éste, irá la *Descripción de las antigüedades del Chubut*, con siete planchas litografiadas y grabados intercalados: *Los cráneos del cairn funerarios del Chubut*, con grabados intercalados; *San Slick* (indio tehuelche) *y su esqueleto*, con tres planchas litografiadas y grabados intercalados; *Antigüedades recogidas en las márgenes del río Santa Cruz y los lagos*, con cinco planchas litografiadas y grabados intercalados; *la Momia y las inscripciones de Punta Walichu, Lago Argentino*, con cuatro cromolitografías, una litografía y grabados intercalados; *Observaciones geológicas, paleontológicas, zoológicas y botánicas, verificadas en la cuenca del río Santa Cruz*, con varias planchas, algunas coloridas, y grabados intercalados; *Noticias sobre los tehuelches actuales*, con planchas litografiadas y grabados intercalados. Estos trabajos formarán parte de los materiales para servir a la *Descripción física de la Patagonia y Tierra del Fuego*, obra que me ocupa hace tiempo.

Este "diario" que contiene mis impresiones de viajero no tiene pretensiones de ningún género. No espere, pues, el lector encontrar en él descripciones brillantes de los grandiosos panoramas que se desarrollan en las comarcas que he visitado, pues tengo la sinceridad suficiente para decir que semejante tarea es superior a mis fuerzas y que no debo tentarla. La pintura de la naturaleza patagónica, unas veces terriblemente árida, otras lujosa hasta recordar el trópico, pero imponente siempre, tanto en sus habitantes como en sus áridas mesetas, en sus mantos volcánicos inmensos, en sus elevadas montañas nevadas, en sus volcanes, en sus lagos, en sus ríos, en sus torrentes, en sus bosques, necesita, para ser fiel, la pluma de Humboldt o de Darwin. Simple admirador de esas tierras nuestras, poco visitadas, sólo aspiro a que con esta narración mis compatriotas puedan formarse una idea de lo que encierra esa gran porción de la patria, siempre denigrada por los que se contentan con mirarla mentalmente desde las bibliotecas.

Nuestra cuestión con Chile que nos disputa lo que la naturaleza y la firma de los Reyes ha hecho nuestro, aumenta el interés que tienen para nosotros los territorios que he recorrido en mi último viaje. Discutimos hace tiempo las Tierras Australes sin conocerlas; hablamos de límites en la Cordillera, punto de separación de las aguas, y aún no sabemos qué dirección sigue ni dónde concluye y si puede servir de límite natural o no en las regiones inmediatas al estrecho de Magallanes. En estos últimos años el interés particular ha esparcido noticias llenas de contradicciones que abogan, unas por la fertilidad y las inmensas riquezas que encierran esos pretendidos páramos inhabitables, y otras en que se pintan con los colores más sombríos, como para hacer abandonar toda idea de utilizarlos. Hácese necesario, pues, que sepamos con seguridad con qué elementos puede contribuir la Patagonia a la prosperidad de la República y esto sólo se puede conseguir conociendo su geografía y sus productos naturales. Hay que estudiar allí las condiciones geológicas y climáticas, su geografía, sus producciones y las ventajas que puede ofrecer para su colonización; todo por medio de investigaciones serias y minuciosas.

Mientras no se realiza esto, concurro a la obra común con esta relación, y como es indudable que la lectura de viajes aumenta el número de viajeros, desearía que ella contribuyera a que algunos de mis compatriotas visiten las regiones que describo. No deben arredrarles las fatigas de un viaje que proporciona las indescriptibles emociones que suscitan el espectáculo de lo desconocido y los impulsos a llevarlo a cabo, haciendo votos para que los colores patrios que dejé solitarios en el punto más lejano que alcancé durante mi viaje, sean llevados más adelante por otros argentinos, en provecho de la patria y de la ciencia.

Francisco P. Moreno
Buenos Aires, 31/5/1879

Primeros Ensayos. Resultados. El museo.

Niño aún, la lectura de las aventuras de Marco Polo, de Simbad el Marino y de las relaciones de los misioneros en la China y el Japón publicadas en los *Anales de Propaganda Fide*, hecha en alta voz en el refectorio del colegio, despertó en mí un vivo deseo de correr tierras. Y, más que todo, los cortos extractos que los diarios de entonces publicaban de los viajes y exploraciones de Livingston, ese verdadero apóstol que tan bien supo conciliar las ideas de Cristo con las de la ciencia, y las noticias de las expediciones enviadas en busca de Franklin, perdido entre los hielos del norte, ejercieron en mi cerebro predispuesto un efecto singular e inexplicable, suscitaron en mi alma un sentimiento de profunda admiración por esos mártires de la ciencia y un vivo anhelo de seguir, en esfera más modesta, el ejemplo de tan atrevidas empresas.

Podría atribuir esta disposición natural a herencia de sangre, pues mi apellido materno, Thwaites, ha sido llevado por más de un naturalista viajero.

Dos años más tarde, nuevas lecturas despertaron mi afición por la Historia Natural e influyeron a que me decidiera a formar un "museo". El camino de Palermo fue puesto a contribución los días domingo, procurándome abundante acopio de cornalinas y jaspes, mientras los empedrados de las calles suministraban magníficos ejemplares de otras rocas.

Algunas personas se dignaron aumentar la colección con los donativos siguientes, que consideraba adquisiciones importantísimas: dos vértebras caudales, fracturadas, de un gliptodonte; tres placas de la coraza del mismo animal, algunos insectos del Paraguay, un arco con seis flechas, arma de los indios del Chaco, y un famoso "ídolo de una pagoda china", figurón bautizado así por nosotros y que era el crédito de nuestra colección, y digo nuestra, porque entonces tenía de socios a mis dos hermanos, quienes me cedieron algún tiempo después su parte en ella. Ese ídolo era digno rival de un "oso trabajado en marfil de morsa por los esquimales", de la misma y en alto grado dudosa autenticidad, y que mi primo y colega E. L. Holmberg guardaba con respeto casi religioso. Éste era el objeto de mayor valor de su importante colección que entonces cabía, holgada, en una caja de madera que había contenido una gorra de señora antes de servir de salón de museo.

El doctor D. Germán Burmeister, el sabio director del Museo Público, también tuvo la bondad de interesarse por nosotros, haciéndonos algunos regalos de minerales insignificantes y sin darse por aludido una vez que uno de mis hermanos le pidió inocentemente el magnífico brillante en bruto de la colección del Museo. Su bondad llegó hasta el punto de visitar repetidas veces lo que llamaba "mis colecciones", subiendo, inválido como es, los setenta empinados escalones de un mirador.

Llegada la época de la fiebre amarilla, en 1871, durante mi permanencia en el campo, principió mi verdadera prosperidad. La laguna de Vitel y el arroyo del mismo nombre me suministraron riquezas paleontológicas dignas de figurar hasta en los museos más ricos del mundo.

En 1872, el envío de algunos objetos considerados de importancia por personas competentes, hecho por un amigo residente en Carmen de Patagones, me decidió a llevar a cabo primer viaje a la Patagonia.

Mi imaginación, exaltada con la vista de esas adquisiciones, me prometía abundante cosecha en los arenales del sur. Corto fue el viaje, pero provechoso. Los paraderos y cementerios cuya existencia había revelado Strobel, me suministraron cráneos y objetos de piedra en número suficiente para poder formarme una idea del interés que ofrecía el estudio del indígena patagónico. Los primeros resultados de esa excursión, publicados merced a la buena voluntad del profesor Broca, me hicieron conocer que aún había allí mucho que reunir para la historia antigua del hombre en América.

Había descubierto singulares formas craneanas que indicaban elementos étnicos distintos, puros y mezclados, esparcidos en un espacio muy limitado; sílices tan magníficamente trabajadas que despiertan admiración por esos hombres primitivos, incultos y sepultados en la barbarie, pero dotados de un sentimiento artístico bastante adelantado.

Mi vocación estaba decidida: había descubierto un tesoro científico y era necesario explotarlo.

La gran cuestión del hombre fósil cuya existencia, aun no hace muchos años, era considerada como un mito, acababa de ser sometida a discusión por eminentes sabios, y los congresos y reuniones arqueológicas y antropológicas llamaban la atención del mundo entero.

Hacía tiempo, esos sabios habían entrevisto para la humanidad una antigüedad mayor que la que le asignaban las tradiciones bíblicas, y la ciencia escudriñaba impasible, en busca de la verdad, las capas geológicas formadas por los grandes cataclismos de la Creación.

La cronología vulgar había sido desechada y en cambio se concedía al hombre una edad tan considerable que no podía avaluarse por años ni por siglos, y para la cual la época histórica era un segundo en la hora de los tiempos.

Las sílices rudamente talladas y la mandíbula humana, envuelta aún en el rojo sudario del *diluvium* de Moulin–Quignon, habían demostrado a los asombrados pero rectos geólogos ingleses y franceses, la existencia del primitivo habitante que vivió allí en épocas ya perdidas en la oscuridad de las edades geológicas. Su revelación por el inmortal pero modesto Boucher de Perthes contestada por unos, aceptada por otros, había recibido la más brillante comprobación.

¡Inmensa conquista del hombre sobre sí mismo! Éste, en su orgullo vano, se creía hasta entonces creado a imagen de Dios y no había querido estudiarse poniéndose al nivel de tantas obras de la naturaleza.

El reino humano, surgido de las formas perfectas de Adán y Eva, tenía por toda historia en su origen, el poema del Paraíso y había sido separado del reino animal. El ser humano, "igual en alma al Ser Supremo", no podía estudiarse como un vil insecto, pues profundizar esa individualidad divina era atentatorio para las máximas religiosas.

Pero la ciencia no podía dejar de abrirse camino y no tardó en establecer la comunidad de la familia humana, comprendiendo aun las especies más degradadas e inferiores que pueblan las maravillosas islas de Oceanía, Australia y parte de América, razas que la rutina ultramontana consideraba, no hace mucho tiempo, como no pertenecientes al género humano.

Ese gran paso adelante en la historia de la humanidad, que la llena de orgullo legítimo, ha venido a plantear una verdad indiscutible que muestra que su admirable civilización es su obra propia y la consecuencia lógica de la evolución física y moral que la ha conducido desde la época en que con piedras y ramas, con aliento de gigante disputaba el hombre su alimento y vestiduras a los monstruos de las épocas perdidas, hasta el momento que casi llega a dominarlo todo.

Las huellas de esa marcha progresiva hacia la perfección, efectuada por medio y a impulsos de la lucha por la existencia, estaban marcadas, en las más apartadas y misteriosas soledades, por obras portentosas hijas del espíritu humano.

Los gobiernos y corporaciones científicas que, de un siglo a esta parte, se habían apresurado a reunirlas en grandiosos templos, dieron entonces nueva actividad a las investigaciones en su busca.

El eco de ellas llegó a Buenos Aires, reforzado para mí por los consejos alentadores del profesor Pablo Broca, uno de los sabios más modestos y eminentes de Francia, que había consagrado su poderoso talento al engrandecimiento y a la divulgación de la nueva ciencia, la Antropología, que puede definirse como historia de la formación y evolución del hombre.

Desde entonces, mi mayor anhelo fue contribuir con mi humilde concurso a esos adelantos. Fruto de mis tareas ha sido la colección que he formado y que he tenido la honra de donar a mi patria para fundar el Museo Antropológico y Arqueológico de Buenos Aires, del cual soy director y a cuyo desarrollo destinaré todos los años de mi vida. Ese establecimiento contendrá algún día la historia de los primeros pobladores de nuestro suelo, consignada en sus obras, asistida por sus mortales despojos. Allí sus descendientes podrán estudiar sus progresos.

2° y 3° viaje a La Patagonia. El Limay. Las Manzanas. Nahuel Huapí.

Los viajeros, en este Continente, a los áridos desiertos australes prefieren la brillante naturaleza de los trópicos, pródiga en bosques y magníficas selvas de lujuriosa vegetación, que esconden millares de especies animales. Allí, ruinas gigantescas, vestigios de generaciones pasadas, permanecen aún cubiertas por el misterio, vigiladas por el indígena, cuyo carácter salvaje hácele mirar con indiferencia esos testigos de la perdida grandeza de sus antecesores.

Para mí, sin embargo, el suelo austral, árido y triste, tenía grandes atractivos después de mi primera visita.

No bastaba estudiar las generaciones extinguidas que el tiempo había sepultado en el litoral marítimo patagónico; era necesario compararlas con las tribus que las sucedieron en la posesión del territorio, y al efecto debía visitarlas en persona. Vivir con los indígenas en sus mismos reales y recoger allí los datos buscados vale mucho más que leer todas las relaciones de los cronistas, que generalmente no son abundantes en la verdad de lo que cuentan.

Otro motivo que me impulsaba a viajar por el interior de la Patagonia era la escasez de conocimientos que tenemos sobre su geología y geografía.

Quizás, donde las cartas geográficas presentan grandes claros, existan ríos, lagos y montañas que las completarían y modificarían al mismo tiempo; y la atracción de lo desconocido me arrastraba a buscarlos.

Mi carácter confiado no me auguraba grandes penurias y, llegado el caso, contaba con la tenacidad suficiente para sobrellevarlas.

Por ese tiempo, a mediados de 1874, el Gobierno Nacional resolvió enviar a Santa Cruz el bergantín goleta Rosales comandado por D. Martín Guerrico; con consentimiento oficial me embarqué en él en compañía del Dr. D. Carlos Berg.

Salimos en agosto y regresamos a fines de diciembre. En los cuatro meses que duró la excursión, visitamos dos veces Carmen [de Patagones] y una la bahía Santa Cruz, donde nos detuvimos menos tiempo del que pensábamos pues nuestras intenciones eran ascender el río hasta sus nacientes. Motivos que no es éste el lugar de enunciar, nos impidieron llevar a cabo nuestro programa en esa parte. Las dos visitas al río Negro me dieron por cosecha ochenta antiguos cráneos de indígenas, más de quinientas puntas de flechas trabajadas en piedra, muchos otros objetos y algunos cráneos y utensilios actuales.

Los acontecimientos políticos que tuvieron lugar en ese año influyeron para que ese viaje no fuera más prolongado y provechoso; sin embargo, había conseguido entenderme con algunos indios sometidos a la autoridad nacional y había entrevisto la posibilidad de efectuar un viaje a través de la Patagonia. Allí encontraría lo que buscaba.

De vuelta a Buenos Aires, mi nuevo programa era seguir el ejemplo de Vallarino, Cox y Musters y visitar los celebrados manzanares y pinares de la falda de los Andes.

Este programa fue aceptado por la Sociedad Científica Argentina y el gobierno de la provincia, que costearon la mayor parte de los gastos del viaje. La relación detallada de esa excursión seguirá a ésta, pues, debiendo tratar en ella cuestiones antropológicas difíciles, aún no tengo reunidos todos los materiales necesarios.

En los *Anales* de la mencionada Sociedad publiqué un corto resumen del cual presento aquí un extracto.

Si ese viaje no realizó todas mis esperanzas, no fue por falta de voluntad: encontré las tribus andinas hostiles y tuve que retroceder desde la Cordillera.

Verificada la excursión a la Patagonia septentrional por tierra desde Buenos Aires, me inicié en el arte de viajar en las pampas, acostumbrándome a las fatigas inherentes, y de allí resolví la exploración del río Santa Cruz que trato de describir en extenso en los capítulos siguientes.

En el Limay había vivido con los belicosos araucanos y en Santa Cruz compartiría el *kau* (toldo) con los hospitalarios y dóciles patagones.

Doy en seguida una corta reseña de aquel viaje a las Manzanas.

De Bahía Blanca a Patagones pocos atractivos ofrece el trayecto al viajero que, sobresaltado por la vecindad de los indios *malones*, que entre los médanos esperan la presa cristiana, poco encuentra que llame más su atención. El río Colorado que hay que cruzar y a cuya orilla se ve un pequeño puesto militar, es de triste aspecto para quien llega de las pampas porteñas. Algunos sauces de verde follaje sombrean su curso y contrastan con los descoloridos montes de chañares de la meseta. Comparten su sombra los pocos avestruces y guanacos que aún no han extinguido las boleadoras del indio.

Cuando mi viaje, los alrededores del Fortín Mercedes iban a convertirse en campos de fiesta. Tres caciques picunches, con sus indiadas, habían llegado desde las faldas del *Yaimas* en busca de la vida civilizada. La ceremonia de su recibimiento amistoso por los cristianos tuvo lugar después y tomé parte en ella, contento de asistir a un espectáculo que ya no me tomaría de sorpresa en la Cordillera.

En el camino del Colorado a Carmen [de Patagones] es donde más se notan las depredaciones de los salvajes; cañadones sombríos, rodeados por arbustos oscuros, son los sitios que ellos prefieren para sus crímenes. Una cruz sencilla pero elocuente señala allí, de vez en cuando, la tumba de una víctima.

Los preparativos para el viaje al interior me detuvieron algún tiempo, que fue empleado con provecho.

Lista mi gente, es decir, el intérprete que debía servirme de baqueano y algunos indios, continué viaje.

Un mes después llegaba a las tolderías de *Shaihueque*, siguiendo el Limay hasta el punto donde llegó Villarino, unas veces por sus orillas y otras por ásperas mesetas.

Penetrando al valle del *Collon–Curá* (máscara de piedra) por entre capas basálticas y atrevidos picos porfíricos que semejaban catedrales góticas, descansamos en *Caleufú* (otro río).

Bien recibido, viví allí aprovechando la noble hospitalidad del dueño del suelo.

En los centros civilizados generalmente no se conocen (o no se quieren admitir) los instintos generosos del indio. Yo, que he vivido con ellos, sé que el viajero no necesita armas mientras habite el humilde toldo. No será atacado, a no ser en las borracheras, y si llega el caso raro de ser ofendido, lo será siempre después de haber sido juzgado.

Si lleva intenciones sanas, nada sufrirá; testigo yo mismo, que he sido juzgado varias veces por delaciones que me hacían aparecer como hostil a mis huéspedes, y que obtuve siempre la razón, en contra de los mismos indios.

Antes de preguntársele quién es y qué desea, será alimentado y no se le interrogará hasta que su apetito se haya saciado.

El indio puro no es el malvado que asola las fronteras, muchas veces impulsado por terceros que se llaman cristianos. Su mayor deseo es aprender todo lo que, compatible con su carácter, pueda enseñarle el europeo, y si con su familia llega a conseguir algunas comodidades, no vuelve jamás a su vida nómada.

No se crea, sin embargo que en los toldos de *Shaihueque* se pasa una vida agradable.

Los alimentos que generosamente brinda al huésped no son aceptables para un estómago de blanco, aun cuando éste, en la travesía, los haya probado. Los hígados, pulmones y riñones crudos de yegua y de otros animales, que los indios saborean mojándolos en la sangre aún caliente, como los mondongos en el mismo estado, son bastante desagradables para un paladar europeo.

No obstante, hay que admitirlos, porque ellos dan lo que pueden y no conocen manjar mejor.

Muchas veces he sellado amistad con un cacique engullendo con valor estoico una gran cantidad de engrudo crudo, preparado ante mi vista por una india, en un plato de madera que contenía restos de sangre fresca, manjar exquisito para ella seg'un las señales indudables que sus dedos presentaban de habérselos chupado.

El *mapuche* (gente de los campos) es gran aficionado a los licores, y ésta es la causa principal de su rápida extinción.

Cuando consigue el aguardiente que los indios *aucaches* (o valdivianos), repulsivos comerciantes, traen a vender a los toldos, o ha llegado el tiempo de la zarzaparrilla, el *michi* (Duvaua) y las manzanas, las orgías son terribles; no se pueden describir.

Con el pretexto de propiciarse los favores del Buen Espíritu hacen reuniones en las que, después de dar de comer y beber a las piedras sagradas y a las víctimas ya sacrificadas –potros, yeguas, toros y ovejas– y haber regado las lanzas, se entregan a borracheras desenfrenadas y beben días y semanas enteras. He presenciado algunas de ocho días de duración. En estas circunstancias es cuando el viajero peligra.

Entonces, los toldos se convierten en verdaderos campos de Agramante; si no se han quitado las armas a los indios, la sangre humana corre y su vista incita a aumentar la carnicería. Así empiezan generalmente las matanzas de brujas, infelices ancianas que el indio, en momentos de ceguedad, cree causantes de sus desgracias y enfermedades. Lástima es que tales escenas sean frecuentes en esa tierra de promisión.

Shaihueque vive en el ángulo que forma el *Caleufú* y el *Yalaleú–Curú* (hacen ruido las piedras) que desaguan casi juntos en el *Collon–Curá*, un precioso valle que se extiende al pie de la pintoresca sierra de *Tchilchiuma*, cuyo nombre significa agua que gotea en el expresivo lenguaje de los araucanos. En ella nace el río *Caleufú*, de un pequeño lago.

Las tolderías consistían en diez grandes toldos que son habitados por los parientes y allegados del jefe principal.

La sociabilidad en aquellas comarcas tiene rasgos originales.

Las mujeres, las hacendosas araucanas, trabajan desde el amanecer en la preparación de los alimentos, en el arreglo de su "casa" y en el cuidado de sus pequeños hijos, que tratan con el mismo cariño maternal que la más amante de nuestras matronas. El instinto de madre es el mismo en todas las esferas sociales y en todas las razas, desde la humilde fueguina hasta la más civilizada europea.

En los momentos que le dejan libres esas ocupaciones, teje con aparatos sencillos los magníficos ponchos que conocemos.

El hombre, por el contrario, es haragán como todos los salvajes: acostado boca abajo o recostado sobre un quillango, pasa el tiempo conversando de sus combates, de sus mujeres, de sus cacerías y de sus caballos. Sólo cuando la comida falta y el hambre lo apura, sale de su apatía en busca de guanacos o avestruces o de algún potro, que mata a bolazos y que las mujeres descuartizan.

Su actividad se despliega en la época de las grandes boleadas, en la primavera y principios de verano: los jóvenes van entonces a largas distancias a cazar guanacos pequeños (con cuyas pieles las chinas forman luego quillangos) y a sacar las plumas de los avestruces antes que empiece la muda.

La noticia de una carrera o de un beberaje anima al indio, que rara vez deja de asistir a esas fiestas.

El gran parlamento (*aucan–trahun*) donde debía expresar al "Consejo de los Viejos" el motivo de mi visita a sus campos, tuvo lugar en el despoblado de *Quem—quem–treu*, a orillas del *Collon–curá*. En esa ceremonia tomaron parte cerca de quinientos indios, que bien dirigidos por sus capitanes hicieron todas las evoluciones de estilo, peligrosos ejercicios que asombran y dejan ver al extranjero la indiferencia salvaje que tienen por sus vidas. Es un vértigo bélico el que se apodera de ellos.

Duró diez horas durante las cuales, sin bajarnos del caballo y acosados por la sed, estuvimos respondiendo a las preguntas astutas de los capitanes. Negado el permiso que yo solicitaba de pasar a Chile, me dirigí, invitado por el cacique *Ñancú–cheuque*, a visitar sus toldos situados en un valle distante. En el trayecto desapareció mi bolsa de viaje con mi diario, quizás extraído por algún desconfiado cacique de los que forman el parlamento, en un momento que descansábamos en un bosque, haciendo nuestro frugal almuerzo de frutillas y manzanas verdes.

Los toldos de *Ñancú–cheuque* estaban situados en el paraje más bello que conozco, en el fondo de un valle, al cual se desciende por la escarpada ladera de una sierra desde cuya cumbre había admirado los cercanos picos de los Andes, rojos y dorados por el sol y el reflejo del cielo de la tarde, y después plateados por la luna llena.

Hambrientos llegamos a ellos, ya avanzada la noche. Cientos de perros salieron a recibirnos en el camino que alumbraban los fogones de los guerreros pehuenches, y después de haber escuchado en silencio el canto monótono y triste con que las indias expresan su sentimiento por las penurias sufridas por el caminante, penetramos en el gran toldo, donde agasajados en extremo y regalados con frutillas servidas en pequeñas fuentes de plata, pasamos una de las noches más agradables de ese viaje.

La mujer del cacique, hermana de mi baqueano, arregló un inmenso lecho de cueros pintados, de tejidos y almohadones, para el que deseaba ser amigo de los indios. Lástima fue que en él abundaban asquerosos e incómodos insectos, pero las fatigas del día habían sido tantas que todo pasó desapercibido, hasta un viejo indio borracho que amaneció recostado sobre mí, después de haber alborotado toda la noche.

Frente a esos toldos, en *Pungechaf*, existe un promontorio basáltico con columnas gigantescas que desvían el curso del *Chimehuin*, torrente impetuoso entre cuyas negras rocas tendía mi recado en las terribles noches de borrachera que tuvieron lugar en esos días.

Festejaban los pehuenches, con un *huecu–ruca*, baile de tres días alrededor de una damajuana durante el día, y de la hoguera durante la noche, la primera menstruación de una joven, demostrando así la importancia que parecen reconocer en esa manifestación de la naturaleza.

Cúpome en el baile el rol de músico, encargado del *ralí* o plato de madera cubierto con un pergamino pintado, que se golpea acompasadamente con dos palillos y a cuyo son saltan y hacen contorsiones los cinco bailarines comunicando frenético entusiasmo a los concurrentes que se animan con el olor de los "manjares", preparados por las chinas.

Mientras tenía lugar la orgía, que sigue regularmente a las fiestas (en ellas no se emborrachan), recorrí durante varios días las rojas praderas de frutillas, los bosques de pehuen (*Araucaria imbricata*), de manzanos y de la preciosa *Fitz–Roya Patagónica*, que forman todos una verde guirnalda alrededor del majestuoso volcán *Quetro–pillan* (cerro truncado), gigantesca válvula por donde antes escapaban los vapores interiores y hoy día cubierta de eterno hielo.

De regreso a *Caleufú*, encontré a *Shaihueque* ebrio, que festejaba la visita de *Quinchauala* (el cacique del engrudo). Mi compadre había desconfiado de mí durante mi ausencia, por noticias traídas por los indios *aucaches*. Hubo de oponerse a mi viaje a Nahuel Huapí, aconsejado por *Quinchauala*, quien se puso más tarde de mi lado, después de su famoso convite.

Sin embargo, tuve que dejar en su poder mi cartera, los retratos de mi familia y las cartas que llevaba para Chile. Demostré a los indios que los argentinos y ellos éramos hermanos; que habíamos nacido en la misma tierra.

Tuve más suerte que Musters, quien fue obligado a regresar a Chile, en su segundo viaje efectuado en el momento de embriaguez de los indios, después de haber estado a punto de perecer en esos toldos en los cuales vivió una semana.

Mis palabras calmaron la desconfianza y pude emprender mi excursión al lago, amenazado siempre con los *utralalves* o monstruos que se ocultan en las sierras; con los *anchimalleguen* o *walichus* enanos que viven en las cuevas y con el *tralcan* o trueno del Tronador. *Shaihueque* me hizo decir que si llevaba en mi corazón otra cosa que la que yo le había dicho, o si yo tenía más de uno de estos órganos, como había oído decir de muchos cristianos pícaros, el *tralcan* enviaría sus rayos y las lluvias para darme muerte, y que los pigmeos me arrojarían flechas y piedras para herirme. El tiempo, entonces tormentoso, contribuía a la solemnidad de la amenaza.

Pasamos fértiles colinas y divisamos el río Limay que, como serpiente de plata, corre por entre sierras cubiertas de cipreses hasta una gran altura, tanta que muchas veces sus copas se esconden entre las nubes. A la tarde llegamos al "paso" que describe Musters.

Poco más al sur, el río tiene numerosos saltos: allí fracasó la expedición de Cox. Hice noche en este punto y asamos un pedazo de cordero (las provisiones eran escasas) que llevaba atado a los tientos del recado y que mi hambre, despertada por las brisas frescas, había despojado de su gordura en el camino.

La lava que cubre las montañas les ha dado, en este punto, un sello particular: grandes fragmentos aparecen suspendidos como estalactitas; otros se elevan, como dedos de gigantes, amenazando las nubes.

Dos días después llegamos a Nahuel Huapí, llamado así en las relaciones de los jesuitas, que en el siglo pasado tenían una misión en sus inmediaciones. Los indios lo denominan *Tequel Malal* (nombre de un paradero vecino) y *Strectialafquen*.

Apurado por el hambre volví a los toldos de *Caleufú*, y después de presenciar el gran *camaricum*, rogativa a Dios (fiesta anual), motivada según los indios por mi próximo viaje, pero más, creo yo, por la llegada de bebida (la borrachera duró seis días), me puse en marcha para Buenos Aires.

Fue entonces cuando se atentó seriamente contra mí, atentado disculpable, llevado a cabo por los capitanejos *Praillan* y *Llofquen*, hijos del cacique *Huilliqueupu* (pedernal del sur) que había muerto en Buenos Aires, donde había ido a hacer tratados, y que los indios creían *enwalichado* por el Gobierno.

Había recorrido el río Negro y el Limay desde su desembocadura en el Atlántico hasta su nacimiento en Nahuel Huapí. Ese inmenso lago que descarga en dicho río el sobrante de las limpias aguas, de pintoresca y grandiosa perspectiva, presenta entre las montañas uno de los más bellos paisajes de esas regiones. Rodéanlo por un lado bosques de manzanos que se destacan del fondo del valle. Una faja angosta de tupida vegetación[1], cuyas raíces revuelven en busca de alimento cientos de jabalíes, y que sirve de abrigo a los confiados huemules (*Cervus chilensis*), crece al borde de las agitadas olas que revientan entre las rocas erráticas, y de trecho en trecho un ciprés (*libocedrus chilensis*) eleva su copa como un centinela solitario que desafía las tempestades andinas.

En los plácidos días de verano, el viajero escucha, como la voz de la naturaleza, entre el murmullo de las

---

1   Compuesta principalmente de Berberis spc.-Ephedra Ondina-Fagus antartica y Fagus Dombeyi-Duvaua spc.-Retamilla spc.-Maytenus magellanica.-Pernettya spc.-Aristotelia maqui-Lomatia obliqua- y la Gunnera scabra.

aguas y de los árboles, el canto de millares de loros (*conurus patagonus*) y de otros pájaros que el invierno ahuyenta.

Los admirables panoramas que desde ese punto se divisan son ocultados, de tiempo en tiempo, por negros chubascos que se forman en las respectivas gargantas de la Cordillera.

Los días que allí pasé no se borrarán jamás de mi memoria, y su recuerdo siempre me será grato: cuando, estropeado por las piedras y las espinas y cansado de buscar elementos de estudio en las orillas del lago sentía necesidad de reposo, tendíame envuelto en el quillango sobre mi lecho formado de piedras, cuidadosamente arregladas y cubiertas de cascajos más pequeños, que, con un poco de buena voluntad, podría figurar como mullido. Allí, solo, admiraba ese panorama y no podía dejar de presentarse a mi espíritu la idea de la pequeñez con que aparece el hombre ante esas gigantescas obras de la Creación, y al mismo tiempo la imponderable magnitud de los esfuerzos hechos para llegar a investigar la naturaleza y sorprender sus secretos. Horas enteras pasaba gozando de esa quietud que desde tan remotos parajes me permitía pensar en la patria y en el hogar, agradables recuerdos que evocaba a la vista de los alegres *jilgueros*[1], *ratonas*[2] y *chingolos*[3], esos pajaritos vivarachos que animan tanto nuestros jardines. Entonces recobraba la tranquilidad de espíritu que difícilmente podía conservar en las saturnales que diariamente presenciaba en las tolderías.

Algún día volveré a visitar esos parajes, veré mis plantaciones de eucaliptos, que quizás habrán respetado los inviernos; mis inscripciones en las rocas sombreadas por los cipreses que crecen sobre la lava de los antiguos volcanes en que están grabadas, y podré admirar una vez

1 Chrysomitris magallanica.
2 Parecido al Troglodytes furvus, pero algo oscuro el pecho.
3 Zonotrichia canipilla?

más los ventisqueros y el cono del Tronador, donde todos los espíritus malignos celebran sus fiestas infernales, y que, tachonado de azul y blanco hasta la base, todo lo domina con su aspecto imponente.

El tiempo llegará en que esos parajes vírgenes de civilización se conviertan en populosos centros, donde el hombre aproveche las múltiples y poderosas fuerzas que allí ostenta la naturaleza y que hoy entorpecen la marcha del viajero.

Esos mismos rápidos del Limay contra los que se estrelló la frágil canoa de Cox, pero no el pensamiento benéfico que le guiaba, desaparecerán un día, cuando las naves surquen las aguas azuladas del Nahuel Huapí y lleven las producciones de su territorio convertido entonces en la provincia más rica de la República, por el río Limay, que serpentea entre praderas, bulle entre las rocas de los rápidos, recibe las aguas de dos poderosos afluentes (el *Collon–Curá* y el *Neuquen* o *Comoe*) y cruzando veloz por entre islas de lujuriosa vegetación llega a vaciarse en el Atlántico.

Viaje a La Patagonia Austral. Preparativos. Partida. Llegada al Chubut.

El pensamiento de efectuar el reconocimiento del río Santa Cruz fue aprobado por el señor presidente de la República, quien, por medio del Ministerio de Relaciones Exteriores, puso a mi disposición la mayor parte de los elementos necesarios.

Desgraciadamente, la falta de práctica que aún tenemos para esta clase de viajes, raros entre nosotros, impidió que obtuviera todo lo que juzgaba necesario para llevarlo a cabo con buen resultado.

La goleta Santa Cruz estaba pronta a zarpar para el puerto de su nombre, y en ella me embarqué el 20 de octubre de 1876. A bordo me esperaban los dos marineros que había solicitado del Gobierno y un grumete (Abelardo Tiola) que el capitán del puerto había destinado para mi servicio personal durante el tiempo que empleara en la exploración.

Las provisiones y el bote que debían servir para la navegación por el río habían sido ya embarcados, pero las primeras, quizás por error, eran sumamente reducidas y desproporcionadas para el número de personas que habían de acompañarme; y el segundo demasiado grande y pesado. Además, uno de los dos marineros se hallaba enfermo.

En esas condiciones, el viaje, desde su principio, presentaba graves dificultades; pero no era ya tiempo de pensar en allanarlas. El buque había demorado más de lo necesario en el puerto y le urgía a su capitán hacerse a la mar. A las doce de ese día levó anclas la Santa Cruz.

Pocas veces el Plata estuvo más sereno; la calma era casi completa, y ésta, que hace la delicia de los pasajeros de un vapor, desespera y fastidia en un buque de vela, sobre todo a la salida de puerto. El viento escaso apenas movía las velas y recién a la noche fondeamos frente a Quilmes.

El buque, de sólo cien toneladas, ofrecía pocas comodidades, pero en cambio llevaba dos buenos compañeros de viaje, el señor D. Juan Richmond y el capitán D. Luis Piedrabuena, quien, a cada momento, me suministraba curiosos datos sobre las tierras australes que él había reunido en su vida azarosa de marino.

Algún día se escribirá la biografía de este bravo y modesto compatriota. Su nombre se halla estampado en las relaciones de viaje que de veinte años a esta parte se han publicado tratando de las costas patagónicas; sus auxilios a los náufragos le han merecido honrosas distinciones de los gobiernos europeos y en esas regiones ha prestado más servicios a la humanidad que muchos de los buques de guerra europeos que cruzan tan tempestuosos parajes.

El Espora y el Luisito, este último de diez toneladas, mandados por el capitán argentino, han llevado los colores patrios hasta las regiones polares, y han sido saludados por cientos de náufragos que veían en ellos su salvación.

Muchas veces ha perdido Piedrabuena el producto de una abundante pesca por socorrer a sus semejantes. Más de una vez se ha llamado en el nombre de la reina Victoria y del emperador Guillermo, a la humilde choza de la isla de los Estados, en busca de socorro para desgraciados, perdidos en las rocas de la Tierra del Fuego, y la tripulación de la lancha de nuestro compatriota ha recogido, a costa de grandes penalidades, la de hermosas fragatas inglesas y alemanas.

La sencillez con que nuestro heroico capitán nos contaba esas tragedias del mar austral, que parecen leyendas, y esas hazañas, más meritorias que las guerreras, llevadas a cabo con gauchos e indios, sin otro interés que el de cumplir con su deber de cristiano y de marino, les comunicaba mayor animación.

Malos vientos y otros contratiempos nos detuvieron a la salida del Río de la Plata, y recién el día 6 de noviembre pasamos Punta Médanos.

Marchábamos con lentitud, y el buque, poco caminador por su pesada construcción, era escoltado de cuando en cuando por multitud de juguetonas *pontoporias* y lobos marinos.

En la tarde divisamos, entre la monótona línea que forman los médanos, el pueblo de Lobería, y luego el elevado cabo Corrientes.

La marejada era allí grande y una línea blanca de espuma nos señaló las rocas, que desde Punta Mogotes se adelantan por cinco millas en el mar y que son reveladas al marino que se acerca demasiado durante la noche, por el ruido de las olas al estrellarse contra ellas.

En esa noche, grandioso espectáculo ofrecióse a nuestras miradas. La brisa suave y favorable del norte nos empujaba a rumbo. El cielo despejado de nubes, revelaba su inmenso tesoro, como reflejo de las riquezas soñadas de los cuentos árabes, en la Vía Láctea y en las bellas nebulosas que llevan el nombre del inmortal Magallanes. El océano agitado por vientos anteriores, que ya habían calmado, hacía también ostentación de sus riquezas que rivalizaban con la belleza del cielo, ante la vista extasiada de los que contemplábamos esas maravillas. Las olas parecían inflamadas y los grandes cetáceos que cruzaban rápidos las aguas del buque o seguían su estela luminosa, bañados en fósforo líquido, se nos presentaban a la imaginación como fantásticos monstruos con melenas de fuego, entre los cuales se deslizaba la goleta, levantando con la proa una verdadera lluvia de diamantes.

La palabra es impotente para describir ese espléndido fenómeno, que siempre dará abundante alimento a la fantasía insaciable de los poetas, y cuyas causas aún no hace muchos años eran explicadas de maneras extravagantes.

Ése y otros fenómenos del mar y algunas de las leyes que los rigen, van siéndonos revelados; y la pregunta: ¿quién penetrará los misterios del océano?, va encontrando contestación. Este ya guarda pocos secretos; la ciencia revela sus misterios, y la sonda, que nos comunica con lo desconocido, nos muestra un mundo animado, nuevo y hasta hace poco, invisible.

El día 7 a las 12, la observación astronómica mostró que nos encontrábamos en latitud 38° 17'. Muchas palomas del Cabo y otros pájaros volaban en torno del buque, y mi asistente Tiola encontraba distracción en cazarlos con un alfiler torcido en forma de anzuelo. El buque roló durante esa noche como nunca, según nos dijo el capitán; el movimiento y el ruido del agua al quebrarse en los costados me mantuvo desvelado.

La responsabilidad de llevar a cabo una empresa quizás superior a mis fuerzas, con pocos elementos, y que, según las personas prácticas de a bordo, estaban lejos de ser suficientes, contribuía también a ello. Los dos marineros estaban enfermos; el correntino Francisco Gómez nunca había navegado en el mar, y Pedro Gómez, negro nacido bajo los trópicos, perezoso por naturaleza, muy pocas esperanzas daba de prestar los servicios que de él esperaba. El viento Sur, que según su propio expresión mata a la gente, le hacía temblar. Las guardias de noche en el timón le eran temibles y no se conformaba con ir a morir, tal era su creencia, sin volver a la antigua vida de holgazán y emborracharse en las tabernas del Bajo.

Sus quejas nocturnas daban lástima y risa al mismo tiempo; la muerte le esperaba en las soledades de la pampa, y yo tendría la culpa.

Francisco, impotente contra el mareo que le tenía postrado, prometía cumplir en tierra con su deber, y este hombre paciente y trabajador como todos sus paisanos, fue más tarde uno de los que más contribuyeron a que la expedición tuviera feliz resultado.

Esos dos hombres debían tripular el bote de ocho remos (yo había solicitado de cuatro), que serviría para efectuar la exploración del Santa Cruz, cuyo porvenir dependía de la manera como ellos se condujeran.

Los trabajos que experimentó Fitz Roy cuando en 1834 tentó igual cosa, me eran bien conocidos. En botes en extremo livianos, tripulados por veinticinco hombres elegidos, no había alcanzado buen éxito, y yo no lo esperaba mejor.

A bordo, embarcado en calidad de contramaestre, iba Francisco B. Estrella, práctico del Río de la Plata, que había deseado viajar con Piedrabuena cuyo arrojo en el mar lo ha hecho popular entre nuestros marinos. Deseaba visitar tierras nuevas y mi expedición le proporcionaba buena ocasión. En las horas de cuarto, conversábamos sobre los parajes que debía visitar en el trayecto y de las dificultades con que ya tropezaba, y poco me costó para que prometiera acompañarme.

Así se aumentó mi tripulación con un hombre enérgico, acostumbrado al mar y a la pampa, a la que había reco-rrido como soldado.

El viaje continuaba bien; el viento en alternativas, nos permitía marchar a rumbo; el escandallo dio una profundidad de 45 a 90 brazas, y con ese sencillo aparato obtuve algunos moluscos que se mencionarán más adelante.

Los pequeños pingüinos ya abundan en esos parajes y se reúnen en gran número; pudimos fácilmente observar sus curiosos movimientos, pero sin sernos posible cazar ninguno.

A la altura de la península de Valdés, el mar estaba muy agitado por las corrientes que nos impelían hacia el norte.

Sondeamos en 45 brazas, y con una pequeña draga o mejor dicho, una bolsa de alambre tejido, empleada como arrastradera, recogimos moluscos de los géneros *Mytilus Venus, Trochus, Purpura* y *Ursinus*, algunas *Serpulas* y una *Asteroide*.

Las corrientes encontradas, que las mareas y los vientos ocasionan en el golfo San Matías y las inmediaciones de la península de Valdez, son temidas con razón por los marinos que frecuentan esas costas. Desde lejos se divisan líneas blancas formadas por el choque de las olas del mar, siempre inquietas, y el ruido del remolino que hierve hace estremecer a los que no están habituados a ese espectáculo. Inútil es arrojar la sonda, pues la fuerza de rotación impide tomar fondo, y el buque, que parece querer sumergirse bajo las olas que lo amenazan de todos lados, es arrastrado por una fuerza irresistible. Los mástiles crujen por los choques violentos y las vergas tocan casi las olas encrespadas, en los fuertes balances. Sólo una brisa a tiempo salva las embarcaciones de una pérdida inevitable, y el marino tiene confianza en el soplo amigo, pero el pasajero ignorante que ve inundada la cubierta se cree perdido.

El paraje en que nos encontrábamos era la Punta Norte, donde esos terribles remolinos son más peligrosos. En épocas anteriores, Piedrabuena había perdido el palo mayor de su buque que fue arrastrado por uno de ellos, y en ese mismo punto, cerca de Valdez Creek que teníamos a la vista, en una noche de tempestad que hacía más veloces esas corrientes, se perdía, en 1874, la barca americana Mary A. Packer, hermoso buque de 700 toneladas, parte de cuya tripulación recogimos el 11 de noviembre de ese año a bordo del Rosales, cuando mi primer viaje a Santa Cruz.

Triste fue la impresión que nos causó la vista de esos náufragos en el mar. Era una mañana oscura y una espesa niebla ocultaba el horizonte. El vigía atento anunció "un bote a la vela" a poca distancia, que con gran trabajo se acercaba al costado del Rosales conduciendo al capitán del buque perdido, un pasajero, dos señoras, una criatura y cinco marineros que habían pasado sesenta y cinco horas en la mar, completamente mojados y próximos a perecer. Cuando ocurrió el naufragio hubieran podido salvarse todos en la costa, pero temerosos en extremo de que los indios (que no frecuentan esos parajes) los maltrataran, parte de los náufragos se habían hecho a la mar en busca de socorros. La desesperación de verse perdidos en un país inhospitalario les había inducido a creer en la posibilidad de llegar al río Negro en una embarcación pequeña y sumamente frágil, sin cubierta y faltos de víveres. El resto fue salvado más tarde en el cuter argentino White. Llegó la brisa que el capitán esperaba y la Santa Cruz, costeando las elevadas barrancas a pique de la península, cubiertas de médanos que alumbrados por los rayos solares muy calientes ese día presentaban un aspecto triste aunque pintoresco, dobló Punta Delgada con intenciones de entrar en Bahía Nueva, mas el viento calmó de pronto, luego tornó el norte poniéndose de proa, encrespando las aguas que con la marea corrían veloces en dirección opuesta para entrar al golfo. Pasamos de largo cerca de la Punta Nueva y Punta Ninfas que semejan gigantescas fortificaciones, y cortando con la proa del buque, escoltado por una hermosa ballena que seguía impasible sus aguas, inmensos camalotes de la alga más gigantesca que existe, la *Macrocystis patagonica* o *Fucus giganteus,* nos dirigimos a Chubut. Esa alga lleva entre sus hojas y raíces un pequeño mundo animal del cual se alimentaban las innumerables gaviotas (*Larus cirrhocephalus*) que blanqueaban su superficie y que al pasar nosotros cubrían el cielo con sus albas alas.

Durante la noche fondeamos, temiendo pasar más al sur de la embocadura o ser arrastrados durante la calma por las corrientes. A tres millas de la costa se arrojó el ancla y el buque durmió tranquilo después de varios días de movimiento continuo; las elevadas murallas terciarias del Promontorio del Norte a cuyo abrigo habíamos fondeado, se destacaban sombrías, y esa noche descansamos tranquilos escuchando el chillido del timón en los suaves balanceos y los soplidos de algunos negros cetáceos, que jugueteaban alrededor nuestro sin ponerse al alcance del arpón siempre listo en la proa.

El día siguiente (14 de noviembre) amaneció con viento contrario pero, bordejeando, nos acercamos a la bahía Engaño, donde desagua el río Chubut. Fondeamos en ocho brazas, en fondo de rocas firmes y cascajo rodado, pero no pudimos bajar a tierra por la marea en contra y la fuerte marejada. La draga procuró varios interesantes moluscos, crustáceos, anélidas, etc. Durante la noche, hubo que levar el ancla nuevamente y salir mar afuera, a causa del viento fuerte del naciente. En esos parajes no se está seguro de haber llegado a destino hasta pisar tierra. La titulada bahía es un verdadero engaño; es una costa abierta, sin resguardo para los vientos de afuera que, cuando soplan recio, contribuyen con las corrientes a poner los buques en peligro. Los de tierra, es decir, los del NNO a SSO, son los únicos que permiten fondear con alguna seguridad los buques que por su mucho calado no pueden resguardarse dentro del río, y que se exponen a permanecer cruzando un mes en las inmediaciones, desde Punta Atlas hasta Bahía Nueva, sin poder poner en tierra su cargamento.

El día 15 amaneció favorable y pudimos acercarnos al río Chubut. Éste figura definitivamente en la geografía de la Patagonia desde el 24 de febrero de 1833, en cuya fecha el teniente Wickham, de la expedición de Fitz Roy, penetró en él a bordo de la lancha La Liebre. El Chubut desemboca en el Atlántico en latitud 42° 20′ austral y 65° 1′ longitud oeste de Greenwich. Su existencia no era ignorada antes de la expedición de Wickham, aunque no se hallaba consignado en los mapas. Los gauchos de Carmen de Patagones, desde épocas anteriores, lo frecuentaron, según noticias que de algunos ancianos adquirí en este punto, y no dudo que sea el mismo que los indios mencionaron a Falkner como existente en el país de *Chulilao*, aunque sin decirle de dónde venía y dónde terminaba y si era grande o pequeño. Me inclino a creer, con Wickham, que el Chubut es el río Camarones, señalado en las cartas de D'Anville y de otros geógrafos.

A nuestro desembarco pocas probabilidades había de que la barra diera paso, por estar la marea en bajante; pero el deseo de llegar a tierra, después de una travesía de diez y ocho días, y principiar a poner en práctica los proyectos que motivaban mi viaje, hizo que nos embarcáramos en el bote para tentarlo, animados, por otra parte, por la calma completa que presentaba el océano. Donde había fondeado el buque, el agua marina azul verdosa se mezclaba tranquila con las turbias amarillentas que revelaban venir, por su color, de un río de poca profundidad y de orillas terrosas; la mezcla formaba una línea bien definida que ondulaba ligeramente con la escasa brisa que soplaba.

A mitad del camino, encontramos la falúa del comisario nacional de la colonia, que llevaba a bordo algunos colonos. Éstos conocían la llegada del buque desde el día anterior y a nosotros nos había sido revelada su presencia durante esa noche por grandes hogueras que encendieron a la orilla del mar, con el objeto de marcarnos la situación de la boca del río. El combustible que dichos colonos emplearon consistía en ramas de arbustos y hojas y raíces de kelp o *Macrocytis*, la planta marina ya mencionada, que las corrientes y la agitación del mar arrancan de las rocas del fondo y envuelven en grandes rollos o nudos, para arrojarla luego a la playa junto con los animales que alimenta.

Por medio de Luis Ibáñez, antiguo marinero de Piedrabuena, que vive retirado en la colonia llevando vida de cazador de avestruces, nos dijeron que la barra no podía cruzarse y que habría que esperar la otra marea. Ninguno, a pesar de vivir en país argentino, hablaba con claridad el español, y nuestro compatriota Ibáñez, cuya simpática figura, bronceada, envuelta en el clásico quillango del sur, contrastaba con la de los rubios galeses, nos sirvió de intérprete.

En la segunda marea, fuimos más felices, y el bote liviano cruzó las olas que se agitan rodando sobre los bancos de arena y cascajo, que orillan al pequeñísimo canal poco profundo del centro, y cuyo cauce cambia continuamente. Esos bancos, cuando pasamos, estaban tan cercanos de la superficie que oímos el ruido que hacen las piedras rodadas al arrastrarse impulsadas por el agua que sobre ellas revienta, bañándolas de espuma.

Desembarcamos momento después, sin tener que lamentar mojaduras en la correspondencia ni en nuestro pequeño equipaje. El paraje no era, sin embargo, el desembarcadero acostumbrado, pero no había tiempo de llegar más adelante pues el bote debía regresar con la misma marea. El piso cubierto de musgo marino y de millones de pequeños *Mytilus* tenía un aspecto aterciopelado. Cruzábanlo a la manera de surcos practicados por un gigantesco arado, profundos callejones a cuyos bordes se adherían innumerables patelas que las aguas marinas cubren dos veces por día. Enjambres de *Larus dominicanus* buscaban su alimento cotidiano en los desperdicios que el océano arroja.

El primer objeto interesante que recogí fue un curioso huevo de *Callorhynchus antarcticus*, la quimera del sur, pez de rara figura que los marinos llaman gallo del mar por la cresta que adorna su cabeza. El *Callorhynchus*, del cual pescamos días después un ejemplar, parece frecuentar los mares patagónicos, pues Cunningham ha encontrado huevos en el sur de Chile.

En la costa fuimos bien recibidos por el señor D. Antonio Oneto, comisario nacional y administrador de la colonia, quien, luego que supo el objeto que me llevaba, puso a mi disposición su casa y su mesa, y me proporcionó inmediatamente caballos con que llegar al pueblito situado a cuatro millas de la desembocadura.

Las orillas del mar, en la entrada del valle por donde serpentea el río, no tienen nada que halague a la vista. Al sur, la meseta cae a pique sobre el océano; al norte, una hilera de médanos, de aspecto triste, se dibuja hasta perderse en las cercanías del Promontorio del norte, extremo sur y este de la meseta alta que se interna al occidente.

La vegetación es pobre relativamente y los arbustos espinosos que crecen decrépitos entre los cascajos y los innumerables moluscos destruidos que blanquean el suelo, signo evidente del levantamiento de la costa, predisponen mal el ánimo del recién llegado, que encuentra en ese paraje árido la corroboración de la fama inhospitalaria de las tierras patagónicas. Pero esa primera y desagradable impresión se disipa después de cruzar los primeros médanos, y tórnase placentera pasada una milla, donde el cascajo y la arena movediza e incómoda desaparecen; se presentan pequeños retazos de pastos fuertes y la vegetación es más uniforme, predominando ya las gramíneas, entre otras la preciosa cortadera.

En las inmediaciones de la aldea principian los trigales y se ven diminutas huertas, con legumbres y pequeños alfalfares; y algunos pocos álamos plantados por los colonos, y sauces de los que, antes de la venida de éstos, adornaban las orillas del río alegran el punto poco pintoresco donde se levantan los escasos edificios de Tre–Rawson. El nombre de este pueblo ha sido dado en honor del señor Dr. D. Guillermo Rawson, quien, siendo ministro del interior, decretó la formación de la colonia. Fue fundada el 28 de julio de 1865 y se halla situada en la margen izquierda del río. Propiamente, no se la puede llamar pueblo, pues sólo consiste en una pequeña agrupación de quince o veinte casuchas, la mayor parte construidas con adobe crudo. Las principales son: el molino a vapor del señor D. Luis Jones, el promotor de la colonia y uno de los pobladores más importantes y trabajadores; el almacén que surte a la colonia; la comisaría nacional, y el templo, donde se reúne regular número de colonos, el día domingo, para oír a su pastor. La colonia está malísimamente situada en la falda de un pequeña lomada, cubierta de cascajo que impide cultivar los alrededores, a excepción de las pequeñas rinconadas inmediatas al río. Los colonos han comprendido este defecto y han diseminado sus poblaciones en las orillas.

Mi intención no es contar mi vida diaria en Chubut, pues su relación poco interesaría. Me limitaré a hacer primeramente la descripción de lo que es la colonia, para luego ocuparme de la descripción física del valle y de los alrededores que visité en varias excursiones breves, y la de los objetos más interesantes que pude obtener en mi permanencia allí, que duró veinticinco días.

Setecientos individuos de ambos sexos forman la colonia y ese número está dividido en 509 galeses adultos, 35 adultos de varias nacionalidades y 156 argentinos, de los que 150 han nacidos en la colonia y sólo 6 son adultos. No carece de fundamento, pues, la afirmación, que ya se ha hecho varias veces, de que la colonia se componía exclusivamente de habitantes del país de Gales. Esos 700 habitantes se hallan esparcidos en 120 casas, más o menos, en una extensión de 20 millas de este a oeste, en el valle y a orillas del río. Además de Tre–Rawson, hay otro grupo de casas en Gaiman (Piedra blanca) a la entrada del valle superior. En ese punto las habitaciones son más cómodas y en su mayor parte están construidas de arenisca endurecida que se obtiene de la meseta inmediata.

El interés patriótico hizo que, al tratar de la colonización de ese punto lejano, no se lo hiciera explorar previamente y se aceptara su población sin tener más noticias sobre sus condiciones aparentes que las proporcionadas por personas interesadas en establecerse allí. El resultado de este paso impremeditado ha sido que el gobierno argentino haya gastado en esa pequeña colonia más que en cualquiera de las que hoy prosperan en el resto de la

República, y sin tener esperanzas fundadas de que llegue a la altura de ellas.

La distancia y los pretendidos privilegios de esa colonia, que no quería otro idioma que el galés, la ha mantenido aislada y como separada de las otras poblaciones argentinas, de las cuales sólo se ha acordado cuando sentía necesidades.

Tan absurdo aislamiento no le ha acarreado sino daños, y hoy que sus pretensiones disminuyen, parece que tiende a prosperar. Si no hubiera sido por los auxilios del Gobierno, que algunos han tratado de hacer creer que no pasaban de promesas, la existencia de la colonia galesa hubiera sido de pequeñísima duración.

Basta saber que de los 509 colonos galeses, menos de la décima parte han sido agricultores en el país de su nacimiento, donde casi todos han tenido ocupaciones de un orden distinto, como ser: trabajadores en las minas de carbón, picapedreros, etc. Han llegado así a un país donde, para obtener buen resultado en la agricultura, era necesario poseer ya cierta práctica en ella, y si bien es cierto que el logro de la cosecha de trigo, a cuyo cultivo se dedican ahora los colonos casi exclusivamente, está sujeto a las crecientes del río en tiempo favorable y a las lluvias, y no puede ser nunca seguro, por lo cual temen hacer sementeras de importancia; no es menos cierto que la desidia o la falta de conocimientos aumenta las pérdidas.

En el año 1876 se esperaba obtener una cosecha de 10.000 fanegas de trigo, en total; la mayor desde la fundación de la colonia, insignificante compensación a los gastos crecidos que en su beneficio se han hecho.

Felizmente, los colonos que llegaron desde 1875 son más aptos que los antiguos, y la comunicación que se hace con más frecuencia entre Buenos Aires y ese punto, junto con la mensura definitiva de los terrenos y el establecimiento de la comisaría nacional que distribuye raciones y semillas, han dado gran impulso a la actividad de la población y es de esperarse que su prosperidad aumente.

Lástima es que el terreno del valle no sea suficiente para que los colonos tengan la extensión que la ley les concede; pero esto es en gran parte, culpa de muchos de ellos, que, por sus exagerados informes sobre Chubut, indujeron al Gobierno en un error. Todo el terreno cultivable o de sembradío no alcanza a 15.000 hectáreas en el valle. Por esto la colonia jamás alcanzará el desarrollo que aguarda a muchas de las establecidas en otros parajes de la República Argentina.

Sin embargo, creo que con algunos trabajos en el cauce del río y haciendo acequias que lleven las aguas hasta regar los plantíos, como ya lo han hecho algunos colonos industriosos, las cosechas serán más seguras. Deben, asimismo, en vez de destruir los pocos árboles con que la naturaleza ha adornado esos parajes, hacer plantaciones de otros, tales como *Eucalyptus*, algunos coníferos, álamos y sauces, que si bien no es cierto que su influencia en el cambio de las condiciones meteorológicas sea muy grande, proporcionarán maderas para construcción, que hoy tienen que conducirse desde Buenos Aires o del Estrecho de Magallanes e Isla de los Estados.

Además del producto del trigo, la colonia cuenta con 1.500 animales vacunos, más o menos, 500 caballos y algunas ovejas. Se hace buen queso y manteca, los que con el pan de la harina del trigo que se muele en los molinos de Rawson y Gaiman constituyen, con un poco de té, el principal alimento de gran parte de los colonos.

He dicho que la colonia entra ahora en su período de prosperidad; algunos de los pobladores más importantes, comprendiendo lo estrecho del valle, han hecho expediciones de exploración en el interior, de las que me ocuparé más adelante, y con enormes dificultades han llegado hasta gran distancia, pero sin alcanzar buen resultado.

No por eso son menos laudables sus esfuerzos, y los señores Luis Jones, Juan S. Thomas y Juan Griffiths, que las han llevado a cabo, merecen una palabra de aplauso.

Sólo a costa de sacrificios podrá algún día vivir Chubut de sus productos sin necesidad de recurrir al gobierno nacional, aunque considero casi imposible que pueda tener gran importancia como colonia exportadora. El terreno es pequeño y la falta de un puerto de fácil acceso recarga enormemente los gastos de la exportación de sus productos, los que relativamente no son aún de mucho valor. Los buques tienen más conveniencia en descargar en Bahía Nueva, que podía ser el puerto de la colonia una vez conocidos por medio de minuciosas exploraciones los puntos provistos de agua dulce, y puesto en comunicación con aquélla por un camino carretero de fácil construcción. Los colonos, que son pobres, no harán nunca ese camino sin auxilio del Gobierno.

Abrigo la convicción de que si la colonia de Chubut, en las actuales condiciones, no tiene gran porvenir ni vida propia, cuando se estudie el territorio comprendido entre río Negro y el Chubut y la inmigración haya llevado la vida a los vastos valles del occidente hasta los Andes, su importancia será grande y será la válvula de desahogo de esas extensas comarcas. Pero ése es trabajo de un siglo.

La cuenca del Chubut

El sistema hidrográfico del Chubut es poco conocido. Las distintas cartas geográficas que circulan están casi todas de acuerdo en colocar las nacientes de ese río por los 43° de latitud sur, haciéndole recorrer una línea casi recta al oriente hasta el océano; pero los materiales con que esos mapas han sido formados merecen tan poco crédito que puede aún ponerse en duda la situación de punto tan interesante de la geografía de la Patagonia.

El viaje del capitán Musters contiene los datos más dignos de crédito que hasta hoy se hayan publicado sobre las numerosas ramificaciones inexploradas del Chubut, ramificaciones que el explorador inglés ha cruzado en sus fuentes.

Tres cuencas hidrográficas principales, separadas por accidentes topográficos dignos de atención, pero que aún han sido poco examinados, dividen el territorio austral argentino; sin hacer mención de la del río Colorado, al norte, y las aún no reveladas de la Tierra del Fuego, que considero por ahora fuera de cuestión. Indudablemente, la de mayor importancia y riqueza es la que alimenta el caudaloso Limay, le sigue la que me ocupa ahora, que es la del centro; y la del río Santa Cruz que, con su curiosa ramificación lacustre, se halla en tercer término.

Los hilos de agua que forman el Limay se encuentran desde el lago Nahuel Huapí hacia el norte, y las aguas que contribuyen a formar la cuenca austral, aunque poco conocidas aún, puede considerarse que alcanzan su límite norte en los 47°-48°. Los terrenos intermedios contienen la

cuenca del Chubut, cuyas aguas, distribuidas en infinidad
de pequeños ríos o arroyos, forman cerca del Atlántico el
curso del río de ese nombre. Pero no todas las aguas siguen
la inclinación oriental; parece indudable que en ciertas
regiones de la Patagonia hay unas que atraviesan los Andes para vaciarse en los canales del Pacífico. Musters vio a
la altura de Teckel un arroyo o torrente que bajando del
norte se dirigía al oeste; y el río Aissen, explorado por la
expedición chilena que dirigía el comandante Simpson, se
halla en condiciones análogas, como lo aseguran los que la
ascendieron desde la boca en el oeste hasta cruzar el
cordón Andino. Esto no implica que la división de las
aguas en el territorio del centro se encuentre entre los
Andes y la Precordillera, porque éstos son sólo excepciones a la regla que es seguida por infinidad de arroyos y
ríos que se dirigen al este, según la pendiente natural.

Además, no está determinado astronómicamente el
último punto que la expedición chilena alcanzó ni el camino que llevó Musters. El que estudia esta cuestión se ve
perplejo al notar que dos marinos como Musters y
Simpson no estén de acuerdo en sus trazados. El primero
no ha hecho notar en su libro el curioso caso de un río que
se dirige al oeste, como el Aissen cuando todos los otros
tienen un curso opuesto; y la omisión es tanto más notable
cuanto que, comparando las cartas de ambos se nota que el
Aissen se halla situado, con cortísima diferencia en el
mismo punto que ocupa el río Senguel, que cruzó el explorador inglés, y cuyas aguas corren al oriente.

Este punto es digno de estudio, y mi parecer es que
ambos observadores pueden tener razón, siempre que el
trayecto de los chilenos no haya sido tan avanzado.

Entonces, el Aissen no alcanzaría en su curso EO, al
punto donde Musters cruzó el Senguel, y por el contrario
nacería más al sur entre la Precordillera y la Cordillera real
y tomaría luego la dirección indicada cerca del punto de
donde regresaron los chilenos. El Senguel, según Musters,

nace más o menos en esa región, en el cajón formado por ambas cadenas montañosas, más al norte, y toma luego la dirección opuesta al Aissen.

No se debe dar mucho crédito a la palabra de los indios, pero recuerdo que preguntándoles sobre los ríos que cruzan en sus correrías, me aseguraron que había un paraje en que dos ríos se juntaban, en cierta estación, para correr en direcciones opuestas. Menciono el dato que, a ser cierto, mostraría que el Aissen y el Senguel juntos atravesarían completamente la Patagonia. Los tehuelches me han asegurado igualmente que diez y siete ríos (ellos llaman ríos a cualquier curso, por pequeño que sea, con la única distinción de "río grande" o "chico") forman el Chubut, y echando una ojeada a la carta de Musters se ve que en este caso la palabra de los indios puede tener visos de verdad.

Nada se conoce con certeza, o nada se ha publicado, respecto del interior, entre el mar y los Andes, donde viajó Musters, y como se supone vulgarmente que el territorio comprendido entre ambos puntos es de la misma formación orográfica que el del río Negro y la mayor parte de la costa Patagónica ya conocida, es natural que se haya atribuido al Chubut un curso semejante al de los ríos Colorado, Negro y Santa Cruz, a la vez que contrario al verdadero. Una prueba de que el río Chubut no tiene el curso mencionado en las antiguas cartas es que los indios que vienen del oeste atraviesan un territorio desprovisto de agua corriente, para llegar a las poblaciones cristianas de Gaiman, y en esto me atengo a la opinión de dichos indios, porque en tratándose de agua de buenos paraderos, jamás tuve ocasión de arrepentirme de darles crédito.

Las expediciones de los colonos y luego la del señor Durnford, confirman esta opinión. Ellos han recorrido, unos, el curso del Chubut, y otros, la línea marcada erróneamente como el curso, y no lo han encontrado.

En el trayecto de Musters, de poniente a naciente, por el grado 41, no se encuentra arroyo alguno que pueda aumentar el caudal del Chubut, lo que demuestra que todas las vertientes están situadas en la falda de la andina en la región ya marcada.

Un río que divisé desde la margen norte del Nahuel Huapí, en enero de 1876, y que no pude examinar, por lo que ignoro si desagua o nace en el lago, puede muy bien ser, si éste último es el caso, el primer ramal del Chubut, partiendo del norte. En seguida, poco más al sur, las lagunas *Urquetagtoo, Chig–Chig* y *Calajá–Quitrin*, situadas en la pendiente SE del Tronador, alimentan tres arroyos que se unen a poco andar hacia el este en un brazo importante que pasa por el paradero de *Gatehenkaiten* y que luego se inclina al sur; más abajo el paradero denominado *Chupat–aiken*, entre *Telk* y *Dipelek–aiken* es regado por otro arroyo, y hacia el sur, entre el último punto nombrado y *Testel–aiken*, hay una región fértil, frondosa, cruzada por preciosos arroyos de curso al SE, como el *Chulilao, Quisnel* y el que divide los reales de los tehuelches y araucanos.

Esa región contribuye a formar con todos esos arroyos, muy divididos en pequeños ramales, un río semejante, aunque un poco mayor, que el que forman las fuentes de las tres lagunas nombradas.

De ese punto es de donde sale el río que supone Musters desagua en el Pacífico, fenómeno quizás ocasionado por algún relieve poco notable del terreno, sin gran importancia relativa, puesto que el explorador no lo menciona. Un simple desmoronamiento puede haber producido, en ese paso de los Andes la división de las aguas.

Todos los arroyuelos que corren al sur de Teckel, como ser los que forman los paraderos de *Cisk, Capel, Apelek–aiken*, etc., hasta el Senguel, cuyo brazo principal surge cerca de Teckel, entre dos cordones de montañas en un valle boscoso, corren rectamente al sur, se inclinan rápidamente al este por los 45°, y unen sus aguas a alguna distancia de la Cordillera. Más al sur del Senguel otros pequeños torrentes contribuyen quizás al aumento de ese caudal, dirigiéndose en rumbo inverso, es decir al NO, pero no hay datos ciertos sobre su número.

Todos esos arroyos, desde Nahuel Huapí (hago abstracción completa de los que se dirigen al Pacífico) nacen unos en pequeños lagos, otros entre las rocas de los Andes, y son torrentes que corren rugiendo, encajonados entre inmensos peñascos de rocas primordiales, primero, cubiertas de nieve, luego de bosques, entre cuyas raíces dejan las turbulentas aguas, blancas de espuma y frías como la nieve que las producen, granos de metales preciosos, y van a regar más abajo ese país privilegiado que los indios consideran el Paraíso patagónico, a juzgar por los elogios que de él me han hecho.

Allí los bosques son inmensos, abundantes en madera de construcción; la lozanía de la vegetación es espléndida; las llanuras de frutillas embalsaman el aire de los Andes que pierde su crudeza entre los árboles; y los helechos elegantes, preciosos geranios, calceolarias y adesmias de colores vivos, matizan las orillas del bosque y de los torrentes. Espléndidos valles que la erosión de las aguas de los Andes han trazado se extienden en esos parajes hasta las elevadas colinas áridas del centro del territorio. Allí las hierbas crecen a la altura de un metro y medio y pacen magníficos animales salvajes, sobre todo caballos que adquieren unas proporciones y una belleza desconocidas para nosotros y que sólo son perseguidos por el gigante patagón o el guerrero araucano, que los atacaron no siempre para aprovecharlos con fin útil, sino para ejercitar sus ardides de cazador.

Aquélla es la continuación de la feraz región de las Manzanas y, en la fertilidad, la cuenca occidental chubutiana no desmerece mucho de la cuenca occidental del Limay. Como allí, en el Aissen, según el informe chileno, hay también lignita.

El Senguel, después de cruzar esa región de privilegio, al desviar su curso hacia el este, entre terrenos volcánicos de tintes tristes y aspecto ruinoso, parece inclinarse desde el grado 72 (L. O. de G.) al SE hasta dos grados más al naciente, recibiendo en ese trayecto las aguas de los arroyuelos citados; desde allí se dirige bruscamente al sur, cruzando entonces una región baja, más extensa en la margen derecha, cubierta de arbustos y frecuentada probablemente por indios que han trazado un camino para cruzar el río que tiene innumerables rápidos en el espacio comprendido entre la Cordillera y ese punto. En el ángulo situado aproximadamente en la intersección del meridiano 70 con el paralelo 46, el río vuelve a inclinarse formando una línea sinuosa por diez a doce leguas; entre rocas eruptivas, en ambas márgenes. Las orillas se presentan como cerros elevados, abruptos y de aspecto salvaje en la derecha, y más bajos, aunque muy quebrados, en la izquierda.

Allí el Senguel o *Singuerr* (como pronuncian los indios que he visitado) baña el pie de la meseta terciaria que, corriendo en dirección EO, se inclina casi recta al sur, y limitada por el terreno eruptivo; y el río entonces, arqueándose, tuerce hacia el norte, en el punto que el señor Durnford me ha indicado como un paso. Siempre al norte, y en ese punto se encuentra la roca maciza indicada, y al este se extiende una llanura fértil, pero tan pequeña que, aunque sirve de paradero indígena, no podría alimentar una población industriosa y sedentaria; esa llanura concluye al pie de rocas eruptivas.

El río, en esa vuelta norte y al tornar a inclinarse al este, recibe las aguas de un extenso lago. Este mide de 25 a 30 kilómetros de largo, NS, por un ancho menor, afectando, a primera vista, la forma ordinaria de la sección plana de una pera, hecha por su eje mayor, y se halla rodeada por los mismos cerros porfíricos, rojos y parduscos, que le comunican un aspecto desolado a pesar del bello azulado de sus aguas, indicio de su limpieza y profundidad.

El Sr. Durnford no ha podido rodear ese lago por llevar su camino por la margen sur del río. Su notable posición, entre montañas eruptivas, alejada de la Cordillera donde generalmente tienen su situación los lagos y su profundidad, grande en apariencia, bien pueden ser el resultado de un accidente geológico, antiguo, contemporáneo de la elevación de esas rocas, quizás volcánico, y sin que los fenómenos de la erosión que han dado un relieve tan pronunciado a la orografía de la Patagonia hayan sido la causa principal.

Como desagua en el Senguel, es claro que este río no lo alimenta, y aunque puede creerse que quizás un brazo que se desprenda más al oeste penetre en la punta norte del lago, me inclino a pensar que recibe, además de los muchos arroyuelos mencionados por los indios, las aguas del río que pasa por *Gatehenk–aiken*, que probablemente se unen con el sistema de arroyos llamados por Musters río Chulilao, y que corriendo por entre las rocas eruptivas y volcánicas que cubren como un manto devastador gran parte de la Patagonia, se descargan en el lago.

Ese lago interesante aún no ha sido bautizado por quien lo ha visitado, y aunque en las antiguas cartas figura uno con el nombre de *Coolu–Huape*, que bien puede ser éste, le he dado en mi mapa la denominación de lago Musters, en honor del distinguido viajero que cruzó la Patagonia de extremo a extremo y que bien merece este recuerdo. En su homenaje, espero que los que por primera vez lo vieron, adopten y conserven el nombre que me he permitido aplicarle.

A poca distancia de recibir las aguas del lago Musters, el Senguel penetra en otro lago o más bien una gran laguna un poco mayor, pero sumamente baja, relativamente a la profundidad de los lagos patagónicos, con aguas sucias, arcillosas, de color blanquizco terroso, sin gran corriente, a no ser el punto SE donde vuelve a continuar el Senguel. Es más bien un desplayado, algo más deprimido que los alrededores, e inundado, a cuya formación parece prestarse el terreno, inundación que en otro tiempo ha cubierto también el pequeño valle ya indicado, y que ha dejado testigos en varias lagunitas. Lo mismo que en el lago Musters, las rocas eruptivas lo rodean sin dejar espacio suficiente para la población. El aspecto es desolado, y a ello contribuyen algunos *cairus* funerarios que los indios han elevado sobre los restos de sus parientes o amigos.

Esa extensa laguna ha sido nombrada laguna Dillon por el Sr. Thomas, quien me ha pedido que conserve su denominación en esta memoria; justo deseo que expresa, por parte de los colonos de Chubut, su vivo agradecimiento al comisario general de inmigración de la República Argentina. Lo mismo haré con el cerro Oneto, pico eruptivo situado en el punto donde desagua la laguna, y cuyo nombre es el del administrador de dicha colonia. Siento no poder hacer lo mismo con el nombre de río Younger que dicho señor ha dado al Senguel, pues éste debe conservar el nombre indígena con que lo señala Musters.

Las rocas que circundan ambos lagos tienen una altura aproximada de 800 a 900 pies sobre ellos, lo que hace más o menos 1000 a 1100 sobre el nivel del mar.

Al sur de la laguna, aunque la roca predominante es la eruptiva, se divisa monótona la meseta terciaria; y al SE vuelve a convertirse el paisaje en irregular y triste en sumo grado.

Continúa así al este, hasta el océano del que no dista la laguna mucho más de 100 kilómetros.

Desde ella, el Senguel cambia de aspecto; ya no corre entre acantilados ni son sus aguas las límpidas, azuladas y claras que hermosean tanto los ríos de la región oeste de la Patagonia oriental; vuélvense turbias, barrosas, y su curso se ensancha semejando una sucesión de lagunas largas, que adquieren hasta media milla de ancho; y corre perezoso, sin gran velocidad, por entre malos campos, limitados a ambos lados por los pórfiros rojos, hacia el NE, habiéndose inclinado a la salida, un poco hacia el SE. Esa anchura notable disminuye a los 50–60 kilómetros de su curso, al llegar a la región baja, donde el aspecto orográfico y la formación geológica varían, convirtiéndo esa garganta en un valle, con barrancas más bajas y terciarias.

Cerca de las mesetas, cuya pendiente inclínase visiblemente al oeste y que tienen en la región alta algunos cañadones con agua dulce, se ven vertientes que forman pequeños arroyuelos, de los que unos se infiltran en el terreno y otros desaguan en el golfo de San Jorge, y algunas depresiones del suelo que en invierno contienen agua.

Sobre esa meseta, más al norte, reaparecen los picos de pórfiro, en otro tiempo cerca de Sebastián Cove en la bahía Camarones. Probablemente, los pequeños pozos de agua salobre actuales tuvieron allí, en alguna ocasión, agua corriente, en los tiempos en que las expediciones españolas visitaron esos parajes, por lo que les dieron el nombre de ría, y los confundieron luego con el Chubut. Ya en esos territorios, al naciente del Senguel, hay salinas donde abunda el cloruro de sodio

El río, en el paraje donde las barrancas son bajas, corre mas veloz, por ser de menos anchura, y sin embargo, allí los expedicionarios encontraron rastros que les hicieron sospechar la existencia de un paso indio; pero no encontraron vado en ninguna parte. Esos terrenos bajos (comparándolos con la meseta) y llanos no son de gran extensión; pronto vuelve a mostrarse en ambas márgenes el pórfiro eruptivo y el río, enangostándose más, hasta tener sólo 20 metros, corre entre rocas, formando numerosos rápidos; al llegar al paralelo 44, más o menos, tuerce fuertemente al NO, atravesando un terreno sumamente quebrado. Algunas millas más al norte, recibe un afluente de aguas claras cuyas nacientes aún no han sido reveladas, por lo que no puedo decir si sale también del lago Musters o si, cruzando la cadena de cerros bastante interrumpida del centro, es alguno de los que nacen en la Cordillera y que ya he enumerado. En ese punto es donde puede decirse que concluye el Senguel para formar un solo río con el Chubut, con cuyo nombre es conocido. Siempre las elevaciones eruptivas y la meseta terciaria, que se alternan, lo bordean dejando pequeños retazos fértiles pero de escasa extensión. En el territorio del este, que los indios cruzan, al separarse del río, en el punto en que éste se dirige al NO los campos aunque elevados en la meseta, son propios para la ganadería y tienen lagunas dulces pequeñas. Pocos kilómetros al norte de dicha unión, el río vuélvese al NE, siempre en el mismo terreno, y se inclina a mitad de distancia entre ese punto y el mar hacia el ESE, formando un ángulo muy oblicuo. Allí principia el valle fértil que sirve de asiento a la colonia galesa.

Como se verá por lo expuesto, el Chubut no recibe ningún afluente de la región del norte: todos, desde la Cordillera, se dirigen al SE, bañando y fertilizando el país.

El valle que el Senguel y el Chubut recorren, me parece que puede considerarse de erosión, aun cuando las fuerzas eruptivas y más tarde volcánicas hayan contribuido de cierta manera a facilitar su formación, pero en pequeña escala; y no tiene nada, a no ser el punto ya poblado, que pueda aprovecharse con éxito. El río, aunque en su desagüe no es muy rápido, como sucede en el curso superior; es demasiado tortuoso, su profundidad muy irregular y su caudal de agua muy inferior al de los dos grandes ríos patagónicos. Esto último debe consistir en que las aguas de esa gran extensión de tierras que le sirven de cuenca, se infiltran en las regiones que atraviesan, a lo que puede propender la actividad volcánica, que aún se nota en esos parajes.

El Chubut, en el valle poblado, tiene una anchura media de cincuenta a ochenta metros, en un canal angosto, y su profundidad varía de cinco a diez pies, según las estaciones, siendo necesariamente mayor en el tiempo de la fusión de las nieves y de las lluvias. Su curso tiene allí una velocidad de 1 1/2 a 5 millas, según las épocas, y cerca del mar sus bancos son tan numerosos que, en marea baja, los botes no pueden navegar el trayecto comprendido entre la boca del río y el pueblo de Rawson. El canal de desagüe en el Atlántico tiene, a lo más, cuarenta metros de ancho; en la baja marea no da paso ni aun a los botes; su profundidad varía de seis a diez pies, llegando a doce en ciertas ocasiones. En la barra, durante los temporales, las olas baten con tanta furia que se oyen sus golpes con claridad hasta más de 15 kilómetros en el valle. Los buques mayores que pueden entrar en el Chubut no deben exceder los siete pies de calado.

El valle que recorre este río, que lo divide en dos partes desiguales, y sobre el cual se han fundado las poblaciones de Rawson y Gaiman, afectan la forma de un número ocho alongado, y tiene en su mayor ancho, de meseta en meseta, diez a doce kilómetros, por un largo máximo de setenta. Está limitado al este por el mar, donde sus bordes se unen casi, dejando sólo el espacio necesario para el desagüe del río. Al oeste concluye al pie de rocas eruptivas que sólo dan paso a las aguas, y en el centro se enangosta en el punto donde está situado Gaiman, comunicándole así la forma indicada, y fraccionándolo en valle bajo y valle superior, el cual parece ser de importancia mayor. Asimismo el lado sur del río es más extenso que el opuesto.

El valle es bastante profundo, respecto a la meseta que se eleva, unas veces en pendiente suave, otras abrupta, a 300 pies sobre él.

Su orientación general es casi OSO; al principio se dirige al ONO, en un espacio de 15 kilómetros, pero luego se inclina insensiblemente al sur. Todo él está formado por depósitos aluviales; es el lecho de un antiguo y gran torrente y está compuesto principalmente de cantos rodados en su base, y luego de arena y arcillas, efectos de las denudaciones de la meseta vecina y del "drift" depositado por el río; la tierra vegetal que lo cubre alcanza algunas veces un espesor de dos pies, pero esta capa no es unida, y sólo se encuentra en los bajos. Los cortes hechos en el terreno para canales de riego muestran que el Chubut ha cambiado varias veces de cauce y que hoy corre por uno de los puntos más elevados, facilitando así la irrigación de los bajos, situados distantes, y al pie de la meseta.

Hay muchas lagunas pequeñas que contienen sulfatos; la mayor de ellas, llamada de *Chiquichano*, al norte del río, ocupa cerca del mar una gran extensión de tierras que inutiliza completamente para la agricultura. Varias otras más pequeñas contienen cloruro de sodio o sal común, que aprovechan los colonos. Los análisis químicos de otras sustancias contenidas en las lagunas serán mencionados más adelante.

Los terrenos, a partir de la costa del mar, son elevados y ondulados. El valle propiamente dicho principia a una milla de allí. Casi todos son bajos; en muchos puntos hay extensas capas de cascajo rodado que los hacen inservibles. En otras, las tierras saladas no producen nada útil.

Es común encontrar moluscos marinos recientes que conservan aún vivos sus colores, lo que revela que esos terrenos se han elevado no hace muchos siglos, hecho comprobado por la cantidad de bajos salobres y la escasez de agua potable en los pozos del valle, donde las eflorescencias salinas blanquean grandes espacios. Ese levantamiento reciente hace que la comarca no se encuentre aún en buenas condiciones. Además, unas veces las crecientes del río suelen anegarla casi completamente, y otras, el exceso tórnase en defecto, y las avenidas son insensibles y el agua que el río conduce no es suficiente para fertilizarla. Los médanos, que también se internan en el valle desde las orillas del mar, quitan extensiones notables a la agricultura, y las islas del río, que son demasiado bajas y pequeñas para aprovecharlas con ese objeto, suministran sólo abundante leña y palos para los corrales, merced a los sauces que nacen entre los juncales.

En suma, el valle del río Chubut no es comparable con el del río Colorado o el del río Negro, mucho más fértiles y útiles en todo sentido, y es difícil concebir cómo los colonos se han decidido a poblarlo, sin hacer antes reconocimientos previos en busca de territorios de apariencia más adecuada al objeto que se proponían al ir a establecerse en la lejana Patagonia.

Con todo lo que antecede queda descrita la cuenca hidrográfica del Chubut, que he bosquejado, en gran parte, con datos que he tomado de informes verbales de los colonos, del Sr. Durnford, del diario de Musters, de los indios, y ayudado por lo poco que he visto. Siento no haber podido hacerlo más extensamente con observaciones personales, que espero completar en un próximo viaje.

Formación geológica de las mesetas.

U na de mis excursiones fue dirigida a la meseta del sur, en busca de fósiles.

La meseta pertenece a la formación geológica que D'Orbigny llamó *Terciaria Patagónica*, nombre que ha aceptado la ciencia representada en las obras de Darwin, Bravard, Burmeister y Agassiz, y que en la escala de los tiempos geológicos indica uno de los períodos más dilatados en América.

Sobre esa capa tiene su asiento gran parte de la República Argentina. Por espacio de mil millas se la encuentra en el Litoral; Entre Ríos participa casi por completo de esta formación y las barrancas del Paraná son conocidas por los trabajos que les han consagrado algunos de los sabios citados. En la provincia de Buenos Aires, se hunde bajo la gran hoya del Plata y del terreno cuaternario que forma la pampa, y sólo la revelan las perforaciones artesianas. Se levanta gradualmente desde Bahía Blanca hasta la Tierra del Fuego. Por el oeste, la limita la Cordillera.

Es un depósito marino inmenso, formado por diferentes capas entre las que predominan las arenosas, habiendo arcilla, marga, calcáreo y yeso, producto todo de un número incalculable de siglos, durante los cuales, el limo del mar se ha depositado, tranquilo, como lo indica la sucesión y el gran espesor de algunos de los estratos que forman ese terreno poderoso. Esto, en tiempos que esta parte austral de América estaba lejos de tener un relieve macizo como actualmente, cuando el ahora continente, era un conjunto de grandes islas.

Las causas que han concurrido a darle su actual carácter geológico y topográfico han sido muy discutidas, siendo diversas las opiniones que se han emitido. No entraré a mencionarlas y sólo consignaré mis observaciones generales.

Es cierto que este terreno, tomado en conjunto, no presenta alteraciones notables y que puede decirse que desde el Paraná hasta el Estrecho la estratificación concordante de la meseta no sufre desviaciones, exceptuando la parte profunda del Plata que no conocemos; es también exacto que los mismos fósiles se encuentran, con pocas excepciones en toda su extensión; pero estudiando porciones aisladas, se nota gran variabilidad en la disposición de sus distintas capas, que no siempre son constantes y en las que muchas veces se encuentran los restos orgánicos a diversas alturas.

Sin embargo, entre el río Negro y el Chubut, las capas son bastante semejantes, aunque en distintas posiciones. En el punto que los colonos galeses conocen por el Castillo Viejo, a mitad de camino entre Rawson y Gaiman, se ve un manto calcáreo de dos a tres metros de espesor, en el que abundan dientes de tiburones y moluscos marinos muy destruidos, generalmente ostras y turritelas, algunas de ellas ya convertidas en yeso. Enseguida se encuentra una gruesa capa de arena mezclada con pequeñas partículas de arcilla de color blanquizco amarillento, en la que recogí fragmentos del cráneo, un diente y vértebras de una otaria, restos del paladar y de la mandíbula inferior de dos especies de delfines, un diente de cocodrilo y huesos de pájaros, todos los que, quizás, cayeron de la capa superior calcárea. En la arenosa, hay en abundancia núcleos de calcedonia y resinita. Más al SE, en otro punto donde el terreno es muy quebrado, las capas tienen distinta disposición: la calcárea, con fósiles, contiene gran cantidad de ostras, y luego, en vez de la arenosa arcillosa, se ve una de arenisca azulada, compuesta de pequeños granos de pórfiro y otras rocas antiguas mezcladas con gran acopio de granos de arenas ferrotitanadas que algunas veces por sí solos forman delgados estratos y contribuyen a dar el color azulado negruzco al total de la capa. En ella se notan con claridad las líneas onduladas que el vaivén de los golpes del mar terciario ha dejado al mover las partículas entonces sueltas.

En algunos puntos, esta arenisca, que es muy disgregable, mide hasta cien pies de espesor, y en el que me ocupa, estaba dividida por otras capas muy delgadas relativamente de calcáreo arcilloso, de arcilla pura verdosa, de yeso fibroso de muy lindo aspecto y de arenisca más compacta. En inmediaciones de Punta Delfín no vi esta arenisca azulada, en la que, sea dicho de paso, nunca he encontrado fósiles: sólo una capa de arena blanda, de granos finos, contenía dos bancos delgados de ostras, uno al nivel del mar, otro a veinte pies más arriba, paralelos en toda su extensión. En el primero, esos moluscos están adheridos unos a otros por una marga calcárea de la que es casi imposible desprenderlos por completo; en el segundo, por el contrario, están muy sueltos, abundan otros, principalmente de los géneros *Voluta* y *Cardium* que rarísima vez pueden conseguirse en buen estado, porque su esqueleto calcáreo se ha alterado y calcinado por acciones químicas dejando sólido sólo el molde. Más arriba, a treinta pies, hay otro pequeño lecho fosilífero con moluscos y restos de vertebrados marinos; y de cuando en cuando un manto delgado de cascajo sumamente fino y de yeso, corta las capas arenosas.

Bajo todas estas capas, se ve a veces una de arena arcillosa verde azulada, en la que se recogen moluscos del género *Dentalium*.

Los moluscos de mayor tamaño y que más abundan allí, son las ostras; he recogido ejemplares de un pie de largo y de ocho libras de peso. Se encuentran a diversos niveles: unas veces al del mar, otras al de la meseta, y esta circunstancia la he observado no sólo en Chubut, sino también en el río Negro, a 30 kilómetros al sur del río, donde están en la superficie del terreno alto, cerca de las barrancas de los Loros, y también al pie de las mesetas, a orillas del mar, al sur de la boca del río, a una altura que el océano baña todos los días.

He corroborado, en Chubut, la observación que el Dr. Burmeister ha hecho en el Paraná: los dymiarios, como la *Venus Munsteri* y el *Arca Bomplandiana*, que allí se encuentran, están con sus dos valvas, pero en el mismo o mayor grado de composición que en el Paraná; y por el contrario, los monomyarios como los *Pecten*, siempre sueltos, nunca completos, tienen su esqueleto calcáreo sólido y hasta parece que conservan cierto colorido natural.

De paso diré que en Chubut hay seis especies de moluscos fósiles, las mismas que en el Paraná.

No he observado en Chubut resto alguno de mamíferos terrestres, aunque me han dicho los colonos que se encuentran en algunas ocasiones huesecillos de un roedor, probablemente el *Megamis patagonensis* que D'Orbigny recogió al pie de las barrancas del río Negro. No quiere decir esto que las curiosas formas animales de ese orden, que el terciario superior alimentaba, hayan faltado en la región patagónica que describo. Ulteriores observaciones suministrarán, tal vez, prueba de la existencia de esos animales terrestres, cuya ausencia, no obstante, en los puntos que he visitado, merece mencionarse.

Los mamíferos marinos han sido numerosos: he recogido restos de *otaria*, y el Dr. Burmeister encontró en el Paraná un diente que él cree pertenecer al mismo género, lo cual viene a establecer, para los mamíferos marinos, la misma contemporaneidad y distribución geográfica ya señalada en los moluscos. Los restos que he recogido son sumamente parecidos a los de la *Otaria jubata*, el gran lobo marino que habita hoy las aguas del Atlántico y que juguetea cerca de los restos de sus congéneres terciarios.

Compruébase, pues, la mayor persistencia de las formas marinas y anfibias vertebrados de esa formación que las terrestres, de la cuales no hay actualmente un solo género vivo que haya tenido su representante en esa época. Parecería que los eslabones de encadenamiento animal en los seres terrestres se hubieran sucedido con mayor rapidez que en los marinos.

Hasta ahora no se habían hallado restos de aves en el terciario patagónico, pero se ha comprobado su existencia con el descubrimiento, que ya he mencionado, de algunos huesos largos.

Pequeños fragmentos de la cáscara de una tortuga y un diente largo, de casi cinco centímetros, quizás del *Cocodrilus australis* que Bravard obtuvo en el Paraná, representan en Chubut a los anfibios.

Los restos de peces son muy numerosos, pero no puedo indicar los géneros a que pertenecen. Los *Selacios* son los mismos que en el Paraná; sólo un fragmento de mandíbula, que me parece indicar un *Sparus* (*Sparus antiquus Bravard*), hace inferir la presencia de los acantopterigios. He recogido grandes dientes, uno de ellos de siete centímetros de largo en la base, que perteneció a algún tiburón gigantesco; otros, de aristas como sierras, pertenecen quizás a la especie que Bravard ha denominado *Squalus obliquidens*; otros, largos, los atribuyo al *Squalus eocenus*, por concordar con las dimensiones que el sabio francés da en su obra sobre el terciario del Paraná; el *Lamna elegans* también ha vivido allí a juzgar por los dientes que he recogido, lo mismo que el *Lamna unicuspidens*, de dientes largos y angostos, y el *Lamna serridens*, además de otra especie que tiene a cada lado del ramo mayor agudo del diente otros dos tubérculos agudos pequeños. La formidable raya ha vivido igualmente en esos tiempos y he recogido varias placas dentarias, unas grandes, otras pequeñas, que quizás pertenecen al *Myliobates americanus* de Bravard.

Algunos fragmentos de cáscara y de la punta de las tijeras, revelan la existencia de cangrejos, que puede ser un *Homarus* como el del Paraná. Valvas de las ostras y de los *Pecten* han procurado habitación a millares de cirrepedios que se han establecido en ellos; pertenecen a dos géneros y como hay tanta analogía entre los fósiles del Paraná y los patagónicos, no dudo que sean los *Balanus* que Bravard llama *Balanus foliatus* y *Balanus subconicus*; se los recoge en abundancia en toda la capa fosilífera.

Los moluscos fósiles de Chubut no ofrecen mucha variedad, debido quizás a que los más delicados han ido desapareciendo, alterados por agentes químicos que han destruido sus formas. Como ya he dicho, la *Ostrea patagonica* es el más abundante; otros del mismo género parecen ser la *0. Alvarezi*; los *Peeten* (*P. paranensis*, *P. Darwinianus*) son raros, y más aún los *Dentalium*; las *Turritellas* (*T. patagonica*) se encuentran en agrupaciones unas veces, y otras aisladas, en una marga calcárea amarillenta. Además de éstos, la *Notica solida*, *Venus meridionalis*, *Cuculla a alta*, *Nucula ornata*, *Terebratula patagonica* y la *Voluta alta* son los más frecuentes. Son menos numerosos un *Mytylus* que siempre he encontrado en fragmentos y un *Lithodomus* de valvas muy delgadas, asilado en las diversas ostras que ha perforado.

Los equinodermos están representados por un *Spatangius* que recogí; y los pólipos, estos animales tan simples, pero que construyen continentes, han producido en los tiempos antiguos bancos de los cuales pueden recogerse fragmentos al sur de Punta Delfín, en baja marea.

El Dr. Burmeister en su importante descripción física de la República Argentina, ya había hablado de estos organismos, a propósito de algunos restos que se conservan en mi colección y que procedían de las inmediaciones de San Nicolás de los Arroyos, al norte de Buenos Aires. Son de las mismas especies que las observadas en la Patagonia, lo que comprueba la opinión de ese distinguido naturalista, de que dichos fósiles son terciarios y no cuaternarios, a cuyos terrenos pertenece la formación de San Nicolás.

Excusado es hablar de otros restos fósiles, que el río Chubut arrastra en su lecho o que se encuentran sobre la meseta. Están lejos de su verdadero yacimiento y son secundarios, provenientes de las formaciones inmediatas a la Cordillera, de las que han sido arrancados y llevados por las aguas y los hielos de otro tiempo.

Las capas terciarias de la Patagonia están cubiertas por un espeso manto de cascajo rodado, que principia entre Bahía Blanca y el río Colorado, y el espesor y tamaño de los cantos aumenta a medida que se inclina al sur y oeste. Este inmenso depósito, dice Darwin, constituye la capa más considerable de cascajo que haya en el mundo.

Problema interesante es el de averiguar las causas de ese gran fenómeno geológico, relativamente moderno y quizás contemporáneo y emanado de las mismas que formaron el depósito arcilloso de la pampa, que falta en la Patagonia y en el cual no se encuentra la más insignificante piedra que indique haber sido transportada y redondeada por las aguas.

El mismo sabio inglés atribuye a esa formación una extensión de norte a sur, de más de mil kilómetros, un ancho medio de trescientos veinte y un espesor de quince metros, y agrega:

"Si se apilara esta inmensa capa de cascajo, sin ocuparse del barro que la fricción ha producido necesariamente, se podría formar una gran cadena de montañas. Y cuando se considera que esas piedras, tan numerosas como las arenas en el desierto proceden todas de un lento desmoronamiento de los peñascos a lo largo de antiguas barrancas, sobre el borde del mar o sobre las orillas de los ríos; cuando se considera que esos inmensos fragmentos de rocas han tenido que quebrarse en fragmentos más pequeños; que cada uno de ellos ha rodado con lentitud

hasta redondearse perfectamente, permanece uno estupe-
facto pensando en el número increíble de años que ha
debido trascurrir para llevar a cabo ese trabajo. Y bien,
pues, todos esos cascajos han sido transportados y
probablemente redondeados después de las capas blancas
y largo tiempo después de la formación de las capas
inferiores que contienen los moluscos que pertenecen a la
formación terciaria".

En las orillas del mar, en el litoral patagónico, he visto
como olas de cascajo, señalando los distintos niveles de las
mareas, y en las faldas andinas el pie del viajero forma, al
cruzar por esas colinas compuestas casi exclusivamente de
piedras rodadas, en un manto de trescientos pies de espesor, pequeñas avalanchas que ruedan por horas enteras
hasta amontonarse en el fondo de los valles y quebradas.

Las observaciones hechas en mi trayecto sobre esa
capa, me ha inducido a creer que los materiales rodados
que la forman han sido suministrados, en su mayor parte,
por cerros antiguos de la Cordillera, del centro y de la costa
del territorio, como lo demuestra la gran preponderancia
de los pórfidos entre los elementos petrográficos que se
han reunido para constituirla. El hielo, en la época glacial
–singular período geológico cuya existencia sobre la costa
terrestre, aceptada ya, explica tantos fenómenos enigmá-
ticos hasta que fue admitida su intervención–, creo que ha
contribuido poderosamente a que los cantos rodados
cubran la Patagonia, y a su acción se debe la fractura en
grandes fragmentos de las rocas que al principio cubrió,
acción que, continuada, ha traído el desmenuzamiento de
esos fragmentos hasta reducirlos a las dimensiones que
hoy afectan.

Las cadenas porfíricas, que se elevan a un nivel mayor
que la meseta, después de la Cordillera, han llevado su
contingente al depósito; y el hielo, con el cincel poderoso
de su erosión, ha cortado grandes masas de sus cumbres,
que ha modelado y redondeado hasta darles la apariencia

de rocas *moutonnées*. De aquí la disminución de la altura de
los cerros hasta alcanzar, muchas veces, el nivel de las
capas de cascajo, y que sólidas montañas se hayan
convertido en mares de piedras. El hielo es pues, sin duda,
el gran agente que ha originado esa capa interesante. En tal
virtud, no debe extrañar que no se encuentren en Chubut,
cerca del océano, las grandes piedras erráticas de Santa
Cruz y de más al sur, merced a la gran anchura relativa del
territorio en el primer punto; pero es indudable que el
período glacial ha arrastrado piedras enormes por toda la
Patagonia. En la región septentrional, en el territorio del
Limay, al norte del grado 41, se notan algunas grandes,
redondeadas, encajadas en quebradas profundas y angostas, de distintas formaciones petrográficas. En el mismo
Chubut se nota, entre el cascajo pequeño, una que otra
piedra redondeada, de un pie de diámetro, cuya presencia
revela el vehículo de que se valió la naturaleza para trans-
portarla a ese punto, donde espera que otro accidente
geológico la haga alejar más o la acerque a su primer
yacimiento.

Agassiz opina que todos los pequeños cantos rodados
han pasado a través de un molino de ventisquero antes de
haber sido arrastrados al punto donde él los ha estudiado,
y esta opinión del sabio suizo es de gran peso.

Antes del levantamiento de la meseta, grandes
aglomeraciones de piedras rodadas se elevaban al pie de
las montañas, formando enormes morenas, inmediatas a
los ventisqueros que las producían; pero ese movimiento
lento de muchos siglos que el deshielo quizás ocasionó,
junto con causas atmosféricas, las diseminó. Las lluvias
diluvianas, torrenciales, que forzosamente sobrevinieron y
la acción de las olas mismas, que libres batían entonces
esas rocas, las desparramaron en todo el mar ya poco
profundo –por la elevación gradual de su fondo– y en su
lecho algo inclinado, como lo atestiguan aún hoy los
pórfiros rodados que la draga ha revelado cerca de las islas

Falkland, donde no existen en el estado de rocas *in situ*, y que pueden sólo haber sido arrastradas desde la Patagonia. Todos estos agentes han contribuido a formar, con las rocas que desprendieron de las montañas, triturándolas, la enorme capa de cascajos que no contiene fósiles propios de ninguna clase, a no ser los procedentes de otras capas más antiguas y que está muchas veces conglomerada, merced a una marga calcárea o tosca, y mezclada con arena y arcilla, producto de las rocas blandas descompuestas y de la presión de las duras.

Vistas desde el mar, las barrancas terciarias a pique tienen una estratificación tan próxima a la horizontal que es casi paralela al nivel de las aguas, indicio seguro de que la fuerza del levantamiento ha sido uniforme; pero la elevación parcial, en épocas diferentes, de ciertas porciones de la meseta, causada algunas veces por fuerzas volcánicas, probablemente ha hecho que esa estratificación se altere en algunos puntos, incline la dirección de las capas y dé por resultado la altura distinta en que se encuentran algunos organismos fósiles.

Este fenómeno del levantamiento es sensible en toda la costa: todos los geólogos que han visitado esas regiones lo han mencionado, y puede decirse que en Chubut continúa en acción lentamente; es fuerza que produce el fenómeno en cuestión, que mencionaré muchas veces en el curso de este libro. Los moluscos marinos de especies actuales, en diversas capas, entre el cascajo y en delgadas cintas por ellas formadas, delatan las diferentes líneas del nivel sobre las orillas del Chubut, cerca del mar y aun en el valle; innumerables *Mytilus, Patellas, Trochus, Volutas*, blanquean algunos parajes, y en la meseta primera, entre 40 a 70 pies de elevación, recógense los mismos moluscos, aunque mucho más destruidos y descoloridos por remontar su depósito a épocas más apartadas. No creo que se deba a distintos períodos de levantamiento rápido la formación de las tres mesetas que se elevan a 80, 200 y 350 pies sobre el nivel del mar, en la vecindad del Chubut; más bien me inclino a pensar que son el producto de un lento levantamiento en distintos períodos de descanso que ha dado así por resultado distintas costas antiguas, que poco a poco se han ido desmoronando hasta constituir las faldas de la mesetas. A formar esta opinión ha contribuido la ligera inclinación de las capas que se elevan gradualmente de este a oeste hasta las inmediaciones de los Andes, donde los cantos rodados son de mayor tamaño que en las mesetas más bajas, cercanas al mar.

Sobre la costa, cerca del Atlántico, se encuentran médanos iguales a los de la provincia de Buenos Aires, donde abundan también cantidades bastante notables de moluscos, que viven actualmente en esos mares. En el valle y sobre la meseta hay salinas que contienen sulfato de sosa, sulfato y carbonato de cal, de magnesia, etc. Además, el señor Kyle ha examinado últimamente una materia salina en la que el sulfato de sosa predomina y creo sea la misma que se recoge en el valle donde se levantan los cerros del *Cairn*. Todas esas sales son exudaciones de las materias que contienen las capas mismas del terreno patagónico.

He mencionado los caracteres geológicos y los organismos fósiles principales que forman el terreno de Chubut, y paso ahora, de su enumeración sucinta que revela la existencia de una vida pasada, extinguida ya, a la de los organismos actuales, que representan la vida de la época en que vivimos.

Clima, flora y fauna del Chubut.

Las observaciones meteorológicas efectuadas durante mi corta permanencia no son, en manera alguna, suficientes para conocer las condiciones climáticas de Chubut, por lo que, ateniéndome a los informes que he recogido, diré que, con corta diferencia, son las mismas de Río Negro.

El clima es muy seco y sano, por lo cual las enfermedades y la mortalidad son insignificantes en proporción, y aunque llueve menos que en las regiones septentrionales, en el interior, hacia el oeste, las precipitaciones atmosféricas son bastante frecuentes, pero de corta duración. En la costa he observado, durante casi todos los días, ligeros chubascos que de súbito oscurecían el cielo y descargaban unas veces gruesas gotas, otras una garúa fina y fría, acompañada con frecuencia de granizo bastante grande y molesto para el que viaja por el descampado. Estos chubascos vienen acompañados por vientos fríos y violentos del SO y SE, que duran poco tiempo.

En invierno, la temperatura no es tan cruel como podría suponerse en un país tan árido y desamparado en las tierras altas, y aunque cae nieve en abundancia en ciertas ocasiones, las personas que han viajado en esa estación dicen que no es insoportable, como sucede más al sur, siendo menos sensible en la costa donde la abundancia de cañadones y pequeñas serranías sirven de abrigo contra los vientos. En las tierras de *Mackinchau*, en el centro, los indios viven durante todo el año en los mismos parajes, lo que hace pensar que esas llanuras pastosas no son cubiertas por la nieve y alimentan continuamente las excelentes caballadas de los indígenas.

En noviembre y diciembre, el termómetro marcó, término medio, once grados centígrados, y las transiciones de dicho instrumento fueron algunas veces tan violentas, en los momentos en que se acercaban los chubascos, que, a medio día, en un espacio de dos horas, bajaba la temperatura de quince grados a diez, y entonces sobrevenían pequeñas lluvias con vientos fuertes del mar que condensaban los vapores de la atmósfera; pero inmediatamente de cesar el viento, el sol volvía a aparecer y la temperatura se hacía normal a la vez que agradable.

Por su situación geográfica, pocas descargas eléctricas se producen en Chubut, y el cielo, en la mayor parte de las estaciones favorables, es decir, en la primavera, verano y otoño, está casi siempre sereno y limpio. En verano, la irradiación solar es muy fuerte y la refracción de la atmósfera sumamente marcada, de modo que se observan con mucha frecuencia bellísimos mirajes que alteran en un momento el aspecto poco pintoresco de aquellos parajes. En esa estación el calor insoportable dura pocas horas y sólo durante el tiempo que el viento escasea, pero refresca luego que sopla más el aire, y por la mañana y la tarde hay siempre una temperatura de primavera avanzada. En invierno sucede lo contrario: por la mañana y durante la tarde el aire es frío, pero a medio día, no amontonándose las nubes merced al viento seco, los rayos solares calientan el suelo y son bastante fuertes para producir una temperatura que puede considerarse templada para dicha estación.

El viento que menos sopla es el del este. En invierno, algunos de tierra son constantes, y en el resto del año varían todos con muchísima frecuencia; algunas veces soplan con fuerza increíble pero casi siempre disminuyen en velocidad durante la tarde, hasta acercarse a la calma, por lo que las tempestades son de muy corta duración, aunque al día siguiente vuelvan a soplar con la misma intensidad, y así consecutivamente durante algún tiempo.

Todas estas condiciones meteorológicas, unidas a las físicas del suelo, ya mencionadas, contribuyen a que la vegetación de Chubut no sea muy rica. Voy a dar una idea de ella describiendo someramente el manto vegetal que cubre ese suelo, y que brota bajo esa atmósfera, aunque mis observaciones son poco numerosas, habiendo entrado la flora como un objeto secundario en el plan de mi viaje. Con los datos ya conocidos, y los que viajeros futuros obtengan, se tendrá el cuadro botánico de dicho territorio, cuadro bien pobre en verdad.

Los arbustos que desde Bahía Blanca principian a caracterizar la formación fitológica patagónica, que tiene muchos puntos de contacto con la de Mendoza, aunque menos rica, adquieren en Río Negro un desarrollo bastante considerable, que es mayor hacia el oeste donde los montes de chañares (*Gourliea decorticans*) y una especie de *Colletia* hacen sumamente incómodo y penoso el camino. Esta formación declina luego hacia el sur, donde gran número de las plantas que crecen en las inmediaciones del río Colorado y río Negro desaparecen, como sucede con el mencionado chañar y el piquillín (*Condalia microphylla*), arbustos principales que caracterizan bien esas regiones y que son muy poco numerosos en Chubut, donde raras veces los he visto, al contrario de lo que sucede cerca de la confluencia del Limay y río Neuquén, región que pertenece a la formación del monte, en que el chañar es abundantísimo, aunque no el piquillín.

Subiendo la meseta que bordea el río Negro de este a oeste, se entra de nuevo en la zona de dichos arbustos, la que ha sido dividida por el valle. Agrupados aquéllos en pequeños matorrales, crecen juntos buscando en dicha unión, al parecer, abrigo común contra los vientos andinos y polares. Vense asimismo algunas gramíneas de los géneros *Stipa* y *Melica*, verdes en los lugares húmedos y en las inmediaciones de las pequeñas lagunas; de hojas agudas y amarillentas, doradas en los parajes elevados, donde con gran trabajo se han levantado en pequeños manchones sumamente agrupados, de entre el cascajo que cubre el suelo, siendo allí completamente desconocidos los prados de buen césped de las pampas. A la altura de San Antonio, se desciende a un valle donde bellas praderas con trebolares verdes proporcionan cómodos paraderos a los nómadas pampas y tehuelches en sus peregrinaciones a Río Negro. Un hermoso arroyo, el Valcheta, riega esa región.

Hacia el oeste, cruzando los cerros o mesetas de ese nombre, hay cañadones situados a muy corta distancia unos de otros, donde las gramíneas y otras plantas herbáceas superan en número a las leñosas, que tienen su zona preferente en el ángulo del río Limay y río Negro. En esos cañadones es donde se encuentra la tierra aluvial que contribuye a enriquecer la vegetación tan pobre y raquítica de las mesetas; los arbustos adquieren mayor altura, belleza y verdura, aunque son menos numerosos.

Las sierras de San Antonio, al decir de los que las han visitado, contienen campos pastosos, excelentes para ganados, regados por preciosos manantiales y abrigados de los vientos, y cuya buena capa de tierra negra podría aprovecharse para la agricultura. Son verdaderos oasis de ese suelo, en gran parte ingrato al trabajo humano.

La península de Valdés que poco al sur se prolonga al este, también contiene retazos herbáceos, pero no son frecuentes y los arbustos vuelven a predominar. Al sur de la península, y desde la Sierra, preséntase nuevamente y bien caracterizada la vegetación de los matorrales, en las distintas escalas que corresponden a las diferentes alturas de las tres mesetas que desde el océano se elevan hasta la continuación de dichas serranías al SO. En la primera, aunque los arbustos se hallan en número notable, el pasto abunda y hermosea el terreno, mientras que en la segunda, éste se hace más escaso, presentando grandes claros de tierra blanquizca y sin vegetación en que los arbustos son más frecuentes, reunidos en matorrales, que comprenden distintas especies, así como algunas cactáceas, sobre todo la *Opuntio ferox*, que lastiman los pies, causando un dolor sumamente agudo. En la tercera meseta, las matas grandes desaparecen a su turno, vense algunas pequeñas gramíneas sumamente escasas de vida, y en el piso duro, cubierto de cantos rodados y agrietado por el aire seco que evapora rápidamente los escasos rocíos, predomina una compuesta cuya clasificación botánica no he podido obtener: imita un cactus y cubre por millares el suelo, donde una que otra mancha verde señala la presencia de una especie de azorella que, con algunos líquenes adheridos a las piedras, forma el conjunto floral de esos poco atrayentes parajes.

En las sierras, con la humedad, vuelven los arbustos y los buenos pastos. Según dicen los indios, pasándolas, el país es fértil hasta llegar al Limay, cuya región es regada por pequeños manantiales que se pierden entre las rocas eruptivas y basálticas allí predominantes.

Si se cruza el valle de Chubut, que es otro oasis verde, en medio de la aridez de la tierra alta, vuelven estas sierras y continúan sin interrupciones notables hacia el sur, siempre abundantes de arbustos que proporcionan leña, predominando el incienso (*Duvana magellanica*) y otros que las cubren y sirven de resguardo a los animales salvajes.

Sólo en el valle de Chubut se ven árboles como el sauce (*Salix Humboldtiana*) y una especie de molle muy poco abundante, que se encuentra cerca del mar, orillando el río en su curso del oeste. Quizá más al sur, en parajes que aún no han sido bien estudiados por tierra, existan otros en la proximidad de la costa. Los marinos ingleses vieron troncos secos, cerca de Sebastián Cove, que bien podrán ser de grandes duvauas muy viejas.

El valle, en la extensión que me ha sido dado examinar, difiere mucho en cuanto a la vegetación de la meseta, aunque algunas plantas características de ésta viven en sus laderas, que se extienden suavemente, y en algunas isletas más elevadas del valle.

Los bajos o llanos que cubren médanos o tierras fértiles están adornados por varias especies de gramíneas, tales como una *Phalaris*, una *Typha* y una *Ephedra*; en las orillas del río, el más bello ornamento de la pampa, la elegante cortadera (*Gynerium argenteum*), que balancea sus elegantes plumachos plateados, y algunas otras, en las que predominan los géneros *Stipa* y *Melica*, constituyen, con una geraniácea, el *Erodium cicutarium* que se denomina vulgarmente alfilerillo, una especie de trébol (*Trifolium polymorphum*), la *Medicago denticulata*, algunas *Oxalis*, un *Lupinus* y una *Senebiera*, lo que pueden llamarse pastos de Chubut. Abunda también una cyperácea. Entre las malváceas es muy común la *Sphoeralcea cisplatensis*. Una liliácea, *Lothoscordum Sellowianum*, se nota frecuentemente, lo mismo que algunas umbelíferas de los géneros *Bowlseia* (*B. tenera*), *Acalina*, y *Corilio* (*C. nodosa*), dos plumbagíneas (*Statice brasiliensis* y *Armeria spc.*). En la costa, cerca de la boca del río, alegran la vista papilionáceas (*Adesmias* y *Lathyrus*) y una onagraria (*Oenothera* spc.) de bellas flores amarillas, que crece entre la arena, el verde orozús (*Phaca* spc.), con sus lindas hojas y sus flores azules, las inmediaciones del río. Además he observado en el valle una cesalpínea (*Cassia aphylla*), varias compuestas, *Grindelia speciosa, Baccharis microcephala, B. lanceolata*, y algunos *Senecio, Alsinea, Cerastium semidecandrum*, una bonita asperifoliácea (*Heliotropium* spc.), solanáceas (*Solanum chenopodiifolium*) *Lycium* spc., y la *Euphorbia chilensis*. En los bañados salitrosos o lagunas de poco fondo, con agua durante el invierno y secas en verano, crecen varias quenopodiáceas de los géneros *Salicornia* y *Sinanthrea* y una crasulácea, unas de hojas de color verde negruzco, otras blanquizcas, que constituyen la única vegetación de esos parajes de tierras sueltas y donde se observan, en mayor número, formando matorrales muy extensos y adquiriendo proporciones de tamaño notables. Algunos *Lepidophyllum cupressiforme* se ven de cuando en cuando, pero no en gran abundancia, como sucede más al sur. Con los colonos se han introducido varias plantas dañinas, como la ortiga (*Urtica urens*), *Sisymbrium officinale*, la *Capsella bursa–pastoris*, el *Senecio vulgaris*, etc. Las plantas útiles exóticas, tales como las legumbres y plantas de ornato, me parece innecesario enumerarlas, tanto que muy pocas he podido observar; los colonos tienen pequeñas huertas donde las papas, las coles, los porotos, los rábanos, el maíz y la alfafa producen regularmente.

Exceptuando el sauce colorado indígena (*Salix Humboldtiana*) que según D'Orbigny ha dado su nombre al río Chubut, sólo uno que otro *Eucalyptus* recién plantado y algunos álamos (*Populus dilatata*) representan el adorno arbóreo de ese valle; por otra parte, algunas personas han empezado a plantar pequeños jardines y es de esperar que el número de éstos se multiplique.

En la meseta, a la inversa del valle que tiene un conjunto verdoso simpático a la vista, la vegetación está desparramada. En mis cortos paseos he tenido ocasión de observar las pocas plantas que voy a enumerar, que dan fe de la aridez y tristeza de ella. Como allí los vientos son fuertes, la lluvia no muy abundante y la tierra vegetal que fertiliza falta del todo, la vegetación no puede desarrollar sus galas y se caracteriza por arbustos cubiertos de más espinas que hojas, tales como la *Colletia ferox, Colletia longispina, Oxycladus aphyllus*, y otros de troncos retorcidos que se elevan generalmente a más de dos metros de altura. Los mayores como el *Duvaua magellanica, Margyricarpus setosus, Gourlicea decorticans, Larrea divaricata, Zuccagnia punctata, Berberis illicifolia, Prosopis dulcis, Ephedra triandrea* y la *Condalia microphylla*, crecen muchas veces juntos en matorrales enmarañados. Además se ven algunas adesmias que brotan entre las escasas gramíneas, y otras plantas

bastante hermosas para disminuir o atenuar en algo la
monotonía de la meseta alta y la incomodidad que ofrecen
las espinas de los arbustos apiñados, que hay que apartar
o rodear para seguir el camino.

Ateniéndome a los informes que poseo, esta formación fitológica se extiende por muchas leguas en el
litoral patagónico, entre el ramal de sierras que he descrito
anteriormente y la costa del mar. Al oeste, cambia, con-
viértese en llanuras pastosas en los valles cercanos a los
Andes; luego vienen los bosques vírgenes que ocultan las
rocas de los primeros contrafuertes, hasta su falda, donde
comienza el hielo sólido. Pero aún no he recorrido esos
parajes y remitiré al lector a la interesante obra del capitán
Musters, mientras llega el momento de visitarlos personalmente, para comunicarle luego mis observaciones.

Las criptógamas tienen pocos representantes en
Chubut: en las orillas marinas se recogen algunas de los
géneros *Conferva, Polysiphonia,* una *Halymenia* y la gigantesca *Macrocystis*; algunos hongos viven en el valle en los
parajes húmedos; pocos musgos se extienden entre las
piedras de la costa del río; y en la meseta líquenes, unos
blanquizcos, otros plomizos, parecen a lo lejos capullos de
nieve sucia que cubren el suelo.

Esto es, a grandes rasgos, lo que puedo decir de la
flora de Chubut, pero es lo suficiente para demostrar que
hay mucho malo y poco bueno, en relación; que esto
último se encuentra en las tierras bajas y en las faldas de
las sierras donde el agua es abundante y que para unir
ambas zonas fértiles hay que atravesar inmensos espacios
áridos y penosos, como los que ya he descrito. En los
parajes que habitan actualmente los pampas, entre el
Chubut y el Limay, los indios aseguran que el país es
excelente, y los colonos que se han internado en esa
dirección así lo confirman.

Allí, pues, es donde debe extenderse la población
futura mezclándose con los indígenas de *Mackinchau*. La

explotación de las riquezas de otro género que hay allí ayudará a la agricultura, y la toldería de hoy podrá ser con la ayuda de los caciques *Inacayal* y *Foyel*, que por lo general viven en ese punto, un centro de civilización de gran porvenir; y así tendremos una línea de comunicación, casi igual a la del río Negro, desde Bahía Nueva a Nahuel Huapí y de allí a Chile.

En el establecimiento de ese centro consiste, en gran parte, el porvenir del Chubut.

La fauna del territorio que se extiende entre el río Negro y el Chubut no varía mucho de la del sur de la provincia de Buenos Aires, aunque se acerca más a la de Mendoza y Chile, donde se encuentra la mayor parte de los animales que voy a enumerar.

Los colonos me han dicho que entre los sauces vive algunas veces un murciélago, que no he tenido la suerte de ver, pero cuyo grito agudo he escuchado algunas noches. Creo será el mismo que, en iguales condiciones, vive en Río Negro, donde lo he obtenido: es el *Nycticejus bonaerënsis*, que se encuentra en toda la República de Chile.

Tres felinos merodean en las mesetas y algunas veces bajan al valle; su morada habitual es entre las islas o en los matorrales. El león común americano (*Felis concolor*) es el mayor de ellos, y, por consiguiente, el que obtiene las presas más importantes, tales como guanacos y avestruces y aun entre los ganados de los colonos. El gato montés (*Felis Geoffroyi*) también hace estragos, lo mismo que el gato pajero (*Felis pajero*) más pequeño y de carácter feroz; el último, sobre todo, es sumamente arisco y sanguinario y destruye sin piedad cuanto pequeño mamífero o ave se pone al alcance de sus garras. Cuenta asimismo sus víctimas entre los guanacos jóvenes y hasta en los grandes avestruces.

Los *Canis* que viven en los alrededores son todos conocidos; el *Canis jubatus*, lobo rojo que conocemos con el nombre de aguará, abunda poco; en cambio el zorro común (*Canis Azarae*) y el *Canis Griseus* son muy numerosos.

Es admirable la astucia y la paciencia increíble con que entre las matas aguardan a las liebres jóvenes o a los *charas* (avestruces pequeños); en la costa del río hacen una guerra sin cuartel a los pájaros acuáticos, sobre todo en la estación de la muda de su pluma. En los territorios del oeste vive, entre los bosques y matorrales espesos, el zorro grande (*Canis magellanicus*).

Dos *Galictis* o hurones vulgares (*G. barbara* y *G. vittatus*), ayudan a los zorros en su vida de destrucción, dedicándose con especial empeño a la de los roedores pequeños y de los pajaritos; se amansan fácilmente y los he visto domesticados en Río Negro.

El zorrino (*Mephitis patagonica*), lindo animalito que se hace repugnante por el olor acre e insoportable de un líquido que encierra en ciertas glándulas y que es el arma formidable con que lo ha dotado la naturaleza, es abundante y los indios hacen de su piel excelentes mantas de abrigo, que son un hermoso adorno. Toda su belleza, cuando camina libremente en la llanura desaparece cuando se penetra en la zona donde ha derramado la sustancia fétida.

En los ríos del interior vive una *Lutra* que los indios llaman "tigre del agua". Poseo un cuero armado, que los mapuches me regalaron en *Caleufú*, diciéndome haber cazado al sur de *Tequel–Malal*, es decir, en el territorio de Chubut; es la *Lutra chilensis* o *Huillín* que no había sido señalada aún en esa parte de la Patagonia. En el río Chubut son muy raras, y en el río Negro tampoco son abundantes: las conocen por "lobitos de agua".

La Patagonia parece ser la tierra predilecta de los ratones: en la porción que describo se observan muchas especies y entre ellas los *Mus griseo–flavus, Mus elegans, Mus xanthopygus* y el *Reithrodon cuniculoides*; el *Mus musculus* y el *Mus decumanus* han invadido también esas regiones junto con el hombre blanco. Pero los roedores que hacen mayores estragos, minando y destruyendo cientos de leguas, son el *Ctenomys brasiliensis* y el *Cavia australis* que han convertido en un extensísimo arnero el suelo de esa región y Tierra del Fuego, del norte al sur y del este al oeste.

Si bien la vizcacha de la pampa (*Lagostomus tricho-dactylus*) no se encuentra al sur del río Negro, en las inmediaciones del Limay, en el territorio de Chubut, he visto un animalito trepando ágilmente las rocas, en gran número, frente a *Cum–Cum geyu* y, aunque no he podido obtener ningún ejemplar, por la descripción que me hicieron los indios de su pelaje y forma creo que es el *Lagidium Peruanum* o vizcacha de la Cordillera, que he tenido ocasión de ver en la sierra del Ambato, en la provincia de Catamarca.

La *Dolichotis patagonica*, animal que impropiamente se denomina liebre, es abundante en pequeñas tropillas; su carne proporciona alimento agradable, y buenos abrigos su piel que es bastante hermosa pero de poca duración. Es el roedor de mayor tamaño que vive en la actualidad en la Patagonia, siguiéndole el *Cavia australis*.

El único desdentado que hay en Chubut es el pichi (*Dasypus minutus*), el más pequeño de ese género allí, que cierra la lista de los mamíferos que habitan en cuevas en el suelo austral.

El guanaco (*Auchenia huanaco*) es el más bello adorno animal de las mesetas; se lo encuentra en tropas hasta de doscientos individuos vagando en las tierras áridas, arrancando las escasas hierbas o deleitándose en los cristalinos manantiales de las cañadas. Es el más elegante, el más curioso y el más útil de los mamíferos patagónicos.

Los ciervos o venados (*Gervus campestris*) son ya bastante raros al sur del río Negro, pero se los ve a veces en las mesetas inmediatas al Chubut. Otro ciervo, el huemul fabuloso (*Cervus chilensis*), se esconde entre los bosques cercanos a la Cordillera y rara vez se atreve a llegar a la meseta, donde el descampado parece contrariar sus gustos sombríos.

Por último, un solo paquidermo, el *Quetré–Quetré* de los *mapuches*, jabalí de regular tamaño, vive entre los bosques del oeste, en Nahuel Huapí, río Limay y río Negro, hasta más al este de *Choleachel*, donde se lo encuentra entre los sauzales. Aunque muchas veces oí el ruido que en el citado lago hacían al huir en tropel, y los vi a la distancia, entre los árboles, no pude examinar de cerca ninguno, ni ver su cuero, consolándome con haber probado su rica carne y con la adquisición de dos cráneos. Faltando el cuero, es imposible decir a qué especie representa este animal, cuya existencia en esos parajes no había sido aún señalada, pero me inclino a creer que es el "taytetu" o "chancho del monte" que describe Azara. La semejanza entre la fauna y la flora de las provincias de Cuyo con la de la Patagonia septentrional ha llamado la atención de quienes se han ocupado de esas regiones, y bien puede ser que el *Dicotyles torquatus* o el jabalí argentino común, que es el citado animal, extienda su área de habitación hasta las poco frecuentadas tierras de Chubut occidental, como sucede con tantos otros animales y plantas.

Las costas del mar, en Chubut, han sido en otro tiempo renombradas por las grandes pescas de focas que allí han tenido lugar y en las que se han sacrificado millares de esos animales, tanto que hoy sólo se encuentran al sur de Buenos Aires en pequeñas roquerías, como llaman los pescadores a los puntos donde se reúnen los lobos marinos. Estas roquerías no son siempre habitadas, sino que las focas, con intervalos de uno a dos años y en grandes tropas, cuyo número llega hoy hasta dos mil, invaden las rocas, al pie de algún promontorio elevado casi a pique sobre el océano. En el mar nunca las he visto reunidas en número considerable: sólo cinco o seis muestran sus negros hocicos para respirar, y se hunden con su lastre de piedras, que llevan consigo para triturar los alimentos, cuando notan que la curiosidad o el instinto destructor del hombre puede ponerlas en peligro. En el agua es dificultoso apresarlas, pues luego de heridas desaparecen en las profundidades, pero en la costa sucede lo contrario. La caza, aunque no está exenta de peligros, es casi siempre segura, cuando se ha tenido buen cuidado de burlar la vigilancia de los venerables y feroces machos melenudos de la tropa, encargados de hacer de centinelas mientras las hembras buscan su alimento y cuidan con cariño casi humano sus hijuelos o duermen tranquilas sobre las rocas, donde con gran dificultad han trepado.

Dos especies de estos animales se observan en las inmediaciones de Chubut. La *Otaria jubata* o león marino, llamado así por los largos pelos que el macho tiene cerca de la cabeza, asemejándose así a los feroces habitantes de las selvas africanas, es la que ha proporcionado aceite a las "fábricas" que en la costa patagónica se establecieron en otro tiempo y de las que hoy sólo quedan ladrillos refractarios y enormes tachos de hierro, entre los médanos; de esta especie obtuve un cráneo. La *Otaria falklandica* es más rara y representa el valioso lobo de dos pelos, por cuya piel se han librado sangrientos combates entre pescadores, en esas regiones donde la justicia no ha hecho sentir aún su influencia y donde reina el derecho del más fuerte. Uno de estos animales, ya muerto, había sido llevado a la orilla por la marea, y algunos crustáceos voraces se habían encargado de despojarlo de sus carnes putrefactas.

Los cetáceos de esa región son los mismos en toda la parte austral. La pequeña "franciscana" que algunas veces se vende en los mercados de Montevideo y Buenos Aires y que la ciencia ha denominado *Pontoporia Blainvillei*, delfinoide pequeño que ha sido objeto de diferentes descripciones, se ve a menudo jugueteando en torno de los buques, a los que acompaña por largo tiempo, adelantándose en la proa y pasando bajo su quilla, sin descuidar entre tanto su alimento, pues los numerosos y agudos dientes que guarnecen sus puntiagudas mandíbulas hacen presa de las pequeñas sardinas, que la claridad del agua permite ver huyendo en tropel.

Un día que el buen tiempo convidaba a recorrer la costa, me dirigí a pie orillando los médanos hasta el promontorio del norte, con la intención de coleccionar los despojos del mar. Obtuve buen resultado: recogí primeramente un cráneo de *Delphinus microps* que la corriente había arrastrado, envuelto en un sudario de hermosas plantas marinas. Este animal, que vive en el Atlántico, al sur del Ecuador, es común en las costas argentinas, y muchas veces se interna en los ríos; poseo un cráneo recogido en la laguna de Vitel, en el partido de Chascomús, lo cual prueba que el animal recorrió más de doscientos kilómetros desde la boca del Salado hasta el punto donde se lo encontró. El bonito *Delphinus Fitz–Royi* frecuenta también esos parajes y conseguí un cráneo completo; pero el cetáceo que a mi modo de ver es el más común, es el *Delphinus (Tursio) Cymodoce*, pues vi cinco cráneos, de los que pude recoger sólo tres, por ser el peso demasiado grande para mis hombres y contribuir el calor y el suelo arenoso de los médanos a hacer sumamente fatigoso un camino de seis millas donde no hay agua que beber. El *Lagenorhynchus coeruleo–albus*, blanco con fajas negras, también se acerca a la costa y juguetea entre las olas que ruedan hacia la orilla, sin ocuparse aparentemente del que en ella pasea. También recogí un cráneo de un cetáceo del género *Phocoena*.

El *Epiodon australe* que ha descrito extensamente el doctor Burmeister, según el ejemplar que se conserva en el museo público de Buenos Aires, y una de cuyas mejores piezas constituye, es, exceptuando las ballenas, el animal más grande que he visto en los mares patagónicos; el ejemplar citado pertenece a un individuo joven y mide cerca de cuatro metros de largo; tuve la suerte de descubrir en la arena gran parte de un cráneo de uno de esos animales, cuyas dimensiones hacen ver que el individuo adulto al que perteneció ha debido tener un tamaño mucho mayor que el descrito por el Dr. Burmeister.

Además, en mi primera excursión a Santa Cruz, en 1874, recogí el ramo izquierdo de la mandíbula inferior de otro ejemplar, ramo que mide ciento diez centímetros de largo, que comparándolo con el del animal joven citado, da, para ese *Epiodom* un largo total de ocho metros.

Quizás este *Ziphioide* es el animal que varias veces en el mar he confundido con ballenas pequeñas, al verlo pasar cerca del buque haciendo suaves ondulaciones, respirando ruidosamente en la superficie y Ianzando una pequeña columna vertical de agua.

Un diente grande y grueso que recogí revela que un *Physeter* vive en esos mares.

Hallé también despojos de ballenas, consistentes en algunos huesos grandes y otros gigantescos, y restos del cráneo, que parecían grandes hélices de algún vapor naufragado, y las enormes mandíbulas que el vulgo cree costillas.

Probablemente los más pequeños pertenecían a la *Balaenoptera bonaerensis* y los mayores a la inmensa *Sibbaldins antarcticus*, ambas descritas por el Dr. Burmeister. Esta última es uno los mayores engendros vertebrados de la naturaleza.

La Bahía Nueva, cercana a Chubut, en otro tiempo era guarida de innumerables ballenas que alegraban con sus juegos de agua esa región solitaria; pero, un día, flotas de balleneros descubrieron el refugio, y testigos oculares me han contado que la mar tranquila del golfo estremecióse a impulso de los movimientos de esos animales, tan enormes como inofensivos, heridos por el arpón, y que las aguas cubriéronse de sangre y aceite. El instinto feroz de la bestia, que de cuando en cuando recuerda al hombre su origen, cambió en pocos días ese paraje en una escena de carnicería espantosa. La embriaguez de la sangre y del lucro pobló de enormes esqueletos de colosos la costa donde blanquean aún, y desde entonces domina el silencio, allí donde antes era todo alegría.

Del gigante de los mares paso al gigante de los aires, siguiendo la clasificación natural de los vertebrados.

El rey de los alados, el cóndor (*Sarcorhamphus Gryphus*), de mayor de los rapaces actuales, habita también el territorio de Chubut, cerniéndose entre las capas de la atmósfera, gira describiendo inmensos círculos a una altura donde la vista apenas alcanza a divisarlo, y cae casi a plomo, con una velocidad increíble, sobre los animales que su excelente vista elige por víctimas. En los cerros del *Cairn* vi uno de ellos que compartía casi amistosamente el festín de un guanaco, con un puma, su compañero de aventuras. Aunque muestra preferencia por los mamíferos y aves, lo he visto alimentarse también de pescados, encontrándosele muchas veces solitario en las barrancas verticales de la costa. Indicio seguro y precursor de una escena sangrienta en esas soledades es ver al cóndor, como un punto negro apenas visible en el cielo, acercarse con rapidez y batir casi con sus poderosas alas la superficie de la meseta: su garra busca una presa o la ha encontrado ya hecha por las fieras de la tierra; y generalmente no es uno solo el que llega; el viajero que mira el cielo, antes desierto, verá aparecer de todos lados puntos negros, e inmediatamente después, delante de sus ojos, cruzarán inmensas sombras que se disiparán con rapidez; son otros tantos cóndores que acuden al festín y que luego pasan graznando y aleteando horas enteras, antes de volver a levantar su vuelo, a esperar nueva oportunidad.

Sigue al cóndor el *Cathartes Urubu*, que recoge los desperdicios de aquél; en las márgenes del río Negro los he visto reposando en gran número en las ramas de los sauces secos, al parecer soñolientos, con sus peladas cabezas recogidas, pero en realidad esperando con avidez las inmundicias del saladero. En Chubut abundan también; se ven en los árboles sus figuras repugnantes, durante los días nebulosos, cuando sus instintos hambrientos no los apuran, y recuerdan las lúgubres escenas de horca de la

Edad Media reproducidas en los fantásticos grabados de Doré. Jamás ataca un animal vivo; es sumamente cobarde y los caranchos lo persiguen cuando el alimento no es suficiente para contentar a todos; sin embargo, divide la presa en sociedad, a la orilla del mar, con algunas aves marinas. Al urubu no le gusta el aislamiento y por el contrario busca al hombre, quien puede proporcionarle desperdicios que no desdeña su paladar poco escrupuloso; llega hasta acercarse a pocos pasos de él, esperando paciente los restos que el cazador abandona; muchas veces, cuando éste corre hacia el animal cazado, ya lo han adelantado.

He encontrado, sobre un guanaco muerto, más de veinte de ellos cebándose en carnes podridas y mostrando en los picos asquerosos despojos y tiras sangrientas, que eran objeto de lucha encarnizada. Otros, alrededor, esperaban su turno, seguros de que la presa era abundante; mojaban las garras en la linfa impura y se paseaban tranquilos, o saltaban abriendo las sucias alas, lanzando un graznido de codicia sobre algún fragmento que los que combatían sobre el guanaco habían arrojado.

Esta ave trata siempre de aprovechar la ocasión y hace buen acopio de alimentos para varios días, pues, a juzgar por las apariencias, no sufre del hambre. Después de comer, hace ejercicio; su marcha es lenta y grave; pero sucede a veces que otros animales, más fuertes o más atrevidos, lo persiguen, y entonces su cobardía la obliga a volver lo que ha comido, para poder huir.

El *Cathartes Aura* abunda como el urubu. Tiene sus mismas costumbres y despide, como aquél, un olor fétido y repugnante. El caracho (*Polyborus vulgaris*), tan común en Buenos Aires, frecuenta también Chubut. Este animal, aunque prefiere la vecindad del hombre, habita igualmente la meseta alta donde, en viejos inciensos, construye con la hembra, de la que casi nunca se separa, monumentales nidos sobre los cuales se los ve balancearse, a la caída de la tarde, después de haber empleado el día en provechosas correrías. Si algún viajero descansa un momento, para hacer la comida, ve llegar inmediatamente al carancho que se acerca primero volando alrededor, a cierta altura, se posa luego a poca distancia, sobre una mata, y va creciendo en osadía hasta llegar a disputar a los perros los pocos despojos que se les arrojan; luego que el viajero se aleja, se posesiona del sitio abandonado y no se retira hasta no haber consumido todo lo posible. A veces pasa días sobre una osamenta, ya blanqueada por el tiempo, haciendo oír su grito triste y desagradable.

El chimango (*Milvago chimango*), que no es tan familiar, es su digno compañero. El *Circus cinereus*, así como el *Buteo melanoleucus*, que hace una guerra sin cuartel a las tímidas palomas, y el *Buteo erythronotus*, que elige con preferencia para hacer su nido los arbustos de los cerros, abundan en la meseta y en el valle. A la hermosa águila gris (*Circaëtus eoronatus*) sólo la he visto una vez, solitaria, sobre una meseta ruinosa, cerca del valle; el *Tinnunculus sparverius* es común y hace bastante daño; el *Falco coerulescens* aparece en las barrancas cercanas al mar.

El búho de las tierras magallánicas, que conocemos por ñacurutú (*Buho magallanicus*), es raro en Chubut, donde, a causa de sus hábitos de retiro, se lo ve muy de tarde en tarde. El lechuzón plomizo blanquizco de la pampa (*Noctua cunicularia*) tampoco es abundante; lo he visto en los claros de los matorrales de la meseta, donde su grito agudo y prolongado señala su presencia, generalmente a la puerta de una cueva de zorro o liebre, abandonada, que elige para hacer su nido. La lechuza color plomizo rojizo (*Glaucidium nanum*) y la común (*Strix perlata*) se ven también de cuando en cuando en la meseta y en el valle.

Una *Hirundo* (*H. leucorrhoea*) es común en el último, lo mismo que la golondrina de vientre blanco (*Atticora cyanoleuca*) y la *Progne purpurea* que vive en los agujeros de las areniscas duras del borde de la meseta. La *Uppucerthia dumetoreus* mora entre los arbustos de la meseta y parece que prefiere su soledad y esterilidad, al valle. En éste viven varios *Synallaxis* (*S. patagonica, S. melanops, S. sordida, S. Hudsoni*), en los parajes secos, siendo raros en las alturas. El gallito (*Rhinocrypta lanceolata*) que abunda tanto en la vecindad de Carmen de Patagones, también frecuenta el valle de Chubut, donde lo he visto saltando con la cola levantada y guerreando con los insectos. La ratona (*Trogladytes furvus*); tan familiarizada con el hombre, es numerosa cerca de las habitaciones y en los arbustos de las tierras altas, lo mismo que el *Anthus correndera*.

Sólo vi una vez el tordo (*Turdus falklandicus*) entre los sauces del río. La calandria común (*Minus patagonicus*) modula, en los bajos y en los altos, himnos de tonos tan variados que parecen emitidos por distintas aves, y su canto alegre pide una tregua a la tristeza de esos parajes. La calandria blanca se observa algunas veces entre los arbustos de la meseta. La preciosa viuda (*Lichenops perspicillatus*) anida entre la paja brava (*Gynertum* spc.) del valle, y pasa las horas enteras parada sobre los tallos de esa planta esperando inmóvil que su buena suerte le depare insectos. En los médanos de la costa vuela por tropas la *Muscisaxicola mentalis*. Dos *Euscarthmus*, el *Hapalocercus flaviventris* y el *Anoeretes palurns*, viven entre los sauces. El *Cyanothis omnicolor*, de bonito plumaje, es común entre los carrizales, lo mismo que el negro *Agelaius Thilius*.

El pecho colorado (*Sturnellu militaris*), el gran aprovechador de las cosechas, es uno de los pájaros más comunes del territorio de Chubut y se lo encuentra en bandadas numerosas.

Se ve con frecuencia entre los sauces, al *Molothrus bonaërensis* lo mismo que al *Fringilla auriventris*, que vuelan juntos en algún número, con un *Phrygillus*, y el *Diuca minor*, que hace oír su bonito canto en las espesuras. El conocido chingolo (*Zonotrichia australis*) abunda indistintamente en todas partes.

El loro bullanguero (*Cunuros patagonus*), en la estación que realicé mi viaje, no era muy abundante; solo vi algunos en el Castillo Viejo, donde me aturdían mientras recogía fósiles en los agujeros donde tenían sus nidos. Un solo *Picus* vi, y esto volando, de modo que no puedo decir a qué especie pertenece. La paloma del monte (*Columba maculosa*) se encuentra en grandes bandadas, a la caída de la tarde, en los arbustos de los cerros. Pocas perdices pequeñas (*Nothura Darwinii*) viven en Chubut, siendo más abundante la martineta de plumaje variado y de elegante copete (*Eudromia elegans*), sobre todo en las tierras altas, donde deja escuchar a menudo un silbido dulce y agradable.

El gritón teru–teru (*Vanellus cayenensis*) aturde en el valle; en la meseta se lo oye menos, como si la soledad lo entristeciera. El chorlo amarillento (*Angealiptis falklandicus*) y la gachita (*Endromia modestus*) frecuentan en número considerable las orillas de las lagunas.

Los avestruces que se encuentran en el territorio de Chubut pertenecen a dos especies: el avestruz moro (*Rhea americana*) es el menos común, pues su área de habitación está situada más al norte y no sé que se le haya visto cerca del valle, aunque me consta que se han cazado algunos en los alrededores de Bahía Nueva. El avestruz petiso (*Rhea Darwinii*) es abundante y se lo caza en gran número sobre las mesetas; pero antes de poco tiempo se habrá retirado también, pues al indio que antes lo perseguía se ha agregado el europeo, que sin conciencia de lo que hace, destruye esta interesante especie que durante mucho tiempo ha servido para mantener con su pluma un comercio activo entre el salvaje y el civilizado de los pueblos del sur. La garza mora (*Ardea cerulescens*) déjase ver entre los juncales secos; la chillona *Ardea Nicticorax*, que vive oculta durante el día, incomoda de noche con sus gritos desagradables. La bandurria (*Theriscus melanops*), la gallareta (*Fulica leucopyga*), el flamenco (*Phoenicopterus ignipalliatus*), la *Mareca sibilatrix*, el *Dafila oxyura* que es el pato más común de la Patagonia, el *Querquedula cyanoptera* y la bonita *Spatula platalea* en gran número, alegran las lagunas pocos profundas, cuyas aguas son casi completamente cubiertas por sus vistosos cuerpos. En las lagunas, como en todo el valle, abundan las avutardas (*Bernicla antartica*), ave que proporciona buen alimento al cazador. En el río nadan gallardos el elegante cisne de cuello negro (*Cygnus nigricollis*) y algunos gansos (*Cygnus coscoroba*).

Entre las aves de mar más comunes en las costas del Atlántico, se encuentran, en Chubut, los *Larus cirrhocephalus*, *Larus dominicanus*, *Sterna Cassini* y *Sterna hirundinacea*. El curioso pingüino (*Spheniscus patagonicus*) ya no abunda tanto allí, pues el hombre lo ha extinguido casi y hecho alejarse para ir en busca de parajes más retirados y apacibles. El hermoso albatros (*Procellaria gigantea*), que puede llamarse el cóndor del agua, frecuenta ese punto, que es también visitado por la variedad oscura más pequeña (P. *gig*. var. *fusca*) y la preciosa paloma del cabo (*Daption capensis*). Un Haliaeus (*H. Brasiliensis*) pesca en el río, y otro, el *Halioeus carunculatus*, o Shag, es común en la costa del mar.

En mis condiciones, se juzgará fácilmente que no podía dar la preferencia a los animales del territorio que visitaba de tránsito. No se crea pues que esta lista está completa, aun cuando la Patagonia sea pobre de mamíferos lo mismo que de aves. Todas las mencionadas son las principales aves que he visto en Chubut, pero el señor Dourneford, que ha visitado dos veces ese mismo punto, menciona varias otras de los géneros *Stenops*, *Homorus*, *Agriornis*, *Toenioptera*, *Hoplopterus*, *Thinocorus*, *Querquedula*, *Erismatura*, etc.

Un fragmento de la coraza me indicó la existencia, en esos parajes, de la tortuga de tierra (*Testudo sulcata*) cuya clasificación ha dado lugar a controversias entre la gente de ciencia. La lagartija común de Buenos Aires, el *Aerantus virilis*, se extiende hasta Chubut, donde otros saurianos, del género *Proctotretus* (*P. Fitzingerii; P. Kinyii, P. gracilis, P. Wiegmanni, P. pectinatus, P. multipunctatus*) abundan, lo mismo que el *Diplolaemus Darwinii*, pero el *P. Bibronii*, de manchas doradas, es muy raro.

Una especie de *Amphisboena* vive entre la tierra, y se recogen allí varios ofidios, como la *Coronella pulchella, Leophis poecilostictus Dryophylax Burmeisteri* y *Chlorosoma sagittifer.*

He recogido un solo batracio, pero se ha extraviado después. En el río, los colonos pescan truchas de buena calidad (*Perca laevis*) y además he conseguido un siluroides.

No he podido obtener ningún molusco terrestre o de agua dulce, pero no dudo que se encuentran; en cambio los siguientes, que recogí en varias excursiones por la costa, pueden dar una idea de la fauna malacológica marina de esos parajes: *Bullia cochlidium, Trophon magellanicus, T. geversianus, Terebra patagonica, B. globulosa, Oliva patagonica, Purpura labiosa, Voluta magellanica, V. fusiformis, V. ancilla, V. brasiliana, V. angulata, Natica obstructa, Scalaria elegans, Crepidula patagonica, C. aculeata, Trochus corrugatus, Monodonta fragrarioides, Fissurella alba, F. picta, F. radiosa, Nacella vitrea, N. hyalina, Patella deaurata, P. magellanica, Solen sculprum, Pectunculus angulatus, Nucula striata, Pecten pictura, Pinna patatgonicu, Mytilus chilensis, Modiola purpurata, Venus Alvaresii, V. purpurata, Lucinnia* sp., *Cyclas Fontanei, Cholas lamellosa.*

No menciono entre ellos el *Octopus Tehuelchus* porque no lo he visto, pero me dicen que abunda en Bahía Nueva.

Poco de interesante tendría que decir sobre los peces marinos, los insectos, crustáceos, anélidos, animales radiados y protozoarios observados durante el viaje, porque el número de ellos ha sido muy reducido. Por eso me abstengo de hacerlo por ahora, dejando esta parte de la zoología de Chubut para más tarde, cuando los materiales recogidos hayan sido estudiados y las colecciones sean más completas.

Excursión a la Meseta Norte.
Una tumba india. Erupciones porfíricas

Un viajero halla siempre múltiples atractivos en los parajes que visita, por mal que los haya dotado la naturaleza; y su curiosidad no deja de encontrar incentivos, sea cual fuere el carácter de las comarcas que recorra, desde los hielos paleocrísticos del Polo, hasta los pantanos miasmáticos del África con su calor sofocante. Cediendo a ese impulso y a pesar de los muy reducidos recursos de que disponía y de la falta de seguridad sobre el tiempo que debía demorar el buque, lo que no me permitía internarme a largas distancias, no pude menos de hacer un paseo a la meseta que limita el valle por el norte.

Muy triste me hubiera sido abandonar Chubut sin haber tentado siquiera inquirir lo que, escudado por esa monotonía poco halagadora, guardaba en sus soledades aquel lecho de mar antiguo, levantado por las fuerzas que desde su interior diseñan y cambian continuamente la fisonomía externa del globo.

Después de tocar con mil dificultades para procurarnos caballos, tan escasos allí, salí una mañana en compañía de los señores J. M. Thomas y Berwin con rumbo a cruzar el valle. Este, muy desigual, estaba cubierto por pequeñas lagunas secas o bañados antiguos, limitados por albardones matizados de arbustos espinosos. En su suelo blanquizco relumbraban numerosos fragmentos de sílices, a las que indígenas ya extinguidos, antiguos habitantes de esos puntos elevados, habían dado la forma de puntas de flechas.

Inclinándonos al este, divisamos una inmensa sabana salina que inutiliza gran extensión del valle y que se denomina laguna de *Chiquichano*, nombre del cacique de los quirquinchos, tribu pampa. A la sazón estaba seca, su suelo era blando, muy suelto, hasta hundirse el caballo en él, y contenía eflorescencias salinas a las cuales el sol comunica una reverberación que daña la vista.

El señor Puiggari que ha examinado muestras de ese suelo, señala en él ácido sulfúrico, cloro, sílice, magnesio, sosa, aluminio y hierro, sin haber hallado, como otras personas lo creían, el valioso nitro. Algunas quenopodiáceas que allí crecen han adquirido casi las proporciones de árboles, y a su alrededor se han formado eminencias terrosas que las aguas no han podido arrastrar y que en algunas ocasiones han servido de sepulcros a los indios, como lo atestiguan huesos muy destrozados que encontré.

Cruzamos la laguna, con gran fatiga de los caballos, y alcanzamos el pie de la meseta, a tiempo que se acercaba un chubasco que, apenas llegados a la cumbre plana, se descargó sobre nosotros. Resguardados detrás de unas matas, con la cabeza protegida por las caronas del recado contra el granizo grueso que podía herirnos, almorzamos un pedazo de pan y manteca. El viento frío nos helaba, mojados como estábamos por la lluvia.

Un matorral de *Colletias* resinosas, que encendimos, nos devolvió el calor necesario para continuar viaje. Estas plantas, verdes y mojadas, arden con facilidad.

Hasta la tarde continuó desagradable el tiempo. A intervalos, el [sol] aparecía o la lluvia arreciaba; nuestro camino se hacía en extremo tortuoso, el fuerte viento impedía observar [pues toda la] atención debía contraerse al caballo, que a cada momento hundía sus patas doloridas, lastimadas por los cactus, en las cuevas traicioneras de los *Ctenomys*, infiltradas de agua, y en las que, en caso de caer caballo y jinete, hubieran tenido gran trabajo para levantarse.

Desagradable es, por cierto, viajar por las mesetas en día de lluvia: a la molestia del agua únense los obstáculos del terreno convertido en un guadal de leguas, y sólo el deseo tenaz de visitarlas pudo hacer que no desistiésemos de nuestro paseo. Aun cuando reinara buen tiempo, pocos atractivos hubiera encontrado la vista en el trayecto de ese día. La planicie, entre la niebla de la lluvia y la bruma que se levantaba al reaparecer el sol, ocasionada por la evaporación, cuyo proceso se hace con gran rapidez en las tierras altas, se extendía llana, limitada al oeste y norte por el escalón de la segunda meseta. Sólo algunos guanacos viejos rumiaban impasibles las escasas gramíneas, acostumbrados ya y veteranos de las inclemencias de las estepas; otros más jóvenes, con sus largos cuellos cómicamente estirados y agachados, sus cabezas en rueda, se prestaban protección mutua esperando la calma, al reparo de algún gran incienso.

El desierto patagónico hubiérase dicho abandonado por los dones de la naturaleza desde el último tiempo geológico; los enmarañados matorrales remedaban restos informes de una vegetación más lujosa, de otra época y otro clima más benéfico, vegetación que parece estacionada desde el fin de la época glacial y cuyo aspecto, si ha cambiado, ha desmerecido desde entonces. La capa aluvional moderna que llamamos *humus* no lo cubre ni fertiliza en ninguna parte.

A la caída del día, ascendimos el segundo escalón, elevado doscientos pies sobre el primero, al que la influencia colectiva del levantamiento y la erosión han dado un aspecto de grada ruinosa pero soberbia. La misma vista y el mismo carácter monótono, sólo interrumpido a lo lejos por algunos pequeños cerros aislados, restos quizás de mesetas que el agua en cientos de siglos ha gastado y que se elevan solitarios, como grandes formas truncadas, semejando gigantescos teocalis mejicanos. En esos monumentos geológicos, a diferencia de los sacrificios humanos que exigía la religión de los aztecas, sólo los guanacos son, de vez en cuando, inmolados por algún puma en aras de su apetito voraz.

En una suave hondonada, guarecida del viento, encontramos un buen retazo de pasto dorado, y resolvimos hacer noche allí. No nos había sido dado encontrar agua: la lluvia había sido duradera, pero era tal la sed de la estepa que toda la había absorbido. Los pobres caballos tuvieron que contentarse con el duro pasto y nosotros con un fragmento de pan negro y queso. Sin embargo, no podíamos quejarnos: después de ese día desagradable, la tarde presentábase espléndida, iluminada por los rayos solares oblicuos que daban largas sombras y matices oscuros a los matorrales. A ellos acudían cientos de palomas (*Columba maculosa*), sin prevención alguna contra los hombres amparados por el mismo abrigo.

A lo lejos, en el fondo del oeste, el gran claro, entre los restos de las mesetas que el reflejo de la atmósfera coloreaba de violeta y púrpura, era iluminado por el rojo ígneo del sol que se ocultaba, y un magnífico arco iris dibujaba en el cielo los purísimos colores del espectro.

Tan bello espectáculo no duró largo tiempo; el horizonte oscurecióse rápidamente al sudeste y pronto los característicos chubascos se sucedieron sin interrupción, apagaron nuestra hoguera y apenas pudimos gozar de algún sueño envueltos en los quillangos, luego de recoger agua para atenuar la sed que nos acosaba.

La noche del 27 de noviembre pasó así, y habiendo amanecido el día siguiente claro y despejado, prometiendo buena continuación de viaje, ensillamos y nos dirigimos a las elevaciones citadas.

En el camino encontramos un nido de la hermosa perdiz martineta (*Eudromia elegans*) que contenía ocho huevos verdes, feliz hallazgo que vino a asegurar nuestro almuerzo. El suelo se había endurecido bastante y los agujeros de los roedores no eran ya tan fastidiosos; las aguas habían desmoronado sus bordes y millares de esos dañinos animalitos habían sucumbido.

Entramos en un terreno más ondulado que de costumbre; la vegetación era más robusta y el pasto abundante, por lo que dimos un pequeño descanso a los caballos para prepararlos a ascender un cerrito de aspecto extraño que se divisaba a la distancia de una milla al oeste. Llegados a él, vimos que las rocas que lo formaban no eran del terciario, sino más antiguas, alteradas por acciones plutónicas; eran rocas metamórficas no denunciadas aún en esos parajes y por consiguiente, un descubrimiento de gran importancia.

Las planicies terciarias desaparecían allí para dar lugar a una formación de diverso origen.

En la cumbre del cerro nos aguardaba una sorpresa.

Elevábase del suelo un montón de piedras y ramas secas, de un metro y medio de altura, que parecía haber sido arreglado hacía largo tiempo, entre cuyas junturas blanqueaban restos humanos. Era un *cairn* funerario.

Ya en mi viaje a Nahuel Huapí había visto esos modestos monumentos en forma de pirámide de piedras sueltas, que el respeto y la amistad, además de la costumbre, han elevado sobre los restos y para recuerdo de los que allí murieron. En *Chocon–geyu*, en inmediaciones del Limay, pasé junto a nueve tumbas de esa clase, atribuidas por mis compañeros indígenas a una familia mapuche (gentes de los campos) que, según ellos, había muerto de frío a causa de haberles arrebatado los caballos los picunches (gentes del norte) durante la noche. Sus restos reposan allí y uno de mis acompañantes dijo que las ramas que los cubrían estaban destinadas a suministrarles fuego en la otra vida.

Los indios, al pasar por ese punto, colocaban sobre las tumbas una piedra que aumentaba la altura u ocupaba el sitio de las que el tiempo desmorona; luego se contentaron con cortar ramas de los arbustos cercanos y ponerlas sobre las piedras, y ya en el momento de mi viaje se limitaban a depositar, respetuosamente y en silencio, ramitas pequeñas e hilos de los ponchos desflecados por las espinas.

Ni a la ida ni a la vuelta pude registrar esas tumbas, de las que, de todas maneras, no me hubiera sido dado sacar provecho alguno, pues, en caso de haber intentado recoger los despojos que encerraban, mis guías me habrían enviado a hacerles compañía.

En la meseta alta del Chubut era caso distinto, y pude extraer siete cráneos y algunos fémures, sintiendo que el mal estado de los caballos no permitiese llevar todos los huesos. Semejantes monumentos fúnebres no son raros en la Patagonia; en las costas del mar los viajeros los han mencionado repetidas veces, y Cox señala uno de ellos en un paso de la Cordillera. En el interior los he visto, y el Sr. Dournford, que últimamente ha seguido el curso del Chubut en una gran extensión, ha encontrado más de diez de ellos, aunque sin poder reconocerlos ni obtener un solo cráneo, como ha sucedido con los otros descubridores.

Esos *cairnes* están formados con piedras amontonadas que rodean y cubren los restos humanos, colocados al parecer sobre un piso artificial de piedras planas; el más elevado que conozco mide cerca de tres metros, y algunas piedras de las que los forman pesan de cuarenta a cincuenta kilogramos.

Conociendo la índole descuidada y negligente del patagón, puede calcularse el gran interés que en tiempos remotos tuvo por preservar los restos de sus deudos o amigos, cuando para cubrirlos tuvo muchas veces que transportar esas pesadas piedras.

En otra ocasión me extenderé con más detenimiento sobre las razones que aquí, como en el norte de la República, han impulsado a los indígenas a hacer tales construcciones, que actualmente no practican ninguna de las tribus patagónicas. Conociendo los parajes donde se conservan generalmente, me inclino a creer, como los indios actuales, que la mayor parte han sido levantadas para señalar el sitio donde, en épocas apar-tadas, perecieron de frío o por otras causas, algunos desgraciados viajeros; apoya esta hipótesis el hecho de que siempre se encuentran tales *cairnes* en puntos desiertos donde los indios no han tenido sus tolderías.

Esa arquitectura particular de las tumbas ha sido empleada en casi toda la República, en tiempos muy lejanos, por tribus nómadas, perdidas hoy, que no conocieron instrumentos con qué profundizar la tierra para enterrar sus muertos.

Las chulpas de los antiguos bolivianos, más civilizados que dichas tribus, no son sino un simple perfeccionamiento del *cairn* patagón; digo patagón porque me ocupo ahora de la Patagonia; pero es bien sabido que ese modo de perpetuar el sitio de una tumba es casi universal, en los tiempos y en las razas primitivas. En Europa, Asia, Africa y América ha sido empleado; Livingstone menciona los *cairnes* en su último viaje y aún los noruegos y corsos tienen respeto por ellos y les colocan piedras y ramas. Costumbre ya inconsciente, cuyo significado ha quedado seguramente perdido en los tiempos pasados.

El salvaje patagón, en su vida nómada, quizás ha tenido la idea de reunir en dichos monumentos los restos de los que en vida vivieron juntos formando una familia y que han perecido juntos a juzgar por las edades que demuestran los cráneos que he exhumado; prácticas a las que han propendido ciertas ideas religiosas que se revelan en los restos de alfarería y útiles empleados por los vivos y que, probablemente, se colocaron allí para servir en la vida futura a la familia a la cual pertenecieron. Esto vendría a demostrar que los hombres que amontonaron esas piedras creían en la subsistencia de la vida del espíritu después del aniquilamiento de la materia en la tierra.

Tentadoras son las analogías que existen entre estas costumbres y muchas otras de los habitantes antiguos y actuales de la Patagonia, con los de las otras partes del mundo que vivieron o viven en condiciones parecidas, para hacer creer en la posibilidad de un origen común; pero, para mí, sólo demuestran una infancia igual en las razas que forman la humanidad.

Cierto es que el humilde *cairn*, levantado sobre la cumbre de los cerros y habitado por las aves de rapiña, es fruto de la misma idea que ha elevado las gigantescas tumbas de la India, las pirámides de Egipto y los ciclópeos monumentos funerarios de Bolivia, Perú y México.

El mismo significado moral tiene, pues, el modesto agrupamiento de piedras primitivo, que el magnífico sepulcro de mármol y bronce moderno; ambos imponen el mismo respeto y evocan el mismo recuerdo.

Ese *cairn* domina una región completamente distinta de la que habíamos dejado atrás: un valle profundo o, mejor dicho, un gran bajo situado al pie del cerro en que nos encontrábamos, se extiende hacia el NNE hasta una larga distancia. En el centro levántanse rocas rojizas de aspecto abrupto, que quiebran la igualdad del paisaje, pero de tan escasa altura que apenas llegaban al nivel de las mesetas, no sobresaliendo de ellas para alterar en lo más mínimo su triste horizonte.

Las rocas blandas han desaparecido alrededor de ese agrupamiento de montañas en miniatura, pero no le han quitado su vista salvaje; las aguas no han tenido tiempo aún de suavizar los ángulos del pórfido. La materia ígnea, al elevarse, ha metamorfoseado las rocas neptunianas antiguas y las ha quebrado, alterándolas, sobre todo ciertas capas arcillosas de un período geológico lejano, cuyos colores vivos en fajas delgadas cruzan la roca plutónica comunicando a la montaña desde lejos, una fisonomía que acusa el fenómeno que la ha formado.

La disgregación de esas rocas, que la fuerza interna en una de sus convulsiones ha arrojado de su centro, ha formado una ligera capa terrosa donde la vegetación engalana algunos pequeños retazos. Algunas calceolarias y adesmias la adornan con sus bonitas flores.

Un pequeño arroyo, formado por la lluvia del día anterior, nos proveyó de agua, aunque bien mala por la cantidad de arcilla, yeso y sulfato de sosa que arrastraba a su paso por los cerros. Algunas matas de incienso brindaban su sombra humilde, y a ella nos acogimos durante la siesta, mientras el fuerte sol de mediodía reflejaba sus rayos como en un espejo en las grandes lajas de yeso que sembraban el suelo. Animaba el paisaje la presencia de algunos guanacos que relinchaban sobre las rocas y mostraban sus elegantes y curiosas cabezas entre las grietas de las pequeñas cavernas que semejan burbujas gigantescas, que dejara al solidificarse, el líquido ígneo. Capas de tufas de colores suaves, que alternan del blanco al amarillo y rosado, veíanse al pie de los cerros y embellecían el aspecto caótico de aquel fragmento de la Tierra.

El fenómeno del espejismo se reproducía a esa hora, y los mirajes surgían del horizonte imitando inmensos bosques que en vano se buscarían. En la planicie, al oeste de los cerros rojos, el bañado cargado de sales cristalizadas representaba una extensa plaza de cristal en cuyo centro los fragmentos aislados del pórfido adquirían proporciones gigantescas imitando arcos de triunfo y enormes monolitos macizos de figuras extravagantes.

Resolví demorar en ese punto el resto del día, para dar libre campo a mi espíritu impresionado, concediendo al mismo tiempo descanso a las cabalgaduras.

Nuestro almuerzo pasóse de frugal; debía componerse de los huevos de perdiz y de un poco de té amargo, al que la mala agua daba color de leche. Tan pobre *menú* sufrió aún restricciones, pues, al abrir los huevos para

---

1   Relatione Universali di Giovanni Botero, Venecia, MDCXL, in 4°, pág.199.

asarlos en las cenizas, vimos que se hallaban empollados unos y otros podridos. Debimos contentarnos con sólo el té, aprovechando las cáscaras para hacer pequeñas tazas, tan pequeñas y tan delicadas como las que emplean los mandarines para beber el néctar de su patria. Para suplir el olvido del encargado de los provisiones, la necesidad me reveló ese recurso, que fue puesto en práctica con gran precaución a causa de la exquisita finura de tan preciosos productos de la naturaleza, trasformados en objetos de uso doméstico.

Nuestras esperanzas de encontrar huevos de avestruz en el trascurso del viaje, que son allí los proveedores de alimentos y el gran recurso del viajero mal equipado, no habían podido realizarse y nos convencimos allí, desgraciadamente, de lo mal que habíamos hecho en confiar demasiado en la abundancia de las mesetas.

Nada más monótono que la hora del mediodía en aquellas regiones: los rayos de un sol ardiente caen a plomo del cielo sofocado de nubes; sólo el modesto ruido peculiar del tuco–tucu que se escucha a intervalos desde el fondo de su cueva cavada preferentemente en el suelo blando, cerca del agua, interrumpe el silencio y la quietud durante las horas de la siesta.

El viajero no puede sacudir la pereza y laxitud que le asaltan, y esa influencia no desaparece hasta que el sol declina y llega el aire fresco de la tarde, que despeja el cerebro, sacándolo de su abatimiento. El descanso ansiado es invariablemente interrumpido por una verdadera lucha con los insoportables tábanos de picadura enconosa, las nubes de jejenes microscópicos y los innumerables mosquitos, enemigos declarados de todo durmiente, y cuyo zumbido y picaduras alteran el ánimo y atenúan el entusiasmo del más decidido naturalista. Aunque es muy hermoso admirar, alrededor del fogón, las noches claras australes, en medio del silencio de la meseta, ante la transición del día siguiente, el espíritu olvida las elevadas impresiones que aquel espectáculo le produjera y llega casi hasta negar la imponente grandeza del cielo magallánico.

Desde que un libro raro y curioso, publicado en 1640[1] dice en una nota fechada en 1594 que el Tucumán se extiende hacia el estrecho de Magallanes como "campagne tanto spiegate e comode" en las que se pueden andar dos mil millas en carrozas, todos los libros generales, aún los publicados últimamente, nos hablan de las extensas llanuras patagónicas como continuación de las de Buenos Aires, sin que accidentes topográficos notables alteren ese océano de tierra y verdura, y señalan las sierras del Tandil y la Ventana como únicas protuberancias que interrumpen la inmensidad de la pampa.

Demostraré ligeramente lo erróneo de tal aseveración, contra la cual se eleva todo lo que conozco de la orografía de esos parajes. El agua, cuya acción más o menos tranquila ha producido las llanuras y mesetas, no es el único gran agente físico al que se debe la existencia actual de esos territorios. Los cerros del *cairn* sólo son una isleta, o quizás un ramal, que se extiende cubierto por capas más modernas, para mostrarse en esa hondonada cuyo origen no he tenido tiempo de explicarme y que puede ser debido a la acción química combinada de la atmósfera y del suelo, del cordón montañoso eruptivo que principia en lo que llamamos sierra de San Antonio. Éste se dirige hacia el SSO con una altura de 1600 a 1500 metros, desprendiendo varios ramales, y por entre ellos corre el Chubut, obligando esta formación a tomar variados rumbos a la enorme masa de agua que en otro tiempo contribuyó a labrar el lecho del hoy, en comparación, insignificante río. La acción plutónica y la acción volcánica se observan en casi todo el territorio de Chubut, y han trasformado a veces hasta los restos de los animales que en otro tiempo lo habitaron, y las maderas silificadas de los bosques terciarios que al presente se recogen en fragmentos, conservando su apariencia de frescura, al pie de los cerros mencionados.

Subiendo la meseta que frente al paradero mostraba sus barrancas perpendiculares y su estratificación horizontal característica, y caminando dos días al oeste, se llega a esas montañas, a cuyo pie se halla la laguna *Getalaik* (quizá corrupción de *Futalafquen*, que en araucano significa laguna grande), que es alimentada por las nieves de los cerros que llegan a ella por un arroyuelo situado poco más al norte. La naturaleza parece que ha prodigado a esas montañas los favores que ha negado a la meseta: allí, según los indios y por las muestras que ellos han traído, abundan los metales; les he oído conversaciones interminables sobre un gran fragmento de oro puro con el cual hicieron una boleadora que luego vendieron en Carmen de Patagones, por una insignificancia, a un comerciante que en Buenos Aires obtuvo una fuerte suma por ella; les he visto un fragmento de roca rico en cobre, hematitas y varios ocres; y un cacique llevó últimamente a Chubut varias piedras de la "Tierra del Hierro" que analizadas por el químico Sr. Kyle han demostrado contener mineral de buena calidad, con un equivalente de 56" 77 0/0 de hierro metálico. Más al oeste de esas sierras continúan las mesetas terciarias, pero más entrecortadas, alternadas de rocas cristalinas antiguas, y luego mantos de basalto bastante gruesos que negrean sobre profundos valles con aguados permanentes, tales como *Mackinchau, Trang–geo*, donde abunda el cloruro de sodio, *Kaltraune, Limen Mahuida* (sierra de la piedra de afilar), *Tamuelin, Treneta*, etc., parajes que visitan con frecuencias las tribus nómadas pampas y tehuelches.

Pero en medio de esa fertilidad hay planicies engañosas situadas en valles donde la actividad volcánica continúa en acción. Ese "país del diablo", como me lo han señalado algunos indios, lo visitó Musters; su suelo es caliente; haciendo un agujero, la tierra parece estar encendida y el calor quema el pelo de las patas de los caballos. Al perforar éstas la costra amarillenta de la superficie, muestran un subsuelo negro en el que, aunque en combustión, no se ven llamas, pero de donde se eleva un vapor suave. Las fuentes calientes abundan; hay grandes pozos hasta de seis pies de diámetro donde hierve el agua, y sé de parajes donde el agua surgente lanza chorros a cuatro metros de altura, que son probablemente geysers en el centro de la Patagonia. Gran parte de esa región es aún misterio no develado por europeos; los indios, poseídos de un terror supersticioso, no se atreven a penetrar en ella, y quizás contenga riquezas explotables con provecho en las sustancias que la acción de los volcanes produce.

Al día siguiente, veintinueve, emprendimos el regreso a la colonia apurados por la necesidad, siguiendo el bajo hacia el sur, dejando a la izquierda los cerros eruptivos y a la derecha las barrancas terciarias. Caminamos por un bañado salitroso surcado por pequeños zanjones, sumamente pantanosos, donde, entre los grandes claros sin vegetación, se veían de cuando en cuando algunas matas de incienso y muchos guanacos que por la refracción atmosférica aparecían gigantescos, como elevadas jirafas, recordando involuntariamente a los rumiantes de las épocas perdidas. Concluido el bajo, ascendimos la meseta donde esperábamos cazar algunas liebres para nuestro alimento. Este animal tan lindo como el europeo, pero menos ligero, sólo se encuentra bien en ese desierto que su mayor enemigo, el indio, poco frecuenta. Las veíamos en tropas de veinte o más, un momento atentas, sobrecogidas de terror, paradas todas al mismo tiempo para escuchar el ruido sospechoso que su timidez y fino oído les revelan desde lejos, y luego corriendo veloces a grandes saltos, en línea recta, para escapar de nuestros caballos cansados. No sé si por lo mismo que para el zorro de la fábula las uvas estaban verdes, las liebres nos parecieron flacas, y nos contentamos con verlas desaparecer entre los matorrales y esconderse en sus cuevas. Sólo cuando el cazador consigue tapar éstas, puede con paciencia agarrarlas, porque su timidez es tanta que se confunden y no aciertan a alejarse de ellas a grandes distancias.

Los avestruces que vagaban eran presas demasiado difíciles, y ni siquiera tentamos acercarnos a ellos.

A la caída de la tarde bajamos entre cañadones cuyas pendientes, desnudas de vegetación, mostraban escrita la formación geológica del terreno. Recogí algunos fósiles marinos. Ya avanzada la noche, llegamos a una de las casas de Gaiman, donde pedimos hospitalidad; al día siguiente cruzamos el río en la angostura que divide ambos valles, y tres horas más tarde entraba en la comisaría nacional, contento de la corta pero provechosa excursión, con las maletas cargadas de cráneos, rocas y fósiles, y con un vivo deseo de emprender otras, mientras dispusiera de tiempo suficiente.

Restos humanos. Llegada de indios. Un chasque de las Manzanas. Recuerdos del viaje anterior.

E l aviso de Piedrabuena para que estuviera pronto a embarcarme a la primera señal, me obligó a completar lo más ligero posible las colecciones, sobre todo las de antropología, que figuraban en primera línea en mi programa y que hasta entonces sólo se componían de los objetos recogidos en los albardones del valle ya mencionado, en otros puntos y en el cerro del *cairn*, y que dejaban mucho que desear en cuanto a restos de los indios que de cuando en cuando visitan Chubut.

Cerca de la comisaría nacional está situado el cementerio de la colonia y en él había sido inhumado mi amigo Sam Slick, buen tehuelche, hijo del cacique Casimiro Biguá. Conocí a ese indio en mi viaje anterior a Santa Cruz; había sido herido en uno de los frecuentes combates que tienen los patagones cuando el aguardiente los excita y lo encontré refugiado en los galpones de la colonia Roucaud, donde había sido socorrido por Lacalaca, a quien tanto estiman los indígenas. Nuestra llegada a ese punto, en el Rosales, fue un motivo de gozo para el buen Sam, por los regalos y los ponches con que lo obsequiábamos y que realizaban uno de sus mayores deseos al probar esa bebida que había oído ponderar en Malvinas, paraje que conocía por haber sido llevado a él por Piedrabuena. Su contento rayaba en entusiasmo cuando lo embarcábamos de vez en cuando en el bote, le dejábamos manejar el timón, y escuchar el tambor y el pífano del bergantín.

Consintió en que hiciéramos su fotografía, pero de ninguna manera quiso que midiera su cuerpo y sobre todo su cabeza. No sé por qué rara preocupación hacía esto, pues más tarde, al volver a encontrarlo en Patagones, aun cuando continuamos siendo amigos, no me permitió acercarme a él mientras permanecía borracho, y un año después, cuando llegué a ese punto para emprender viaje a Nahuel Huapí, le propuse que me acompañara y rehusó diciendo que yo quería su cabeza. Su destino era ése. Días después de mi partida se dirigió a Chubut y allí fue muerto alevosamente por otros dos indios, en una noche de orgía. A mi llegada supe su desgracia, averigüé el paraje en que había sido inhumado y en una noche de luna exhumé su cadáver, cuyo esqueleto se conserva en el Museo Antropológico de Buenos Aires; sacrilegio cometido en provecho del estudio osteológico de los Tehuelches.

Lo mismo hice con los del cacique *Sapo* y su mujer, que habían fallecido en ese punto, en años anteriores, en una de las estadías de las tolderías. Ambos habían sido enterrados en un cementerio cristiano, conservando, sin embargo, las prácticas indígenas en la colocación sentada de los cadáveres.[1] Al lado del cacique encontramos un hacha de hierro de construcción inglesa, quizás la prenda más estimada del pobre jefe y de la cual ni la muerte lo separaba; al costado de la mujer, mezclados con algunas de sus alhajas, recogimos los huesos de un *pelado*, infeliz sacrificado al cariño casi maternal que las tehuelches tienen por esa clase de perros. Con estos objetos y los anteriores quedé satisfecho sobre este punto importante de mi viaje.

Hay algo de poético en lo que motiva el entierro de los perros junto con los restos de los que fueron sus dueños.

Los indígenas creen en la persistencia del espíritu y en el viaje que éste emprende a otro mundo, después de haber abandonado, por la muerte, el cuerpo que lo generó; y no sólo creen en esa nueva vida sino que la imaginan más o

---

1   Véase François P. Moreno "Description des Cimetiëres et Paraderos Préhistoriques de Patagonie", en Revue d'Anthropologie, t. III, París, 1874.

menos con las mismas necesidades que en ésta, sin preocuparse muchas veces de la forma que el alma reviste allí como individuo.

Quizás restos de tradiciones que denotan un fetichismo antiguo les imponen creencias que no siempre están de acuerdo con el modo de vivir de ellos actualmente; y forman, las nuevas con las viejas, las indígenas con las adquiridas más tarde, después del contacto con los blancos, una mitología, si es que así puede llamarse ese conjunto de creencias supersticiosas, tan mezclada que sólo una gran paciencia puede desligar las diversas fases de ella siguiendo su graduación progresiva.

En la segunda parte de este libro trataré de hacer conocer las ideas religiosas de los indígenas que he visitado, pero aquí voy a permitirme indicar qué causa motiva la presencia de los restos del pelado, juntos con los de la esposa de *Sapo*; ejemplo que quizás pueda dar alguna luz sobre una antigua zoolatría.

Después que el espíritu abandona la materia, se dirige al país donde va a residir, situado lejos, del otro lado de los mares o de los lagos, es decir, en lo desconocido, donde continúa gozando en mayor escala de las mismas comodidades y placeres que en la tierra que deja. Pero el viaje es largo y el alma humana tiene serios enemigos en el trayecto; las aves nocturnas que atemorizan con sus gritos tristes y lastimeros, luego que el manto de la noche, cubriendo la tierra, despierta las supersticiones acalladas por la luz del día; en el cerebro del indio, son indudablemente la encarnación de malos espíritus que tratan de apoderarse de ella antes de llegar al anhelado descanso.

Para su defensa, sirve el perro que se inmola el cual, además de continuar acompañando a su dueño en el mundo de las almas, donde también tienen reservado local todos los animales sin excepción, impide, guerreando contra ellas, que las aves que encarnan algunos malignos se apoderen del alma de quien los poseyó en vida.

En esos últimos días llegaron de *Mackinchau* algunos pampas con el objeto de negociar un poco de pluma de avestruz y algunos quillangos, por aguardiente, el claro *pulcu* que se vende en Carmen [de Patagones] y en Chubut y que prefieren en mucho al turbio de los negociantes valdivianos.

A éste, sin embargo, no le hacen mucho asco, pues suministra materia a las borracheras que tienen lugar en las inmediaciones del Limay.

La mayor parte eran indígenas puros, y otros, en sus facciones y su carácter, indicaban mezcla con sangre de blancos, de Carmen [de Patagones] o de Valdivia. Doy preferencia a los primeros: son más nobles y más apuestos que los segundos, que tienen estatura menos elevada y carácter taimado.

Habían oído hablar de la llegada de un cristiano al Limay, y como me interesara el asunto, pues se trataba de mí, les pedí que me contaran qué sabían de él.

Shaihueque les había enviado un chasque, hacía un año, para comunicar su llegada y la amistad que lo unía con un cristiano, y participarles que ya no debían moverse por haber resuelto suspender la invasión, para la cual los había invitado hacía algún tiempo, sin embargo de que debían quedar prevenidos. La desconfianza bien fundada que había alarmado tanto a los indios sólo se había calmado, y aún ardía bajo la capa de indiferencia de que hacen generalmente gala. Nada les conmueve en apariencia, pero nada escapa a su observación.

El relato del chasque es curioso y debo mencionarlo, pues en él se pinta bien el carácter del mapuche.

Un *queleuche* (hombre colorado, así nombran a los europeos) había llegado a los campos atraído por el renombre del cacique que era considerado, por el viajero, más poderoso y más valiente que *Namuncurá* (pie de piedra), jefe de Salinas Grandes.

La noticia de su próximo arribo fue conocida de antemano en los toldos; el cacique había "soñado un sueño" (estos juegan un gran papel en la diplomacia indígena) y le había sido anunciada con dos días de anterioridad por su espíritu bueno. Pero, a pesar de que el pronóstico lo hacía llegar oculto, mezclado y disfrazado de indio, entre los mocetones de la tribu de *Inacayal*, lo que mostraba que el viajero debía ser mal intencionado y temeroso de que "la sangre brotara de su rostro", en caso de ser visto, además de poseer un corazón chico (figura india que significa cobardía), se había presentado con la cara descubierta, había cumplido con todos los requisitos de la etiqueta mapuche enviando chasques anticipados para anunciar su llegada y pidiendo permiso para acercarse a los toldos, en vez de tratar de cruzar escondido a Chile. La hospitalidad reconocida del indio no se había desmentido en esa ocasión, y la confianza del cristiano había tocado el corazón del cacique.

Éste se encontraba agraviado por los malos tratamientos que los cristianos daban a sus indios cuando iban a Patagones, y por la falta de cumplimiento de los tratados que mantenían con el gobierno, lo que motivaba la invasión para la cual habían sido invitados los pampas.

Había resuelto enviar a su hijo *Cachull*, acompañado del capitán *Nahuelpan* y algunas "lanzas", con el objeto de saludarlo en su campamento a orillas del *Quem–quen–treu* e invitarlo a llegar "a sus casas". En ellas lo habían recibido con sus principales jefes, luego que las mujeres hubieron revelado con sus cantos sus sentimientos por los malos ratos sufridos en el viaje y el contento que experimentaban por su feliz terminación. Lo había invitado a entrar a su casa para alimentarlo, y allí sus capitanes le apretaron la mano derecha: las mujeres le habían saludado y servido.

Se había alegrado mucho al saber que el "gobierno y sus capitanes" gozaban de buena salud y que éste tenía interés en saber de la de él y de los suyos. El *huinca* le había dicho que era mentira que los argentinos y los chilenos, unidos, habían resuelto invadir los campos, y que la culpa de que no se hubiesen cumplido las raciones la tenían los mamuelches de Salinas que, poco tiempo hacía, robaron las yeguadas que el gobierno enviaba a los mapuches. Esto le probó que *Namuncurá*, a quien nunca consideró dueño del terreno en que vive, pues Dios lo hizo nacer en Yaimas y no en Salinas, no se portaba bien y que "le venían ganas de ir a pelearlo".

El gobierno de Buenos Aires había dado al cristiano una *chilcá* (carta) diciéndole que visitara a los indios, juntara bichos y yuyos, pues era hombre curioso, y le llevara enseguida noticias de sus amigos, porque deseaba saber si vivían contentos.

El permiso que solicitó para pasar a Valdivia no se le había concedido, porque ni sus padres ni sus abuelos jamás oyeron hablar ni permitieron que un cristiano conociera los campos que hay entre las dos "Aguas grandes" (los océanos), y que él no podía faltar a lo que había prometido a quienes, al morir, le habían exigido que los imitara en todo.

Le había dicho que podía pasear en sus toldos, sin cuidado alguno, porque era amigo de los blancos, más que éstos de él, y que por eso había reunido a sus principales capitanes y caciques cercanos para decirles que conocieran al cristiano y que lo miraran bien, como a un hijo, pues lo había hecho su compadre.

Sin embargo, en el *aucan–trahun*, los ancianos se habían opuesto a que se dirigiera a Mendoza, como él se lo había prometido, pues creían en la palabra de *Chacayal*, que opinaba que bien podía tener el cristiano corazón de *piche (Dasypus)* y guardar en él algo malo, y que por eso se interesaba en visitar los campos. Además, los hijos de *Huilliqueupu* (Pedernal del sur) habían dicho que demasiado se hacía con no vengarse en el *huinca*, después que los de *Hue–meu* (que puede traducirse "donde antes estábamos", es decir, Buenos Aires), se portaban tan mal con ellos habiendo hecho morir a su padre.

Que lo había defendido, y que con sus dos segundos, los caciques *Ñancucheuque* y *Molfin–queupu* (Pedernal sangriento), se opuso a que le hicieran mal alguno. Que los ancianos se habían contentado y *Ñancucheuque* lo había llevado a sus toldos, donde *Quinchahuala* había querido ofenderlo, porque creía que tenía cuatro corazones, lo que era una gran mentira.

Le había permitido visitar *Tequel Malal* (lago Nahuel Huapí) e iba a regresar a Buenos Aires, de donde volvería pronto porque deseaba que fuera su hijo.

Que al querer casarlo, había rehusado porque aún no se consideraba bastante amigo de los indios.

Todo esto me relató el pampa con mil rodeos, no tan largos, seguramente, como los del verdadero chasque, cuyo discurso conjeturo que duraría de sol a sol.

La memoria de los indios es extraordinaria y recuerdan con facilidad el más insignificante incidente, complaciéndose en mencionarlo cada vez que se presenta ocasión.

Su gran elocuencia y su mayor triunfo oratorio consiste en hablar horas enteras y cuanto más sea posible, para hacer duradero e importante el discurso.

Citaré, como ejemplo, uno que escuché en los toldos de *Ñancucheuque*. Un indio de aspecto serio, llegó cierta mañana al amanecer. Luego que se le concedió permiso para bajarse del caballo, y concluido el llanto de las chinas, se dirigió al interior del toldo.

Allí me encontraba con el cacique, explicándole la composición de un paraguas antiquísimo y desvencijado, recuerdo quizás de alguna invasión lejana que era guardado como una de sus prendas más importantes, junto con una gran máscara de madera (objeto muy interesante bajo el punto de vista etnográfico y que no pude obtener ni copiar). Ambos salían a lucir, en los grandes festejos, llevados por un indio que envuelto en un quillango hacía contorsiones carnavalescas, cancaneando y asustando a las mujeres y a los chiquillos de la tribu.

Tres edades sociales: el quillango, una de las vestiduras más primitivas; la máscara, hija de la civilización antigua y casi universal; y el paraguas, producto de la industria moderna, formaban en esas ocasiones el conjunto más grotesco imaginable, pero filosófico en extremo, reuniendo así, en un momento de locura y en un horizonte modesto, casi toda la evolución social del hombre.

El indio taciturno sentóse en el cuero de lujo, que siempre se ofrece al que por primera vez llega al toldo. No despegó sus labios hasta que le trajeron de comer, y luego que hubo saciado su apetito, que debía ser muy grande, con un plato colosal de semillas de *Araucaria imbricata*, principió su alocución al jefe.

Le habló primero de sus gloriosos abuelos, mostrándole conocer la genealogía de los valientes antepasados de mi amigo el cacique, cuya herencia no ha desmentido, y luego remontóse al origen de los suyos, que habían peleado contra los españoles en los primeros tiempos de la Conquista.

¡Quizás dijera que combatieron al lado de *Lautaro, Caupolicán* y *Tucapel*!

Extendióse sobre la guerra que los indios del lado de Chile sostienen, desde hace más de tres siglos, y concluyó casi llorando al relatar la muerte del valiente *Quilapán*, cacique que había hecho correr mucha sangre cristiana, hermano de mi compañero *Nahuelpan*, a quien tenía a mi lado escuchando atento.

El sol cruzaba el meridiano cuando el indio araucano decía esto, lo que sólo era una pequeña parte de lo que tenía que recordar de las hazañas pasadas.

Ñancucheuque, que es mirado como uno de los oradores de más nota en las Manzanas, le contestó en el mismo estilo, recordando las épocas en que las indiadas de ambos lados de la Cordillera se habían unido para combatir al usurpador de sus tierras, y la noche llegó sin que pudiéramos saber aún a qué conducía ese gran parlamento.

Por mi parte creía que iba a tener por desenlace la declaración del desconocido, de ser algún enviado de los indios araucanos, pidiendo auxilios de gente a sus hermanos los pehuenches, para alguna tentativa de reconquista de sus antiguos hogares.

La cena de araucarias y frutillas vino a interrumpir, felizmente para mí, los discursos que fueron suspendidos hasta el día siguiente. Hasta entonces el araucano volvió a entrar en su primer silencio. A la misma hora que en el día anterior volvió a tomar la palabra, más o menos con el mismo tema, sin demostrar señales de cansancio, y no la dejó hasta avanzada la tarde, concluyendo, y despejando la incógnita, con gran asombro mío, diciéndose indio comerciante que venía a pedir permiso al cacique para entrar en sus tierras a vender aguardiente.

Fuéle concedido en el acto, después de haber ponderado su "buena lengua" la indiada presente.

¡Dos días para decir que era negociante! ¡Con razón fue tan aplaudida esta hazaña!

Días después, una mañana que me encontraba a orillas del río *Chimehuin*, a algunas cuadras de los toldos, llegaron unos indios de Salinas, de paso para Chile. Me preguntaron con señales de miedo qué hacían los indios pehuelches en ese momento. Habiéndoles dicho que no tuvieran cuidado, pues estaban borrachos, no pudieron menos que detenerse todo ese día para contarme que *Catriel* había muerto, lo que sabía yo hacía más de un año, dicho esto en un discurso parecido al anterior, que fue acortado por haber oído gran ruido en las tolderías.

Bastan estos dos ejemplos para saber a qué atenerse respecto de las dotes oratorias de los habitantes de la parte occidental de la Patagonia septentrional.

El parte de *Shaihueque* era sumamente halagüeño para mí, hasta el momento que había contado el indio, pero éste agregó enseguida que, aun cuando el jefe se oponía a que maltrataran al cristiano, habían sabido en *Mackinchau* que algunos indios iban a hacerlo, pues no había salido todavía de los toldos, a pesar de haberlo anunciado el chasque.

Los que desconfiaban estaban convencidos de que su venida a las tolderías tenía por objeto buscar la plata y el oro de las sierras, y no los animales y pastos de los campos. Esas riquezas las conocía gracias a su vista de *manque* (cóndor); subía a las montañas y desde allí, mirando hacia abajo, encontraba el *cullulcurá* (carbón de piedra) y otras piedras que los blancos buscaban para ir luego a poblar esa región. Además, les constaba que "mil quinientos cincuenta gringos" iban a entrar por Villarica a pelearlos y que quizás él cristiano era un espía, pues se creía que no venia de Patagones sino de Chile.

Esta sospecha me había dado más de un motivo de alarma en los toldos.

Aunque me separe completamente de la relación de este viaje, creo deber explicar aquí el porqué de aquélla, dando algunos pormenores sobre los episodios que motivaban esa alarma y otros sobre mi vida en esos parajes, desde el momento que cundió la desconfianza en los toldos.

Ya he dicho que a la salida de *Caleufú* los hijos de *Huilliqueupu* quisieron jugarme una mala partida, de la que escapé gracias al aviso del cacique *Molfinqueupu* (ofensa cuya principal causa revelaré algún día y para cuya realización se explotó la desconfianza de algunos indios).

Mis anteojos dieron la primera voz de alarma. Desde mi llegada a los toldos de *Shaihueque* noté que las mujeres me miraban con temor y extrañeza, y que luego algunas lloraban. Días después, cuando las primeras borracheras tuvieron lugar, y ya era íntimo del jefe gracias a una botella de coñac, le pregunté qué motivo de temor tenían ellos contra mí. Me indicó los anteojos, agregando: "Ellas temen, porque dicen que, teniendo cuatro ojos, bien puedes tener cuatro corazones y ser malo". Explicado su uso satisfactoriamente, aunque con gran detrimento de ellos, quedó convencido del poco fundamento de la sospecha de las chinas.

La creencia de que fuera chileno vino nuevamente a despertar la prevención en los indios supersticiosos, por intermedio de un *aucache*[1] que había llegado a *Caleufú* con aguardiente para vender, y que había afirmado que en el otro lado de la Cordillera se aseguraba que yo no era argentino, que no había pasado por el río Negro, que las cartas de los Linares no eran auténticas y que por un indio que había llegado a *Huechehue–hum* enviaban a decir que se cuidaran de mí, pues era chileno, enviado por ese gobierno y no por el argentino. En esto, lo único cierto era lo de las cartas: las había escrito yo mismo pero con consentimiento de mis amigos los indios de Río Negro.

El citado *aucache* tenía ciertamente interés en que yo desapareciera lo más pronto posible. Había sido testigo, en un momento de soledad en los toldos, de una escena repugnante, que la buena educación y el pudor no me permiten mencionar, y la que, a ser conocida por los mapuches, hubiera tenido malas consecuencias para él, y temía sin duda, que fuera revelada por quien involuntariamente la había presenciado.

Felizmente, *Shaihueque* no se encontraba en *Caleufú*, había salido esa mañana a bolear avestruces, pues nos encontrábamos escasos de alimentos, y pude saber antes que él lo que se tramaba contra mí.

Por algunas palabras sueltas que escuché, dirigidas por el *aucache*[1] a un indio, el platero de la tribu, a quien yo

---

1 Los indios de este lado de la Cordillera dan ese nombre a los que viven en la provincia de Valdivia y que son generalmente mestizos. Auca quiere decir salvaje, montaraz y che, gente. Los mapuches me han dicho que los llaman así porque son muy zonzos, muy ignorantes y que ni domar saben. De esto último he sido testigo y puedo dar fe de la exactitud de la aseveración de Shaihueque: ninguno de ellos pudo montar un potro, en las varias veces que visitaron, en número de cuatro y cinco, los toldos de *Caleufú*.

ayudaba a fundir unos estribos de plata, comprendí que se urdía algo desagradable.

Aparenté tranquilidad, pues conocía lo grave del caso, y dije a *Shaihueque*, apenas llegó, que sabía que un malintencionado le enviaba a decir mentiras, y que todo lo que pudiera contar el *aucache* era falso, pues él ya podía conocerme lo suficiente para saber si yo tenía mal corazón para engañarlo; y que además no debía dudar de su compadre, pues era inferirle una ofensa.

ʻEste vínculo, con que el cacique me había ligado a él pocos días después de mi llegada, en un momento en que el coñac "Martell" había enternecido su espíritu y trataba de pagarme el regalo de la botella con las mayores distinciones, habiéndole ya rechazado el que me imponía (el honor del enlace matrimonial con su sobrina), es tan sagrado como el de hermano entre los indios, y sólo se olvida en los momentos de perturbación que ocasiona el aguardiente.

Varias veces he visto llorar al bravo cacique, cuando sus mujeres le contaban, luego de pasada la orgía, las amenazas que había proferido en ella contra mí. En una ocasión, al día siguiente de mi llegada a su toldo, cuando enfurecido por la bebida se lanzó puñal en mano, tratando de herirme, le contuvo su mujer *Fía* con el solo grito de "vas a matar a tu compadre". Al oír esas palabras, su cerebro se despejó, se serenó un momento y luego rompió a llorar.

Entre compadres todo es mutuo, excepto la mujer; y uno no puede negar al otro lo que pide, aun cuando sea el caballo o la lanza, que son sus prendas de más estimación; están obligados a prestarse auxilio en caso de peligro o vengar al que ha sido maltratado o muerto. Nada debe separarlos.

Basta que dos indios se den el título de hermanos para que vivan juntos y mueran juntos, si es posible.

Es el mismo vínculo que unía a René con el heroico Outogamiz, que nos pinta Chateaubriand.

Desagradable momento fue aquél en que estuvo a punto de malograrse el éxito de mi expedición: *Shaihueque* no había tenido buen resultado en su caza, pues la niebla había cubierto esa tarde las eminencias de las colinas donde esperaba encontrar los avestruces, y su hijo mayor, *Truquel*, había sido herido por una flecha arrojada por los *walichus* que viven en las cavernas, herida que, en realidad, había sido el resultado de una caída del caballo. Mal dispuesto ya con este suceso, la noticia le desagradó sobremanera y me interpeló seriamente, pues si bien no podía admitir como cierto todo lo que se decía de su compadre, algo, a lo menos, había en el fondo del corazón de éste, pues en ese órgano reside, según los indígenas patagónicos, el principio del bien y del mal.

En un caso tan crítico, el menor síntoma de flaqueza nos hubiera perdido indudablemente; por eso, jugando el todo por el todo, díjele, con la mayor energía posible, que podía creer todos los cuentos que quisiera, pero que cuando llegué a su casa me había dicho que me respetaría y que siempre había tenido confianza en su palabra, y que, dado el caso de que el jefe de las Manzanas no guardase la suya, sería él y no yo, quien tendría corazón malo. Ya que había llegado el aguardiente que necesitaba para hacer la fiesta deseada, podría esperar que en ella dijera la adivina si era culpable o no, y entretanto había tiempo de pensar si desde el momento de mi llegada había dado lugar a dudas. Accedió a ello, envió chasques convocando a la reunión, y como la vista del licor le tentara, principió a beber.

No estaba todo arreglado. Aunque el juicio se demoraba, no podía esperar mucho bien de quien iba a fallar, esto es, de la agorera, que era hermana de la "novia" que había rechazado.

La *machi*, hechicera y médica al mismo tiempo, y cuyo físico estaba lejos de acusar el oficio que desempeñaba, era una joven de dieciocho a veinte años, y una de las indias más bonitas que conozco. No parecía mirarme con muy buenos ojos, lo que atribuyo a las maravillosas curas que había tenido la suerte de realizar en las tolderías y que me habían dado gran renombre y numerosa clientela.

Las borracheras y la curiosidad femenina las habían motivado al principio. Un ejemplo es la siguiente cura. Poco después de mi llegada, *Shaihueque* se alejó una noche del gran toldo; deseaba beber y no había aguardiente, pero en los toldos cercanos de *Chacayal* quedaba un barril no destapado aún.

Descansábamos en paz, evocando reminiscencias agradables que consuelan y hacen olvidar la vida real, después de algún tiempo de presenciar bacanales, cuando fui despertado bruscamente por un indio chasque que el cacique enviaba para conducirme a donde "se divertía", previniéndome, al mismo tiempo, que llevara todos mis "remedios".

¿Qué querría mi compadre? ¿Qué nueva exigencia le había sugerido la bebida? Ya estaba exhausto de regalos; apenas unos pocos hilos de cuentas me quedaban, guardados para los días de hambre, en que había que convertirse en mercader con las chinas y los muchachos. ¡Y ahora quería mis remedios! Quizás iba a insistir en que le diera alguno para que las jóvenes fueran más dóciles a sus exigencias impuras, cosa que ya había solicitado varias veces. Acudí a su llamado, sin embargo.

Lo hallé en el toldo donde había pasado la noche bebiendo él y parte de la indiada.

Se hallaba apesadumbrado porque la hija de *Chacayal*, que era al mismo tiempo mi prometida, parecía estar gravemente enferma y exigía mis cuidados médicos. El licor la había seducido y la embriaguez le había ocasionado fuertes dolores de cabeza cuyas causas no adivinaban los indios, aturdidos en esos momentos.

Las únicas drogas que contenía mi botiquín, ya exhausto; eran: un poco de árnica, magnesia calcinada y sinapismos preparados según la receta del Dr. Rigollot. Le

apliqué, sin compasión, cinco de estos últimos, mojados en
árnica, en ambas pantorrillas, en los brazos y en la nuca,
advirtiéndole que inmediatamente que sintiera ardores
que no pudiera soportar, la enfermedad desaparecería,
huyendo al mismo tiempo el *walichu* que había penetrado
en la parte dolorida.

Sea que la casualidad hiciera que la congestión se
disipara o que el efecto de los sinapismos fuera demasiado
fuerte, el caso fue que la enferma se encontró sana, a lo menos en apariencia, a los pocos momentos. Esta cura me valió un caballo.

Los remedios que su hermana la adivina le había sumi-
nistrado no habían hecho sino agravar su enfermedad.

Desde ese día, la *machi* me miró con prevención; sus
aptitudes médicas, con las cuales había nacido según
decían los indios, quedaban casi anuladas, o por lo menos
oscurecidas con mi cura; prevención que luego aumentó
con la curación de un pasmo que un indio infeliz sufría
atrozmente en una mano, a causa de que un *walichu* le
había hincado allí una flecha.

Su dolencia desapareció con paños mojados en agua y
árnica, en la que había diluido magnesia para dar importancia al remedio por el color, único recurso que me
quedaba y que no me infundía mucha fe por el mal estado
del enfermo, el cual me tuvo preocupado por varios días,
temiendo un desenlace fatal para él y por consiguiente
para el médico.

Felizmente, el pobre enfermo, que sea dicho de paso
quedó agradecido hacia mí no por los servicios suministrados sino porque los *walichus* de que yo disponía eran
más poderosos que los del brujo que había enviado la
flecha y habían podido extraerla, curó a los pocos días,
después de haber estado a punto de dejar este mundo para
ir a habitar el otro.

Algunas creencias de esos indígenas no están de
acuerdo entre sí y, al juzgarlas, se encuentra que muchas

veces su significado es contrario al que se desprende de
ellas; son análogas en apariencia, pero imposibles de conciliar luego que se investiga su origen. Encuentro poca conexión entre la que les hace suponer que todas las enfermedades y muertes son fruto de hechizos y no de alteraciones patológicas y la que les dice que muchos al expirar
vuelven a la vida, porque en el país de los espíritus se les
rechaza. Esto hace nacer un antagonismo entre los
espíritus que dejaron sus cuerpos en este mundo y los
brujos que tratan de aumentar el número de quienes lo
abandonan.

La muerte, a no ser en combate, no es cosa natural
entre los indios; es algo incomprensible y por ello hija de
hechizos, y éstos no pueden existir sin que haya seres que
los engendren.

Si el indio hubiera fallecido, yo habría sido "lógi-
camente" considerado brujo y causa, en consecuencia, de
esa desgracia.

El enfermo estuvo varios días postrado, hubo momentos en que las apariencias indicaban haber cesado en él
la vida, pero su robusta naturaleza retardó el trance fatal,
natural para nosotros, sobrenatural para ellos.

Los que vivían en el mismo toldo que mi cliente, es
decir, en el de *Zumughueque*, hermano del jefe, me dijeron
más tarde que el alma del tetánico había abandonado por
un momento su cuerpo para llegar al país de los espíritus,
pero éstos le habían negado la entrada diciéndole los ma-
nes de sus abuelos: "Vete de aquí, aún no ha llegado tu
tiempo, no haces falta". ¡Agradable interpretación del so-
por de la agonía!

Así, unas veces se atribuyen las curas al poder del
médico o *machi*, y otras al rechazo del moribundo en la
región espiritual. ¡Cuánto mejor sería reconocer en ellas la
obra de la naturaleza! Pero no culpemos al salvaje. Nosotros mismos, civilizados, estamos llenos de supersticiones,
algunas de ellas dignas de australianos, y nos hallamos

generalmente en igual caso. Negamos lo palpable, para creer en lo impalpable.

El licor y la lectura del capítulo "Les Roches" del tratado de mineralogía de Beudant, hecha en francés y en parlamento a pedido del cacique, y la de una carta, en inglés, del explorador Musters, todo lo cual arrancaba al auditorio furibundas carcajadas que se repetían todas las tardes en ese "certamen" literario, hicieron olvidar por un momento la denuncia; y los gatos, pericones y malambos que mi asistente tocaba en la guitarra que habíamos llevado con ese objeto, alegraron al jefe hasta que llegó el día que debía tener la junta.

Emprendimos viaje a la colina, situada a orillas del *Ya–la–ley curá*, donde se había desplomado el gran conglomerado que servía de piedra sagrada.

Esa piedra había rodado allí, enviada por Dios según lo anunció el *machi* predecesor, como una advertencia que el Espíritu Eterno hacía al cacique demostrándole el descontento con que había mirado el que no hubiera hecho "rogativas" para agradecer a quien lo había formado, el buen resultado de una excursión, realizada hasta la isla *Choleachel*, y los pocos disgustos que en ella había tenido.

Algunos astros y los fenómenos meteorológicos, tales como ciertos vientos, exhalaciones nocturnas y bólidos que, según los indios, los grandes jefes, tienen por guías en sus cruzadas, no habían dejado de presentarse, haciendo propicio el viaje; sin embargo, mi compadre no había hecho ningún sacrificio de víctimas ni licores.

Mito antiguo y que todas las naciones han tenido en su infancia: la brillante estrella que guió a los Reyes Magos, guía en las soledades de la pampa al salvaje en sus depredaciones.

De lo que pude escuchar allí, infiero que el hechicero anterior era un gran borrachón y no había perdonado al jefe que no celebrara su feliz regreso con alguna bacanal.

Cuando llegamos al pie de la piedra, que mediría unos veinte metros cúbicos, principiamos a correr alrededor de ella, ejercicio que no dejaba de ser muy peligroso por estar colocada en una fuerte pendiente. Los indios elevaron sus preces al Eterno, en forma de alaridos, imitándolos yo, sin saber en realidad cuanto "decíamos".

Después de repetir diez veces dicha operación en la que dirigíamos, casi en coro, esta oración al Eterno, que indica creencias religiosas elevadas: "Miradnos Hombre Grande: (*Ftá–Huentrú*), dadnos la mano derecha y favorecednos con la salud", elevando al aire, al mismo tiempo, dicha mano, cerrándola y abriéndola como para estrechar la del Eterno, nos apeamos. La hermosa hechicera repartió a cada uno un puñado de arvejas grandes, que los *aucaches* habían traído, y algunos cuernos y las tazas de lata de mi servicio doméstico que habían pasado no sé cómo, a ser propiedad de ella, llenas de *queneu–pulcu* (bebida hecha de zarzaparrilla), y siempre con alaridos, depositamos granos en cada agujero de la piedra donde los cascajos habían dejado huecos cóncavos al desprenderse de la marga que los unía, y a los cuales los indios consideran como los "ojos de las piedras". Los regamos después, mojando los dedos en el licor, rociando tres veces los principales y apurando luego cada indio el resto del contenido de las tazas y de los cuernos.

Apagábamos la sed de Dios, quien según los indios parece sufrir las mismas necesidades que nosotros, y calmábamos sus iras según lo anunció la *machi* momentos después.

Mientras nosotros corríamos, ella permaneció aislada sobre una pequeña eminencia, libre de arbustos, de pie, con una roca lisa por pedestal tañendo el *ralí* y entonando un canto triste y bastante melodioso con el que quizás pedía inspiración para el juicio en que debía fallar.

Estaba envuelta en una carpeta amarilla de mesa con grandes flores verdes, despojo de alguna invasión, que le había regalado *Quinchauula*; su moreno cuello estaba adornado con infinidad de collares (*llancatu*), en su seno relucía un *tupu* de plata pulido y en su cintura un ancho tirador bordado de cuentas de colores y de plata (*kepántue*). Adornaba su cabeza la elegante redecilla india (*tacu–loncó*) que caía hacia atrás cubriendo dos largas trenzas, llenas de hilos con cuentas de plata (*kezkell'hué*) que se enredaban en los grandes aros cuadrados del mismo metal (*chahuaito*) que pendían de sus orejas y de parte del pelo (son demasiado pesados), cuando movía la cabeza para acompañar al del ralí, al ruido de los dedales metálicos de la redecilla y al de los cascabeles de sus pequeñas botas adornadas de plata (*shumell*). Vestida así, unía a la majestad de la sacerdotisa toda la coquetería de que es capaz una india joven y bonita.

Su figura era más que simpática, y si su misión en ese momento era apartar las flechas arrojadas por los espíritus malignos, mientras duraba la fiesta, para que no penetrasen en el corazón de los ancianos que presenciaban el juicio, ella inocentemente se convertía en instrumento del brujo Cupido y más de un bravo mocetón ponía más atención en la hechicera que en el *illatun* (sacrificio).

Digo inocentemente, porque el voto de castidad es indispensable para ejercer el delicado cargo de oráculo y no debo poner en duda su fidelidad a él.

Este espectáculo hacía repugnante la vista de una vieja horrible, verdadera bruja, que acompañaba a la *machi* moviendo en sus brazos, que parecían carbonizados, dos tripas infladas (*uazá*) llenas de piedras pequeñas y *llancás* (piritas de hierro). Misterios que la adivina no permite examinar pero que son, según ella, un llamativo eficaz a los *walichus* buenos de que dispone para arrojar a los malos que son sus enemigos, cuando se oponen a que realice alguno de sus sortilegios.

Concluido el licor, el cacique *Chacayal*, mi presunto suegro, quien parecía el más impresionado por la grave denuncia que pesaba sobre mí, tomó la palabra. Principió diciendo: "Dios nos ha hecho nacer en los campos y éstos son nuestros; los blancos nacieron del otro lado del Agua Grande y vinieron después a éstos que no eran de ellos, a robar los animales y a buscar la plata de las montañas. Esto dijeron nuestros padres y nos recomendaron que nunca olvidáramos que los ladrones eran los cristianos y no sus hijos. En vez de pedirnos permiso para vivir en los campos, nos echan, y nos defendemos; y si es cierto que nos dan raciones, éstas sólo son un pago muy reducido de lo mucho que nos han quitado. Ahora ni eso quieren darnos, y como concluyen con los animales silvestres, esperan que muramos de hambre y no robemos."

"El indio es demasiado paciente y el cristiano demasiado orgulloso. Nosotros somos dueños y ellos son intrusos. Es cierto que prometimos no robar y ser amigos, pero con la condición de que fuéramos hermanos. Todos saben que pasó un año, pasaron dos años, pasaron tres años y que hace cerca de veinte que no invadimos, guardando los compromisos contraídos. El cristiano ha visto las *chilcas* (cartas) de los ranqueles y mamuelches pidiendo gente y convidando a invadir, y sabe también que no hemos aceptado. Pero ya es tiempo que cesen de burlarse; todas sus promesas son mentiras (¡coilá–coilá!) Los huesos de nuestros amigos, de nuestros capitanes, asesinados por los *huincas*, blanquean en el camino de *Choleachel* y piden venganza; no los enterramos porque debemos tenerlos siempre presentes para no olvidar la falsía cristiana."

"Hace mucho tiempo que no mojé mi mano en sangre de ellos. Desde San Antonio no he comido *caritun* de *huinca* y me vuelven las ganas." (*Caritun* significa carne cruda, y ésa es una figura de retórica india, que emplean cuando han hecho alguna matanza de cristianos; quizás es reminiscencia vaga de un tiempo lejano en que practicaban la antropofagia; conozco casos en que el vértigo de la venganza ha hecho que algunos indios beban la sangre y aun coman el corazón del blanco enemigo. San Antonio que recordaba *Chacayal*, es el nombre de una estancia al sur de esta provincia, donde en 1854 tuvo lugar una espantosa carnicería de soldados y gauchos argentinos, y en la que él y *Shaihueque* tomaron parte; las escenas que a ese respecto me contaron ellos, horrorizan.)

"El *aucache* dice que vienen los gringos a pelearlos, ahora que no nos cumplen las raciones. No hemos dicho nada porque pelean en Salinas, porque *Namuncurá* es intruso y Dios no le dio esos campos; pero nosotros debemos defender lo que él nos dio. *Quilapan* peleó en Chile, pero *Quilapan* murió, y ahora vuelven a querer quitarnos nuestras tierras y envían a buscar los caminos. Mal ha hecho el cristiano en engañarnos, diciendo que es amigo de los indios de patagones. Ni puelches, ni moluches, ni pincunches ni huilliches lo han visto. Es chileno y su sangre va a chorrear de su cara, de vergüenza, y su pequeño corazón va a reventar cuando confiese que nos ha engañado."

Chacayal continuó así más o menos una hora, mientras lo escuchaba yo asombrado de su elocuencia y de la entonación notable de su voz poderosa y su aspecto guerrero. El parlamento era a caballo y armados todos de lanza; recordaba alguno de los adalides araucanos celebrados por Ercilla. Esperaba que yo contestara por intermedio del lenguaraz, pero *Shaihueque* me sacó de apuros contestando por mí y riéndose. Una idea luminosa había surgido de su cerebro influenciado por el *Queneupulcú*

—¿Cómo cree *Chacayal* –dijo *Shaihueque*– que *Tapayo* (era el nombre que me daban algunos indios) sea chileno? ¡Él no ha mentido!

Y volviéndose bruscamente hacia mí preguntóme en araucano:

—¿Cuántos años tienes, compadre?

Felizmente no me turbé, y como la contestación fuera sumamente fácil y entraba en lo poco que conocía de ese idioma, le contesté inmediatamente:

—¡Veintitrés, compadre!

—Ya ves, *Chacayal*, el chasque dice que el cristiano que viene escondido es un viejo, y éste es un joven, es casi mi hijo.

Shaihueque, en las borracheras, me daba ese titulo por mi edad, pues aunque seguramente no podía saber cuántos años tenían sus propios hijos, me creía aproximadamente de la misma que su hija *Liquechem*, cuyas facciones demostraban veinte años.

—¿Cuándo has visto que corra un avestruz y lo bolée? ¿Cuándo le has visto enlazar un potro, como hacen los chilenos? ¿Cuándo has visto un chileno vestido así? (Y señalaba mi traje de pana hecho pedazos, y sobre todo los pantalones.) Que lleve eso en los ojos, y... ¿Cuándo has visto un chileno que tenga esas botas? (Y me pedía que le mostrara a *Chacayal* los botines rotos de elástico que calzaba y que éste jamás había visto.) ¡Los chilenos no tienen nada de esto!

Por lo que se ve, *Shaihueque* no sabía que existen chilenos de levita, y esto se explica porque ellos entienden por chilenos a los rotos valdivianos. A las personas de las ciudades llámanlas "españoles", y de ahí, imaginar un chileno con pantalones y botines elásticos ¿puede creerse tamaño desatino?

¡No boleaba, ni enlazaba! En mi ignorancia casi completa de estos ejercicios indios consistió quizás en gran parte mi salvación, aunque *Shaihueque* habría respetado el vínculo que nos ligaba.

Chacayal, al oír esto, calmóse, y como viera que la sangre no brotaba de mi rostro y que la gran piedra permanecía quieta sin aplastarme, dio crédito a las palabras de *Shaihueque*, y a las cuales agregó éste que más se inclinaba a pensar que los chilenos eran mentirosos. Que había enviado en esos días un caballo overo para vender en La Unión, de donde le habían escrito diciéndole que se lo pagarían mejor que en

Patagones, y que después sólo le habían enviado la mitad de lo que pensaba obtener; que, además, a todos los mapuches les constaba que el aguardiente de los chilenos era peor que el de los argentinos, y que, sin embargo, ellos lo vendían caro, y yo se lo había regalado. (Se refería al coñac).

Mientras tanto, yo trataba de convencer a los otros indios de la veracidad de la lógica de mi compadre, lo que no costó mucho trabajo pues deseaban concluir el parlamento cuanto antes para entregarse a la orgía.

Shaihueque, pues, obtuvo con su alocución un éxito completo: quedé vindicado y el consejo convencido. *Chacayal* se acercó a darme la mano (que casi me deshizo con su fuerza hercúlea) y a decirme que desde entonces seríamos amigos; pero el gordo *Yankakirque*, el cacique de las nueve mujeres que, según él mismo, tenía un corazón tan grande como su inmensa barriga, donde se encontraba aquel órgano y en la cual se daba fuertes palmadas a cada momento, no se contentó con las palabras del jefe; necesitaba mas pruebas. Al darme o, más bien, al despedazarme la mano derecha, trató de arrancarme del caballo de un fuerte tirón. Felizmente ya estaba prevenido desde los parlamentos anteriores y, apretando las rodillas, pude mantenerme en el recado sin soltar la mano callosa del cacique que quedó convencido, por mi fuerza bruta, de la rectitud de mis aseveraciones.

La *machi*, entretanto, aceptó la opinión favorable del jefe, como era de esperarse.

Una carrera desenfrenada dio fin al parlamento, cuyo recuerdo no perderé fácilmente. Por entre arroyos, montes y grandes piedras, corrimos un trayecto de dos leguas hasta el punto donde debía celebrarse la gran orgía, o "rogativa", por mi buen regreso a Patagones. En él los indios, haciendo alarde de la mayor indiferencia ante el peligro, rivalizaban con las mujeres, montadas éstas de a dos y de a tres en un caballo, y que pugnaban por adelantarse a los más atrevidos de los mocetones, sin cuidarse de las que caían y eran pisoteadas.

Cuando llegamos a *Caleufú* era media tarde y las viejas habían improvisado grandes toldos en media rueda, con la faz descubierta al lado del naciente, y esperaban la concurrencia para dar comienzo a la fiesta que prometía ser magnífica.

La vista de ese paisaje era preciosa: cientos de individuos, entre hombres, mujeres y niños, se habían dado cita para celebrar la omnipotencia del *Ftá–Huentrú*. Los que venían de lejanos toldos y no los habían traído, habían construido pequeñas chozas de ramas verdes; delante de ellas y de los toldos, las lanzas de los guerreros adornadas con plumas rojas relucían sus puntas al sol. Las mujeres preparaban allí *caritun* para el desayuno de los hombres; las yeguas, muertas a bolazos delante de ellas, lanzaban del pecho chorros de sangre que las viejas recogían en fuentes inmensas de madera o de plata para que los valientes la saborearan antes de dar principio a la ceremonia. El gran toldo donde *Shaihueque,* su familia y los caciques invitados debían pasar los tres días de la fiesta, había sido construido con los mejores y más vistosos tejidos que durante el invierno habían hecho las chinas, y las enormes lanzas que lo sostenían, en número de cuarenta, habían sido pintadas de rojo y adornadas con plumas y gallardetes. La bandera argentina que había llevado flameaba en medio de ellas, dominando sus colores todo ese conjunto y animando al viajero con su vista.

Es imponderable el efecto que, en el ánimo de éste, produce la vista del símbolo de la patria. Todo su esplendor se presenta al recuerdo, que pasa rápida revista a su grandeza, y entonces busca hacerse digno de ella y de los que, lejos, veneran los colores que la simbolizan.

Las mujeres se habían arreglado de la mejor manera posible; las caras de las jóvenes habían sido pintadas de rojo, azul, blanco y negro, colores con que se adornan, y sus labios, más rojos, a causa de la pomada que hacen de médula de guanaco y ocres que usan para preservarse del aire seco de las montañas; dejaban ver espléndidas dentaduras al demostrar la alegría que les comunicaba la perspectiva del baile. Más de mil sortijas falsas y arrobas de cuentas de colores, que les había dado, lucieron sus rubíes, esmeraldas y diamantes en esos días.

Los jóvenes habían revestido todos sus lujos; la plata abundaba más que el hierro, y el peor vestido era el viajero. Los enamorados habían agotado todos los recursos para agradar a sus "amadas palomas" (maicoños) y uno de ellos, el gallardo *Paishí*, que quizás tuviera rival, había bañado su abundante y negra cabellera con un frasco entero de aceite "Mompelas" que había robado a mi asistente y que chorreaba por su cara a causa del calor y de la agitación.

Shaihueque, más lujoso que todos, relumbraba al sol con el traje completo de goma que le había regalado en prueba de amistad, y su hija *Liquechem*, que se presento envuelta en una sábana de hilo blanco (que era el consuelo del viajero sibarita en los momentos de enfermedad), con un espejo en la cabeza, que reverberaba al sol, y la cara adornada con etiquetas de carreteles en las que se podía leer "D. C. Thompson núm. 36, etc." que, como último recurso, era el presente de gala que le había hecho esa misma mañana, eran las dos figuras más notables de la reunión junto con un indio picunche que lucía en su cabeza una gran gorra de señora, la cual contrastaba con su quillango pintarrajeado. El paraguas rojo, abierto delante de la tienda de *Ñancucheuquen*, atraía la atención de todos.

La fiesta principió con la corrida del Espíritu Malo. La encabezaban *Umautesh*, la segunda hija de *Shaihueque*, y *Tacuman*, el tercero de los varones, ambos muy jóvenes aún y que cabalgaban, la primera, en un blanco pintado con rayas azules, y el segundo, en un colorado pintado con rayas blancas y adornado con cascabeles y plumas.

Durante todo ese día lanceamos al *walichu* tirando golpes al aire, a cual más fuerte, para ahuyentarlo; después apaleamos los toldos; por si en ellos se hubieran ocultado; ya satisfechos con creerlo alejado, se organizó el baile.

Encendieron grandes hogueras. Clavaron frente al *ruca* (toldo) del loncó (*cabeza–jefe*), dos hileras de lanzas perfectamente alineadas, colocáronse las jóvenes de un lado y los hombres de otro y principió la danza, marchando y haciendo mover la cabeza hacia los lados y cantando monótonamente para acompañar la música representada por el ralí, que tocaban las viejas sentadas cerca del escenario del baile, y por dos *rutrucas*, instrumento compuesto de una larga caña de *colígüe*, hueca, forrada con tripa, en la punta un cuerno de toro, y que llevan dos indios, uno el músico, que sopla con toda la fuerza de sus pulmones para producir solo un sonido seco y desagradable, y otro que conduce en sus hombros el instrumento. Algunos indios usaban pequeñas flautas de caña tierna de las que no obtenían sino silbidos; y todo era acompañado por la guitarra de mi asistente.

El baile consistió en vueltas y en contorsiones y saltos, sin salir de ambas filas y en las que marchaban haciendo piruetas cada uno para sí, cojeando ya de una pierna, ya de otra, siempre oponiendo el hombre la contraria a la de la mujer, de la que lo separaban las lanzas, o asidos de las fajas todos los hombres y de las mantas todas las chinas.

Las mujeres, sobre todo las bonitas y gordas, y por eso las más perseguidas por los enamorados (la gordura es considerada como gran belleza entre los habitantes de la Patagonia), llevaban pequeños palos para castigar a los más osados que pretendían atentar contra su pudor cuando se encontraban en el extremo de la calle de lanzas; palos que, en esos momentos, son su única defensa pues los padres y hermanos presentes poco se cuidan de hacerlas respetar y, por el contrario, festejan con risas los ademanes escandalosos de los bailarines. Sería impropio que consignara aquí las escenas que presencié y los dichos de mi compadre, el "Gobierno de las Manzanas" (es el título que se da *Shaihueque*) respecto de su hija *Liquechem*, mientras echados de barriga en el césped presenciábamos el baile que se hacía en honor de mi buena suerte.

Esa música monótona, aunque original, los alegres u obscenos cantos de las viejas sentadas alrededor de las hogueras donde se asaban potros, el relinchar de los briosos caballos de los mocetones y las hileras de luces producidas por el reflejo de la luna en las puntas bruñidas y agudas de las lanzas, comunicaban algo mágico a aquella escena.

La fiesta duró tres soles y, durante ellos, el baile de la noche y las variadas ocupaciones del día mantuvieron contenta la muchedumbre que se regocijaba en la vega de *Tchilchiuma*, al borde del *Caleufú*.

Entre el juego de la baraja, la payana, la checa y las carreras trascurrieron las horas que las corridas al *walichu* o las danzas nocturnas dejaron libres a los hombres. Las jóvenes emplearon las suyas en mostrarse, alegres, los espejos, los lujosos aros, sortijas y collares, y las mantas azules y rojas con que las había obsequiado; estimulantes todos de la coquetería indígena, que despertaban envidia en las pobres llegadas de otros toldos a destiempo para aprovechar de mi prodigalidad. Algunas de ellas mantuvieron amorosas pláticas con los bailarines de la noche, más prendados por la vista de los elegantes atavíos que ellas lucían. Los jóvenes infantes, los futuros defensores de la patria mapuche, mientras tanto, se ejercitaban en tirar las bolas y en enlazar, teniendo por blanco los perros de las tolderías; o desnudos, en hacer ejercicios de lanza, arma figurada por tiernas y rectas ramas de manzano cortadas con ese objeto.

Los encanecidos guerreros, sentados lejos de las mujeres, a quienes no juzgan dignas ni capaces de escuchar sus proezas, relatáronse sus pasadas campañas, mientras que las viejas, ya repugnantes, hacían la comida o cantaban picantes epigramas a juzgar por la algazara de quienes las oían.

Una de éstas, sin embargo, venida de los reales de mi amigo el buen cacique *Naguipichuin*, que gozaba de gran fama como conocedora de cuentos viejos, se señaló por la seriedad de su relato que no alborotaba su auditorio como los otros, pues el interés de éste en escucharla era tan grande como la bulla en los corrillos vecinos.

Mi poco conocimiento de la lengua araucana no me permitió comprender inmediatamente el suceso que le servía de argumento, pero con paciencia he podido hacerme traducir más tarde algunos fragmentos que consigno aquí, ligándolos, para regalar a mis lectores una muestra de la fantasía del soñador indígena, que oí en su agreste morada.

Ella encarna la idea mitológica que les reserva otra vida, después de la extinción de la que hoy gozan. Idea tan antigua quizás como la humanidad, pues la muerte total no es comprendida por ningún salvaje. Su poética ignorancia no ve en el cadáver un anonadamiento completo del individuo, sino una de las fases de la evolución que debe completar todo organismo. Su sencillo pensamiento prefiere admitir la trasformación de su ser en otro distinto, cuya composición o forma no se explica, sin embargo. Para él, la muerte que llega sólo es una modificación de la vida que no cesa.

Quizás en sus adentros, el salvaje compara el esqueleto del fenecido con la crisálida de donde nace la mariposa; identifica al hombre con el gusano que se arrastra sobre esta tierra, la inmóvil ninfa, con su cadáver; y la mariposa de bellos colores, con el alma que vaga desde el mundo que habita después de su alejamiento de éste hacia los espacios y hacia la tierra, donde otros hombres— gusanos aguardan el complemento de su metamorfosis. Y bien puede ser que la superstición que, a nosotros civilizados, nos hace temer la aparición de las velludas mariposas nocturnas como augurios de desgracia, no sea sino reliquia de otra creencia que encarnaba en ella almas malhechoras, precursoras de males.

Sólo la ciencia puede darnos la convicción de que todo cesa con nuestra desaparición del escenario terrestre, pero la ciencia es desconocida en el cerebro primitivo y sin cultura.

Lo que sigue no es creación de la india sino producto de lejanos abuelos, quienes, más libres que el actual mapuche cuya inteligencia parece atrofiarse con los vicios introducidos por los europeos, tuvieron, en el tranquilo goce de sus hogares, ancho campo donde alimentar su fecunda imaginación despertada por el espectáculo que rodea los sitios donde vivieron.

Allá lejos, entre las fragosas montañas donde todo impulsa al misterio, donde las gigantescas manifestaciones de la naturaleza hacen que el estado intelectual del hombre inculto rodee todo de un respeto supersticioso, está el escondido paraje que la anciana eligió para teatro donde debía desarrollarse el principio de su fábula fantástica.

Inmensos picos que parecen reflejar el espacio azul y las blancas nubes, en el hielo, tan antiguo como ellos, dominan una profunda quebrada, tan oculta que ni el mismo *Pillan* (espíritu del mal), que engendra los rayos, los truenos y desprende las atronadoras avalanchas, la distingue para saciar en ella sus iras.

En su centro se eleva, en medio de verde césped y fragantes frutillas, una corpulenta y secular araucaria, el *pehuen*, tan estimada del indio, cuyo tronco recto, coronado de elegante copa, busca las alturas tratando de cruzar las sombras.

Mientras tiemblan con el viento las ramas del hermoso conífero, balanceando las hojas gigantes del fresco *pange*, mojadas en el torrente cercano en los espesos y oscuros *radales* que protegen el pequeño prado con su tupido ramaje, canta triste el melancólico *Chacau*, único compañero de quien se interna en esas regiones. Pero no es el solo canto del ave amiga lo que interrumpe el silencio de ese desierto; también, al pie de la araucaria, llora un indio.

Los despojos de quien fue su compañera en esta vida, de quien endulzó su hogar al regreso de las correrías sangrientas, yacen allí por la mala voluntad de un hechicero.

Nada ha podido contrarrestar el daño causado por éste; los sacrificios propiciatorios implorando el favor del Buen Espíritu no han bastado para arrancar su presa al celoso brujo, y el alma de la recién esposa del guerrero pehuenche ha abandonado esa mañana la hermosa cáscara que la guardaba. Ha dejado solo a quien, sin fuerzas para seguirla, queda llorando su flaqueza sobre el cuerpo que ha podido sustraer sin ser visto de los brujos, para sepultarlo en sitio sólo por él conocido.

¡Qué inexplicables contradicciones hay en las manifestaciones del sentimiento humano! El pehuenche que exponía su vida, casi diariamente, en heroicos combates contra los usurpadores de su patria, que más de una vez había visto de cerca la muerte y la había desafiado con honor al retorcer su lanza en las entrañas del blanco, habíase convertido en pusilánime.

Con menos resolución que las mujeres indias, que frecuentemente buscan el recurso del suicidio para acompañar al esposo perdido, el hombre jamás las imita, o por lo menos no he oído mencionar un solo ejemplo, y creo que la anciana hacía alusión en su fábula al poco cariño de ellos, que no les excita a afrontar el trance que tan poco temen en otras circunstancias.

Un amargo dolor abruma al pehuenche, que en vano ha luchado por romper los lazos que lo unen a la tierra y que le impiden acompañar el alma de su amada en el vuelo a la región de la dicha; su fuerza de ánimo ha chocado con algo inexplicable que se lo prohíbe, y abatido por esa cobardía, que él reconoce sin poder vencer, inunda de lágrimas la tumba querida.

Tres días y dos noches han transcurrido ya y el indio continúa implorando la compasión de la que allí duerme el eterno letargo, sobre el musgo mullido que cubre el fondo de la fosa, envuelta en cruzadas mantas y acompañada por sus dos perros renegridos más estimados.

En vano el infortunado mocetón ruega; nadie le ha contestado aún. El genio del mal no consiente que el espíritu de quien espera el perdón y el que aún no se ha alejado de las inmediaciones del punto donde reposa el cuerpo que animaba, visite al doliente; sólo éste oye, como único consuelo, el tétrico aleteo de los reales *manques* (cóndores) en la montaña y el triste y tímido canto del *chucau*.

Por fin llega la tercera noche; la ternura del indio aumenta (si posible es) gradualmente al avanzar aquélla y, según la anciana, con las lágrimas que él derrama crece el torrente. ¡Tanto es su desconsuelo!

El pehuenche no desmaya; deja que el feroz *Pillan* haga lo que su mano se resiste a hacer; no piensa ya en sí mismo; su ser físico ha desaparecido ante la necesidad moral de sentir de su corazón fogoso, y la vehemencia del dolor lo tiene postrado sobre lo que cubre a quien fue su compañera.

Ha evocado el alma, cuya vista ansía su amor avivado por el sufrimiento; pero su dolor llega a convertir su natural sentimiento en un caos, y la angustia moral hace que a ese estado frenético de la pasión suceda la inercia.

Ha oscurecido; la bruma fría de la quebrada ha llegado a la cima de los cerros, y sobre los Andes se han disipado las últimas claridades del día. En el firmamento se define la pálida *Yepum*, la estrella de la tarde y las sombras han cubierto el prado sepulcral. Sólo los reflejos suaves del hielo eterno alumbran tenues esa melancólica escena, y los sollozos del indio son en ella los únicos síntomas de vida.

A esa hora recién el Espíritu Grande, el *Ftá–Huentrú*, se deja tocar por sus ruegos; vence al Maligno y consiente en que el alma evocada consuele a quien la ingratitud ha hecho infeliz. Las lágrimas de éste han tocado el corazón del Hombre–Grande y han conseguido también vivificar el cuerpo que guarda la tumba.

El alma, para los indios, algunas veces reviste la forma humana, y en el momento que la anciana mencionó, también tuvo esa misma encarnación.

El viudo pehuenche pudo ver elevarse sobre el montón de tierra humedecida, una forma nebulosa, que indefinida primero tomó luego la apariencia del cuerpo que días antes había estrechado agonizante entre sus brazos. La tierna admiración del salvaje que ve escuchados sus ruegos, aunque sin darse bien cuenta de ello, tal es la apatía causada por el pesar, cámbiase de alegría en temor cuando ve que la sombra de su esposa al levantarse de la tumba no se dirige hacia él, por el contrario, le vuelve la espalda. El pehuenche no ha soñado, lo que tiene delante es realidad y no visión del delirio, ¡pero realidad abrumadora! La esperanza que le había sonreído un momento desaparece ante el ceño adusto de la sombra.

Largo rato transcurrió antes que ésta se dirigiera al que imploraba cobarde, teniendo la conciencia intranquila (así lo entendió la sombra) por la falta de cumplimiento de su deber, pues tal era el no haber dejado este mundo al mismo tiempo que ella. Irritada lo hace por fin; las acriminaciones no cesan mientras reina el silencio de la noche y el *culchinculchin* (grillo) chilla, el *Unelve* (Lucero) apaga sus luces, la aurora aclara las nubes e hilos de oro y rosa se reflejan en los Andes, sin que el pobre indio consiga del alma de su bella amada el perdón que solicita.

Otro día pasó así y el pehuenche no se alejó de la tumba sino para recoger, para su alimento, algunas frutillas y piñones de la araucaria que le daba sombra. Apenas la noche extendió su misterioso manto, la visión reapareció; la calma del indio fue mayor y la esperanza le sonrió de nuevo; sus ruegos encontraron eco y el alma compadecida olvidó la pasada ingratitud, perdonó y concedió permiso al *hueichave* (guerrero valiente) para acompañarla en vida al *Alhué–Mapu*, al país de las almas, a la mansión eterna.

El término señalado para que el alma se aleje de la fosa que contiene el cuerpo que animaba, según los indígenas, no puede exceder de tres soles; ya había expirado y sólo los ruegos del indio pudieron demorar el viaje del *alhué* de su esposa.

Acompañada por los dos fieles perros renegridos, que su marido había inmolado para que le sirvieran de eterna compañía, la sombra lo condujo entre truenos y rayos a través de los Andes hacia donde el sol desaparece en el misterio, sin cuidarse de los torbellinos de nieve, luchando contra las tétricas aves, cruzando fragosos precipicios, violentos torrentes y cascadas profundas.

Inútiles son los esfuerzos que hace el *Pillan* para oponerse a la marcha de ellos; sus manifestaciones hostiles luchan en vano contra la benéfica ayuda del *Ftá–Huentrú* que los protege, y el cuerpo animado y las almas llegan a la costa de la gran laguna, donde un espeso bosque les proporciona cómodo descanso. Este viaje sin tropiezos, allanados todos por la voluntad de quien todo lo manda, efectuado de noche, pues sólo entonces es cuando las almas viajan, habíales conducido al fin de la Tierra.

El cansancio rinde al viajero y duerme allí, al borde del ilimitado mar, hasta avanzada la tarde.

El esplendor del día ha trascurrido insensible para él; su ser físico ha vuelto a predominar y descansa; la visión se ha disipado.

El magnífico celeste del firmamento y las plateadas nubes que lo entapizan van desapareciendo; el astro del día, el *Anteu* venerado, baña su roja esfera en las oscilantes aguas del Pacífico y sólo quedan franjas de púrpura en el horizonte; ya las chispas de oro que brillan en las cúpulas gigantes del *Quetropillan* y el *Yaimas* se han extinguido. Ha despertado el pehuenche y ha reaparecido la sombra. Llama ésta, y momentos después, de entre las imaginarias costas apenas definidas del oeste, que cambian y se disipan a voluntad de los últimos reflejos del día y de las nubes, y que los supersticiosos indígenas creen orillas del Mundo de las Almas, se desprenden tres huampus[1] que veloces se dirigen a la tierra habitada por los cuerpos.

Dos de ellas conducen mujeres, y en la mayor un hombre de estatura elevada y de fuerza hercúlea rema de tal manera que la canoa es más veloz que las aguas de un torrente andino.

Toca el gran *huampú* la costa, desembarca su anciano y fornido conductor y se queja, con marcadas señales de disgusto, de la tardanza de la que solicita el paso al reino de las almas. Varios días hacen ya que era esperada, y allí se hacen comentarios sobre su lento viaje.

Pero no es ese el mayor motivo que tiene el anciano para demostrar tanto disgusto. A su llegada al país de los vivos, algo ha ofendido su delicado olfato de espíritu, algo que jamás ha sentido después que abandonó su cuerpo, y ese algo no puede desprenderse en manera alguna del alma de la hermosa india.

Esta, temblorosa, pregúntale qué siente, qué le molesta de ese modo.

—¡Algo hediondo hay aquí, en este último descanso de las almas en la tierra! –replica el anciano.

—Es el cuerpo de mi esposo que vive aún y que no teniendo valor suficiente para dejarlo, espera, escondido en el monte, el permiso para acompañarme aún en vida, en recompensa del cariño que me tiene.

El anciano irguióse al oír tal blasfemia. Un cuerpo vivo penetrar al país de los espíritus era algo monstruoso,

---

1   Canoas hechas de un gran tronco cavado toscamente.

pero los atractivos de quien pedía fueron tantos, el alma de
la india fue tan seductora en sus ruegos, que el permiso fue
concedido; el bravo pehuenche salió del bosque, penetró
en la laguna y allí el anciano lo lavó, y, en forma de millones de piojos, extirpó las miserias del hombre de la Tierra
y, así purificado, embarcáronse en el *huampú*. Cuatro horas
después llegaba al mundo deseado.

¿No podrá verse en esta purificación una alusión a las
inmundicias físicas y morales que el hombre guarda, y no
tienen entrada al reino de la felicidad del cual hablan los
indígenas, y que, según el salvaje, no abandona sino con su
cuerpo?

Seis meses pasó el enamorado indio la vida de las
almas; pero esa vida que para el espíritu es delicia, para el
cuerpo es un martirio. A la inversa de lo que acontece en la
Tierra, allá en la región eterna reina el día mientras la
noche nos cubre en ésta, y nuestras horas de bullicio son
allí del silencio de la muerte. Todo era alegría para el
pehuenche durante las horas que, en este suelo, hubiera
consagrado al descanso; apenas el crepúsculo llegaba,
luces aisladas aparecían en el inmenso desierto y gradualmente, con la oscuridad de la noche, la árida pampa
convertíase en poblado aduar. Millares de fogones
señalaban otros tantos toldos, y el alma del guerrero, dejando inerte su cuerpo, se unía a los corrillos formados por
las almas de sus antepasados y de sus amigos y con-
templaba a su lado la de su amada. Los placeres mun-
danos, únicos que conoce el salvaje, tomaban inmenso
desarrollo; una vida espiritual, exuberante, proporcionaba
todos los deleites más apreciados del indio, y en su
leyenda, hasta los organismos más simples eran dotados
de alma por la anciana, pues en el reino de la alegría, que
también es el reino de las tinieblas, todo lo que en la Tierra
ha gozado de vida, tiene entrada. Según ella había allí
hasta comerciantes de aguardientes. Las grandes orgías se
sucedían sin interrupción, en tan alto grado, que las de la

Tierra, que duran a veces un mes, sólo eran pálido reflejo de aquéllas; las matanzas de animales domésticos y las grandes cacerías no tenían fin. La glotonería de las almas jamás se queja de la abundancia.

Los bailes, las carreras, los placeres carnales, no fatigan las almas allí; pero para el pobre pehuenche, las horas de la vida trascurrían con rapidez vertiginosa; las diversiones no le permitían acercarse a su esposa sino cuando el cansancio se apoderaba de los espíritus. Todo se desvanecía cuando llegaba la hora de la vida en este mundo y la del silencio para el otro. Apenas conseguía el enamorado que su amada descansara en su lecho, las tinieblas principiaban a desvanecerse, y con ellas la materialización del alma de su compañera, y la aurora alumbraba al pobre indio estrechando entre sus brazos no un bello cuerpo sino alguna espinosa tuna o un lagarto.

Diariamente se repetía esta ilusión del delirio, y el desgraciado iluso, esperando la hora de ella, buscaba su alimento en un espantoso desierto que sólo produce algunas frutas amargas, salvajes, y que no es habitado sino por insectos, víboras, sapos y lagartos. Pero esas frutas no eran suficientes para alimentar la actividad corporal del pehuenche, que no participaba de la nutrición espiritual del alma, durante la vida nocturna; las reses carneadas para las orgías eran almas también y no alimentaban el cuerpo.

Llegó el momento en que la necesidad física acalló la necesidad moral que el indio tenía de encontrarse al lado de su amada, y la lucha por la existencia le hizo solicitar de ella el regreso desde el *Hullchei–maihue* ("de donde no se vuelve") al país de los vivos. Complaciólo y lo condujo hasta el pie de la araucaria –sobre la tierra que había humedecido con sus lágrimas– y allí lo dejó llorando nuevamente su desventura.

Tanto había sufrido el guerrero, tantas privaciones se habían amontonado en su ser, que de gallardo que era cuando dejó este mundo, regresaba con la decrepitud de un centenario. Su espíritu había flaqueado, sus recuerdos terrestres eran vagos, y, cuando volvió al aduar, sus compañeros que lo creían muerto no hablaban más de él y habían quemado cuanto le había pertenecido para olvidarlo. Al oír su relato, llamáronlo *Fofo–Huentrú* (loco).

Vagó entre las selvas y las montañas un año más; pero el temor y la repulsión que sentían por él sus antiguos compañeros en las lides, la lástima chocante con que lo miraban cuando relataba su cuento (así era considerado), y el apodo de brujo que le habían dado por vivir en las cuevas, donde creen que los malos espíritus habitan, consiguieron hacer lo que el amor no había hecho.

Cierto día algunos cazadores, que perseguían una tropilla de *huemules* ariscos, encontraron un cuerpo momificado colgado de un gigante pehuén. Era el titulado loco que, por fin, había hallado valor para ceñir a su cuello el lazo que colgó del árbol el día que enterró a su esposa.

Todo esto escuché de la anciana, y lo publico sin poderlo comentar pues no es éste el momento de hacerlo. En esta leyenda hay tantas vislumbres de antiguas creencias que suministra materia para más detenido estudio.

La seductora idea de la inmortalidad del alma, nacida en la inmensidad de los tiempos, quizás en su principio no fue sino producto de un acto fisiológico del cerebro funcionando en el ensueño; la hemos creído una verdad, a partir del estado embrionario de nuestra cultura intelectual, y la hemos seguido también explotando para contribuir con ella al engrandecimiento de nuestro progreso, que nos va revelando por fin su causa: ella es la base de esta leyenda, lo mismo que lo es la creencia en los reaparecidos, íntimamente ligada con la de la inmortalidad.

Hay en ella rasgos de fetichismo muy pronunciados, en varias de sus manifestaciones; en la naturaleza animada, en la inanimada, en el culto de los espíritus y en el de los cuerpos celestes. El último, que es el que creo encarna en ellos el mundo eterno, y que tiene la vida durante la noche, puede haber sido tomado de la lujosa magnificencia del cielo austral; los fogones que aparecen gradualmente son las estrellas que a medida que avanza la oscuridad brillan con sus espléndidos fulgores, y el árido desierto del día, es el cielo claro, o sombrío, sin ningún astro visible (exceptuando el sol o la luna); además, es sabido que los indios creen en la encarnación de las estrellas, y que muchas de ellas tienen clasificaciones humanas. Perdone el lector estas largas digresiones, mientras vuelvo a tomar el hilo de mi relato.

Al amanecer el cuarto día, tuvieron lugar grandes sacrificios al borde del *Caleufú*.

Después de las grandes orgías, no he presenciado escena más espantosa que aquélla. Las víctimas maniatadas, revolcándose y lanzando mugidos lastimeros, no inspiraron compasión a los sacrificadores que les abrían el vientre, arrancándoles brutalmente el corazón para poder arrojar la sangre, bullente aún, hacia el cielo, para implorar los favores de Dios. El vértigo de la sangre dábales un aspecto feroz cuando, así desnudos, bañados en ella, corrían a pie delante de sus víctimas, regándolas con licores o llenándoles la boca con los pastos más delicados y que ellas más estimaron en vida. Al mismo tiempo los espectadores atronaban los cerros con sus alaridos, que aumentaron luego que principiamos a arrojar al precipicio los cuerpos inmolados.

Concluida la sangrienta ceremonia y convencidos de que la abundancia y la felicidad en los viajes y en el seno de la familia mapuche no faltarían, regresamos a los toldos y principió la borrachera.

Empeñáronse en que bebiera y no hubo más remedio que complacer. Preferí hacerlo con el *Queneu–pulcú*, por ser la bebida que mi compadre me instaba a tomar, diciéndome que era muy "mamadora", esto es, muy embriagante, bebida que en realidad era preparada por las chinas de una manera asquerosa. *Chacayal* y *Shaihueque* se empeñaron en que tomara grandes cantidades para demostrarme cuánto agradecían que hubiera preferido la bebida de los campos a la de los cristianos.

Chacayal había cambiado de traje para solemnizar la borrachera y se había engalanado como mejor le había sido posible, con un chaleco colorado sobre las carnes, un pequeño chiripá, una bata verde de mujer, resto de un saqueo en Chile, y un sombrero de paja chileno que en vez de cinta llevaba la divisa roja con el letrero "Viva la Confederación Argentina, mueran los salvajes unitarios". Esa prenda la había traído del río Colorado en sus mocedades y la conservaba como un recuerdo de Rosas, de quien quería que yo fuera amigo.

Con la efervescencia del licor volvieron los indios a hacer oír murmullos poco tranquilizadores.

Baquiano ya, huí cautelosamente hacia el monte y allí esperé tres días con mi asistente y dos ancianos, que los indios borrachos querían ultimar por considerarlos brujos, alimentándonos de manzanas verdes y algunos pedazos de cordero que cambié a una china por mi único calzoncillo.

Sólo cuando conocí que la indiada no se hallaba en estado de hacerme mal, volví a los toldos, donde encontré a mi compadre sentado en el suelo, teniendo entre las piernas un balde que yo le había regalado, llorando y preguntando si no me habían hecho algún mal, a su mujer *Fia* que le mojaba la cabeza para evitar la congestión y lo tranquilizaba de la pérdida de su última esposa, la tehuelche *Cheleukchen*, que había huido de los toldos después de haber recibido una tremenda paliza. Nos llamamos "toros" (valientes), lo hice acostar en mi cama, y, en momentos que disputaban los indios totalmente ebrios, les cambié el aguardiente por agua pura, que continuaron bebiendo creyéndola el espirituoso licor, con gran contento de *Fia*, quien temía que al día siguiente, si continuaba la borrachera, ardieran los toldos. A la otra mañana todo había concluido, y dos días después me despedí de *Shaihueque*.

De estos sucesos, el chasque había referido algunos a los pampas y he creído conveniente recordar yo los otros, para dar siquiera una ligera idea de la vida en los campos del Limay.

Como no supieran que había regresado a Carmen [de Patagones], habíanse figurado los últimos que los indios manzanares, más feroces que ellos, me habrían hecho desaparecer; "hemos llorado todos", decía el más anciano, "pobrecito cristiano ¡a qué se le ocurriría ir a las Manzanas!".

Cuando les dijo que el principal actor de estos sucesos y que ellos compadecían, era yo mismo, uno de los que estaban más retirados en la rueda me dijo: "ahora recuerdo haberte visto en el Carmen [de Patagones], hace muchas lunas, pero entonces no tenías barba y no quisiste venir con nosotros".

Les prometí visitarlos pronto, durante algún tiempo, y nos separamos, después de hacerles algunos regalos, contentos ellos de su negocio y yo de haber sabido lo que había dicho el chasque enviado durante mi visita al *Caleufú*, lo que me proporcionaba ocasión de agregar algo a lo poco interesante de mis observaciones en Chubut.

Al día siguiente, 10 de diciembre, concluidos todos los arreglos, me embarqué en la goleta con las colecciones.

Puerto Deseado. Excursión al interior.

C on una hermosa tarde y favorecidos por la fresca brisa del norte, nos alejamos de Chubut.

Al día siguiente, en la línea de la costa, paralela a nuestro rumbo, y más pintoresca que los inmensos murallones de la península de Valdés, se diseñaron los innumerables picos eruptivos de punta Atlas, punta Tombo y del puerto Santa Elena. Con los postreros rayos del sol, perdimos de vista la tierra, en este último punto, para tener el inquieto Atlántico por todo horizonte.

Diciembre 12: En la noche del once al doce, la tormenta cruza rápida estremeciendo el casco del pequeño buque, y los fuegos del mar rivalizan de nuevo con los del cielo, diríase que navegamos entre relámpagos, en el océano ardiente, y que la tempestad eléctrica, poco frecuente en estas latitudes, se desencadena en el agua y no en el aire, donde sólo refleja.

Diciembre 13: Un magnífico tiempo nos reconcilia con el golfo San Jorge, tan temido. La primera claridad del día alumbra las olas ya acalladas y pocas horas después divisamos la costa que limita por el sur al golfo, y en cuyo extremo se destacan los peñones del cabo Tres Puntas. Así lo llamaron por tres promontorios de 60 metros de elevación que afectan una forma cónica desde alguna distancia y que son las avanzadas del continente. A algunas millas se desliza serena la "Santa Cruz", con todas sus velas desplegadas, más blancas por el contraste con el mar oscuro, azul–verdoso, matizado de pequeñas ondas rizadas por las crecientes que doblan el cabo.

La alegría reina a bordo; el buen humor se ha apoderado del equipaje y de los pasajeros; el primero ve que, sin sus esfuerzos, el buque corta las aguas con rumbo casi fijo hacia el próximo puerto; los segundos ansían el momento de llevar sus proyectos a buen fin.

Primero, las olas espumosas y rugientes que se estrellan contra los arrecifes de Byron, y luego, en el fondo, formando horizonte, las mesetas uniformes limitadas por barrancos a pique, de suaves pero claros colores acentuados por la fuerte luz de un día caluroso y sin nubes, dan a ese paisaje, envuelto en una tenue bruma, resultado de la evaporación del mar y de las varias lagunas saladas de las inmediaciones, tintes agradables que nos hacen olvidar la triste desolación real. Exceptuando el bullicio de a bordo, algunos albatros y pingüinos que pescan y las gaviotas que surcan el espacio, ningún síntoma de vida presentimos en esas playas cercanas.

Bordejamos en aquel mar tranquilo, aunque sombrío si se recuerdan las muchas tragedias que oculta su seno y donde tanto intrépido marino pescador ha encontrado su tumba. Sentados en la popa, gozamos del espectáculo que Piedrabuena anima a nuestros sentidos, relatándonos las terribles escenas de naufragio que ha presenciado el golfo.

La belleza del día y el aspecto del mar, su elemento, hacen que nuestro amigo, generalmente parco en palabras cuando se trata de referirnos su vida en esas regiones, como los héroes cuando cuentan sus hazañas, dé, en esos momentos, rienda suelta a sus recuerdos, para asombrarnos, sin pensarlo, con los rasgos de valor que modestamente menciona. Diríase que el océano, conmovido por tanto arrojo, hubiera cedido, al esfuerzo y coraje humanitario de nuestro compatriota, las vidas de innumerables infelices náufragos, para brindárselas como gajes de su oficio heroico.

Siento no tener una pluma digna de revelar sus proezas. Le he escuchado relatar, con la misma calma con que lo hacemos nosotros cuando referimos los incidentes de una partida de placer, y con la sencillez característica del marino, sus terribles correrías en las tempestuosas regiones del Cabo de Hornos.

El capitán don Luis Piedrabuena no tiene ninguna condecoración de las que premian el valor militar. No le ha cabido la envidiable gloria de haber derramado su sangre en defensa de la patria ni ha participado en las luchas fratricidas que la enlutan.

Lejos del teatro en que esas escenas se han desarrollado, su nombre no figura en los partes después del combate, ni jamás sus superiores han recomendado su valor y pericia.

Ha consagrado su vida a fines igualmente nobles, aunque más humanitarios y de los que no sólo aprovecha la Nación, sino la humanidad entera.

Marino educado por audaces pescadores, ha hecho su aprendizaje en la extensa costa austral. Patriota como el que más, con voluntad de hierro, sacrificando sus propios intereses, durante veinte años ha conservado flameando, a orillas de Santa Cruz, la bandera que le recuerda lo que más quiere. Antes que su familia y su prosperidad, ha estado para él su patria, y a conservarle esos dilatados territorios abandonados por la desidia, ha destinado los mejores años de su vida sin pararse en sacrificios.

Su carrera lo llevó a establecerse en la Tierra de los Estados, posesión argentina envuelta en las nieblas polares y en cuyas costas ya había auxiliado cientos de desgraciados náufragos.

Allí, único jefe, con un puñado de heroicos hombres de mar de todas las nacionalidades, ingleses, americanos, argentinos (entre éstos, tehuelches y fueguinos), ha continuado su humanitaria tarea aumentando siempre y sin interrupción su corona de gloria.

El aislado Peñón, batido sin cesar por las tempestades, ha sido convertido por él en noble morada de la caridad.

En la región del sur "donde, como en ninguna parte, el hombre experimenta más vivamente la convicción de su impotencia, en un mundo inerte, lúgubre y silencioso, donde todo amenaza el anonadamiento de sus facultades; allí donde si tuviera la desgracia de quedar abandonado a sí mismo, ningún recurso, ningún rayo de esperanza podría suavizar sus últimos momentos"[1] es donde el marino argentino, con su pequeña chalupa, busca con estoica serenidad, sin temer a la muerte, a quien necesita su ayuda. En él hay un magnetismo desconocido que le conduce a donde la desgracia impera.

¡Cuántas víctimas ha arrancado al océano y cuántos recordarán diariamente, con gratitud, el nombre del capitán y los colores de la bandera que lo acompaña!

Más de una vez la lancha argentina ha salvado las vidas confiadas a fragatas extranjeras, en cuyos pescantes hubiera podido ser ella suspendida. ¡Cuántas veces no han cabido en ella salvados y salvadores, habiendo quedado estos últimos abandonados en las rocas!

Oír a Piedrabuena el episodio del salvamento de la tripulación del buque Dr. Hansen es escuchar un cuento fantástico. La encuentra asilada en una peña de la Tierra del Fuego y la conduce a Punta Arenas en su lanchón, dejando parte de sus propios tripulantes en el lugar del naufragio, lo que le obliga a tomar otros para ir a buscarlos.

Las penurias, los momentos terribles de esa travesía, y el efecto que ellas produjeron en el ánimo de nuestro capitán, pueden calcularse por las palabras con que me refería los instantes que siguieron a ese salvamento.

"La lancha cruzaba sobre las piedras, y en los fuertes balances golpeaba sobre ellas; yo, acostumbrado a esos trances, fumaba tranquilo junto al timón, cuando oigo,

---

1   Dumont D'Urville, *Viaje al Polo Sur y a la Oceanía.*

debajo de cubierta, llantos y gritos; bajo y veo al capitán alemán y a su señora que lloraban desesperados. Se creían perdidos nuevamente. ¡No parecía marino! ¡Asustarse sólo de golpes contra las piedras cuando, por el contrario, esos accidentes dan más energía y hacen tomar más gusto al oficio! El agua mansa sólo es buena para los pichones."

Piedrabuena no sabe el número de buques y tripulantes que ha auxiliado o salvado y opino que la mejor escuela que pueden tener nuestros marinos es un crucero de un año, en el Cabo de Hornos, con el capitán de la "Santa Cruz".

Uno de los primeros servicios que prestó éste, fue ayudar al descubrimiento de los restos mortales del malogrado capitán Allen Garner, el mártir de la Tierra del Fuego, muerto de necesidad con sus acompañantes en la playa frondosa y sombría de la isla de Navarino, cerca del Cabo de Hornos.

Escuchamos las últimas palabras consignadas en el diario del marino misionero –que demuestra la sublime energía del mártir inglés, realzada por la palabra del marino argentino, relación que se había encontrado donde lo llevó su generoso afán de esparcir la luz de la civilización en el cerebro del salvaje fueguino y en la que, en sus últimos momentos, pedía, desde esa helada región, como años después lo hizo Livingstone desde el corazón del África, no fuera abandonada su humanitaria empresa– cuando el vigía, de lo alto del mastelero, anuncia una vela cerca de la playa, entre las rugosas toscas del cabo Blanco, en la pequeña ensenada situada en el lado norte del istmo que une el promontorio con la meseta.

La distancia no permite distinguirla con claridad, pero el marinero novicio cree tener la certeza de lo que dice.

Vamos, pues, a tener la dicha de auxiliar a algunos colegas desgraciados, y esto en condiciones mucho más favorables que las que acabamos de escuchar, realizadas en las tempestuosas regiones antes referidas.

El entusiasmo del capitán le hace ver ya, arrancados de aquel desierto tan inhospitalario como el mar, algunos compañeros que atenderá solícito en su buque, llegado quizá en momento tan oportuno que salve de la muerte a los sobrevivientes de un naufragio en cuya existencia ya todos creemos.

La vela blanca en un principio parece pertenecer a un bote inmediato a la orilla; más próximos, semeja una gran lona cuadrada o enorme bandera levantada en la costa, como en demanda de socorro, y momentos después podemos convencernos de que lo que nos ha sugerido la idea de ser testigos de algún terrible drama es una solitaria roca, cubo calcáreo desprendido del elevado murallón, alto de cuarenta metros y que ha rodado hasta el mar, que lame su blanquecina base.

Reconocido el error, doblamos el cabo, pensando cada uno, aunque sin comunicárnoslo, que si para nosotros ha habido engaño, ¡cuántas escenas de desconsuelo habrá presenciado esa abandonada costa cuando, en vez de la roca blanca, es una tienda o bandera de desgraciados que solicitan auxilios, y el buque salvador, que parece acercarse, una vana ilusión, una nube fugaz que el viento disipa junto con la esperanza que ha engendrado! En esas playas se encuentran algunas veces blancos esqueletos de infelices para quienes el momento de la salvación nunca llegó.

Diciembre 14: La proa de la goleta surca majestuosa las aguas inmediatas a Puerto Deseado, que es, indudablemente, el paraje más pintoresco de la tan igual costa oriental patagónica. Nuestra vista, ya cansada del aspecto monótono de las barrancas terciarias, se distrae con la de los cerros porfíricos, de distintas formas a las afectadas por la meseta y con los grandes peñascos calizos blancos que avanzan hacia el reino neptuniano, entre los colores rojizos de las rocas plutónicas aisladas en el mar donde baten las olas y donde algunos lobos marinos juguetean o duermen calentados por el bello sol de diciembre. Inmensas

bandadas de aves revolotean gozosas y gritonas, arrojándose sobre los cardúmenes de pequeños peces que abundan en esa región, hoy abandonada, pero donde hace pocos años prosperaba una importante pesquería situada en
la isla Pengüin, cerca del Puerto.

Impelidos por la marea, damos la vuelta al promontorio del norte y penetramos por las rompientes en el largo
puerto, rozando la roca entonces visible, donde el casco del
Beagle chocó en su célebre viaje de exploración.

Fondeamos momentos después frente al antiguo
establecimiento español, en el norte, y frente también a la
conocida Roca de la Torre, situada en el costado del sur, en
la bahía.

Puerto Deseado es célebre en los anales de la navegación de las tierras australes. Lo descubrió el día 17 de
diciembre de 1586, el marino inglés Thomas Candish,
quien lo bautizó y perdió allí varios de sus hombres quienes, mientras lavaban sus ropas, el día de Navidad, fueron
heridos por las flechas de los salvajes dueños del suelo.
Los pingüinos le suministraron abundante caza y, después
de salados, le sirvieron para el consumo de su tripulación,
durante su inolvidable viaje. Su compatriota Juan Chidley
fondeó allí en 1589, y el 18 de marzo de 1592, Candish, de
regreso, volvió a resguardarse allí, después de haber sido
rudamente batido por la tempestad sobre la costa de los
patagones.

El almirante holandés Olivero de Noort, entró el 20 de
setiembre de 1599, cuando era habitado por una tribu de
indios que atacó, matándole tres hombres. Quizás Drake
siguió a Noort en su visita a Puerto Deseado; el día 6 de
diciembre de 1615 fondeaba en él Jacques de Lemaire para
carenar el bajel que poco tiempo después surcaba por vez
primera el estrecho que lleva su nombre.

El 26 de febrero de 1670 llegaba el célebre navegante
Juan Naborough; hizo allí una colecta de cien mil huevos de pingüino, y tomó posesión de esa región en

nombre del rey Carlos II de Inglaterra, el 25 del mes siguiente.

Desde ese tiempo la pintoresca bahía ha albergado casi todas las expediciones que han recorrido la costa patagónica y ha sido frecuentada por gran número de buques pescadores, que han hecho abundante cosecha en sus aguas.

Fue uno de los puntos de la costa que, en el siglo pasado, determinó ocupar el gobierno español.

Frente a nuestro fondeadero, en la ladera de los cerros, se ven aún los restos del fuerte que levantó Francisco de Viedma, en 1780, para abandonarlo poco después.

Destruyóse con la misma rapidez con que había sido levantado, pues nueve años más tarde sólo quedaban ruinas, al decir del teniente de navío Viana, que lo visitó en ese tiempo.

"Lo que queda hoy, muestra cuán liberal y fuerte era la mano de España", decía Darwin en 1834, hablando de ese establecimiento que ocasionó tanta erogación al erario de la metrópoli, y hoy no existen en gran parte las ruinas que hacían exclamar así al sabio inglés; el edificio dibujado en la narración del viaje del Beagle sólo es un montón de piedras sueltas.

Nuestra visita a Puerto Deseado era, más o menos, motivada por el mismo objeto que condujo allí a Viedma. El director del Departamento de Inmigración deseaba tener informes sobre ese paraje, para colonizarlo en caso que se presentara aparente.

Inmediatamente después de fondeado el buque, bajamos a tierra; las parásitas y los aterciopelados *Mytilus*, los moluscos más abundantes de esas costas, que cubren, sombreándolas, las pulidas rocas de la playa, crujieron bajo nuestros pies, y cruzando sobre ruinas, llegamos a uno de los bastiones del fuerte. Desde allí gozamos de la extensa perspectiva que se desarrolla hacia el sur, sin cuidarnos de las innumerables lagartijas y ratones que huyen entre las piedras y que son los inofensivos habitantes, desde hace casi un siglo, de esa antigua mansión del trabajo perdida en las soledades del sur.

El fuerte está situado en la primera colina, antes de llegar a la cumbre de la meseta, en una pequeña eminencia que le sirve de asiento y domina la bahía. En el norte, lo resguardan pintorescos cerros porfíricos, color púrpura y negruzcos, que le dan un aspecto triste a la tarde; al este, la vista se abisma en el océano; al sur, la dilatada costa, el peñón de las islas Pengüin, la bahía del Oso marino y las onduladas colinas, donde de vez en cuando un verde manchón en la parda aridez delata un pequeño manantial que, en hilos, desagua en una lagunita que reverbera al sol. En el fondo oeste, la angosta bahía donde se balancea la goleta se interna, serpenteando, hacia lo desconocido.

Las ruinas hoy existentes demuestran un vivo deseo u orgullo, por parte de quienes levantaron el establecimiento, de perpetuar el recuerdo del poderío de España en esas regiones; todo ha sido bien construido y, a haber concluido esos depósitos, las inclemencias de la intemperie y de los años, poco detrimento le hubieran ocasionado.

A principios del siglo, los cañones con que el gobierno del rey hubieran defendido ese territorio, en caso de haberse hecho efectiva la sospecha que ocasionó la fundación de los establecimientos patagónicos, yacían entre la maleza, al pie de los bastiones que estaban destinados a armar, pero los buques pescadores los han llevado o arrojado al mar al cargarlos, y hoy las bocas que debieran lanzar la muerte a los atentadores contra la soberanía de España, sirven, quizá, de cómoda morada a cautelosos moluscos.

Inmediato a las ruinas hay un pequeño pozo con agua potable, que parece haber sido ahondado por manos de hombre, aumentando así el estanque que la naturaleza ha formado y donde se conservan las aguas que en tiempo de lluvia descienden por la quebrada. En ese punto fue tal vez donde los indios atacaron la tripulación de Candish.

Las inmediaciones del pozo son relativamente fértiles: cubre el suelo una pequeña capa de tierra tapizada de pasto indígena mezclado con las plantas que generalmente acompañan al colono europeo.

En el vallecito cercano al pozo, donde se encuentran rastros de antiguas habitaciones españolas, hay un pequeño bañado salitroso, inmediato a la cantera de donde han sacado las tufas eruptivas de bellos colores para construir los edificios, y parece que en tiempos anteriores ese punto fue ocupado por los indios, a juzgar por la bella punta de flecha, resto de su industria, que he recogido.

Las quebradas, entre los cerros, presentan en sus laderas, cubiertas de cascajos, pastos fuertes y muy abundantes, sobre todo en los puntos abrigados, donde la fertilidad es tanta que se olvida el encontrarse en la costa patagónica. En las grietas del rojo pórfiro, las alverjillas despliegan sus racimos de flores celestes; entre las matas de pasto verde, se levantan matorrales de adesmias, de aspecto sedoso; y en las faldas de los cerros, las oxalideas de variados tintes, las calceolarias anaranjadas y de manchas purpurinas se inclinan al soplo fresco y encerrado de las quebradas.

La vegetación que en ciertos parajes cubre el suelo es bastante más lozana que la de las tierras altas de Chubut, a causa de que sus aguas pluviales no se infiltran ni evaporan con la misma rapidez que allí, manteniendo húmedo el suelo a una determinada profundidad.

Si las faldas de esos cerros tienen esa apariencia de fertilidad, en cambio las tierras altas vuelven a presentar el carácter desolado de la región austral. Darwin las describe de una manera tan exacta, que prefiero estampar el párrafo que en su diario les dedica, en vez de hacerlo con la aridez de mi estilo.

"A una altura de 200 a 300 pies sobre algunas masas de pórfiro se extiende una inmensa llanura, carácter particular de la Patagonia. Esa llanura es perfectamente plana y su superficie se compone de rodados con los cuales se mezcla una tierra blanquizca. Esparcidos aquí y allá, se ven algunos matorrales de hierbas pardas y coriáceas, y con más escasez aún, algunos arbustillos espinosos. El clima es seco y agradable, y el hermoso cielo azul rara vez se encuentra velado por nubes. Al encontrarse el viajero en medio de una de estas llanuras desiertas, y cuando mira al interior de la comarca, su vista es limitada regularmente por la escarpa de otra llanura un poco más elevada, pero tan plana y tan desolada como la primera. En cualquier otra dirección, el miraje, que parece elevarse de la superficie recalentada, vuelve el horizonte indistinto".[1]

La precisión asombrosa que el eminente naturalista emplea al manifestar sus impresiones de viaje, como en todas sus demás obras, hará que muchas veces transcriba párrafos de ellas, cuando se relacionen con los puntos que debo tocar en mi relato.

Sobre una de las colinas encontramos un *cairn* igual al de Chubut, pero que había sido destruido. No dudo que fuera el mismo que el jesuita Gardiel examinó en 1745 y donde encontró "restos de un hombre de mediana estatura", "ya casi todos podridos" y "pedazos de ollas" enterrados con ellos.

Varios de los antiguos visitantes de Puerto Deseado han hablado de restos humanos, y algunos han llegado a asegurar que en ese punto y sus inmediaciones se han encontrado huesos gigantescos. Los oficiales del Adventure y del Beagle se refieren a ellos varias veces, en distintos puntos cercanos, y el mismo Darwin da la siguiente descripción de un dolmen, que allí se puede ver y que he tenido ocasión de examinar a la ligera:

"Dos inmensos trozos de piedra, cada uno de los cuales pesaría por lo menos dos toneladas, habían sido

---

1   *Voyage d'un naturaliste autour du monde.*

colocados delante de una eminencia de roca que tendría cerca de seis de pies de altura. En el fondo de la tumba, sobre la roca, se encontraba una capa de tierra de un espesor de un pie próximamente; aquella tierra debió haber sido traída desde la llanura. Encima de esta capa se hallaba una especie de enlosado de piedras planas, sobre las cuales se había amontonado una cantidad de piedras sueltas como para llenar el espacio comprendido entre el reborde de la roca y los dos grandes trozos. Finalmente, para completar el monumento, los indios habían desprendido de la eminencia de la roca un fragmento considerable, que descansaba sobre los dos trozos. Removimos esta tumba sin poder encontrar en ella ni huesos ni restos de ninguna clase. Los huesos probablemente hacía largo tiempo que se habían pulverizado, en cuyo caso la tumba debería ser muy antigua, porque he hallado en otro sitio montones de piedras más pequeñas, debajo de las cuales he descubierto algunos fragmentos de huesos en que aún podía reconocerse que habían pertenecido a un hombre. Falkner refiere que un indio es enterrado allí donde muere, pero que más tarde los parientes recogen cuidadosamente sus restos para ir a depositarlos cerca de las orillas del mar, cualquiera que sea la distancia que deba recorrerse. Según creo, se puede comprender esta costumbre si se recuerda que antes de la introducción del caballo, estos indios debían llevar más o menos el mismo género de vida que los actuales habitantes de la Tierra del Fuego y, por consiguiente, habitar por lo común las riberas del mar. La preocupación ordinaria, según la cual debe irse a descansar allí donde descansan los antepasados, hace que los indios errantes lleven aún las partes menos perecederas de sus muertos a sus antiguos cementerios cerca de la costa".[1]

La noticia del descubrimiento de restos humanos por los antiguos navegantes, quizás indujo al jesuita Falkner,

---

1   Obra citada.

quien no creo visitase la comarca situada al sur de 40° latitud, a colocar allí la región sepulcral de los patagones. Está fuera de duda que varias de las antiguas tribus llevaron en sus migraciones los restos de sus deudos, muertos en lejanos parajes, para enterrarlos en el panteón donde reposaban sus abuelos, pues conozco algunos depósitos mortuorios; que en las tolderías se preparaban las osamentas, después de cierto tiempo de inhumado el cadáver para trasportarlas en viaje, y que las adornaban por lo general con vistosos colores, son costumbres todas que muy de tarde en tarde se practican aún; pero no por eso creo que la costa del océano fuera la región preferida para esas inhumaciones. En todo el territorio se encuentran tales enterratorios.

La forma de los cráneos del *cairn* de Chubut, y la presencia de restos de alfarería en el Puerto Deseado, me hacen suponer que los indios que tuvieron la costumbre de elevar estos monumentos, quizás conmemorativos, y que bien puede ser interpretaran otra idea que la de simple resguardo de las fieras y de la intemperie, a restos queridos, no fueron los patagones actuales, y que éstos sólo la hubieran heredado y puesto en práctica algunas veces. Me inclino también a pensar que esa costumbre se hiciera efectiva en épocas anteriores a la propagación del caballo y de ciertos animales domésticos; de haber sido después, es indudable que los huesos de esos animales se encontrarían junto a los de los indígenas que los utilizaron en vida, y a los cuales, según sus creencias o ritos religiosos, debieran acompañarles en la otra, en la cual creen.

Sólo descubrí un fragmento de flecha, un rascador y un cuchillo de piedra cerca del monumento citado. Este dolmen es parecido, si no en un todo, a lo menos por su figura general arquitectónica a los que la nueva ciencia de la investigación del hombre ha descubierto en todos los puntos donde habitaron nuestros antepasados congéneres.

He oído a los indios hablar de algunas construcciones
análogas que se encuentran en el interior del país, y que
ellos tienen hoy por morada de espíritus maléficos, pertur-
badores de su sueño, cuando la noche los toma en sus
inmediaciones y los obliga a esperar allí la claridad del día,
que despeja las sombras con que la ignorancia y la superstición cubren el cerebro del salvaje.

Después de haber dado un pequeño paseo por la
huerta de Viedma, vuelvo a bordo para arreglar las colecciones formadas durante aquel día.

Esta huerta se halla situada al oeste de la fortaleza, en
un pequeño valle que puede utilizarse para la agricultura,
lo mismo que otros inmediatos, y donde el pasto fuerte,
llamado comúnmente de puna y al cual pronto se acos-
tumbra el ganado, abunda con tal lozanía que es molesto
transitar a pie por entre él. Hállase rodeada por algunas
pequeñas paredes de piedra que levantaron los antiguos
colonos para preservarla, quizás, del daño que pudieran
causarle los ganados.

Algunas coles, un pequeño monte de manzanas,
membrillos y cerezos, éstos con sus frutos aún verdes,
recostado todo sobre un murallón de pórfido, de fuerte
colorido, hermosean ese paisaje sombreado ya por el crepúsculo. A no ser por la necesidad de preparar las colecciones, no regresaría a bordo.

Estos restos del antiguo jardín, plantado, quizás, por
la mano de Viedma, noventa años antes, y que gracias a la
fertilidad del suelo se ha reproducido sin ayuda del
hombre, tiene infinitos atractivos.

Cada vez que el viajero, lejos del hogar, encuentra algo
que le sugiere un recuerdo de él, experimenta un bienestar
indefinible y con sentimiento se aleja de donde su espíritu
lo transporta a puntos queridos.

Meditar y reposar una noche sobre esa tupida hierba
salvaje, teniendo por techumbre las hojas oscuras de los
olvidados guindos y manzanos, hijo de la civilizada tierra,

y por almohada el pórfido de la quebrada, hubiera sido para mí un placer inmenso. Hay algo de sibaritismo en esos deseos de cómoda holganza mental que se experimentan en los parajes solitarios, lejos del bullicio humano.

¡Cuánto más noble y cuánta más impresión causa al ánimo del naturalista, el descanso durante la noche, al aire libre, teniendo por todo resguardo el espectáculo grandioso de la naturaleza, por más árida que sea ésta, que el permanecer encerrado en un camarote donde, si tiene más comodidades, en cambio las emociones son casi nulas!

Diciembre 15: Apenas la aurora destacó las cimas de los cerros y bañó de suave luz las aguas de la bahía, lanzamos al mar el bote que el Gobierno me había proporcionado. Va a servir por primera vez al objeto para el cual ha sido destinado y, como un favorable augurio, su elegante quilla seguirá las huellas de la lancha que condujo a Darwin.

Gratas emociones me ha brindado mi buena estrella al permitirme visitar los parajes y pisar las mismas sendas donde, probablemente, el campeón de la teoría de la descendencia bosquejara, en esas excursiones, la base de sus célebres ideas.

Hacemos fuerza de remos con rumbo al oeste donde la tierra es aún un nublado. Las algas marinas, en inmensas guirnaldas, nos rodean mientras cruzamos sobre los arrecifes sumergidos que se destacan de los cerros vecinos, y en los cuales vara el bote, obligándonos a penetrar en el agua salada, hasta medio cuerpo, para aligerarlo de peso y remolcarlo, desligándolo de las plantas entre cuyos flexibles vástagos encalla.

Mis marineros reciben aquí el bautismo patagónico, que debe darles constancia y fe en la utilidad del viaje.

La brisa nos permite izar el velamen, y por el medio de la bahía, teniendo a la derecha los oscuros cerros eruptivos y a la izquierda una blanca costa, baja y acantilada, pasamos inmediatos a algunas pequeñas islas. En esos momentos las gaviotas rozan el ligero gallardete, los pingüinos se zambullen y luego se yerguen, batiendo gozosos sus aletas, para mirarnos asombrados; los patos marinos, unos solitarios, cruzan como flechas; otros, en bandadas, trazan en el aire figuras geométricas; los cormoranes, con la primera comida de la mañana, ganan presurosos las nidadas donde, como en un damero gigantesco, han nacido sus negruzcos y velludos hijos.

Alguna millas adelante, cruzamos frente a una pequeña península de aspecto alegre; en ese sitio preferido, una tropilla de guanacos busca su alimento sin preocuparse mucho del enemigo que los mira cercano.

Ya el sol muestra su disco y sus rayos interceptados por tenues nubes alumbran ese paisaje donde aparecen los dos grandes sistemas geológicos que caracterizan la Patagonia. Ora inunda de vívida luz los enormes peñascos rojo–plomizos del pórfido; ora las blancas y rosadas tufas y las fajas terciarias –que se alternan también, formando un precioso contraste y reflejándose en las aguas azuladas de la bahía–; ora las bellas laderas verde–amarillentas por su vegetación herbácea, y los oscuros y tupidos matorrales de arbustos.

Cerros rojos perpendiculares elevan en la costa norte sus atrevidas aunque pequeñas crestas; en el sur, de entre las colinas se evapora visiblemente el rocío de la noche, en medio del cual distinguimos guanacos curiosos relinchando estridentemente o bajando hacia las aguas mansas para arrancar el musgo de la costa.

La vista de esos animales ejerce poderoso atractivo y los instintos de Diana, mi renegrido y sedoso terranova, acallados durante la navegación, se despiertan de tal manera que no puedo impedirle que se lance en su persecución a la costa distante 300 metros.

Durante un largo rato, lo vemos correr delante de los esbeltos guanacos, más ligeros y más trepadores, que no hacen gran caso del poco terrible perseguidor.

Lo esperamos algún tiempo; lo llamamos repetidas veces, pero sólo nos contesta el eco de las colinas desiertas y tenemos que abandonarlo, so pena de perder la gran marea de novilunio que, por una feliz casualidad, tiene su mayor amplitud en este día. La pérdida del fiel y utilísimo amigo del viajero me causa pena, pero el fondo de la bahía está frente a nosotros y es necesario alcanzarlo antes que principie la bajante.

A medida que nos internamos divisamos nuevos horizontes, los cerros se aproximan y la bahía es más estrecha; de su centro se elevan torres monolíticas de aspecto gótico cuyas murallas las aguas asaltan de continuo, pero inútilmente; entre las grutas de su base duermen aún grandes otarias arrulladas por el eco suave del cuchicheo de las ondas. La rápida corriente y la vela bien cortada y llena nos llevan por entre ese paisaje que recuerda un fiord escandinavo y del cual se espera ver aparecer, entre las quebradas sombrías o en los matorrales, algún monstruoso y hercúleo Han.

Esas concepciones fantásticas de la naturaleza, unidas a las concepciones del hombre, obligan a la imaginación de éste a emprender grandes viajes, transportándolo en un instante, combinando un mundo de ideas, a escenarios lejanos. Así el infortunado Bellot, el intrépido marino francés cuya vida estuvo consagrada a buscar al igualmente malogrado Franklin, se extinguió entre dos peñascos de hielo en las soledades del Polo Norte; evocaba el recuerdo de las murallas y de los edificios destruidos de Montevideo, la Troya americana, al presenciar el desfile de gigantescos témpanos cuyas formas imitaban, y que veía en el peligroso *pack*, donde el héroe, cumpliendo su deber, debía encontrar la muerte de la larga noche boreal. El Mirador, acribillado por la metralla de Oribe, amenazando ruina, se reflejaba en el recuerdo del intrépido marino, al contemplar la vista de la colosal montaña flotante.

A mediodía llegamos al último punto donde alcanzó la expedición inglesa. En el costado sur, el agua baña la base del murallón de pórfido; en el norte, un desplayado bajo, cubierto de matorrales, se extiende al pie de un cerro aislado. En el fondo, el canal sigue enangostándose a causa de un enorme peñón, entre el cual y el cerro del sur corre descendiendo ya con fuerza la marea, arrastrando un agua turbia y de gusto menos salado que el de la mar. Por más esfuerzo que hacemos, es imposible pasar más adentro, y después de tentarlo sin resultado, varando repetidas veces, resuelvo tomar tierra en aquella playa. Allí también desembarcó Darwin.

Hé aquí lo que él dice de esos parajes:[1]

"El paisaje no presenta sino soledad y desolación; no se distingue allí un solo arbusto y, a excepción, quizás, de algún guanaco, que parece montar la guardia, centinela, vigilante, sobre la cumbre de alguna colina, apenas se ve un solo animal."

"Y sin embargo, se experimenta algo como un sentimiento de vivísimo placer, sin que pueda definirse bien, cuando se cruzan esas llanuras en las que ni un solo objeto atrae nuestras miradas. Nos preguntamos desde cuándo existe la llanura en ese estado y cuánto tiempo durará aún esa desolación".

"¿Quien podrá responder? –todo lo que nos rodea actualmente parece eterno–. Y sin embargo, el desierto nos deja oír voces misteriosas, que evocan terribles dudas (Shelley, "Vers sur le Mont Blanc")".

"En la tarde remontamos algunas millas; en seguida disponemos la carpa para la noche. Durante el día siguiente, la lancha varaba y el agua era tan poco profunda que no podía ir más lejos. El agua era casi dulce, por lo cual Mr. Chaffers tomó el bote de remos para remontar dos o tres millas aún. Allí volvimos a varar, pero esta vez en agua dulce. Ésta era limosa y, aunque fuera un simple

1   Obra citada.

arroyo, sería difícil explicar su origen de otro modo que por la fusión de las nieves de la cordillera. El punto en que habíamos establecido nuestro vivac estaba rodeado por elevadas barrancas e inmensas rocas de pórfido. No creo haber visto jamás un sitio que pareciera más aislado del resto del mundo, que esta grieta de rocas, en medio de aquella inmensa llanura."

Pintura exacta, pero sombría. Con cuarenta y tres años de intervalo, en la misma estación, y con una semana de diferencia, visito este punto y, francamente, el espectáculo que aquí se desarrolla no me causa una impresión tan desfavorable.

Quizás la costumbre ya adquirida y el mayor conocimiento de la región patagónica me hacen encontrar alegrías donde Darwin sólo halló tristezas. Quizás también el tiempo en que él describía ese paraje fuera desagradable y distinto del día verdaderamente "glorioso" que yo tengo la dicha de visitarlo.

Verificado nuestro frugal almuerzo en el punto donde probablemente plantó Darwin su carpa, y dejando tres hombres al cuidado del bote, con orden de ir alejándose de allí gradualmente con la marea, para no quedar en seco, lejos del canal, me interno acompañado de otros dos, siguiendo la gran quebrada.

Pasamos el cerro que oculta la prolongación del canal y encontramos de nuevo a éste, ya muy pequeño, que corre lentamente con gruesas aguas, serpenteando por el centro de una planicie o bañado, despojado de vegetación y cubierto por pequeños fragmentos de yeso en lajas y de cristales salitrosos que brillan y donde sólo algunas liebres saltonas vagan inquietas. En las guadalosas orillas vemos algunos moluscos y cangrejos marinos que las grandes mareas han acarreado hasta allí. Una pequeña fuente cargada de cloruro de sodio destila, conduciendo sucios cristales al arroyo y revelando la presencia de alguna capa de sal gema en el interior del terreno.

Seguimos por entre esa quebrada, bordeada de cerros abruptos bastante tristes, unas ocho millas hasta el punto donde, de la dirección oeste que ha llevado hasta allí, tuerce al NNO, y donde, desde el verde cañadón, se distinguen algunas mesetas terciarias. Aquí la comarca mejora, la cañada se ensancha algo y es alimentada por algunos manantiales insignificantes de agua potable.

El desfiladero que seguimos, pues, no merece el nombre de valle; parece haber sido, en remotas épocas, lecho de algún gran río que corrió a gran profundidad del resto del terreno, a juzgar por la cantidad de cantos rodados, bastante voluminosos, piedras extrañas a la formación vecina, de tamaño mayor que los que se encuentran sobre la meseta inmediata y que por otra parte pertenecen, además, a las rocas andinas. Este río que descendía quizás de las cordilleras, o que era desagüe de algún otro que se desprendiera de ellas para llevar las nieves derretidas al Atlántico, se ha obstruido cerca de sus fuentes por algún accidente notable.

A juzgar por las señales que hay en las grandes piedras que de vez en cuando perforan el suelo arenoso, inmediato al cauce, y las que veo en un manto de meláfido (roca que sólo he encontrado en ese punto), el nivel de las aguas procedentes de las avenidas, si es que existen éstas en notable escala, o de las lluvias, no aumenta mucho o, por lo menos, el cajón no permanece inundado suficiente tiempo para dejarlo marcado.

El terreno que rodea este pequeño curso es suelto y fangoso, y creo que no nace en la cordillera, como lo supone Darwin, prefiriendo atenerme a la opinión de Fitz Roy, que es la contraria. Puede ser que tenga su principio en la cadena de montañas pequeñas del centro del país, que el ilustre naturalista no conoció.

En la actualidad, ningún vestigio induce a suponerle el impropiamente llamado "río Deseado", naciente en los Andes y alimentado por sus deshielos; por el contrario, casi todo el antiguo lecho del río se halla cubierto por una capa aluvial arenosa casi despojada de tierra vegetal, cuyo espesor varía de uno a dos metros, sin contar algunos médanos. Sólo en determinados parajes se notan signos de su antigua velocidad, en los lechos de cantos rodados.

El agua, aunque potable, no es completamente dulce; el terreno contiene sulfato de sosa y las grandes mareas alcanzan hasta 40 millas desde la boca de la bahía. En las inmediaciones hay pequeñas lagunas con cloruro de sodio.

La velocidad de sus aguas en este tiempo es apenas sensible y su ancho varía, en el punto más lejano que alcanza, de uno a tres metros por 10 a 50 centímetros de profundidad. En muchas partes está cortado y sólo son pozos y está rodeado de verde trébol (*Trifolium*) y alfilerillo (*Erodium*).

El deseo de averiguar si es real o pura ficción la existencia del río Deseado que señala la generalidad de las cartas geográficas, puedo satisfacerlo en este paseo. Por estos datos se verá que los informes sobre este punto, publicados en Buenos Aires hace algún tiempo, son contradictorios con los míos. No encuentro que el río Deseado sea "caprichoso en su carrera", pues es un simple cañadón; ni puedo convencerme de que sea "torrente impetuoso en primavera, al derretirse la nieve", pues era en esa misma estación cuando lo examinó Darwin y lo calificó de simple arroyo, y en la que lo examino está casi seco. Tampoco veo aquí "los juncos más altos que un caballo" que se mencionan en ese informe.

Varios ejemplos de ríos secos hoy, y que en otro tiempo desaguaban en el Atlántico, se observan en la Patagonia y creo que su obstrucción actual podría deberse a algún pequeño cataclismo geológico. También puede influir que las condiciones climáticas de este inmenso territorio hayan cambiado algo desde el principio del período actual.

Llegados al punto donde la quebrada cambia de dirección, nos sorprende la tarde, y con ella enjambres de pequeños dípteros nos acosan de tal manera, que, luego que saciamos nuestra sed en los pozos, no tenemos más remedio que incendiar los matorrales para ahuyentarlos. El fuego se propaga con tal rapidez que, para no exponernos a ser sofocados, tenemos que emprender la ascensión de un cerro inmediato cuyas faldas, casi a pique, están cubiertas de espinas. Lo hacemos jadeando, aprovechando los senderos de los guanacos o trepando como lagartijas, sujetándonos con manos, codos, rodillas y pies y, casi sin aliento, alcanzamos un retazo más extenso, situado a 50 metros sobre el incendio que chisporrotea entre las plantas resinosas.

Los unos cargados con el herbario, los otros con bolsas llenas de muestras rocas, tenemos que descansar unos momentos al reparo de una piedra, que intercepta el rayo del sol y el humo.

Ascender más es difícil, pero uno de los marineros, alegre francés que había visitado las escarpadas costas noruegas, pronto encuentra senda para llegar a la cumbre próxima, donde podemos hacer funcionar libremente nuestros pulmones y presenciar la puesta del sol en plena Patagonia, entre las espirales de humo que se elevan de la quebrada incendiada.

Antes de emprender el regreso al bote, nos dirigimos a una piedra aislada que, desde lejos, semeja una choza sobre la meseta horizontal. Es el resto de un cerro antiguo cuyo altivo pico, corroído por los hielos, ha quedado reducido a dos monolitos muy próximos uno de otro, de 20 pies de altura y que están rodeados por los residuos del mar terciario, representados allí por la gigantesca *Ostrea*.

Por el estilo de Tower Rock, a la que los ingleses llaman también Roca Britania, doy a ésta el nombre de "Roca Porteña".

Los dos fragmentos rojizos parecen restos de un monumento funerario o sagrado, *menhir* de las edades perdidas, abandonado por el hombre, siguiendo la progresión de su inventiva, y figuran en el primer plano de una perspectiva verdaderamente patagónica. Hacia el septentrión, un cerro solitario se pierde en el azul ahumado, color característico aquí de la atmósfera de la tarde; y a cierta distancia, al oeste, se escalonan las mesetas prestando la hora un aspecto de melancolía a esas regiones aún desconocidas que tenemos delante y cuyos misterios no podemos despejar en este viaje.

Con las últimas vislumbres del crepúsculo, descendemos la cuesta de una quebrada para buscar el bote; las piedras ruedan con sonidos graves para llegar al fondo oscuro, aumentando así la lobreguez del camino.

Cuando llegamos al sitio en que hemos dejado la embarcación, no la hallamos; en cambio un gran incendio se ha propagado en ese punto, donde, cansados y con la soñolencia que da la media noche, esperábamos encontrar el deseado reposo.

Las rocas, entonces negras, se destacan sombrías e imponentes entre las llamas del voraz elemento y creo presenciar una escena de los tiempos en que el rojo pórfido se formara.

Después de una hora de penosísimo camino, quemados y lastimados por las ramas carbonizadas, que con la reverberación deslumbradora no se distinguen de noche, encontramos, en un claro, que el fuego ha respetado y rodeado por las sierpes ardientes de la llama que devora el pasto y los arbustos, al negro brasileño que, como en danza diabólica, atiza el incendio. El muy cobarde (entonces) había encendido los grandes matorrales resinosos con el pretexto de marcarnos el punto donde había llevado el bote; pero en realidad con la idea de resguardarse de los leones o pumas que su espíritu pusilánime imaginaba escondidos en las cavernas de las rocas, listos a arrojarse sobre él al menor descuido.

No hay más remedio que decir al brasileño que los indios nos han sorprendido; que nos buscan y que, si continúa aumentando el incendio, darán con nosotros para sacrificarnos sin piedad. El indio es para él peor enemigo que el león, y por eso hay que emplear la mentira para calmar en algo su excitación, pues las órdenes más enérgicas chocan contra su gran pánico.

A la una de la mañana podemos tendernos sobre el junco mojado por la marea.

Diciembre 16: Dos horas después, una brisa del oeste nos despierta y, apenas aclara el día, emprendemos la vuelta al fondeadero de la "Santa Cruz". Venciendo la corriente contraria, poco después nos ponemos enfrente de las islas donde, a nuestra ida, abundaban las aves.

En los pequeños huecos de una elevada muralla de pórfiro vemos una gran cantidad de aves que pían sin cesar; a ellos acuden bandadas inmensas, todas de la misma especie. Son cormoranes del género *Halioes* y de la especie *H. Gaimardi*, peculiar de la Patagonia occidental, que, probablemente, por un curioso caso de inmigración, viven en Puerto Deseado donde los señaló el capitán King antes que yo, y que nunca han sido mencionados en otro paraje del océano Atlántico, a la inversa de su congénere el *H. carunculatus*, que conocemos por *Shag*, y que es el ave que aumenta los depósitos de guano. Aunque del mismo género, las dos especies tienen varias costumbres distintas; por ejemplo: el *H. Gaimardi*, muy parecido al *H. punctatus* de Nueva Zelandia, anida en las rocas perpendiculares; el *carunculatus* lo hace en las islas horizontales, trazando con sus excrementos amontonados un círculo más elevado que el terreno en el cual deposita tres huevos. En el interesante libro de Cunningham puede verse la curiosa y geométrica disposición de los nidos de esta última especie.

Con la escopeta puedo procurarme dos de los primeros, uno de los cuales desaparece inmediatamente de caído al agua, devorado por un tiburón que la claridad de aquélla permite distinguir nadando gallardo, moviendo velozmente sus bien modeladas aletas, al costado del bote; el otro figurará en el museo público de Buenos Aires, al cual haré donación.

Un cóndor joven, monarca alado de las regiones australes, se ve posado sobre la cumbre inaccesible; golpeando con ruido estridente su filoso y córneo pico, abre sus garras ensayando los poderosos músculos, y, batiendo las monstruosas alas, lanza penetrantes gritos de lujuriosa alegría. Se prepara a la carnicería de los tiernos cormoranes cuyos gritos temerosos atraen a sus padres, inteligentes pescadores de la bahía.

La vista aguda del feroz rey andino goza ya de la tierna presa casi segura, cuando el rayo artificial lo precipita revoloteando, muerto, al abismo, rozando las habitaciones de sus perseguidos, y cayendo frente al bote, con gran susto del negro, que teme lo aplaste aquella inmensa mole. Así, por la muerte, se unen en la misma bolsa, sacrificador y víctima, obra toda del hombre y del plomo.

Para la lucha por la existencia, los animales inferiores a él sólo disponen de las nobles armas con que la naturaleza los ha dotado; nosotros, a la inversa, las pedimos a nuestra industria, hija de nuestras propias fuerzas y de nuestra debilidad muscular relativa.

Este cóndor lo destino a reposar empajado, guardando sus colecciones calchaquíes, en el Museo Antropológico y Arqueológico de mi propiedad.

Momentos después atracamos en una isla donde damos caza a algunas gaviotas, de las mismas especies que las de Chubut, y juntamos los mismos moluscos. Obtengo un *Hoematopus paliatus* u ostrero (nombre impropio para los de este género que viven en la Patagonia, pues en esos parajes no abunda la ostra, molusco del cual se alimentan otros *Hoematopus*). Es una elegante ave, muy abundante allí, donde en bandadas hace repercutir sus agudos chillidos cuando el hombre se aproxima; además, es una de las aves más bonitas de ese territorio. Deposita sus huevos en nidos, ocultos entre las matas, pero para cuya construcción no parece demostrar mucha habilidad.

Al pasar por otra isla, más cercana al Atlántico, presenciamos una interesante escena. Sobre la suave playa ancha que aún no ha cubierto la marea, creemos ver un ejército cubierto de armaduras escamosas relucientes dirigiéndose hacia el agua desde un matorral cercano. Aunque estamos inmediatos a la costa, nos parece presenciar desfiles de militares en alguna gran plaza, todo reducido por la inversión de anteojos.

Batallones tras batallones, en fila y orden, llegan a la orilla del mar, nos miran unos instantes y desaparecen en sus ondas. Un espíritu impresionable pensaría tener delante hordas disciplinadas de pigmeos; el brasileño piensa quizás en los indios tan temidos de la noche anterior.

El espectáculo es gracioso y nos lo proporcionan los respetables pingüinos que, sin temer al bote, zarandeándose, se dirigen al agua para ser el terror de los peces y cangrejos pequeños. Saltamos a tierra; algunos, viéndonos ya próximos a ellos, apresuran su marcha y de consiguiente ruedan por la pérdida del equilibrio, hasta refugiarse en el mar. Otros, que se hallan más distantes, dan vuelta automáticamente e imitando venerables cartujos liliputienses, con las manos escondidas entre sus anchas mangas (las aletas), se dirigen a sus conventos (o nidos).

El destrozo que de sus tranquilos habitantes hacemos en esta isla, es grande. Veinte de ellos quedan en el fondo del bote, víctimas del coleccionista y de las necesidades del estómago de los tripulantes. Nuestros instintos sanguinarios no se compadecen al ver a los curiosos pingüinos defender con valentía, entre una mata, hiriéndonos en las piernas, a sus jóvenes hijuelos. La impotencia de estos animales en tierra es tal, que, sólo cuando el hombre procura darles el golpe que ha de herirlos, tratan de huir y, si no lo consiguen, buscan por la astucia la región más vulnerable de las pantorrillas del enemigo para hincarle su agudo pico.

Al mirarlos, se creería encontrarlos asombrados, embebidos en una muda admiración, que no les permite huir; más tarde sus movimientos parecen indicar que un sentimiento de burla se apodera de ellos al ver al intruso en sus dominios. Mueven de derecha a izquierda la cabeza, luego lo hacen a la inversa, batiendo las mandíbulas terribles, y mirándonos, se puede decir que con desdén, de rabo de ojo, se creería que nos piden cuenta de nuestra presencia aquí y de lo que buscamos.

Los pingüinos (*Spheniscus patagonicus*) que representan la familia de los *Mancos* en Puerto Deseado, van concluyendo y difícilmente se podrá hacer allí, en todas las islas, la décima parte de la colecta de Narborough.

A las cuatro de la tarde llegamos con las presas a la goleta, y una hora después cruzamos al sur, a examinar la célebre Roca de la Torre. Está situada a corta distancia de la costa y sirve de excelente punto de marca para entrar en el puerto. Como la "Roca porteña", es resto vetusto de un antiguo peñón destruido por la formidable acción del tiempo y de los elementos, y cuyos restos se hallan esparcidos alrededor del monolito principal adherido aún a la montaña y sobre una pequeña eminencia rodeada de enormes piedras sueltas.

"Tower" o "Britannia Rock" mide diez metros de alto por tres de diámetro y recuerda el enorme tronco petrificado de algún baobab gigante de las selvas africanas, transportado por el fósforo del cerebro a las áridas playas patagónicas. A un tercio de su altura se divide en dos ramas, la una mayor que la otra, forma que le da el mencionado aspecto. La roca que la constituye es el mismo pórfido de los alrededores. La fisonomía que desde lejos le comunican los musgos y líquenes que han arraigado en las grietas, hacen de este interesante monumento geológico uno de los objetos más dignos de mención que pueden citarse en Puerto Deseado. En sus inmediaciones parece que de tiempo en tiempo acampa alguna tribu indígena, pues se notan huesos de animales, destruidos y comidos, sobre todo de guanacos y caballos; el día de nuestra salida de ese puerto vimos un fornido caballo salvaje que pastaba tranquilo al costado de una hermosa piedra y que relinchaba al ver las blancas velas de la "Santa Cruz".

Por la nómina siguiente, de las principales plantas que recogí en el Puerto Deseado, puede verse que entre ese punto y Chubut no hay gran diferencia en cuanto a vegetación.

Varias gramíneas (*Stipa* spc., *Gynerium*, etc), el *Erodium citarium* y *Erodium* spc., el *Trifolium polimorphum*, una cyperácea, varias umbelíferas de los géneros *Corilio*, *Accena*, etc., dos leguminosas (*Lathyrus*, *Adesmia*), el oruzus (*Phaca*), algunas compuestas (*Tagetes*, *Senecio*, *Trichocline Gnaphalium*, etc.), dos asperafolláceas, solanáceas (*Lycium*), una verbenácea, una filicínea, varias quenopodiáceas, la *Berberis heterophilla*, *Duvaua dependens*, *var patogónica*, etc., *Cactus* y otras plantas que aún no han sido clasificadas.

Lo mismo digo de la zoología, y en cuanto a geología, lo poco que he examinado lo mencionaré en la segunda parte de este libro.

Faltándole valle extenso y agua dulce en abundancia, creo que este punto sólo puede ser colonizado en pequeña escala, pues apenas hay suficiente tierra, pasto, agua en la cañada y en los pozos, y caza para un centenar de colonos. El fuerte es de posible reparación; trayendo de Buenos Aires o del Estrecho de Magallanes maderas para techos y puertas, podría ser ocupado por una pequeña fuerza militar. Entonces sería cuando, enviándose al interior expediciones en busca de terrenos apropiados y mejores, podría utilizarse ese punto con ventaja.

Cien colonos, además del cuidado de sus ganados, encontrarían lucro en la caza de liebres, guanacos, avestruces, que son muy numerosos, y en la pesca que abunda en la bahía; con pequeñas expediciones marítimas podrían apresar lobos marinos y pingüinos para la fabricación de aceite. Aquello sería, en cierto modo, cambiando unas producciones por otras, una imitación de un villorio de los fiords de Noruega, pero más productivo. Inútil será tentar aquí la formación de una colonia agricultora, pues la tierra cultivable sólo es la suficiente para el consumo de los pobladores.

El puerto militar podría servir de presidio para los destinados a trabajos forzados por la justicia nacional; se ocuparían en abrir represas para conservar las aguas de las lluvias. Entonces Puerto Deseado sería visitado por muchos buques pescadores que irían en busca de ese elemento necesario que no se encuentra en grandes cantidades entre Chubut y Santa Cruz. Creo que entre estos dos puertos hay algunos parajes fértiles que, conocidos y colonizados, con el tiempo la República Argentina tendría allí una población ganadera más importante que la que el gobierno inglés tiene, indebidamente, en Malvinas, donde los campos parecen inferiores a los que menciono.

El puerto es uno de los más conocidos de la Patagonia y protegido contra casi todos los vientos. Aunque en su entrada hay arrecifes, éstos se distinguen a baja marea y pueden ser marcados. La marea crece 18 1/2 pies. Fitz Roy cree que buques de más de 300 toneladas no tienen muy fácil acceso por lo angosto de la entrada, los arrecifes y la fuerza de la corriente, pero algunos de estos inconvenientes pueden hacerse desaparecer con el estudio.

Diciembre 17: Salimos de Puerto Deseado pasando cerca de la isla Pengüin, cuyas costas, alteradas por espléndidos mirajes, no puedo copiar. Este fenómeno de la refracción ha sido mencionado por Fitz Roy, a quien llamó la atención su extraordinario efecto en estas regiones.

Diciembre 18: Avistamos el monte Wood y un rato después la entrada de la bahía San Julián. Durante la noche vientos polares nos traen un fuerte temporal.

Diciembre 19: Continúa el mal tiempo; el 20, con la virazón de la tarde, volvemos a acercarnos a tierra, de donde nos había alejado el temporal del día de ayer.

Diciembre 21: Con viento en popa seguimos a dos millas de la costa, pasando el cabo San Francisco, admirando las rectas capas arenosas y calizas de la meseta y los verdes manantiales de hilos cristalinos que caen al mar; y a mediodía fondeamos frente a monte Entrance, en la entrada de la bahía de Santa Cruz.

La Bahía de Santa Cruz. Llegada a la isla Pavón.

En 1519, el piloto Serrano, de la de Magallanes, fondeada en la bahía San Julián, descubrió, en el reconocimiento al sur, la bahía Santa Cruz. " Allí su buque naufragó y dejó su casco entre la roca, el primero de la larga lista de buques perdidos en esa extensa costa que, desde la boca del río Negro hasta el Estrecho, sólo ofrece uno o dos buenos puertos, mientras que arrecifes sumergidos, terribles borrascas, fuertes corrientes y remolinos se combinan para convertirla casi en la más peligrosa conocida por los navegantes."[1]

Serrano, al perder su buque en esa bahía, la descubrió para la historia; King y Fitz Roy la dieron a conocer a la ciencia geográfica. Donde el Beagle había fondeado en 1834, la goleta dio fondo a su ancla. Por segunda vez llego yo a este puerto con las mismas intenciones; pero felizmente ahora con los auxilios que no había podido disponer en el primer viaje y que era necesarios para satisfacerlos.

Entrando en el lado norte orillando la costa medanosa, se presenta por la proa el monte Entrance, siguiendo hacia el oeste, una línea de colinas uniformes. A ambos lados de la extensa bahía se dilatan llanuras desiertas que están lejos de indicar, por su pálido colorido, huellas de fertilidad. Como sucede generalmente con el aspecto topológico de los puertos patagónicos donde algún río desagua, sus dos costas no tienen el mismo nivel. A la inversa de Puerto Deseado, que en su entrada tiene la costa

1 Musters, *At home with the patagonians*

elevada al norte y baja al sur, las costas de la bahía Santa Cruz tiene en general la misma disposición que en el río Chubut y río Negro, cuyas márgenes izquierdas, al llegar al Atlántico, bañan una larga extensión de médanos, y en las de la derecha orillean murallones terciarios a pique. La excepción de Puerto Deseado puede ser debida a su formación geológica distinta; y la igualdad de la disposición de la desembocadura de los tres ríos patagónicos que conozco, a partir del río Negro, de igual formación geológica, no deja de ser curiosa y digna de mencionarse; lo mismo sucede con la de los ríos Colorado, que desagua en *Coy Inlet* y Gallegos. Aunque no he visitado estos últimos puntos, por las cartas geográficas y los datos que poseo estoy seguro que así sucede.

La vista del monte Entrance es notable: de forma cónica, visto del NE, rodeado de grandes fragmentos de rocas que se han desprendido de su masa terciaria y contra los cuales se estrella el mar, empujado por la corriente veloz de la marea, su efecto es imponente a pesar de su poca elevación (356 pies). A ello contribuye, también, el gran camino del buque que, impedido por el viento y la marea, toma puerto con velocidad, cambiando a cada momento la perspectiva de las distintas quebradas que hay entre los cerros del sur.

Hacia esa dirección, desde el monte citado, se diseñan, desvaneciéndose en la lejanía, varias mesetas escalonadas de quebradas suaves y murallones blancos, a pique, con médanos cuyos granos de arena cuarzosa relumbran. Hacia el sudoeste, entre los barrancos elevados de la costa, se destaca el monte León (1.000 pies). En la línea del agua del mar, una faja blanca amarillenta picada de penachos diamantinos, señala la barranca a pique donde el océano se agita; ciertos intervalos bajos, pardos o rosados, señalan los médanos; más arriba, cerros, denudados con fajas y escalinatas, representando graderías de anfiteatro, coronados de redondeadas cúpulas, son los contrafuertes de la meseta que se disgrega para formar la playa; y a mayor elevación aún una línea recta señala la meseta verdadera. Todo esto es de tintes variados; la bruma peculiar de esas regiones inmediatas al mar, los mirajes continuos, el colorido que les da el reflejo de las nubes y del sol, unas veces oscuro plomizo, otras amarillento, que es el color verdadero, con variantes claras y oscuras, según si relumbra el sol o la oculta la niebla, le dan un sello especial que no deja de ser agradable.

Desde la entrada hacia el ONO una serie de cerros listados, quebradas angostas, colinas cubiertas de arbustos, llegan hasta la punta Keel, donde Fitz Roy varó el Beagle para reparar las averías causadas por el arrecife de Puerto Deseado. Desde allí, pasando un pequeño valle, continúan las barrancas terciarias hasta la punta Repair, donde desagua un manantial, cerca del promontorio Weddell, nombre que recuerda al heroico marino que visitó ese paraje antes de internarse en las soledades del polo antártico. Al fondo, como una cuña, se adelanta el promontorio Beagle, que ascendiendo en tres escalones se pierde de vista al oeste. En la margen norte la tierra es baja, muy poco elevada sobre el nivel de las mareas; desde punta Cascajo, sólo es un bañado antiguo que se extiende elevándose gradualmente con lagunitas saladas, zanjones profundos casi invisibles, y se prolonga hasta la línea de mesetas que concluyen el cabo San Francisco. Es región verdaderamente desolada, árida, y no tengo duda que sea el lecho antiguo del río, poblado por algunos arbustos, tales como incienso (*Duvaua*) y el *Lepidophyllum cupresiforme* que se presenta en grandes matorrales, en los parajes más húmedos.

Más al oeste el terreno se levanta algo y a la altura del promontorio Weddell la barranca de cascajo alcanza un espesor de 30 pies. En el centro de la bahía se encuentra la isla de los Leones marinos, que no mide una milla de largo por medio de ancho.

La bahía es considerada como uno de los mejores puertos de la costa atlántica austral. Aunque las cartas hidrográficas señalan en su entrada una barra, con rompientes muy visibles en marea baja, no debe esto asustar al marino que por primera vez entra en ese puerto, pues entre esos arrecifes o bancos hay canales que tienen, cuando las aguas están en completa bajante, más de quince pies de profundidad. Además, los buques que no tengan urgente necesidad no deben entrar en esos momentos, en los que siempre habrá cierto peligro, pues los bancos de adentro como de afuera cambian de situación a impulso de las fuertes corrientes o del oleaje que, con frecuencia, es grande allí, lo que contribuye a remover el cascajo y la arena con que están formados.

Un buque que nunca haya entrado en Santa Cruz puede fondear afuera o mantenerse a la vela hasta la completa bajamar, y marcar entonces los bancos y arrecifes que se presenten visibles. Después, cuando la marea asciende, a medio de ella, puede dirigirse al fondeadero que mejor le convenga, sin cuidado alguno, por alguno de los varios canales de la entrada. Los distintos cerros que de un lado limitan la bahía pueden servir para marcar con suficiente certeza los bancos y arrecifes.

La gran diferencia que hay entre la bajante y la creciente de la marea, ambas en su plenitud, es tan notable, que cambia totalmente el panorama de la bahía cada vez que esos fenómenos se presentan. A marea llena, una gran sábana líquida se extiende tranquila delante del que, desde su centro, admira el noble panorama que se desarrolla ante sus ojos. Sólo la isla de los Leones marinos se eleva a pocos pies sobre su nivel. En la bajante sucede todo lo contrario; se presentan bancos en casi toda su extensión, separados por tortuosos canales entre los cuales el torrente, que siempre desciende, reparte sus aguas enturbiadas por el limo que arrastran; esos bancos se diseñan tan bien que hay algunos que semejan islotes de cuyas lomadas se desprenden pequeños arroyuelos de corta vida. En algunos de ellos sólo se ven sinuosidades y ondulaciones que dibujan las olas que se retiran, para volver luego a borrarlas; en otros, millares de moluscos que los tapizan. El buque, entre tanto, tumbado sobre una de sus bandas, parece más bien el resto de un naufragio. Completamente en seco, sus grandes vergas tocan a veces la arena sobre la cual reposa su quilla.

En muchas ocasiones he dado largos paseos alrededor del casco del Rosales en busca de moluscos y zoófitos. Alejado a cierta distancia, y dando vuelo a la imaginación, diríase que se tiene delante un paisaje polar. Los oscuros tintes de la tarde reemplazan las brumas que parecen preceder, en el lejano norte, la desaparición del astro de la vida, y cambiando mentalmente el blanco virginal del hielo por el sucio pardusco de la revuelta arena, se tendrá un paisaje de la bahía Melville. El buque, recostado sobre el banco, recuerda el buque recostado sobre el "pack" que tritura sus flancos, mientras se distraen de la invernada sus tripulantes escalando pequeños témpanos o "hummocks" (aquí bancos) en busca de las deseadas focas, osos blancos o zorras. Pero la bahía no tarda mucho en adquirir su primitivo aspecto; un rumor lejano se escucha del este, y entonces el paseante debe acudir inmediatamente a bordo, pues es peligroso esperar en seco la marea que llega anunciada por ese rumor con una rapidez de seis millas por hora y que fácilmente corta la retirada al poco precavido soñador que se cree en las regiones donde, desafiando las iras del Espíritu del Polo, se inmortalizaron los Franklyn, Ross, Parry, Mc. Clintock, Hall, Nares y Marcklam.

En la bahía Santa Cruz las mareas alcanzan hasta 42 pies, y su velocidad es de 3 a 6 millas por hora, y como sus orillas son de contornos suaves y sin grandes piedras, pueden vararse en ellas los mayores buques. A 3 millas de la entrada el navegante encuentra varaderos de todas clases, fondo duro, blando, arenoso, limoso, etc., donde su buque puede formar *cama*. Para reparaciones es uno de los puertos más aparentes que existen en el mundo, pues seis horas después de varadas, las embarcaciones pueden estar nuevamente a flote, haciendo lo primero a media marea bajante. Desde que se reparó allí el Beagle, varias veces han aprovechado esos diques naturales los buques que van a dar la vuelta al cabo y sufren averías. El día que aquellas regiones, secundadas por la población, ofrezcan además auxilios de otro género, la mayor parte de los buques que necesiten reparaciones llegarán a componerse a ese punto, sin necesidad de recurrir a un dique artificial, por la gran diferencia de gastos. En éstos, el hombre y su industria piden emolumento; en Santa Cruz, la naturaleza generosa no lo exige.

No me extiendo más sobre la importancia de esta bahía porque más de una vez tendré que referirme a ella.

Reverendos chascos aguardan a quien, sin perfecto conocimiento de las corrientes y mareas del puerto de Santa Cruz, se lanza a pasear en sus aguas: víctimas de uno de ellos fuimos algunos de los que lo visitamos en el Rosales en 1874.

Acabábamos de fondear, el 8 de octubre, cerca del monte Entrance. Un viento fortísimo del nordeste esparcía sobre la cubierta una fina lluvia que su violencia arrebataba de la cresta de las olas, cuando el buque se tumbaba, haciendo crujir los inmensos eslabones de las gruesas cadenas de las dos anclas. Pero al que desea conocer un país, nada le arredra, y pudimos convencernos a nosotros mismos de que bien podíamos aprovechar esa tormenta para, con el viento favorable, llegar a la costa y principiar las colecciones que eran nuestro sueño.

Así dispuestos, el comandante Guerrico, el doctor Carlos Berg y yo nos embarcamos, acompañados de los guardias marina Ezcurra y Pintos, con seis marineros, en una de las chalupas, sin cuidarnos de la marea que, ayudada por los vientos, corría con gran velocidad.

Apenas dejamos el Rosales, la embarcación perdió el manejo, los marineros no pudieron luchar contra la influencia de los elementos combinados, y nos dirigimos rectamente al oeste, mientras los hilos poderosos de la corriente servían de rieles a nuestro bote, y sobre los cuales, por más balances que experimentaba, era imposible descarrilar.

Impotentes fueron todos los esfuerzos que hicimos para llegar a la margen del sur. El viento, la corriente y la lluvia fría, cuyas penetrantes gotas nos hincaban como agujas, los contrarrestaban y no hubo más remedio que dejarnos llevar, confiados a los elementos que nos oprimían. Llegar al sur era imposible; retroceder el buque, imposible; tomar la costa norte, también imposible; luego no había solución más satisfactoria que dirigirnos al oeste a donde la fatalidad, es decir, la corriente, nos empujaba

Pronto perdimos de vista al buque cuyos masteleros, inclinados por el huracán, se diseñaban entre la niebla, alumbrados por los rayos del sol entrante, que rasgaban los chubascos negros, dorando sus bordes.

El día decaía y el viento arreciaba, y no hubo más remedio que varar en la isla de Leones, que creíamos seguro refugio, tabla de salvación.

Cuando llegamos, una extensa playa precedía a los matorrales de la cumbre horizontal de la isla, y mientras los marineros buscaban un ancón donde resguardar el bote de los furores del huracán, para esperar allí la bajante y la calma, si es que fuera posible que ésta llegara antes del siguiente día, principiamos nuestras investigaciones. El islote, en medio de esas desolaciones terribles, estaba animado por miles de pájaros que revoloteaban sobre nuestras cabezas, curioseando o protestando contra nuestra invasión.

Las gaviotas en el cielo, los pingüinos en tierra, los ligeros patos–vapores (*Micropterus brachypterus*) se confundieron con nuestra visita y, en vez de hacernos los honores de la casa, se alejaron de los que la invadían.

El instinto de la lucha por la vida les demostró lo peligrosa que para ellos era la presencia de los naturalistas colectores y de sus respectivas escopetas.

Arreglado el bote, la tormenta arreció aún más, y con la oscuridad de esa noche, que sólo alumbraba las chispas fosforescentes del agua, no tuvimos más remedio que reconciliarnos con la idea de pasar la noche sobre esa tierra desierta.

Habíamos llegado allí en media marea creciente y la isla nos había parecido tan alta que la creíamos resguardo seguro, pero por lo mismo que no habíamos contado con la fuerza de la marea, no contamos tampoco con la gran altura que ésta alcanza.

"No hay peor enemigo que la ignorancia", decíamos entonces, cuando sentíamos toda la crudeza del tiempo, acurrucados unos contra otros, sobre el punto más elevado del islote donde la creciente nos había obligado a asilarnos, habiéndonos desalojado ya varias veces de pequeñas zanjas resguardadas pero que el agua invadía; y repetíamos lo mismo cuando, cada cinco minutos, por turno, teníamos que ir a ciegas, sin tener a nuestra disposición la linterna de Diógenes para buscar, dando traspiés o cayendo en los pozos, no un hombre honrado, sino algunas matas de *Symantereas* que nos proporcionaran calor y nos abrigaran algo de la violencia del viento, que había cambiado al sur y llegaba en turbonadas, mojándonos con la lluvia y la nieve mezclada que lo acompañaban.

Esa noche la temperatura bajó indudablemente del punto de congelación, porque a bordo señaló el termómetro resguardado 2° centígrados y como íbamos vestidos a la ligera, sobre todo yo, que llevaba un traje tropical, el frío no nos permitía articular palabra sin tiritar. La necesidad convierte en filósofo al viajero, y en vez de decaer nuestro ánimo, juzgamos mejor vivir de recuerdos que desahogarnos contra el tiempo, para balancear nuestra situación lastimera. ¡La ópera *Aída* fue recordada! Anteponíamos así la deliciosa armonía, el bullicio egipcio y el calor del Africa, al silencio y al frío de la región austral. Era aquella una conversación de tartamudos. El nombre de Radamés era pronunciado con un trémolo admirable.

No se crea que nos faltaba razón al evocar recuerdos musicales, no; entre el silbido continuo del viento y el batir furioso de las olas, oíamos de tiempo en tiempo una orquesta singular, pero que, sin embargo, en aquellos parajes, era orquesta.

Rebuznos espeluznantes calmaban de cuando en cuando nuestros tiritantes coros; parecía ser aquello una tropa de asnos que se quejaba de la furia de los elementos y que reemplazaba por un momento la marcha de las trompetas egipcias que vibraba en nuestro recuerdo. Otras veces silbidos agudos maltrataban nuestros oídos. Los primeros eran de los pingüinos, los segundos de las gaviotas que el temporal desvelaba y que, con sus gritos, asustaban a nuestros marineros. ¡Y no era para menos! El nombre de la isla no era muy satisfactorio para ellos, poco conocedores de la zoología de esas regiones. Esos rebuznos... podían ser de leones.

Apenas comenzó a venir el día salimos a recorrer la isla para dar movimiento a nuestros miembros entumecidos y conocer el terreno sobre el cual habíamos pasado esa "noche de perros".

Nos dirigimos primero al punto de donde los rebuznos habían partido; los marineros armados de los remos del bote, el que puede decirse colgaba casi de la barranca, varado en el punto más elevado de la isla, y el doctor Berg y yo admirando la vida exhuberante que se presentaba a esas horas en ese árido islote.

Los pingüinos buscaban la onda querida: los millares de gaviotas, los moluscos que la baja marea había dejado en seco.

De cuando en cuando, en esa pequeña exploración, oíase el chasquido de un formidable pico que partía de entre las matas y luego sentíamos un dolor agudo en las piernas, resultado de la anticipada defensa que hacían los pingüinos de sus huevos que en número de dos, blancos, del tamaño de los de ganso depositan en sus nidos.

Nada más rudimentario que uno de éstos: a los pájaros niños, nombre vulgar con que se conoce a los pingüinos (*Spheniscus Humboldti*), alusivo a la figura que afectan desde lejos y que puede ser también por su inocencia aparente, les basta un agujero bajo una mata para cuidar el fruto de sus amores y defenderlo con valor. Veinte y tantos de esos pájaros fueron víctimas de nosotros.

Las *Sternas* y *Larus*, mencionadas ya en el capítulo sobre la zoología de Chubut, frecuentaban en gran número ese paraje, pero en cambio muy pocos pingüinos con anteojos (*Aptenodites demersa*) vimos allí jugueteando en la orilla.

Pollos de mar (*Haematopus palliatus*) aturden y bandadas de patos caminan comiendo sobre los bancos.

El suelo está completamente blanqueado con los excrementos de todos estos animales y con los distintos moluscos, *Mytilus Fasciolaria, Trochus, Patella, Fissurella, Fusus*, etc., siendo los más abundantes las *Patellas* y los *Trochus*, todos llevados allí por las aves marinas o arrastrados por las tempestades.

La isla no es sino un antiguo banco de la bahía que se ha ido elevando por la aglomeración de los detritus que el río arrastra o que el océano deposita, al ascender y descender la marea. Está compuesta su base por una arcilla barrosa, violácea–azul, con granos de óxido de hierro titanado; luego sigue una capa de arcilla y arena amarillosa en la que abundan pequeñas concreciones de óxido de hierro, que afectan la forma de raíces, y su superficie, finalmente, se halla cubierta por una capa de guano cuyo espesor es muy variable.

Su vegetación es bien pobre; mi compañero de viaje, entonces, dice que un pasto duro y corto crece sobre los bajos fondos y constituye con una *Salicornea*, una *Synanterea* y una *Crassulacea*, toda la alfombra vegetal de esa lengua de tierra.

Los esqueletos de leones marinos (*Otaria jubata*) abundan en ciertos parajes y nos mostraron que la casualidad no los había reunido allí, sino que la mano del hombre había contribuido a ello. Restos de una población, tachos de hierro, ladrillos, etc., nos revelaron que en otro tiempo el islote había sido morada de pescadores; un pequeño cuadrado, cerrado con maderas, contenía en su centro los restos mortales de algunos marinos que, nacidos en distintos puntos del globo, habían muerto en medio de las rudas faenas de su dura vida, lejos del techo que los cobijó al nacer. Esas sencillas cruces, esas simples inscripciones negras grabadas sobre el tosco pino, me mostraron que los que allí reposan fueron todos jóvenes, nacidos quizás en la holganza y que los desaciertos de la adolescencia los llevaron a donde los lobos vivían tranquilos. Sólo faltaba ese cuadro para completar el bosquejo lúgubre de la isla de Leones marinos donde la tempestad azota lo que la muerte ha depositado en su seno.

Estas tristes ideas se disiparon luego que descubrimos una numerosa tribu de cormoranes (*Haliacus carunculatus*) que contribuyen con los pingüinos y las gaviotas a formar la capa de guano que allí existe. Ya he mencionadoeéstos pájaros en el capítulo sobre Puerto Deseado y he hablado sobre sus nidos.

Antes de mediodía nos llegó auxilio del buque. Después de almorzar algunos pingüinos (comida que no recomiendo a los gastrónomos) lanzamos el bote al mar, y escoltados por la gran lancha llegamos al Rosales.

Fue ese paseo uno de los episodios más interesantes de mi primer viaje y por eso lo menciono.

Vuelvo a la *Santa Cruz*.

Diciembre 21: Tan luego romo fondea ésta, la rodean centenares de delfines que se ponen al alcance del arpón. La curiosidad los ciega y aun cuando la sangre de los que son heridos colorea el agua, no abandonan el costado de la goleta durante más de dos horas. Obtengo dos ejemplares; la especie a que pertenecen es desconocida. (Desgraciadamente, los cráneos de estos individuos fueron arrojados más tarde al agua, durante el regreso del buque a Buenos Aires, lo que hace imposible su clasificación zoológica exacta por la falta de esa porción tan esencial del esqueleto; sin embargo, en la segunda parte de este libro haré conocer los dibujos del hermoso cuerpo de ese interesante animal.) Aun cuando varios de estos cetáceos, manchados de blanco y negro, se conocen en la ciencia y que algunos habitan estas regiones, ninguno concuerda con el modo de distribución de sus colores. Inmediatamente que concluyo de despojar los esqueletos de sus partes blandas, hago lanzar el bote al agua para aprovechar la marea que entra con fuerza y dirigirnos a la isla de Pavón, último punto argentino, habitado ahora, en el extenso territorio del sur.

Pasamos de largo por la isla de Leones, sin atrevernos a abordarla teniendo presente el estado caluroso del día y las emanaciones fétidas del guano que ya en otro tiempo había aspirado, cuando fuimos a vengarnos en los cormoranes que la habitan, de la mala noche pasada allí el 8 de octubre de 1874. Los tufones de viento que descienden por las quebradas y que en unos momentos nos son favorables y en otros contrarios, nos obligan a bordejar.

A veces entorpecen nuestra marcha las mismas plantas que he mencionado en Puerto Deseado: el *kelp* o *Macrocytis*. Sus delgadas hojas, sujetas a las vesículas piriformes que le han dado el nombre, se enredan en los remos, o la fuerza de éstos no basta para cortar las largas tiras verdes de decenas de metros que la marea hace afluir desde el océano hacia el interior de la bahía.

Me recuerdan los hermosos camalotes que, descendiendo desde los confines de Bolivia y del Brasil, aumentados por los que se desprenden de las costas del Paraguay, Paraná y Uruguay, flotan al acaso en la llana bahía del Plata. Detengámonos un momento ya que ellos, con el obstáculo que nos presentan, parecen querer llamar nuestra atención; satisfagámosla.

Todos los que han viajado por el sur han pagado un tributo de admiración a esta inmensa y simpática planta, el organismo gigante que revela la lujosa fuerza de la vegetación marítima, y ciertamente bien la merece. Es una enmarañada pradera en el mar, que flota lozana y tranquila en medio de las tempestades y conserva la calma en los sitios que cubre su ramazón bienhechora. ¡Qué grandes historias podría contarnos esta alga que vive sobre las siempre inquietas aguas australes, arraigando en las inmóviles peñas del fondo de ese océano! ¡Las maravillas que encierra en su seno son imponderables; tanta es la vida animal que conserva cariñosa entre sus hojas y raíces ese prodigio de vida vegetal!

La sublime ley de la armonía, que lo rige todo invisiblemente, pero penetrada por quien la observa, no podía haber elegido para desarrollar esta planta mejor espacio que la desolada región antártica; allí es el principal elemento de una poderosa vida, que sin ella casi desaparecería.

¡Cómo cambiaría la faz de esos distantes parajes si ese humilde gigante faltara! El mundo animal que en esas regiones de aspecto mortuorio y desierto vive casi invisible, se extinguiría; los eslabones de la cadena que suministra la vida, se quebrarían y todo sucumbiría. Casi toda la vitalidad de esa región está sujeta a la de esta planta: el combate por la vida la hace, pues, necesaria indispensable. De sus laberintos de hojas y ramas, inconsistentes en apariencia, sale el sustento del ser más inferior de la espléndidas ascídias, holoturias, y por el progresivo encadenamiento que rige la creación, el del hombre, la cúpula animada que corona su obra y la contempla.

Los primeros navegantes, tan ignorantes como heroicos, los intrépidos investigadores del misterio, al mencionar esta planta, a mediados del siglo XVI, no le dieron la importancia ni el verdadero rol benéfico que tiene en la naturaleza; sólo vieron un beneficio para ellos, un alerta que les revelaba las rocas, una planta aislada que prestaba inconscientes servicios al hombre, previniéndole los peligros sólo cuando la luz de la ciencia iluminó las oscuras soledades del sur, esta alga fue comprendida. Como todo lo grande de la naturaleza, se inculca en el cerebro de sus grandes admiradores; por eso célebres viajeros le han consagrado descripciones y célebres botánicos la han clasificado.

Cook, Dumont, d'Urville, Fitz Roy, Hooker y Darwin la admiraron, unos en su brillante escenario flotante, otros en el laboratorio del sabio. ¡Dignos espectadores de tal espectáculo!

Darwin compara esa selva acuática del hemisferio meridional con las selvas terrestres de las regiones intertropicales, y agrega que no cree "que la destrucción de una selva, en cualquier país, arrastre más o menos, la muerte de tantas especies animales como la *Macrocystis*. En medio de las hojas de esa planta viven numerosas especies de peces que en ninguna otra parte encontrarían abrigo y alimentos; si esos peces desaparecieran, los cormoranes y los otros pájaros pescadores, las nutrias, las focas, los delfines, pronto desaparecerían también, y, en fin, el salvaje fueguino, el miserable dueño de ese miserable país, redoblaría sus festines de caníbal, decrecería en número y ¡quizás dejaría de existir!"

Inmejorable cuadro en el que un vigoroso talento bosqueja toda la importancia del objeto que describe.

Pero no es sólo al fueguino ni al antiguo patagón a quienes les es indispensable esta planta: muchas veces indica también a los marinos los arrecifes sumergidos, y en esa selva flotante encuentran refugio donde resguardarse del embate de la borrasca. Grandes buques fondean al abrigo de esos rompeolas que flotan, y contra los que pierden su potente impulso las aguas agitadas y se convierten en casi inmóviles ondas. Allí largan sus anclas y en vez de arena o peña donde morder férrea uña, se sujeta ésta en los flexibles troncos que, como una inmensa liana acuática, ondean coronados de huecas vainas y elegantes cintas, en sedosas guirnaldas, sobre la superficie azul sombría de aquellos mares.

Este inmenso vegetal del océano, tan grandioso como los imponentes y seculares árboles de América y de la India, algunas veces mide de extensión sobre la superficie del agua hasta cerca de trescientos metros y su retorcido tronco se adhiere a la roca a una profundidad de más de sesenta. En más de una ocasión ha envuelto en sus brazos salvadores, débiles cuando aislados, potentes cuando unidos, embarcaciones casi perdidas y las ha salvado del naufragio. Bajo su aparente modestia alberga orgullosa mundos pequeños, pero interesantes en alto grado. Cada vez que he examinado una hoja de *Macrocystis*, he encontrado infinidad de organismos vivientes que la han elegido para su domicilio y cuando la curiosidad me ha llevado a rebuscar en el intrincado laberinto de raíces que forma su base, he visto cientos de pequeños seres guarecidos y viviendo tranquilos allí. Darwin dice que podría llenarse un volumen haciendo la descripción de los habitantes de esos grandes bancos marinos. La industria química puede obtener de ellos también abundante cosecha de iodo.

La *Macrocystis* ciñe al Globo en su región austral con una verde y gigantesca orla. Allí, precediendo a la muerte glacial ondula lujosa entre la región templada y algunas veces se la ve flotando hasta en las inmediaciones de los hielos polares.

En sus inofensivas redes, varan y mueren inmensos y terribles témpanos.

Su verdor sólo adorna el Atlántico y el Índico en los parajes donde cruzan las corrientes australes y llega a veces hasta la embocadura de nuestro fecundo Plata. En las costas de *Quequén* he recogido sus muestras. Camalotes inmensos navegan por las costas patagónicas hasta doscientas millas al norte de las islas Falkland, en cuyas costas nacen también, y muchas veces varan en las playas del Cabo de Buena Esperanza. Continúan su viaje en esa dirección pues las corrientes y la temperatura del océano no les permitirían llegar más al norte en esos puntos. El gran Pacífico es mas privilegiado: las corrientes que parten de las inmediaciones del Cabo de Hornos esparcen y adornan con bancos de *Macrocystis* las costas occidentales de ambas Américas. Nacidas al reparo del extremo sur del rugoso continente, con las corrientes frías cruzan las zonas templadas y cálidas; trasladan la vida antártica a las costas árticas de Aleutia y Kamchatka. Desprendidas de su cuna nativa, viajan lentamente casi toda la sabana marina del globo. Así, pues, seres que producidos en ese vegetal regazo han sido espectadores de las horrorosas tempestades del sur, han admirado la placidez del trópico y en las largas noches se han visto alumbrados por las espléndidas auroras boreales.

El fueguino del sur y el koloche del norte quizás han buscado su alimento algunas veces en la misma balsa de verdura.

¡Portentoso ejemplo de la admirable distribución de la vida que, representada por ínfimos, delicados y luego casi perfectos seres, entona de polo a polo su himno de alabanza a la sublime Creación!

¡Qué inmenso papel desempeñan en la economía del mundo las humildes hojas que corta nuestro bote y que al principio considerábamos un estorbo!

Continuemos viaje, distraigámonos con los jugue-
tones delfines que retozan por centenares en las aguas
tranquilas de la bahía, irguiéndose de a dos y tres juntos,
saltando fuera de ellas u ondulando suavemente, describiendo curvas iguales, en las que muestran primero su
cabeza y aleta dorsal negra, y luego sus costados blancos
cuando azotan las pequeñas ondas con sus elegantes colas.
Este espectáculo nos encanta de tal manera que dejamos el
bote a merced del capricho del viento y de las corrientes
que nos internan. Esos veloces nadadores son tan confiados que no temen acercarse al bote; si levantamos los remos y permanecemos silenciosos, vemos acercarse con
rapidez sus blancas formas bajo las aguas limpias, cruzar
bajo la quilla y ascender al nivel, rozando los costados del
bote, permitiéndonos pasar la mano sobre sus suaves lo-
mos, mientras lanzando sonoros bufidos vuelven a
hundirse en las profundidades, para describir una nueva
curva. Conjeturo que fuera aquélla la época de sus amores.

Los patos vapores (*Micropterus brachipterus*), las
gaviotas (*Larus hematorhynchus*), los grandes patos (*Dafila*)
y los ostreros (*Haematopus*) cruzan y recruzan mientras
tanto sobre nuestras cabezas, unos silenciosos y otros
haciendo oír fuertes chillidos y ruidos metálicos, producidos por el movimiento rápido de sus alas; quizás festejan
o protestan contra nuestra llegada.

En una de las bordadas nos acercamos a la costa norte,
frente al promontorio Weddell; aquí encuentro el primer
trozo errático de gran tamaño que revela la presencia
indudable de la época glacial; su parte visible mide un metro cúbico, pero como se ensancha hacia su base, sepultada
entre la arena y el cascajo, creo que su tamaño total es
mucho mayor.

¿Qué otro agente que el hielo puede haber trans-
portado esa enorme roca desde los Andes hasta el
Atlántico? Quizás un témpano al fundirse lo depositó allí.
Este objeto interesante escapó a la investigación de

Darwin, quien no llegó a ese punto, pues, de haberlo hecho, su atención se hubiera fijado en él para corroborar su teoría del modo de transporte de las grandes piedras.

El tiempo transcurrido en esas observaciones es tanto que, cuando queremos continuar viaje, ha principiado el descenso de la marea. Me alegro de ello; es necesario experimentar, antes de separarme completamente del buque, la gente que debe acompañarme en el trabajo de ascender, remolcando el bote, el Santa Cruz.

Cruzamos a remo las dos millas que nos separan de la costa opuesta, que abordamos en el ya citado promontorio, en momentos que la bajante es ya muy sensible. "Todos al agua" es la primera orden que doy a mi gente en el Santa Cruz, y principiamos el remolque que más tarde debemos continuar por trescientas millas.

Desde este momento, los dos marineros comprenden las fatigas que les aguardan. El cascajo se desliza al impulso del pie y les hace caer por la falta de costumbre, o se hunden en la fangosa arena de los bancos en formación. Sin embargo, todos estamos contentos, tenemos la fe suficiente para arrostrar las fatigas y los peligros venideros. Partidario del adagio que dice "el primer paso es el que cuesta", ensayo mis marineros en el trayecto más cómodo para que sin desfallecer lleguen gradualmente al más peligroso. Al doblar la punta del promontorio entramos en el majestuoso río que, teniendo allí un ancho de dos millas, desciende veloz del OSO, encajonado entre barrancas escarpadas, elevadas de 250 pies en el costado sudeste, y de colinas suaves de la misma elevación al NO. Aquí se adelanta como una cuña el promontorio Beagle, cuya falda, que mira al norte, baña el segundo de los dos brazos fluviales que forman la bahía de Santa Cruz y que se denomina Río Chico. Ese brazo lo remontó el capitán Stokes, de la expedición de King, hasta doce millas en el interior donde cesa de ser navegable.

Los bancos fosilíferos que se encuentran en esas barrancas nos dan motivo para unos momentos de descanso o de variedad en el trabajo; juntamos una abundante cantidad de moluscos y principalmente de la gigantesca ostra, y como nada es más transmisible que el entusiasmo en nuestro carácter nacional, hasta mis marineros se convierten en adeptos de la paleontología y muchos de los interesantes moluscos terciarios, descubiertos en las distintas paradas de este día, se los debo a ellos.

A la tarde, llega el momento en que la baja marea es completa, lo que hace imposible por ahora continuar el remolque, y como mi deseo es llegar esta misma noche a la isla, dejo los marineros al cuidado del bote para que, cuando la marea vuelva a repuntar, continúen a remo; por mi parte sigo a pie, acompañado de Estrella.

El cañadón por donde subimos a la colina está cubierto de magníficos pastos y las planicies llenas de arbustos y cactos; algunos bajos ostentan una alegre alfombra de césped y algunos altos son tan áridos que sólo los tapizan cantos rodados. Sobre los escalones de las colinas los guanacos de guardia dan la voz de alarma a la tropilla, que se acerca curiosa, precedida por el gran macho de andar majestuoso. Las horas de la tarde avanzan, las mesetas del cerro Guanaco se pierden ya en el oeste y la noche extiende su manto sobre el desierto. El horizonte, al poniente, parece despedir llamas y humo denso, quizás exhalado por algún volcán andino.

Es la primera noche que voy a pasar en la región que tanto ambiciono conocer a fondo. Las emociones de este día deben ser el preludio de las que experimente en éste, mi segundo viaje, en el cual debo tentar lo que no me ha sido posible verificar en el primero. La inquietud del espíritu, que abarca todo, quiere dominar y comprender el panorama presente; trata en vano de rasgar el velo del futuro que cubre lo que oculta la distancia, donde el negro y rojo horizonte se destaca, y esa impaciencia de la mente se comunica a mi cuerpo, que recorre millas y millas sin sentirlo.

Inexplicable es la acción de la naturaleza sobre el hombre viajero; ni siquiera es descriptible ni analizable. Basta una mata espinosa sobre una pampa árida para alimentar esa admiración extraña por las cosas creadas, y, por mi parte, no puedo definir lo que siento cuando, en medio del desierto, encuentro estas bellezas, pues todas son bellezas las que emanan de las fuerzas que vienen evolucionando desde lo casi increado.

Mi compañero, más hombre de mar que de tierra, no ha adquirido aún bastante práctica ni entusiasmo por las cosas de la meseta, y mientras que yo no tengo rumbo cuando admiro estos espectáculos, el de él es el recto, y mis zigzag lo cansan. No tengo tiempo de compadecerme y acortar mi marcha, porque unos médanos con profundos pozos nos cortan el camino. Están próximos a la costa, nos acercamos a ella y distinguimos que aún continúa descendiendo el Tío y batiendo la escarpada muralla.

Ya el cansancio y la sed se van apoderando de nosotros, y los médanos la aumentan hasta que descubrimos un sendero que, a algunas cuadras de allí, nos conduce nuevamente a la barranca. Delante de nosotros tenemos una llanura de plata, reluciente, imagen de la salina cuyos cristales de cloruro de sodio le dan esa apariencia. Abajo de la loma vemos unas negras sombras: son las poblaciones donde se guarda la sal.

Emprendemos el descenso, con gran cuidado por parte de Estrella, quien, no estando acostumbrado a estos trances, cree desplomarse a cada momento teniendo poca confianza en la mala vista de quien le sirve de guía.

Abajo ya, en el pequeño valle que forma el río, en una de sus bruscas vueltas, la oscuridad es tan grande, que mis recuerdos no bastan para orientarnos, y en vez de dirigirnos por el que conduce, bordeando las lomas, hasta frente a la isla Pavón, tomamos el que se interna en la península, hacia el río.

Recién cuando nos encontramos delante de los fangosos pajonales mojados por la marea comprendemos nuestro error, pero la sed y el cansancio son tan grandes que no tenemos valor para retroceder. Con la ayuda de los sombreros, en los que recogemos agua aún salobre, calmamos la primera, y decidimos pasar allí la noche en un pequeño desplayado, para hacer desaparecer el segundo. Así, en los dos viajes, la primera noche en tierra fue al aire libre, contra mi voluntad; y si mala fue la de 1874, no lo es mejor la de 1876.

No teniendo cubierta de ninguna especie para envolvernos, no hay más remedio que amontonar un poco de arena para impedir que la humedad del pantano se trasmita al cuerpo; ponemos por almohada el saco lleno de piedras y de plantas y nos cubrimos las cabezas con los sombreros mojados y los pañuelos. Esta es exigua defensa contra los millones de mosquitos que nos asedian y pican, mientras, en mangas de camisa, no dormimos ni descansamos, pues piernas y brazos tienen que estar en continuo movimiento para espantar estos incómodos vecinos.

Diciembre 22: Al despuntar el día volvemos a emprender la marcha, sorprendidos agradablemente con el encuentro de varias puntas de flechas de piedra, producto de los antiguos indígenas que allí vivieron en remotos tiempos, ocupados seguramente en tomar la abundante pesca que se obtiene en los remansos que forma esta casi isla. Más adelante recojo cuchillos de piedra, rascadores, boleadoras pulidas, hasta llegar al paradero de los indios actuales; desde él distinguimos la isla Pavón. Una pequeña columna de humo que se eleva de las casas; los caballos, perros y gallinas que relinchan, ladran y cacarean respectivamente, nos anuncian la vida civilizada en esta apartada posesión argentina.

Frente al paso, disparamos unos tiros de revólver; los perros nos contestan con furiosos ladridos, y una figura humana aparece sobre el pequeño techo de la casa para averiguar quiénes interrumpen de ese modo, al aclarar, la plácida tranquilidad de la Isla. Momentos después, un hombre cruza a caballo el brazo de río que separa la isla de la meseta sur y se acerca a nosotros: es un gaucho compatriota; luego, una rara figura envuelta en un quillango llega apresuradamente: es mi antiguo conocido Isidoro Bustamante, gaucho santiagueño que el azar de la vida ha conducido aquí. En seguida estrecho la mano del señor Dufour, cuñado de Piedrabuena.

Estamos entre amigos, con gran contento de los que, al principio, habían creído que nuestros gritos y tiros eran de desertores chilenos de Punta Arenas o de náufragos.

Cruzamos el río por el vado y llegamos a la casa donde dos años antes había grabado mi nombre, junto a los de algunos oficiales chilenos, cuando estos tentaron, tan inútilmente, lo que yo iba a procurar, quizás con el mismo resultado. Aquí encuentro al subteniente don C. Moyano, que desea ser mi compañero de viaje. A la tarde llega la embarcación con mi gente, y la bandera del sol se iza sobre la casa para contestar a la que, con gozo, se arría y se iza en el tope del mástil del bote.

La isla Pavón, cuyo nombre ha sonado tanto en nuestra cuestión con Chile, es la que en la carta de Fitz Roy lleva el nombre de Islet Reach, y pertenece, por donación que de ella le hizo el Gobierno de la Nación, al capitán Piedrabuena. Mide, más o menos, dos kilómetros de largo, comprendiendo pequeñas porciones de tierra situadas en sus extremos, que se convierten en islas, cuando la marea o la creciente es grande. Su anchura mayor pasa de trescientos metros. En el centro está situada la población principal, que consiste en cuatro pequeñas piezas unidas y un corral para el ganado y los caballos. Rodea todo esto una palizada, que en otro tiempo pudo servir de defensa. Esto, un pequeño cañón desmontado y unos cuantos fusiles viejos, son las fortificaciones y armamentos que en varias ocasiones han alarmado a nuestros intranquilos vecinos del Estrecho.

Fuera de la palizada, hay otras dos piezas separadas; una sirve de almacén para negociar con los indios y la otra para depositar las materias primas que éstos cambalachean con los cristianos.

Antiguamente, el foso, que se llenaba con las aguas de las mareas, rodeaba la humilde construcción del centro sobre la cual flotan hace veinte años los colores de la patria.

A la isla se llega por el costado sur, cruzando un brazo de río de 50–60 metros de ancho, pero que pocas veces puede seguirse recto sino al sesgo, lo cual hace que el vado mida ciento cincuenta metros. Además, sólo en el tiempo que la bajante es muy grande se puede cruzar a toda hora, pues cuando las mareas toman mayor fuerza sólo es posible hacerlo durante el reflujo. El canal del norte es el verdadero canal del Santa Cruz, ancho allí de más de 300 metros; corre con una velocidad mínima de cinco millas, siendo ésta anormalmente menor cuando las grandes mareas ejercen hasta este punto su influencia y atajan las aguas que descienden de los Andes; entonces la isla se anega casi completamente.

En una pequeña huerta, los habitantes de la isla cultivan algunas legumbres, tales como papas, nabos, rábanos, coles, lechugas, etc., que adquieren todas un tamaño notable.

Se ha ensayado el plantío del trigo y ha producido el 30 por uno.

El suelo en las orillas del río es muy feraz y está cubierto por un tupido y elevado césped que alimenta algunos caballos, cabras y ovejas. Algunos cerdos rebuscan y se nutren de raíces, y más de cien gallinas y patos proporcionan agradables momentos, de cuando en cuando, a los estómagos de los que viven en esas soledades.

Muchas palomas anidan en pequeños cajones arreglados en las paredes, y una cuadrilla de avestruces domesticados hace oír continuamente suaves silbidos pidiendo las golosinas de la civilización. Gran cantidad de perros bulliciosos indica la profesión y el modo de procurarse alimento que emplean los isleños. En suma, esto es una pequeña chacra, semejante a las de las inmediaciones de Buenos Aires, donde, si bien falta la inmensa pampa, domina la triste meseta.

La vida que aquí se pasa es monótona, pero la visita que hacen de cuando en cuando los indios tehuelches, que llegan en procura de los resultados de la industria europea a los cuales van acostumbrándose de tal manera que ya les es muy sensible pasarse sin ellos, proporciona distracción a sus habitantes, tomando compensación al mismo tiempo del sacrificio que hacen los que viven en este punto.

La agradable temperatura y la poca humedad contribuyen a que en este paraje no se sufran graves enfermedades, aun cuando las transiciones barométricas y termométricas sean muy notables en ciertas ocasiones; esto hace que, si bien las comodidades no son aquí abundantes, por lo menos la salud se robustece y no se desea mucho el bullicio enfermizo de la ciudad.

Diciembre 22–28: Esta semana la empleamos en arreglar los víveres y los objetos que debemos emplear en la ascensión del río, y disponemos el bote para recibirlos: se le hacen cajones y lo calafateamos. Luego envío los marineros a ayudar en la descarga del buque que ha venido a fondear frente a las Salinas. Visito éstas en los momentos que mis ocupaciones me dan lugar y concluyo la correspondencia oficial.

Festejamos la Nochebuena, reunidos todos en la isla, acompañados del capitán y recordando a los que estimamos.

La fiesta de Navidad atrae hasta a los llamados "descreídos"; por más diversas que sean las creencias religiosas que profesamos, tomemos unos a Cristo Hombre, otros a Cristo Dios, el aniversario del hecho o idea que se venera tiene para todos un significado tan elevado en la historia de la humanidad y Ja civilización, que no se olvida. En el palacio del grande, en la choza del pobre, en la cámara del marino, en el fogón del soldado, en el polo, en el trópico, en la celda del religioso o en el estudio del filósofo, se la recuerda, sea cual sea la importancia que a cada uno le señale su criterio.

En el año anterior, Piedrabuena la había celebrado en el Cabo de Hornos; yo la había recordado en las orillas del Limay.

En la tarde del veintiocho decimos adiós a la goleta, que lleva a Buenos Aires las colecciones formadas durante los dos meses que han trascurrido desde mi salida de ese punto, y el anuncio de que pronto emprenderé la marcha hacia los Andes

Por las observaciones practicadas en estos días y las que he adquirido en épocas anteriores, puedo convencerme de la verdad de los párrafos siguientes de Musters, que reproduzco aquí, porque mis datos son el fiel reflejo de los suyos, y si los consignara se me podría acusar de plagiario. Además, me anima el deseo de que la obra del valiente explorador inglés sea más conocida por mis compatriotas.

"Fue un error singular el de los españoles formar una población en el puerto San Julián, descuidando las ventajas mayores que proporciona Santa Cruz. Las llanuras y las islas de este último presentan buenos terrenos pastosos y de labranza, lo mismo que asiento para un pueblo seguro contra las repentinas invasiones de los indios; por lo que respecta a la conveniencia para una estación de embarque, no hay comparación posible entre ambas localidades, porque los buques pueden vararse en Santa Cruz, en sitio resguardado, con la marea; en cuanto a la madera, en busca de la cual hizo Viedma su expedición, se encuentra en abundancia ascendiendo el río."

Pero si Santa Cruz está más favorecido que otras regiones de la Patagonia, no se deben hacer muchas

ilusiones sobre los elementos de lucro que pueda
suministrar. La precipitación puede arruinar a los que, sin
preparación, se dirijan a este punto donde la labor que da
resultado es dura y difícil; como un ejemplo de esto puede
citarse al señor Roucaud, comerciante de Buenos Aires,
quien, seducido por diversos informes, se lanzó impre-
meditadamente a plantear aquí una fábrica de aceite y de
conservas de pescado, pero en una escala tan grande que
sólo obtuvo la ruina para este establecimiento, que quizás
en otras condiciones hubiera podido prosperar. Las
construcciones de éste, que he visto en el paraje denominado "Los Misioneros", revelan la importancia de los
gastos hechos para plantearlo, y, sin embargo, si no estoy
mal informado, esta fábrica no llegó a dar principio a sus
faenas.

Algunas personas han querido atribuir su total abandono a las insinuaciones y luego a la oposición de los
chilenos, pero esto no es exacto; y dicha aseveración más
de una vez ha sido refutada por argentinos, quienes no
pueden consentir que se falsee la verdad. No dudo que la
fábrica mencionada fuera abandonada por ser imposible
sostenerla en las mismas condiciones que había sido
planteada, y los buques chilenos que han fondeado
algunas veces en su vecindad, en lugar de oponerse a la
explotación de la industria para la cual había sido levantada, auxiliaron más de una vez a los habitantes y, por
último, a pedido de ellos, algunos fueron conducidos a
Punta Arenas en buque chileno.

Excursión a las Salinas y a la Isla de Leones

Antes de principiar el viaje al interior, decido recorrer la pequeña extensión de tierra que se encuentra al este de la isla Pavón. Está rodeada, a partir de Monte León, por el Atlántico, la bahía, parte del río y la cadena de colinas precursoras de mesetas más elevadas qué se extienden hacia sudoeste, en dirección del primer paradero de los indios *Amenkelt*. Aunque ya en época anterior la he visitado, quiero renovar este paseo con el objeto de ver nuevamente las salinas, la pampa y las famosa isla donde se consumó el atentado de la "Jeanne Amélie".

Diciembre 30: De madrugada, salgo con rumbo al este acompañado por el señor Moyano y del buen gaucho Cipriano García. Nuestra primera visita es a las salinas de la primera meseta, las que en número de dos semejan a la distancia grandes láminas de plata bruñida que reverberan al sol; aún no están secas completamente; una espuma con grandes burbujas rodea la masa solidificada y líneas onduladas marcan los distintos niveles de las aguas y los diversos períodos de sequedad. Un borde oscuro, barroso en extremo, la circunda, y sigue el descenso del terreno cuyas depresiones circulares u ovaladas sirven de receptáculo a la sal como una gigantesca fuente; a ese borde suceden cristales aún sucios, hasta llegar gradualmente a la sal blanca, cristalizada y de apariencia congelada.

El espesor de la capa no es ahora grueso; no lo gradúo en más de cuatro pulgadas, término medio, pues los guanacos y avestruces han dejado las impresiones de sus patas en el fango que cubre la sabana blanca. La altura a que estas salinas se encuentran sobre el mar no me parece exceder de 120 pies.

Una milla más al este, trepamos otra meseta por entre lomadas abundantes de pastos y abrigadas, y después de recorrer un trayecto igual, encontramos otra salina, que nos es desconocida. Su aspecto es el mismo que el de las anteriores, a excepción de los cristales de sal que son de un tamaño mucho mayor y de un color blanquizco–amarillento; su elevación sobre el mar corresponde a 300 pies más o menos.

Aquí ya nos encontramos en plena pampa; aunque ella es más agradable que la de Chubut está menos sembrada de arbustos, pero es más rica en pastos. La vista puede abarcar, para admirarla, una vasta llanura con horizontes más definidos que en las porteñas.

En el lado norte nada altera la llana superficie en el punto donde el cielo se confunde con la tierra, pero la gradería de mesetas, primero verdosas, luego pardas, azules y celestes, tenues, se ven alejándose en las demás direcciones. Es un anfiteatro grandioso, pero solitario; su arena sólo es frecuentada por los guanacos y avestruces; el puma, el gato salvaje y el cóndor son los dominadores de la región. La civilización no ha extendido aún su influencia hasta allí. La monotonía del desierto sólo la interrumpe, de tarde en tarde, el cazador argentino y el tehuelche o algún desertor chileno. Mientras el hombre no ha penetrado en esta comarca, todo es soledad en ella, nada se mueve; los animales tranquilos cumplen con las exigencias de la vida, reposan y se alimentan; pero la presencia de nosotros, enemigos de casi todas las obras animadas, interrumpe hoy esa aparente soledad.

Apenas hemos pasado la salina nos separamos los tres individuos que formamos la comitiva. Pero, a poco, de los matorrales se elevan al cielo densas columnas de humo; el cerco que nos debe proporcionar la cena va cerrándose y en donde no habíamos visto ser animado alguno aparecen cientos de guanacos y avestruces; de cada mata, de cada hondonada, huyen con extrema ligereza tropas de esos animales tan deseados. En un instante transformamos el paisaje de solitario en extremo animado. Tres émulos de Nemrod acosan a los ágiles habitantes de la pampa, pero la rapidez de los guanacos y las gambetas de los avestruces no les permite obtener en sus hazañas el mismo éxito que al gran cazador antiguo.

El raciocinio del viajero precavido prevé el caso probable de que las cabalgaduras se cansen en estas corridas y considera más prudente continuar viaje, porque no es cosa de exponerse a no poder llegar al punto señalado en el programa de la excursión, por satisfacer el orgullo de cazar un guanaco. Los revólveres de unos y las bolas de otro vuelven a las cinturas respectivas y continuamos hacia las colinas, confiados en que la naturaleza nos proporcionará otras piezas más fáciles con qué organizar nuestra cena. En esta llanura hay abundancia de lagunas de agua salobre y dulce, que se suceden sin interrupción y que están muy lejos de dar al suelo la aridez terrible que le hace gozar la fama. La abundancia de gansos, cisnes, patos y avutardas es inmensa en ellas y con constancia, mojándonos algo y después de chapalear dentro de una de ellas más de una hora, persiguiendo los pichones de estas últimas, cuyas pequeñas plumas no les permiten volar, obtenemos a fuerza de astucia y rebencazos cuatro de ellos, suficiente número para pasar una agradable noche, la que no se presenta muy de nuestro gusto, pues la tormenta se cierne sobre la cumbre de las colinas donde esperamos descansar. Esas lagunas no son permanentes, pero hay algunas suficientemente grandes para que, con excepción de dos o tres meses al año, puedan aplacar la sed de los animales de una estancia. Su fondo no es barroso sino más bien duro y lleno de cascajos; sus orillas sumamente fértiles y cubiertas de un césped tan tupido y lozano que las convierte en pequeños oasis. El viajero se cree en los alrededores del Tandil, en vez que en la Patagonia.

La parada para la noche la hacemos dentro de los cañadones, rodeados de un precioso escenario, al borde de una laguna de agua dulce dominada por las colinas cubiertas de pastos amarillentos. Este punto es un valle que se dirige serpenteando desde el este, con manantiales cristalinos que descargan sus aguas, algunos subterráneamente, en la laguna. Aunque de poca extensión, le calculo 400 metros de diámetro; tiene la apariencia de un lago andino. Sus elevadas orillas, cubiertas de cantos rodados, recuerdan el borde del océano, a lo que contribuye el murmullo continuo del rodar de sus pequeñas olas, aumentado por el eco de las colinas.

Nuestra parada aquí desaloja una tropa de más de cien guanacos que iban a pasar la próxima tormenta abrigados en los matorrales; parece que nuestra llegada indiscreta les disgusta, sobre todo a los machos, pues momentos después que las hembras y los pequeñuelos se cobijan en las quebradas, vuelven aquéllos a presentarse en las alturas, relinchando quizás de disgusto, haciendo cabriolas hasta el oscurecer; los vemos centinelas frente a nosotros, y hasta muy avanzada la noche no dejamos de oír sus estridentes relinchos. La lluvia que ha principiado calma sus enojos.

Por nuestra parte, tenemos tiempo de resguardarnos contra el chubasco del sudeste detrás de unas pequeñas matas, donde pelamos y comemos dos de los pichones. No es posible conciliar el sueño con la lluvia fría y tenemos que pasar la noche sentados, envueltos en los quillangos, cubierta que recomiendo y que debe ser inseparable compañero del viajero en la Patagonia: presta el servicio de abrigo y techo y en ocasiones como ésta, sirve de capa de goma.

Este tiempo es favorable a la conversación, único consuelo que hay en estos casos, cuando es fácil obtener conformidad, y, mientras García habla de sus boleadas, de las libras de pluma que ha vendido, y mi amigo Moyano estimula sus deseos de prosperar, porque, además de un buen compañero, Santa Cruz tendrá otro poblador patriota más, pasemos revista a las observaciones efectuadas en este día y comuniquémoslas al lector.

Después de mi primer viaje, en una nota sobre las salinas de la Patagonia inserta en el apéndice de la obra de mi respetable amigo el Dr. Burmeister,[1] me ocupé de las de Santa Cruz; hoy, ampliando mis recuerdos de entonces, quiero dar aquí algunos datos más sobre estos interesantes depósitos que se encuentran en la República Argentina.

Darwin da una excelente descripción de la salina situada en las inmediaciones del río Negro, y su pintura es tan fiel que la transcribo, precediendo mis observaciones.

"Fui a visitar un gran lago salado o salina, situado a cerca de quince millas del pueblo. Durante el invierno, es un lago poco profundo, lleno de agua salobre, que en verano se trasforma en un campo de sal, tan blanco como la nieve. La capa, cerca del borde, tiene de 4 a 5 pulgadas de espesor, pero éste aumenta hacia el centro. Este lago mide dos millas y media de largo por una milla de ancho. En sus inmediaciones se encuentran otras, mucho más grandes aún, cuyo fondo consiste en una capa de sal que tiene dos o tres pies de espesor, aun en invierno, cuando están llenas de agua. Esas cuencas admirablemente blancas en medio de esta llanura árida y sombría, forman un contraste extraordinario. Se saca anualmente de la salina una considerable cantidad de sal, y he visto en los bordes grandes acumulaciones de algunos centenares de toneladas de peso, prontas para la exportación".

"La estación de las faenas de las salinas es el tiempo de la cosecha en Patagones, porque la prosperidad del

---

1   Description phisique de la République Argentine, Vol. II, págs. 402 y siguientes.

pueblo depende de la exportación de la sal. Casi toda la población acampa entonces sobre los bordes de la salina y trasporta la sal al río, sobre carretas conducidas por bueyes. Esta sal cristaliza en gruesos cubos y es notablemente pura. El Sr. Trenham Reeks ha tenido la bondad de analizar algunas muestras que he traído, y no encuentra en ella sino 26 centésimos de yeso y 22 centésimos de materias terrosas. Es singular que esta sal no sea tan buena para conservar la carne como la extraída del mar de las islas del Cabo Verde; un negociante de Buenos Aires me ha dicho que valía 50 % menos. Por esto es que se importa constantemente sal de las islas de Cabo Verde, para mezclarla con la producida por estas salinas. No se puede dar otra causa a esta inferioridad que la pureza de la sal de Patagones o la ausencia en ésta de otros principios salinos que se encuentran en el agua del mar. Nadie, creo, ha pensado en esta explicación que se encuentra, sin embargo, confirmada por un hecho que se ha señalado últimamente; es decir, que las sales que conservan mejor el queso son las que contienen mayor proporción de cloruros delicuescentes".

"Los bordes del lago son pantanosos; en este barro se recogen numerosos cristales de yeso, algunos de ellos hasta de tres pulgadas de largo; en la superficie del barro se encuentra también gran número de cristales de sulfato de sosa. Los gauchos llaman a los primeros los *padres de la sal* y a los segundos *las madres*; afirman que estas sales progenitoras se encuentran siempre sobre los bordes de las salinas, cuando las aguas principian a evaporarse. El barro de las orillas es negro y exhala un olor fétido...".

Exceptuando las dimensiones, que son variables, la parte que se relaciona con la industria y la proporción de las sales que contienen, esa descripción concuerda con la de todas las salinas que he examinado en la Patagonia.

Los depósitos llamados *salinas* se encuentran diseminados en distintos parajes de la República; en el norte, inmensas regiones estériles se deben a la gran cantidad de sales que contiene el suelo. El gran desierto salado que sustrae a la industria una notable extensión del territorio de las provincias de Catamarca, La Rioja, Córdoba y Santiago del Estero, está formado por una depresión que se extiende en el norte, desde las sierras de Ambato y Atajo, limitada al oeste por las de Zapata, Velasco, Famatina y la Huerta, hasta las de las Quijadas, Gigante y Alto Pencoso, donde, en el llano que se extiende entre las dos últimas montañas y la sierra de la Punta, se encuentra el depósito salado más meridional de ese gran desierto. Al este, las sierras de la provincia de Córdoba orillean la depresión, y el abra que se extiende entre éstas y la sierra del Alto la ocupa el lago o bañado de más consideración. Siendo el fondo de esa depresión muy variable, no es una salina continuada; éstas se presentan en dilatados manchones aislados, sin ninguna conexión visible.

La existencia de ellas, en ese punto, es considerada por algunos autores como los restos de un antiguo mar interior, un mar evaporado cuya desecación ha dado por resultado los depósitos salados. Pero, si bien es cierto que a algunos depósitos que contienen, en general, las mismas materias, se les atribuye ese modo de formación, como sucede con las salinas de Cobija, elevadas a 600 y 700 pies y las que D'Orbigny cree hayan sido dejadas por la evaporación del agua de mar, juzgando así por ser invariablemente superficiales y por la presencia en ellas de moluscos iguales a los que viven en la vecina playa, y que Darwin opina que esa misma conclusión puede extenderse a los depósitos salados de Iquique, a pesar de estar a 3000 pies, mi amigo el señor don Federico Schickendantz, en su interesante "Estudio sobre las Salinas"[1] opone a la suposición de que la formación de ellas se deba a la desecación de lagos de agua salada, restos de mar, otra que le

---

1   Boletín de la Academia Nacional de Córdoba.

parece más adecuada y que constituye una teoría aplicable a las formaciones análogas en otras partes del mundo. Piensa que la formación de las citadas salinas del norte de la República, es "debida a la liquefacción de rocas de sales y de la eflorescencia por medio de la elevación capilar".

La posición de las salinas del norte, en el centro del cuadro de montañas que he señalado, y que contienen en las rocas que las constituyen las materias que luego se recogen en las lagunas, donde, indudablemente, por infiltración, los depositan los ríos visibles o corrientes subterráneas que se desprenden de esas sierras, parece favorable a la opinión del señor Schickendantz y hace abandonar la idea de que esos depósitos hayan sido el resultado de la evaporación de un mar, que en otro tiempo bañaba esa región. Además, si esas lagunas resultaran de esa evaporación y los lagos, restos de dicho mar, éste, indudablemente, debería haber existido en tiempos no muy remotos y su profundidad debería haber sido considerable, pues sin tener en cuenta el levantamiento parcial, por fuerzas internas, variaría por lo menos entre 500 metros. Bien, pues, en toda esa extensión, ese mar no ha dejado ninguno de los vestigios que se recogen en Cobija.

Un dato digno de mención es que los grandes depósitos se hallan situados en los terrenos que el Dr. Burmeister clasificó de pampas estériles y que, geológicamente, pertenecen a los aluviones modernos. No tengo duda que una capa de agua corre bajo ese lecho de tierra arcillo–arenosa suelta, que hace estériles esas regiones cubiertas de arbustos característicos y de escasísimas gramíneas. Tal corriente subterránea formada por las infiltraciones de las superficiales, como ser ríos, etc., y que descienden hasta bajo dicha capa, llevan quizás en disolución elementos de las rocas que la erosión o influencias climáticas han desagregado, las que luego han sido depositadas en las grandes depresiones o cuencas subterráneas. Luego esos elementos o sales se elevan, por la capilaridad, favorecidos por la humedad de las depresiones superficiales que han obtenido, por la infinidad de arroyuelos que se pierden en ellas, en ciertas estaciones del año, cuando llega la estación lluviosa en las montañas. Además, la suma permeabilidad del terreno contribuye a ello.

La evaporación de las aguas superficiales por los vientos y otras influencias meteóricas dejan las sales en descubierto.

La falta de cortes geológicos no permite conocer cuáles son las materias que entran en la composición de esos depósitos salinos subterráneos, pues es muy probable que existan otras, además de las que se recogen sobre la superficie. Recién entonces, cuando se conozcan esos cortes, sabremos a qué atenernos con seguridad sobre el origen de las salinas.

En el terreno pampeano, clasificado de diluvial, no conocemos hasta ahora ninguna verdadera salina, y quizás esto sea debido a que las capas de tosca impermeable que contiene no permitan la elevación de las distintas sales depositadas en su suelo, o que la mucha profundidad relativa donde se encuentran éstas, por tener una cuenca más grande, comparándolas con las del norte, no alcance la influencia de la capilaridad para elevarla a la superficie. Sin embargo, no faltan en la pampa eflorescencias salinas, y creo que todas las lagunas que hay en sus llanuras ostentan en sus bordes alguna señal de ellas.

Cuando están llenas de agua, pocas son las que tienen un sabor que acuse la existencia de sales, y hasta en el río Salado, en la provincia de Buenos Aires, cuando está crecido, las haciendas beben sus aguas sin inconvenientes. Este río nace en parajes donde el terreno puede considerarse aluvial, a juzgar por la vegetación que lo cubre y los informes que poseo, y como es sabido que las sales son más abundantes en los terrenos de esas condiciones, lógico es que el curso de agua que las cruza arrastre mayor cantidad de esas materias.

En las lagunas de Buenos Aires, cuando están secas, se nota una pequeña y delgada capa blanca cuya presencia allí debe ser explicada por haber sido contenidas esas sales en las arcillas de la pampa, habiendo sido arrastradas con los constituyentes de ella por el elemento que las condujo allí, para formar el gran depósito pampeano. No hay duda que el resto de la pampa se ha formado con los productos de la descomposición lenta de rocas antiguas, lejanas, que algún agente físico condujo hasta allí; y como esas rocas han debido contener materias salinas éstas también han sido trasportadas junto con las arcillas y depositadas en gran parte con ellas. Hoy, por la humedad, se elevan a la superficie, a la orilla de los ríos, lagunas y arroyos, pero no llegan a formar grandes depósitos. Las sales que constituyen éstas son, en cierto modo, distintas de las del norte o, por lo menos, se hallan combinadas de otra manera.

A la inversa de los depósitos aluviales del interior del país, donde predominan los cloruros de sodio, corresponden a la capa diluvial los sulfatos, y si por casualidad se me hiciera la observación de la gran cantidad relativa de sulfatos que contienen las capas modernas de aluvión del bajo de Buenos Aires y de la costa hasta cerca del río Colorado, diría que su presencia allí, en esas condiciones, no implica pertenecer a esa formación, sino que pertenecen a la capa diluvial, situada debajo, y de la cual se elevan dichas sales por la mayor humedad del bajo suelo arenoso que recibe más aguas que en las otras regiones.

Los depósitos donde predominan los sulfatos se encuentran todos en terrenos bajos e indican que están más superficiales ascendiendo con mayor rapidez que los cloruros que, quizás, aunque están cubiertos por aluviones modernos, dependen en su formación primitiva de épocas geológicas más remotas que el depósito de los sulfatos. Hay grandes extensiones áridas en cuya superficie se depositan los sulfatos, que impropiamente se llaman *salitreras* y se caracterizan por un suelo sumamente suelto y despojado de vegetación herbácea, encontrándose en ellas sólo algunas salicórneas.

Ahora que me acerco a los depósitos patagónico, voy a mencionar los que conozco personalmente en ese suelo, y aquéllos de cuya existencia he recibido noticias, además de los que he publicado en la obra del Dr. Burmeister y que son los siguientes:

"Siguiendo mi camino por las orillas del río Sauce chico, arroyo que nace en la sierra de la Ventana, lo continué hasta los cerros de Nueva Roma, de donde, tomando al sudoeste para llegar a los terrenos bajos de Salinas chicas, crucé un gran salitral que contiene en su suelo sulfato de sosa en abundancia; continuando en esa dirección, pasé una cadena de médanos conocidos con el nombre de Cabeza del buey. Del otro lado de esta cadena está situada la laguna de sal común, ya nombrada, de Salinas chicas (*Chasico*, de los indios). Esta laguna tiene un largo de seis kilómetros y corre de sudeste a noroeste; en su extremo occidental hay una pequeña laguna llamada por los indios *Chapayco* (agua de paja) alimentada por un pequeño arroyuelo, *Marraco* (agua de liebre). Los lagos de Salinas chicas están orillados al norte por médanos de diez metros de alto que dan nacimiento a pequeños manantiales de agua dulce; estos manantiales se vacían en la laguna y contribuyen a hacer salir del fondo de ésta la sal común, para dejarla depositar cuando el agua se evapore durante el verano. En octubre, es decir, en la primavera, cuando la visité, la laguna contenía aún agua en el centro. De Salinas chicas, hacia el este, se encuentra otra pequeña salina llamada Escobas, situada también al pie de los médanos y alimentada por un manantial que sale de ellos. En esa dirección, pero más al sur, se llega a otra laguna llamada Calaveras, alimentada igualmente por manantiales; contiene agua amarga. La laguna se encuentra en medio de una cadena de médanos y de colinas bajas, paralelas a las del norte, que encierra varios bajos fondos, abundantes en sulfato de sosa, como los de Romero grande y Algarrobo clavado (*Potrili Huitru*, de los indios). Hay aún muchos otros parajes con depósitos de sulfatos, al sur del río Colorado, generalmente secos en verano, que se convierten en bañados durante el invierno".

"Siempre es cerca de médanos donde se encuentra agua en esos parajes estériles; generalmente, los pozos artificiales dan agua poco potable, y una persona que la beba, sin estar acostumbrada a su uso, siente pronto una indisposición general. Lo mismo que en el sur de la provincia de Buenos Aires, todo el terreno de la llanura patagónica abunda en depósitos de sulfatos que he examinado hasta *Ranquel–có*, cerca del *Colloncurá*, en las inmediaciones del Limay, a poca distancia de la Cordillera de los Andes".

"Las verdaderas salinas, es decir, los lagos con cloruro de sodio como Salinas Chicas, están todas situadas más cerca del río Negro; sobre los bordes del río Colorado no sé que exista ninguna. La más conocida es la salina del Algarrobo, al norte de Carmen [de Patagones]; no la he visto sino de lejos y me ha parecido muy extensa y de gran importancia. Poco más al sur se encuentran otros dos depósitos de sal común: el llamado Salina de piedras y la "Salina del inglés"; son los que proporcionan la mayor parte de la sal que de la Patagonia se trae a Buenos Aires".

"Aún más cerca de Carmen [de Patagones], a 25/30 kilómetros al oeste del pueblo, se ve la salina de Crespo, que se explota mucho. Ésta es la que visitó Darwin y, como este sabio, he visto la sal recientemente amontonada, de un color rojizo, que parece deberse a infusorios contenidos en el agua".

"Este tinte de la sal sólo se nota en estas lagunas; la sal de las Salinas Chicas tiene un color completamente blanco, lo mismo que la de las salinas de Santa Cruz, más al sur de la Patagonia".

"En otros parajes, al sur del Río Negro, existen muchas otras lagunas saladas pero son poco conocidas".

"He sido informado por los indios de la presencia de semejantes depósitos al este del río Limay y Leufú, adonde los que viven inmediatos a la cordillera van para hacer sus provisiones, lo mismo que a cazar guanacos. Cerca del océano Atlántico, a doscientos kilómetros al sur de Carmen [de Patagones], está la salina de San José, donde durante la dominación española había un puesto militar. Se encuentran otros depósitos cerca de la costa, hasta Santa Cruz, aunque Darwin les asigna como límite austral la bahía de San Julián".

"Personalmente, he visto dos pequeñas lagunas saladas sobre la orilla del río Santa Cruz, entre la isla Pavón y Weddell Bluff, en las colinas que orillean el río. La más grande tiene un diámetro de 250 metros; la otra apenas 150; son explotadas algunas veces por los pescadores que visitan esas costas. He recogido muestras de la sal que contienen."

Ampliando esta noticia, agregaré que hoy creo que el primer depósito mencionado en esa nota no sólo contiene sulfato de sosa, sino también sulfato de magnesia, como los demás de ese género que se encuentran en la Patagonia. Salinas Chicas se halla en terreno terciario y no creo alejarme de la verdad al asegurar que todos los grandes depósitos de cloruro de sodio reposan sobre el terciario patagónico, aun cuando una capa de cascajo o tierra aluvial moderna los cubra. No dudo que Salinas Grandes pertenezca a esa formación; y quizás también, si se hicieran perforaciones en el valle de Andalgalá y Santiago del Estero, se encontraría la misma en ellas, y de la cual dependerían, en gran parte, los depósitos de cloruros que se presentan allí en la superficie del suelo.

Salinas Chicas está situada en una gran hondonada; la de las Escobas lo mismo; y las diversas lagunas, de iguales condiciones, situadas al norte del río Negro, algunas de las cuales he visitado, se extienden todas en una gran quebrada o valle que principia en el paraje conocido por abra de la China Muerta.

Primero se encuentra la de Crespo, luego la de los Algarrobos, la del Inglés y la de Piedra, que es la situada más al este. Esa hondonada no es continua, no tiene la misma elevación en toda su extensión; aunque es siempre mucho más baja que la meseta, tiene diversas, suaves y grandes ondulaciones en el centro de las cuales se encuentran los lagos salados.

Además de los ya mencionados, existen en la Patagonia otros depósitos de cloruro de sodio, como ser en Chubut, en Tilly Road y en el Cabo Blanco, donde son muy extensos; he visto uno pequeño en Puerto Deseado; los hay en San Julián, en los parajes que describo, y se encuentran otros, de los que a su turno me ocuparé, situados entre Santa Cruz y *Coy–Inlet*, que es el límite más austral donde los he encontrado.

En cuanto al modo como se alimentan las salinas de la Patagonia, diré que en cierta manera es distinto al de las del norte, pues en ellas ningún río o arroyo importante vacía sus aguas.

Sólo he visto pequeños manantiales en sus bordes, pero es seguro que las capas de agua dulce que se encuentran bajo el cascajo las alimentan por exudación.

Sobre el modo como se forman esos grandes depósitos de cloruro de sodio, y a las opiniones vertidas por distintos autores, añadiré que las cuencas de esas salinas reposan sobre depósitos de sal gema antiguos que quizás pertenecen a la época terciaria y que hoy se encuentran cubiertas por capas de arena y cascajo, más modernas, permeables, que permiten el ascenso capilar de las sales diluidas hasta los depósitos actuales.

El origen del depósito de sal gema no pasa hasta hoy de hipotético; ninguna de las opiniones vertidas para explicar su formación resiste a todas las objeciones que se hacen en contra de ellas, y no puedo ocuparme yo, simple viajero, de esas cuestiones; pero me basta saber que la sal gema se encuentra, entre otros modos, en montañas o en depósitos horizontales y que estos últimos son los que presentan los de la Patagonia, a juzgar por la disposición exterior de ellos.

También puede suceder que la hipótesis de que los depósitos de sal gema provengan de erupciones antiguas de aguas cargadas de sales y de barro, fenómeno análogo al de las Salsas, y que se hayan depositado durante un largo período, sirva para explicar la formación de aguas salinas de la Patagonia, porque me consta que en los sondajes practicados en la salina de San Julián se encontró una capa de agua caliente que quemaba las manos de los que manejaban la sonda. Pero de lo que no dudo es que el depósito superficial de cloruro de sodio procede de un depósito de sal gema más antiguo, cubierto por capas de barro y cascajo, como se ha observado en las salinas de Patagones, San Julián y Santa Cruz, que de ninguna manera han resultado del fenómeno citado de Cobija o Iquique, y me explico que el depósito de sal gema sea lenticular, porque su apariencia exterior es ésa, y que a corta distancia de las salinas se encuentra agua potable, cavando, lo que hace suponer que la capa de sal gema no tiene más extensión superficial que la salina exterior. En esto no me refiero al agua dulce de los médanos, que en ciertas salinas se encuentran inmediatos, porque esa corriente no es sino el depósito del agua de las lluvias que la permeabilidad de la arena ha absorbido antes de dar tiempo a la evaporación. Luego se la encuentra en las orillas de esos médanos, cavando a cierta profundidad, contribuyendo con la de la lluvia a aumentar el caudal de agua de ciertas salinas.

Los análisis siguientes, hechos por mi amigo el Dr. D. Pedro N. Arata, de las dos muestras de sal de los depósitos que se encuentran en el territorio que he descripto en este capítulo, muestran la pureza de la sal que contienen, la que es aún mayor que la de Patagones, mencionada por Darwin.

La muestra de las dos lagunas de la meseta baja ha dado 96.5 de cloruro de sodio y 3.5 de agua; de sulfatos, sólo rastros.

La que corresponde a la laguna de la segunda meseta, que no conocí en mi primer viaje, ha dado 99 % de cloruro de sodio y 1 % de agua.

Diciembre 31: Me parece inútil decir que vemos llegar el día con vivo placer; apenas el cielo cambia su negro tinte por el plomizo de la madrugada tormentosa, deshacemos el montón de ceniza que guarda el fuego, digno de ser venerado en esta ocasión, acercamos a las brasas algunas ramas de olorosos arbustos y momentos después la caldera nos proporciona agua para el mate.

No se crea que el mate, para el viajero andariego, es el mismo mate que favorece la ociosidad proverbial de nuestros paisanos, para quienes es casi indispensable. Para él, tiene una gran importancia moral: el mecanismo de sorberlo da una tregua a su agitación intelectual y haciendo esta operación, en rueda, en el pequeño campamento, se olvida la mala noche anterior y los sufrimientos que trae consigo. Nosotros no nos hallamos, sin embargo, en este caso; no ha habido padecimiento sino molestia, y aunque la noche pasada no ha sido de las más deseables, en cambio, el día de ayer nos ha dado más de un motivo de agrado.

Dividimos con los perros los dos últimos pichones de avutarda, ensillamos y emprendemos marcha al este para salir al encuentro del sol que ya refleja en las cimas de las colinas, vivificándolas. Un aire frío e incómodo corre por los cañadones, pero, cuando para acortar camino trepamos los cerros, una tibia atmósfera nos envuelve agradablemente.

A medida que nos internamos cruzamos una región de ondulaciones que ascienden de un modo insensible, con faldas pedregosas algunas, y otras pastosas; todas presentan arbustos más o menos desarrollados. Las adesmias de hermosas flores, agrupadas en pequeños hemisferios, semejan claros peñascos redondeados; son las mismas que crecen en las inmediaciones de la bahía (*Adesmia trijugata, Adesmia boronoides, Adesmia pinifolia*). Los calafates (*Berberis ilicifolia*), con sus frutas aún verdes, crecen lozanos cerca de los manantiales que en las profundas quebradas vemos correr en delgados hilos de agua, cristalina y agradable en algunos, y en otros tan salobre que ni aun los caballos la quieren beber. El incienso (*Duvaua*), menos abundante que en la meseta que cruzamos ayer, lo vemos enmarañado en los arenales y pedregales. En las lomadas, el golpe de vista que nos regalan las *Oxalis* y *Calceolarias* aviva la naturaleza adormecida; las primeras (*O. enneaphila*), con sus flores en forma de estrellas, de colores fuertes o suaves, varían de colorido según la altura a que crecen o según la mayor o menor sombra o sol de que gozan, desde el azul sombrío con venas aún más oscuras del mismo color, en los bajos, hasta el blanco venado de lila, en las cumbres. Recojo en mi cartera de viaje estas flores que tanto alegran esta región y que por su extrema delicadeza parece que no pudieran prosperar aquí.

Nos aproximamos al mar; escuchamos un rumor sordo que se hace oír en la lejanía; la comarca se vuelve más agreste aún y las quebradas difícilmente dan paso; muchas veces no podemos mantenernos a caballo por la gran pendiente de las cuestas. Los torrentes, insignificantes y secos casi todos entonces, nos cortan el camino con sus bordes a pico. Todos estos son inconvenientes que aumentan, momentos después, nuestra admiración, al presenciar desde una altura de ochocientos pies el grandioso panorama del océano.

Aún está distante el mediodía, pero el calor es sensible en extremo y la notable refracción que se desarrolla en esas regiones, brilla casi en toda su plenitud.

A nuestros pies, la acción lenta e incesante de la atmósfera y del tiempo ha desagregado la meseta, la ha agrietado y hecho presentar sus carcomidas faldas como si monstruosas olas la hubieran atacado; sus abundantes vestigios, en cuya base se amontonan grandes cantidades de sutil polvo, producto del formidable ataque, muestran en sus flancos gigantescas graderías dignas de aquel gran anfiteatro.

El monte León se eleva delante, triste, árido, sembrado de cascajo glacial y perforada su abrupta ladera por innumerables cuevas, puntos negros en el blanco calcáreo, donde se asilan los pumas, mientras los cóndores anidan o revolotean en la cumbre. Nuestra llegada agrada a éstos, que esperan nuestros desperdicios.

Los guanacos, a los que los restos de las colinas sirven de pedestales labrados por el tiempo, ese gran modelador, escuchan asustados el ruido de las piedras que se desprenden a nuestro paso y que ruedan al fondo. Uno que otro avestruz silba tranquilo, haciendo la guerra a cuanta fruta o insecto encuentra; algunos zorros, que abundan allí, huyen de los perros, guareciéndose en las cuevas. Uno de ellos, preocupado en devorar el contenido de un huevo *huacho* de avestruz, que ha quebrado contra las piedras, muere víctima de su glotonería. Una vaca alzada muge en las quebradas.

El vapor de la tierra húmeda se va expandiendo sobre el mar, unas veces azul–sombrío, otras verdoso–pardusco, donde grandes sombras diseñan, fantásticamente, la forma de sencillas nubes que recorren el hermoso cielo.

Todo parece envuelto en una atmósfera luminosa, particular, y cada objeto titila, desde el lejano monte Entrance del norte, hasta el solitario monte Observación del sur. El espejismo nos regala con sus castillos, tomados por la fantasía de la óptica de los desiertos, pero que parecen levantados por algún amable mago que desea olvidemos la siempre árida perspectiva.

Las dos veces que he visitado esta región he experimentado impresión idéntica; esa luz tan vívida, pero tan indefinida, especialidad de estos puntos, parece que oprime, y la bruma lejana que se imagina velo de gasa, que los rayos solares colorean de rosas, indica que hay algo de somnolencia en este horizonte. La naturaleza parece despertar aquí de un prolongado letargo, que podemos creer efectivo a juzgar por los pocos resplandores de vida que notamos en este punto.

Subiendo y bajando quebradas llegamos al pie del monte León y buscamos, entre los médanos movedizos, camino para llegar al mar. Vuelvo la cabeza hacia los sitios que acabo de cruzar ¡qué triste desolación, qué estragos ha hecho el tiempo, cómo ha devastado esta inmensa costa! Las areniscas, los calcáreos desagregados, se han convertido en el polvo suelto que pisamos; residuos de antiguos barrancos, precipicios inmensos y atrevidos. En otro tiempo, oponían resistencia soberbia al mar que los batía con fuerza; pero sus pendientes desgastadas muestran que esa pasada arrogancia fue vencida. Miremos al norte, hacia el Santa Cruz: las colinas disminuyen de elevación con la distancia que borra las rugosidades, y van disminuyendo hasta perderse casi enteramente del otro lado de la bahía, formando playas bajas. En el primer plano se ven de tiempo en tiempo algunos escollos que quiebran el mar. Al sur, las colinas son más altas que en el lado inverso, más sombrías, más quebradas y el aire luminoso las baña de lleno; los médanos relumbran; las fajas del terreno presentan con claridad las severas líneas del terciario; y delante de nosotros, el atrevido y hoy histórico peñón se eleva sobre la playa. Su cumbre la animan millares de aves marinas que aturden; pero que no alegran este desolado paisaje. El bullicio de los cormoranes no consuela, no proporciona alegría; al contrario, impresiona desagradablemente, y el contraste de esa vida exuberante, con la raquítica de los cerros, me entristece no sé por qué; los chillidos de los pichones me parecen quejas y no manifestaciones de contento, y el espíritu siente soledad entre tanta animación.

Quizás esta impresión emana del espectáculo que presencio desde el médano, sobre el cual observo. La mar esta tranquila en creciente, y lame la pedregosa playa haciendo rodar multitud de pipas y tablas entre algunos enormes restos de ballenas. La industria de la naturaleza esta aquí mezclada con la del hombre; la ha unido el grandioso elemento que todo lo nivela. Un antiguo cráneo de colosal cetáceo, antes blanco, hoy verdoso, envuelto en la diminuta vegetación marina, ataja algunas pequeñas ondas que llegan desfallecientes a la costa. Estas, después de haber vagado por toda la esfera del mundo, se quiebran arrojando blanca espuma sobre este inmenso hueso convertido en roca. En la mar no se ven sino algunos delfines overos; en el horizonte, una vela, aparentemente inmóvil, sigue quizás las huellas de Magallanes.

Tenemos que esperar la bajante que se aproxima para llegar a la isla de Leones, que ha dado tanto que hablar y discutir desde el apresamiento injustificable de la Jeanne Amélie en ese punto. A pesar de hallarse a cortísima distancia de nosotros, la mar alta no nos permite cruzar hasta allí. La agitación de este rincón rocalloso es demasiado grande, aun en el estado de calma que se encuentra el océano. Son dignas de admirar estas mansas olas, casi insensibles, que a medida que se acercan, se encrespan, se ondulan fuertemente, rozan el fondo, retroceden, chocan contra las piedras y lanzan fina lluvia que irradia al sol y cae blanca, al parecer hirviendo a nuestros pies, moviendo los cascajos y haciendo rodar los barriles; algunas se estrellan contra la muralla geológica, o truenan entre las pequeñas cavernas horadadas por ellas.

Ya que tenemos que aguardar un par de horas antes que el mar haya dado paso, evoquemos recuerdos que, aunque me son tristes, darán a conocer a mis lectores una tragedia casi ignorada. Este mismo mar cuya calma es hoy tan grande como su agitación en el día del cual me voy a ocupar, guarda en sus abismos marinos amigos, argentinos. Durante el gran temporal que en los primeros días de noviembre de 1874 se desencadenó en estas costas, llegando sus fuerzas hasta ocasionar grandes destrozos en la bahía de Montevideo, sucumbió, quizás a la vista del paraje desde donde lo recuerdo, el comandante de la Marina Argentina Don Guillermo Lawrence, con toda la tripulación de un pequeño pailebot en el cual se había lanzado al mar. Días antes, nos habíamos despedido contentos en la bahía Santa Cruz, dándonos cita en el río Negro. El día 2 de noviembre, al principio del huracán, desde el Rosales avistamos el pequeño barco en el océano y desde entonces no hemos vuelto a saber más de él ni de los amigos que conducía. La osadía de Lawrence lo condujo a la muerte.

¡Qué espantoso temporal aquél! Una tempestad en el sur es indescriptible, lo mismo que las escenas que se desarrollan a bordo de los buques que sorprende. El cielo, momentos antes despejado, cúbrese totalmente; las nubes bajan y parece que oprimen las grandes olas, cuyas crestas hace blanquear el viento, o la pesadez de la atmósfera las convierte en inmensas moles de grandes cavidades, silenciosas y gruesas como si tuvieran la consistencia del aceite; los negruzcos nimbos y los variados cirros cruzan veloces; el viento sopla con fuerza intensa y una oscuridad prematura parece descender sobre el océano. De repente ábrese el cielo; los rayos del sol, que calientan las tranquilas capas superiores de la atmósfera, alumbran el buque que, con dificultad, combate contra los elementos; con fulgor casi siniestro doran los mástiles, algunas veces astillados, y bañan con su luz las escenas heroicas de que es teatro la cubierta. La claridad se difunde entonces sobre el océano enfurecido y se presencia el conmovedor espectáculo de la lucha del hombre contra los grandes elementos de la naturaleza, que trata de dominar. Las nubes cambian sus tintes opacos y trasforman sus contornos; todo parece querer ayudar al heroico combatiente que, con su única pero poderosa arma, el genio, espera triunfar airoso. Poco tarda en mudar de faz esa escena sublime y se renueva el combate; en él vence el hombre con frecuencia.

Creo que nada puede infundir mayor entusiasmo ni más valor que la vida de mar; esta lucha continua proporciona confianza en sí mismo; obliga al hombre a reconcentrarse y a buscar en sus fuerzas, que una labor incesante le revela, los medios de continuarla. Como en el viajero en regiones desconocidas o peligrosas, las emociones se suceden en ella, se eslabonan, y al condensarse, le dan mayor vigor; todo lo arrastra, nada lo arredra si ve que su propósito de alcanzar un fin deseado puede realizarse. Un peligro lo liga a otro mayor, al cual se acerca con fe. Jamás desfallece. Sólo se aleja cuando su conciencia le dice que es temerario atentar contra lo imposible. La pusilanimidad no penetra en quien nace marino o viajero en tierras nuevas.

Hay algo en mi espíritu que me lleva hasta forjarme, en un instante, la apoteosis de un marino o de un viajero.

Entiendo por viajero no sólo el que camina leguas con sus pies en busca de adelantos, sino también el que las recorre, con su imaginación, haciendo progresar los conocimientos que han de ir sometiendo a nuestro imperio los demás elementos de la naturaleza, para llevarnos al goce pleno de nuestra libertad en el mundo. Si bien un día, los Colón, los Magallanes, los Cook, los Franklyn, los Livingstone, que descubrieron casi mundos y que murieron al revelárnoslos no encontrarán ni modestos imitadores por falta de escenario, y que la tan grandiosa como pequeña esfera terrestre nos será familiar en sus más lejanos rincones, los que sigan las huellas de los Galileo, los Voltaire, los Humboldt, serán inagotables. Ellos concluirán el conocimiento de los mundos; todo lo que existe nos será revelado por su estudio, y llegará un día que el espíritu humano se entronice sobre todo lo creado o increado. El mundo será entonces el digno pedestal del Hombre.

Mi admiración por aquellos héroes es grande, y por eso pido me disculpe el lector cuando me vea en uno de estos momentos de expansión; debo mi corta carrera a esos ejemplos y es veneración lo que por ellos abrigo...

La marea ha bajado; las olas ya no cubren la playa; ésta nos muestra las aristas de piedra contra las que momentos antes se estrellaron las aguas; podemos cruzarla sin peligro. Sólo nuestros caballos oponen alguna resistencia, alarmados por el sordo rugido del océano que, al alejarse, se encabrita frente a la muralla del peñón. Llegamos a su pie que ha sido ya rodeado por bandadas de pequeñas *Sternas* que vienen a buscar los despojos que el Atlántico les ha abandonado.

La isla es uno fragmento de meseta separada del continente por la lenta acción de las aguas modernas, que destruyen lo que las pasadas formaron. Fue en otro tiempo un prolongado cabo que se internaba atrevido y que combatió rudamente durante siglos; pero como nada resiste a la ley que quiere que todo, por más inerte que aparezca, no permanezca inactivo y participe del incansable trabajo del progreso, pues la estabilidad, aun en los cuerpos inorgánicos representaría el retroceso, que es desconocido en la naturaleza, ha pagado por fin su tributo a ella. El deterioro que le ha causado esa necesidad fatal que para la existencia requiere la evolución en un todo, aun cuando sea en una aglomeración de cuerpos orgánicos e inorgánicos como los que formaban este cabo, lo ha convertido a la larga en un peñón aislado, hasta que esa misma necesidad lo haga desaparecer del todo o lo vuelva a unir al continente aprovechando sus despojos.

¡Por cuántas transiciones habrán pasado los finos granos que constituyen las mesetas; cuántas combinaciones químicas han necesitado para llegar a este estado actual; y qué inmenso número de siglos ha sido necesario para unir esos granos, conglomerarlos, solidificarlos y formar la colina; en cuántas olas habrán rodado los fragmentos de las rocas que ellas disgregaron para formar otras, siguiendo la ley del trabajo incansable, y luego depositarlas en las capas horizontales que el levantamiento del terreno presenta a la vista del espectador asombrado!

Anúblase el espíritu al tratar de indagar la edad de estos testigos de la poderosa energía de las fuerzas naturales, siempre activas, creadoras y demoledoras, para volver a ser creadoras.

La isla de Leones se ha desprendido de la costa firme en tiempos modernos y muchos casos iguales se notan al recorrer estos parajes.

Algunos escalones, tallados con atrevimiento en la roca endurecida, y algunos fragmentos de cuerdas que cuelgan de la cima, permiten llegar hasta la llana superficie del islote que se eleva a cerca de cien pies sobre la playa. Llegados allí, encontramos una plaza de quince mil metros cuadrados, más o menos, que es todo lo que constituye aquel paraje renombrado. Muchas bolsas llenas de guano y apiladas, barriles, armas, carpas y una habitación construida con maderos y que contiene abundantes víveres, se encuentran abandonadas desde el día del atentado. La isla sólo está habitada, en el momento que la visitamos, por millares de pájaros; entre ellos, predominan los *Haliaeus Carunculatus, Larus dominicanus* y los *Haematopus palliatus*. A excepción de los pingüinos, cuyas formas no les permiten trepar esas paredes abruptas, todas las especies aladas que habitan las costas del mar antártico se dan cita bulliciosa en este paraje. Esta isla puede contener aun dos mil quinientas toneladas de guano.

Bajo la capa de esta materia, encuentro una estrata gruesa hasta de dos metros que contiene innumerables moluscos marinos petrificados, pero que parecen más modernos que los que se recogen en las barrancas del Santa Cruz. Predominan los *Mactra Venus, Terebratula, Fusus y Voluta.* En este último género, me llama la atención encontrar una especie casi idéntica a la *Voluta brasiliana*, que no he recogido hasta ahora, fósil, al sur del Chubut y que predomina en los bancos modernos de la costa oceánica entre Buenos Aires y Bahía Blanca; los moluscos de especies actualmente vivas son muy abundantes en esta capa. El mismo depósito se ve en las barrancas a pico, inmediatas, de las cuales sólo está separada la isla 50 metros; sobre la superficie del suelo vuelvo a encontrar momentos después las mismas especies.[1]

No dudo que su presencia aquí sea el signo de un levantamiento en tiempos no muy lejanos, pero el cual no ha sido el agente que ha separado la isla de la tierra firme, pues ésta no muestra ninguna alteración ni diferencia en su estratificación horizontal.

El embate continuo de las poderosas olas durante las tempestades, sobre todo cuando éstas coinciden con las grandes mareas, ha motivado este fenómeno, y los grandes fragmentos de roca que han quedado en el espacio comprendido entre ambas murallas semejan enormes cubos, trabajos de cantería, restos de una construcción ciplópea destruida, entre los que crecen algas y bajo los cuales se ampara más de una población marina.

La playa de este triste pedazo de costa es interesante para el estudio de la fauna inferior marina, modesta en sus manifestaciones exteriores pero bien digna de simpatía. La examino un momento: en sus frías arenas, veo brotar puntos negros aterciopelados; me enseñan colonias de *Mytilus* que buscan el engrandecimiento en su mutua protección. Desde el infinitamente pequeño ejemplar, con su cáscara clara como el cristal, endeble casi como una burbuja de agua, hasta el macizo y anciano animal que mide diez centímetros de largo y que me lastima los pies con sus bordes

---

1 En el segundo tomo de este libro, que debe contener los resultados científicos de mi viaje, hallará el lector más detalles sobre estos objetos. (N. de E. Este libro nunca fué publicado.)

filosos, tapizan la verde–parda superficie. Si observo un momento cualquier rincón de arena, veo que parece agitarse y formarse un pequeño cráter; es un cangrejo (*Halicarcinicus planatus*) que sacude su pereza y que despierta a la luz del día. Una chapa limosa se anima; la recojo en la mano, la invierto, me admiro al ver viviente una forma que me recuerda el inmensamente antiguo trilobita, el tranquilo habitante de la Tierra en las épocas de sus grandes convulsiones; tengo al *Serolis Orbignyanus*, pequeño crustáceo actual en el que persisten algunas de las formas del crustáceo secundario. Donde en un principio no había visto sino desierto, veo maravillas tras maravillas; cada piedra movida me revela organismos distintos y, aunque no con la lujosa variedad del trópico, todo aquí está labrado por la vida inferior, esa vida vegetativa que lucha contra todo y que, con su exuberancia, sobrepuja los destrozos de los elementos que la combaten.

Entre las guirnaldas de algas, encuentro prisionera una *Acanthia*, o pescado–perro, semejante a un tiburón pequeño, animal que abunda mucho en estas regiones y que más de un vez he tomado con el anzuelo.

Inmediata a la isla en las barrancas que limitan la costa, al nivel de la playa, encontramos una caverna curiosa en cuya entrada han grabado sus nombres los marinos que visitaron esta bóveda natural; los imito, dejo mis iniciales y a caballo penetro en ella por un pasadizo largo de unos ocho metros. En el interior, una pieza de más o menos doce metros de ancho, casi circular, de techo elevado de cuatro metros y abovedado, constituye la caverna que está enlosada con grandes fragmentos de arenisca endurecida.

La luz sólo penetra por la entrada, así es que se goza adentro de una agradable penumbra, y donde, si en un principio la transición desde la claridad fuerte del día enceguece y no permite distinguir nada, pronto aparecen definidos sus suaves contornos. ¡Qué interesante monumento

natural! Esa oscuridad es fecunda; una hermosa tapicería
cubre sus paredes, donde las mareas dejan diariamente
señales de sus caricias, y en las que depositan la vida que
traen en finísimas cintas de colores que varían del verde al
azul morado. Todo tiene el vello del terciopelo, barniz
viviente, producto de animalículos microscópicos o pequeñas plantas. Las *Patellas*, las *Siphonarias* adheridas a
ellas, las matizan y los *Balanus*, hermosos cirripedios de
rosadas cáscaras que, al sentirse tocados por el que profana
ese santuario de vida infinita, se esconden bajo su coraza
calcárea, parecen que cuchichean al lanzar columnitas de
agua. Permanezco un momento silencioso y creo escuchar
voces extrañas, pero armoniosas. Todo parece animado de
vida, de todos lados veo formas a cual más curiosa; un
elegante pólipo de la familia de las *Zoantarias* pende del
techo con cinco preciosos badajos violeta, llenos de burbujas de aire que parecen diamantes; entre las piedras planas del piso, encuentro algunas rojas y pequeñas holoturias que ha dejado el mar, entre algunas *Boltenias* y *Ascidias*
(cynthia). Compadezco a una herida y purpúrea *Eolis* mal-
tratada por el choque del agua. Diminutas *Asterias* verdosas, rosados *Ursinus* y grandes *Afroditas*, cuyos pelos
irradian a pesar de la poca luz que penetra, se encuentran
entre las piedras, donde se ven humildes, unas veces plegadas, otras ostentando todo su lujo de vivo colorido, una
sanguínea anémona de mar, la flor viva. Estos seres viven
aquí, gozando de este precioso refugio, habitados por los
espíritus que agitan el mar según opinión de los indios,
que han oído tronar las olas de una manera espantosa
dentro de la mágica vivienda, en los días de tempestad.

Volvemos a subir la barranca y almorzamos unos fragmentos de un guanaco que García ha boleado esta mañana
y nos dividimos un huevo de avestruz que hemos salvado
de las mandíbulas de los zorros. Descansamos en una pequeña siesta, en el paraje donde dos años antes había
hecho lo mismo.

Algunos cuchillos de piedra y gran número de *Patellas* destruidas indican que este paraje ha sido también, en tiempos anteriores, paradero temporario de indios, cuando los manantiales vecinos no se habían agotado. Nosotros, para nuestro almuerzo tenemos que contentarnos con el agua que se ha depositado en una pequeña cavidad hecha por los guanacos al revolcarse. De esta agua tienen que beber, antes que nosotros, los caballos, quienes no lo hubieran hecho después de enturbiada, lo que es casi imposible, a no convertirla en barro. Tres calderas o tres litros es todo lo que conseguimos para el mate y el té.

A la tarde retrocedemos y pasamos inmediatos al fogón que ha dejado la guardia puesta por los chilenos para cuidar lo que ha quedado abandonado aquí, después del apresamiento de la Jeanne Amélie. El camino que seguimos es mucho más fácil y más agreste que el que hemos hecho esta mañana; los cerros son algo más elevados, sus flancos unas veces más desnudos, salvajes, otras más verdosos, proporcionan interesantes contrastes, y las sombras de la tarde que llegan y que van cubriendo las cañadas les dan un aspecto más característico de soledad. Acampamos en un pequeño bajo rodeado de preciosas colinas y donde el pasto es abundante; unos pozos de agua, aunque algo salobre, nos han invitado a hacerlo aquí, después de haber buscado en otros puntos parecidos un rincón donde los mosquitos no fueran tan numerosos. Antes de entrarse totalmente el sol, obtenemos, con el revólver, un hermoso guanaco que se había empecinado en vigilar nuestros movimientos; es destinado para servir de provisión fresca en la isla Pavón.

El cielo vuelve a presentar la misma apariencia sospechosa que en la tarde de ayer; gruesas nubes se amontonan sobre nuestro profundo vivac, por lo que inmediatamente después de asegurar los caballos de manera que los pumas, los zorros o los mosquitos, que abundan aquí, no los hagan alejar y nos dejen a pie, tomamos serias disposiciones para la noche. Cada uno elige una mata de incienso, la despoja de algunas de sus ramas inferiores y limpia de espinas el suelo, y tiende su recado sobre las pequeñas piedras; dejamos los quillangos amarrados a las ramas del espinoso arbusto para que en caso de lluvia sirvan de carpas.

Éste es el último día del año de 1876 y lo festejamos dignamente con un magnífico asado de guanaco y un buen jarro de té indígena muy agradable (para estas regiones), hecho con hojas de la olorosa *Verónica elliptica*. Después de combinar el plan de campaña para mañana, cada uno se retira a su "dormitorio".

En el trascurso del año, no nos preocupamos del tiempo que se aleja con los días. Sólo recordamos los que dan motivos, según los sucesos que en ellos se desarrollan, sin fijarnos en el papel que han desempeñado en esa parte de nuestra existencia. Pero llega el último, igual en su esencia a los demás, y un impulso que no se explica nos lleva involuntariamente a hacer el examen del año que concluye en esas pocas horas que van a agregar uno más al número de los que se han extinguido.

Los despreocupados no ven en esto sino el cumplimiento de una de las leyes fatales, la evolución del tiempo, en un plazo imaginado por el hombre, apoyado en su ciencia. Un año para ellos sólo es una medida de tiempo, medida astronómica, tomada de la división del eterno movimiento del cuerpo celeste que habitan; el tiempo, sin principio ni fin, no implica nada más para ellos. Pero el que observa, el que piensa, ve algo de muy solemne en esos últimos instantes; analiza esos días aparentemente llegados y pasados sin dejar ningún rastro, y encuentra tiempo ganado o perdido, consuelo o desconsuelo, y obtiene con ese examen provechosas lecciones para los venideros.

Raros son los días de esta clase que he pasado lejos de las personas que quiero. Mis pocos años han transcurrido en el seno de mi familia, hasta que mis inclinaciones me han alejado de ese centro, y lejos, en estas soledades australes, acaricio recuerdos.

Me aparto del campamento; la impaciencia nerviosa que me producen ellos no me permite el descanso. Además, el espíritu sibarita desea hallarse solo en sus digresiones intelectuales, y hasta el poco movimiento que se nota aquí me molesta. Los ronquidos de mis dos compañeros que tengo vecinos, el zumbido de los mosquitos que reinan en los pozos, y los enérgicos ladridos de los perros, cuyo delicado olfato percibe las emanaciones de los zorros o de los pumas, tampoco son a propósito para producir la calma intelectual.

La claridad de la noche, pues la tormenta prevista se ha disuelto, me incita, y envuelto en mi quillango trepo al cerro inmediato y más elevado de los alrededores, que domina la región. Desde él se abraza el panorama del cielo, del continente y del océano. Es el modo más digno de principiar un nuevo año, corta etapa de nuestra vida.

Aquí, el viajero, dominando esas inmensidades, goza y saluda en este lejano rincón su feliz estrella que le permite agregar uno más, quizás no infructuoso del todo, a los años que, juntos, deben completar su evolución física y moral. Todo está sereno; el disco de la luna, llena hoy, se eleva grandioso sobre el gran océano, al que ilumina con sus fuegos de luces plateadas; allí, las aguas tranquilas, oscuras, al ondular parecen estremecerse con esas brillantes y suaves caricias. La calma y el silencio reina también en la alta meseta; uno que otro grito de águila o de cóndor desvelado lo rompe, y en el bajo se apagan ya los últimos fulgores de la hoguera a cuyo alrededor negras sombras diseñan los compañeros que duermen y los perros que velan atentos. En lo alto, un bello cielo, claro, estrellado, permite extasiar la vista en el encantador paisaje de los mundos del firmamento. Éstos no tienen aquí la suavidad de luces que agrada a la voluptuosidad

de los habitantes de los trópicos; por el contrario, cente-
llean con viveza.

El espectáculo es espléndidamente bello, pero triste;
predispone a la contemplación de la naturaleza y arrastra
hacia ella el pensamiento. Éste se siente libre aquí; la
noche, al extender su velo sobre esta porción de tierra, ha
rasgado el que la ocultaba; durante el día, la vida animal lo
ha absorbido todo, el bullicio del trabajo lo ha contenido,
pero en estas horas de soledad, cuando creemos que la
naturaleza terrestre duerme, cuando parece que sólo los
cuerpos celestes son los que velan siguiendo su inmutable
carrera, el espíritu despierta, se diría que se desprende y se
siente conmovido. Ante las sublimes manifestaciones de la
creación, que el hombre mira en lo alto, créense escuchar
voces que le revelan vida en esas otras tierras, y los recuerdos que ese espectáculo desarrolla en su alma se agol-
pan y llegan a ser tan innumerables como los puntos
luminosos que irradian alrededor de los grandes grupos
estelares, núcleos de mundos. Aquí los sentidos se desli-
gan de las impresiones materiales que causa un ser definido cuyos límites conoce. Al dirigirme a este cerro, sólo
llevaba la idea del análisis de mi año concluido; pero
nosotros ignoramos casi siempre lo que buscamos, nada
rige nuestra mente caprichosa y, a la primera intención del
examen de mi vida, se sucede aquí ante este panorama, la
admiración por lo infinito. Abandono mi revista humana
para contemplar el espectáculo del universo que lo hace
olvidar todo. El sentimiento del infinito es el mayor don
que la naturaleza ha podido hacer a su mejor obra.

Al principio todo me confunde; reina el caos en mi ser,
lo produce la violenta transición que he experimentado
trasladándome desde mí mismo, y de los míos, hasta el
Todo donde modestamente evolucionamos. No encuentro
palabras con qué expresar lo que pasa en mi interior; esa
sensación ha abatido mi espíritu, que fluctúa. Hay gran
vaguedad en las sensaciones de este momento y en él las

ideas se chocan, se anonadan, pero ni siquiera se bosquejan. No dejan impresión en el cerebro, se borran con la misma facilidad que se estampan y no dan tiempo a transformarlas en palabras. No me permiten decir lo que pienso.

Es necesario descansar y esperar que de las tinieblas intelectuales brote siquiera vaga luz y que la calma suceda a la exaltación mental que produce a esta hora la soledad de la meseta patagónica. La intensidad luminosa de los astros llega por fin al espíritu, que despierta, y el infinito del pensamiento trata de igualarse al infinito del tiempo y del espacio, que en un principio lo abruma.

Lo mismo que ciertas nebulosas son embriones de mundos, esta situación del alma que ha pasado es la sustancia caótica del espíritu, es el embrión del pensamiento.

Sin esos puntos casi indefinidos no habría armonía en el espacio sideral; sin ellos el equilibrio universal se resentiría; lo mismo sucede con las ideas: sin las irreductibles que flotan sin fijarse en el cerebro no se llegaría a las que se graban en él y se comprenden. Todo necesita combinarse, eslabonarse; las nebulosas son la base de los mundos, la ameba preparó el camino al hombre. Las mismas leyes que rigen los cuerpos celestes y los animales que en ellos viven, rigen el espíritu humano; todo responde a la sublime ley de la armonía. El mismo génesis, la misma evolución que rige la materia, rige la inteligencia. Sin el desarrollo gradual del cerebro no se explica el desarrollo gradual del pensamiento, ni puede negarse la influencia de éste sobre aquél. La fuerza que lo engendra condensa todas las de la naturaleza; éstas, múltiples en sus manifestaciones, se unifican en el genio...

¡Fantaseo sugerido por el espectáculo que tengo presente! El brillo de los astros del cielo austral que en la gigante faja celeste se aglomeran, no al capricho, sino donde deben estar, es tal que parece que sus luces chispeantes se reflejan y hacen inclinar la imaginación ante

esos soles incontaables, y entre los cuales el que nos da
vida es como un simple átomo de los que existen. Las
enormes manchas magallánicas resaltan en el fondo del firmamento; parecen alborotadas por las tempestades y traen
el recuerdo del gran navegante cuyo nombre inmortalizan,
cruzando los tenebrosos mares del sur.

Es imposible dejar de pagar tributo a la belleza y
variedad de este cielo, donde esas nubes, que se reúnen
para formar mundos, recuerdan las nebulosas del espíritu
humano afanándose por alcanzar la ciencia que debe darle
aliento. La espléndida Vía Láctea parece ronda gigante de
agradecidos genios que veneran la fecunda creación.
Nosotros, aquí abajo, pagamos también humilde tributo a
la naturaleza cuya esencia no nos explicamos, que nos es
desconocida y que, sin embargo, presentimos en todas las
manifestaciones de lo que vemos.

Ocupémonos ahora de nosotros mismos. El tiempo ha
ido transcurriendo en divagaciones y muchas de ellas irreductibles en palabras, como muchas de las nebulosas en
estrellas, y ha llegado el momento de pasar revista a mi año.

Cúmplese uno hoy, que no pagaba de esta misma
manera tributo a la naturaleza. Había llegado un día antes
a las tolderías, en las inmediaciones del Limay, en las
alturas donde el cielo cuando limpio, es también digno de
admiración. Allí tenía por telón grandioso los plateados picos de los Andes, las laderas de las sierras de *Tchilchiuama*,
de *Moncol*, y *Ya–la–ley curá*, y presenciaba al borde del torrente de *Caleufú*, cuyas aguas bulliciosas reflejan los
mismos astros que hoy admiro, la orgía más espantosa de
que pueda hacer mención.

Ese último día del año 1875 pudo ser el último de mi
vida. Era aquello el desenfreno más grande imaginable, la
borrachera horrorosa, el desenfreno más asqueroso reinaba
allí; los ultrajes más terribles se cruzaban entre más de cien
individuos, hombres y mujeres, que se habían convertido
en monstruos. Las antiguas saturnales habrían perdido su

fama ante esta escena, a ser ella conocida. Allí, a la lumbre de hogueras siniestras que desde su centro alumbraban el gran toldo, convertido en infierno, y donde se quemaban repugnantes desperdicios, las armas, escondidas momentos antes, relucían empuñadas por salvajes de melenas sueltas, de cuerpos bronceados, casi desnudos y de ojos chispeantes por la influencia del aguardiente que había despertado el rencor al cristiano. Los gritos de los borrachos, los alaridos de los guerreros enfurecidos, los quejidos de los maltratados, los recuerdos de trágicos dramas relatados con feroz alegría, prometiéndose renovarlos, se escuchaban entre el ruido producido por la lucha de los hombres con las mujeres, quienes, con los quillangos hechos jirones los primeros, con las mantas caídas las segundas, y más lascivas por los incitantes alcohólicos, se disputaban entre ellos. Las escenas de pugilato feroz, o las *loncoteadas* (arrancadas de trenzas) tenían lugar en medio de la sangre y despojos de animales recién muertos y entre los chillidos de los chiquillos y de los perros.

Allí, presenciando ese espectáculo, el viajero recordaba la familia y las personas queridas que en esos momentos quizás pensaban en él; aquello era un antítesis formidable a la tranquilidad del hogar lejano, y también al día de hoy en que tranquilo lo recuerdo en la meseta.

La ambición de no se qué, el vértigo de lo desconocido, me tienen vagando en estas regiones y me hago un placer en evocar reminiscencias que, si bien no me alegran, me dan mayor fortaleza de ánimo para lo venidero. Que la nueva cruzada que voy a emprender me sea provechosa, es lo que deseo.

Enero 1° de 1877: La oscuridad del firmamento disminuye, anunciando la aparición del nuevo día, cuando bajo a descansar a mi sencillo lecho.

Horas después, enseguida de desearnos, casi a un mismo tiempo, "un buen año" para los que queremos y para nosotros, nos ponemos en camino.

El rumbo es recto al oeste, dirección siempre deseada por mí; adelantamos por entre las colinas que en las cartas geográficas figuran con el nombre de Cadena del león. El sol ya alumbra y la naturaleza se anima; vuelven los avestruces y los guanacos a vagar en tropas; con el calor de la mañana, que promete un mediodía ardiente, aparecen numerosos insectos. Los lagartos del genero *protoctretus* cruzan por todos lados. Todos los insectos que veo pertenecen a especies distintas de los de la Patagonia septentrional. Los *Rincophoros* parduscos abundan en los grandes depósitos de estiércol de los guanacos, donde recojo también algunos *Plast. depressa*.

Algunas especies de *Nyctelia* (*N. Fitz–Royi, N. Darwinii, N. var. Bremei*) pueden juntarse aquí por millares, sobre todo las dos primeras, y hacemos buena cosecha.

Varios lepidópteros he recogido en el día de ayer y hoy; el más abundante es el *Colias Lesbia* que abunda tanto en Buenos Aires y que aquí vuela en torno nuestro cuando pasamos por un sitio abrigado. Son escasas las dos pieris (*P. Demodice, P. Microdice*) y la pequeña *Euclidia tehuelcha* (Berg); la *Cerostoma crispulella*, de color oscuro, se la ve raras veces a causa de su reducido tamaño; en cambio, una *Gelechia* (*G. ferella*), microlepidóptero gris amarillento, descripto por Berg, es abundantísima.

Consigo también un ejemplar del *Satyrus Morania*.

Anoche he recogido muchos *Tribostethes villosus* que volaban alrededor del fogón; son bonitos, de color caoba pulida y con un sedoso vello en sus costados; y hoy aumento la colección entomológica con algunos negros *Epipenodata* (*E. lata, tricostata*) que son muy abundantes, lo mismo que el *Cardiophthalmus clivinoides*, de lustroso cuerpo. Obtengo también dos *Emallodera* (*E. ebesina*) y varias curculionides, y sobre todo el *Cylindrorhinus angulatus* que es muy común.

A mediodía cruzamos una meseta llana elevada desde la cual se distinguían los cerros lejanos de río Chico y donde disparan inmensas tropillas de guanacos. Una de ellas cuenta quizás más de quinientos individuos. Muchas lagunitas preciosas abundan en bandurrias (*Ibis melanops*), flamencos (*Phoenicorpterus ignipalliatus*) y espátulas rosadas (*Spatula platalea*) que viven en tranquila sociedad con numerosos patos. Los hacemos volar para deleitarnos con la belleza y variedad del plumaje que ostentan sus cuerpos al alejarse.

Almorzamos en un profundo y árido cañadón, al resguardo de un incienso cubierto casi completamente de *Usnea barbata*; presenta una apariencia de vejez decrépita, al borde de una 'zanja donde encontramos agua potable. Dormimos la siesta y volvemos a ascender la segunda meseta dejando ya las dos altas que forman la gran planicie. Este cañadón o quebrada es muy profundo: al este lo forman los descensos de cuatro escalones y corresponde, con pequeña diferencia, al nivel del valle por el cual corre el Santa Cruz.

Corremos innumerables guanacos, chicos y grandes, y cogemos tres pequeños; a la caída del día, cuando los cerros se entristecen, llegamos satisfechos a la isla Pavón donde desde lejos divisamos banderas nacionales izadas en festejo del día.

Nos reunimos aquí todos los que componemos la colonia y hasta muy avanzada la noche nos entretiene el acordeón, la guitarra y los dos organitos que he traído para los indios. El Himno Nacional, tocado por el señor Dufour, es escuchado por todos con recogimiento; los aires gauchescos y las alegres cuadrillas de la Belle Hélène y de la Fille de Mme. Angot nos alegran el alma, que no toma nota de seis distintos aires alemanes que o son de música clásica o son tan incomprensibles que sus melodías no causan gran impresión a nuestros oídos poco musicales.

Una visita a los indios patagones. Excursión a Shehuen–Aiken. La toldería. Vista de los Andes.

nero 2: Habiéndose señalado humos al oeste, enviamos a Isidoro al encuentro de los indígenas, que emplean este telégrafo primitivo para anunciar su aproximación a las habitaciones de los cristianos.

Llegan a media tarde. La comitiva la componen cuatro indios que vienen acompañando a la china María, esposa del cacique *Conchingan,* cuyos toldos están clavados en el valle de *Shehuen,* inmediato al del Río Chico. Desean cambiar algunos quillangos y una pequeña cantidad de plumas de avestruz, por azúcar, yerba, galleta y, sobre todo, por aguardiente, el cual están deseosos de beber.

No pueden llegar en mejor oportunidad. Mi intención es salir a buscar a los tehuelches por los alrededores de San Julián, creyéndolos aún en ese paraje, adonde comúnmente algunas tribus se dirigen en el invierno, demorándose allí hasta que comienza la parición de los guanacos.

Es necesario recibir a estos hijos de la pampa con la solemnidad debida para atenuar con cierta apariencia pomposa el desdén que pueden sentir por el insignificante personal de la expedición, destinada a cruzar los territorios donde ellos vagan como únicos dueños. La bandera se iza; los marineros visten su traje de gala; Moyano se coloca su uniforme y la espada, y yo no tengo más remedio que revestirme de un sobretodo que he adornado con botones dorados y galones y que reservo para ocasiones solemnes. El indio es amigo del aparato y las pobres pompas que nos es dado ostentar pueden contribuir en algo al respeto de nuestra misión por parte de ellos.

Como sea necesario un título que equilibre siquiera al de cacique, adopto el de comandante.

Tenemos una larga conferencia con María, quien habla algo el español por haber vivido durante algún tiempo en las inmediaciones del Río Negro y frecuentado la colonia de Punta Arenas, los dos extremos del territorio patagónico.

María, aunque esposa de un patagón, no es de la misma raza; es pampa, gennacken. Aunque sus facciones no tienen nada de agradables, su modo de expresarse y el amor que demuestra tener por sus hijos, sobre todo por *Shelsom*, su hija mayor, para quien reservo en una bolsita de cuero unas galletitas de Bagley y unas pasas de higo que le doy, disponen bien el ánimo y auguran buen acogida en el kau de su marido, el jefe de los hospitalarios habitantes de *Shehuen–Aiken*. Nada más plácido, relativamente, que la sonrisa de la buena india cuando le muestro las ilustraciones del libro de Musters y le refiero lo que dice de sus amigos los tehuelches. La muerte del valiente Castro, en las alturas del río Chico, las penalidades del invierno, la caza de toros salvajes y tantos otros cuadros de la vida nómada en esas regiones trazados por la pluma del explorador inglés, aunque abreviados por mí, son fielmente traducidas por María a sus compañeros, que no comprenden el español. Ella ha conocido a Musters y lo recuerda perfectamente; me dice: "Musters mucho frío tenía; muy bueno pobre Musters". Las penalidades que este valiente marino sufrió, y que aumentan el valor de su excelente relato del viaje, fueron más tarde materia de largas conversaciones.

Los lagos, las montañas y los campos del interior del país, los ríos que hay allí, y la posibilidad de visitarlos, es el principal objeto de la conferencia; como es satisfactorio el resultado propóngoles alquilarles caballos para mi expedición con la condición de que iré personalmente a buscarlos a sus toldos. La noticia de que voy a subir en bote el Santa Cruz, no les parece creíble.

"Si corre mucho, pues; si hay muchas piedras, pues", son generalmente las contestación de María a cada pregunta sobre las condiciones aparentes de las márgenes del río para costearlo hasta las "aguas grandes" o lagos.

María me ha hecho regalo de un quillango, formado de cueros de avestruz, y en cambio le he dado dos mantas de bayeta punzó que le agradan sobremanera, quedando así sellada nuestra amistad que debe ponerse más de una vez a prueba en el transcurso de este viaje. Igual obsequio hago a los demás indios, conquistando así su voluntad para cuando tenga lugar la medición de sus macizos cuerpos, operación que es uno de los motivos de mi viaje.

Uno de ellos, el anciano *Haikokelteish*, verdadero tehuelche bronceado, de formas atléticas y de elevada estatura, recuerda cuando había españoles en San Julián; me dice que conoció a los cristianos que fueron al "Agua Grande", es decir, a Viedma. Cuenta, pues, más de un siglo, que sin embargo no lo doblega. En la indiada tiene fama de loco, lo cual puede ser debido a los viejos acontecimientos que relata como habiéndolos presenciado, y que los demás indios, más jóvenes, no creen verosímiles.

Gennayo, también tehuelche puro, es otro de los acompañantes de María y aun cuando sólo representa 25 años, más o menos, tiene una pereza tal que cuando les propongo medirlos es el que opone mayores obstáculos. Quiere dormir porque está muy cansado; al preguntarle de qué, contesta: "¡No hacer nada, pues!". La apatía vence al tehuelche.

El tercero de los indios es uno de los hijos de María, *Gencho* de nombre. El cuarto es un mestizo tehuelche y fueguino, conocido por *Chesko* o Juan Caballero, indio ladino que servía de intérprete a Piedrabuena en sus viajes a la Tierra del Fuego.

Enero 3: Es excusado decir lo que sigue a la venta de los productos indios y a la compra de los productos cristianos. La borrachera dura hasta el día de hoy, en que emprenden los indios el regreso a sus toldos.

Enero 5: Temprano cruzamos el río, Moyano, García, Isidoro y yo, en dirección al campamento tehuelche. Después de galopar por una planicie abundante en arbustos, ascendemos la meseta con rumbo hacia el NO. Encontramos varias lagunas con agua dulce, pero no permanentes, por ser muy pequeñas.

El paisaje es el mismo que en el lado del este que ya he descripto. Desde el río se distinguen con claridad cinco escalones que son otras tantas mesetas.

A diez millas encontramos un gran bajo que probablemente comunica con la quebrada mencionada; en él abundan depósitos salinos; vemos algunas aguadas permanentes y potables. Muchos fragmentos de yeso, ostras y turritelas revelan la formación geológica del terreno. El análisis siguiente corresponde a una de las materias salinas que recogí allí:

Agua	17,00
Sulfato de magnesia	34,05
Cloruro de sodio	31,67
Sulfato de sodio	17,28
	100,00

El análisis ha sido practicado por mi amigo el Dr. Pedro N. Arata, y da la composición de lo que se denomina pomposamente nitreras de la Patagonia, en cuya explotación los ilusos pueden encontrar la ruina en vez de fortuna.

Más al norte de este bajo, subiendo nuevamente a la meseta, encontramos malísimos campos cubiertos de cascajo y arbustos pequeños. En ciertos parajes engaña el verde del orozú; después de buscar largo tiempo un paradero aparente, tenemos que acampar al lado de un pozo de agua salobre donde una nube de mosquitos nos incomoda cruelmente, no teniendo cómo impedir que esas pequeñas fieras nos piquen a nosotros y a nuestros pobres caballos que tratan de huir desesperados. Como se ve, poco halagador es el paisaje de este día: la aridez, la falta de agua buena y los enemigos mencionados hacen que ofrezca pocos alicientes al caminante. Este trayecto lo hemos hecho en un día en extremo caluroso.

Enero 6: Al salir el sol continuamos con rumbo al ONO por campos mejores donde la vegetación es más abundante y el terreno mucho más ondulado y pintoresco.

Algunas veces nos cortan el paso profundos zanjones que dan interés al paisaje y hacen prever un próximo descenso de la meseta pocas horas después divisamos un extenso valle que se dirige al oeste. Es una región de gran tristeza, vista desde lejos. La perspectiva al norte es completamente desolada: tiene por fondo las lejanas mesetas situadas del otro lado del río Chico, que se distingue apenas entre la desnuda pampa.

El extenso valle presenta aspecto más agradable, se ven inmensos manchones verdes alrededor de una laguna bastante importante formada por las aguas de un río que desciende por el centro del valle y que luego se une al río Chico, que se desliza viniendo del NO por entre las mesetas, formando en su conjunción una hermosa isla, en cuyo extremo este los dos se enlazan y se unen para correr en un solo brazo en dirección a la bahía de Santa Cruz, costeando el pie de la meseta. Hemos descendido ésta unas quince millas, siguiendo los rastros de los indios, por malos campos y galopando siempre al oeste hasta llegar al río. Éste es indudablemente el río Chalia del cual se ocupa Viedma en su diario al relatar su interesante visita al lago que desde entonces lleva su nombre.

Como se sabe, Viedma salió de San Julián en dirección al oeste, lo que le hizo cruzar primeramente el río Chico y, después de entrar en otra pampa, llegar a un río llamado Chalia que no pudo vadear allí por su mucho fondo. De la relación de ese trayecto se desprende que el arroyo donde acabo de acampar es el Chalia que no pudo examinar ni distinguir Musters, quien llevó su camino más al este del paraje donde se unen los ríos; es decir, en el punto que los indios nombran *Corpe*, más al este de *Cayick*, y que algunas veces les sirve de cuarteles de invierno.

Musters es quien está equivocado al decir que Viedma cruzó dos veces el río Chico, tomándolo luego por dos ríos distintos.

En el punto donde paramos, tiene el río de cuatro a diez metros de ancho por algo más de medio de profundidad. Su corriente es aquí de cuatro millas por hora, más o menos.

Habiendo boleado García un guanaco, almorzamos en este punto; después de dormir una corta siesta, volvemos a caminar a las tres de la tarde. Dejamos a nuestra izquierda la roca que llama Viedma Quesanexes y que no es otra cosa que un fragmento de meseta que se desmorona lentamente, pero que tiene una vista bastante interesante, como se puede juzgar por el dibujo adjunto, para llamar la atención del viajero aburrido de la monotonía del paisaje general.

A medida que adelantamos hacia los Andes, el terreno mejora; lo notamos en las diez millas que recorremos esta tarde, porque ya grandes extensiones están totalmente cubiertas de cantos rodados y algunos de éstos alcanzan un pie de diámetro. Puede juzgarse por ellos qué torrente inmenso tendría por cauce este valle, en tiempos no muy remotos, cuando esas piedras rodaban como hoy ruedan las arenas en el rápido curso que es su resto.

A la noche descansamos sobre un precioso césped al lado del agua, después de obtener para la cena algunos pichones de avutardas, que antes de completar su plumaje nadaban ya en el arroyo.

Enero 7: A mediodía distinguimos humos en el horizonte, y a poca distancia de una angostura, donde se acercan las dos barrancas de la meseta, divisamos grandes hogueras sobre las cuales se elevan densas espirales de humo negro: es la señal que hemos convenido con los indios para indicarnos sus tolderías.

Pocos momentos después, algunos de ellos vienen a recibirnos y a acompañarnos al paradero de *Shehuen*, donde una buena extensión de campo fértil, cubierto de excelentes manantiales proporciona a los nómadas patagones las comodidades exigidas por su casi ninguna ambición.

La sensación que experimenta el viajero cuando llega a una toldería de *ahonnekenkes* o tehuelches está lejos de ser la misma que siente ante el recibimiento solemne que se le hace en los aduares de los pehuenches y mapuches.

No hay aquí ninguna etiqueta previa que cumplir, ni siquiera es necesario el permiso para penetrar en el *kau* donde lo esperan curiosos los indígenas. La confianza que inspira la vista de ese tumulto, que lo mira con asombro, es más o menos la misma que se tiene cuando se llega a un rancho de gauchos boleadores, en los puntos apartados de la pampa porteña: en uno y otro punto, todo es del viajero con tal que se acomode a las escasas comodidades de que en ambos se goza.

Las grandes juntas de guerra, en las que el explorador debe exponer el objeto que le lleva a las regiones donde el pehuelche o el mapuche es rey, no intervienen para nada en el recibimiento que se le hace en el humilde toldo del bondadoso patagón. No encuentro aquí esa fuerza de carácter guerrero, de que hace ostentación el habitante de las regiones del Limay. Sin embargo, el patagón no es menos valiente y defensor de su soberanía, como lo atestiguan las relaciones de combates que, en las veladas, cuentan los guerreros de todas esas tribus, y en las que muchas veces la peor parte no la han llevado los tehuelches.

Éstos son exaltados en la guerra, pero en la paz no creo que haya salvaje en el mundo más tratable, sin tener en manera alguna la susceptibilidad de carácter del belicoso araucano o pampa.

Este día de mi llegada a *Shehuen*, se cumple un año del imponente parlamento de *Quem–quem–treu*, del cual ya he hablado. La comparación de las impresiones experimentadas en ambos me hace apreciar más el recibimiento que ha tenido mi reducida comitiva en los toldos agrupados alrededor de la familia de *Conchingan*.

La alegría que es dado demostrar a un salvaje, en medio de la barbarie en que transcurre su vida, no deja de dar hospitalidad, sin restricción alguna, al civilizado que lo visita en su hogar primitivo; es muy diferente de la cruel desconfianza con que al principio se le trata en las regiones donde la vecindad y la lucha continua de distintas razas hace nacer la ambición y el deseo de predominio.

Mi anhelo de varios años se satisface con mi llegada a *Shehuen*. Me siento dichoso penetrando en la vida íntima del legendario patagón: voy a estudiarlo en su misma patria, en toda su libertad, vagando en la árida meseta o cazando en las llanuras. Lejos de la civilización, viviendo en las crudas asperezas de las tierras australes, el tehuelche, libre del contacto con el blanco que ahora va a examinarlo, no es el mismo que vemos en las ciudades: queda anonadado cuando se lo transporta bruscamente desde la región donde es desconocida la ambición y los vicios de la cultura, al medio europeo. En éste, un modo distinto de vida, otras costumbres y otras necesidades, le hacen perder, aun cuando más no sea que en apariencia, su fisonomía de hombre de la naturaleza, sin lograr ninguno de los disfraces con que nos reviste nuestra industria.

El único modo de comprender la vida primitiva, quienes estudiamos el remoto pasado del hombre, es admirarlo y observarlo en sus primeras impresiones que en la Patagonia, como en Africa y en otras partes, reflejan la infancia de la humanidad.

Su industria, apenas en bosquejo, hace resaltar los grandiosos adelantos de nuestro siglo, y el espíritu investigador del viajero se retempla al poder recorrerlos en un instante y comparar el casi desnudo tehuelche, armado algunas veces del cuchillo y del rascador de piedra, consigo mismo, munido de la brújula y del sextante. ¡Cuánta compensación encuentran así sus esfuerzos! Sin verdaderos sufrimientos, se transporta realmente desde el refinamiento de la civilización y de la ciencia, a los tiempos fósiles. En el transcurso de dos meses el viajero puede recorrer palpablemente 200.000 años y puede ver a su abuelo armado unas veces de una filosa piedra, disputando su alimento a las fieras, y otras, combatiéndolas con las armas de acero que su nieto, llevado por la fuerza irresistible del progreso, ha conseguido fraguar, metamorfoseando, con la evolución de su inteligencia, el cuchillo o la flecha de sílex.

Apenas desmontado del caballo, María me condujo a un pequeño toldo que, con el objeto de hospedarnos, había preparado con cueros y ramas inmediato al de su marido. Esta precaución la agradezco debidamente, pues, si bien la vista de él tiene poco de halagadora, indica por lo menos el deseo de festejarnos proporcionándonos comodidades y lugar donde los recados y los objetos traídos para obsequios puedan conservarse, lejos de la mano de los chiquillos. Éstos se encargan siempre de aligerar en la mayor escala posible el equipaje del caminante.

La perspectiva que tenemos de pasar algunos días en este toldo, no tiene nada de risueña, pues la limpieza es desconocida en la morada de estos indígenas; aconsejo a las personas de estómago débilmente constituido, que no intenten penetrar en ella. Aun cuando recién ha sido construido y los quillangos y cueros que sirven para asientos son nuevos, aquí hay algo de nauseabundo y el olfato no deja de ofenderse con las emanaciones que se desprenden de sus costados. Es imposible no sentir, después de transcurridos algunos minutos en esta tienda de pieles, ciertas sensaciones desagradables que al principio pueden creerse nerviosas o producidas por el desasosiego que trae consigo una marcha rápida en días calurosos; o fuerza es convencerse que ellas son los preludios de una invasión de asquerosos insectos que, por más cuidado que se tenga, atacarán indefectiblemente. Para mí, es el mayor atenuante del entusiasmo que puede apoderarse de uno cuando pasa la vida de un salvaje.

El jefe *Conchingan* se halla enfermo de una oftalmía purulenta que se ha declarado hoy, pero esto no obsta para que trate de agasajarnos de la mejor manera posible, después que le he hecho algunos regalos y prometido otros si consigue cumplir mis deseos.

Esta enfermedad que lo aqueja es muy común en los indios que habitan la Patagonia; en su desarrollo debe influir mucho la vida nómada que llevan, siempre expuestos a la intemperie, sufriendo las grandes humaredas de los incendios y sobre todo la irritación que sobreviene después de las grandes borracheras. Aun cuando los indios se bañan de vez en tarde, la suciedad de sus habitaciones es tal que bien puede ser la falta de higiene corporal su incentivo mayor. Esta enfermedad aquejó a toda la indiada que vivía en el toldo de *Shaihueque* luego que tuvo lugar una de las grandes orgías, y los únicos que no la padecimos fuimos mi asistente, uno de mis indios y yo, que no tomamos parte en ella. En los toldos de *Ñancucheuque*, sucedió igual cosa.

Conchingan me dice que le es muy agradable y honroso que un comandante haya llegado a su casa a visitarlo, y que puedo contar con su influencia para que los demás indios, que dependen de él, me alquilen los caballos necesarios para mi expedición. Por su parte siente, sin embargo, no poder hacer gran cosa en mi favor, pues su tropilla ha sufrido mucho en las boleadas que han tenido lugar estos días y está casi imposibilitada de prestar servicios.

Solo María y su pelado predilecto tienen dos caballos disponibles que quizás podríamos utilizar, en caso que el precio que ofrezcamos por su alquiler le convenga. Aconsejará, además, a otro indio amigo suyo que nos proporcione algunos, en las mismas condiciones.

Antes de principiar el trato, que es asunto importante ,pues el indio jamás está contento con lo que se le da considerándolo todo insuficiente, María quiere que almorcemos con ella, en lo que tengo que consentir aun cuando sé el suplicio gastronómico que me aguarda. En las tolderías no es bien mirado que el viajero consuma sus provisiones, cuando hay iguales en ellas; rehusando el ofrecimiento galante de la buena india la hubiera desagradado, porque no habría podido hacer efectivos los deberes que le impone la hospitalidad. Según ella, el guanaco que ha boleado García está flaco y lo da a los perros, sin pedirnos nuestro consentimiento.

Aun cuando se me tache de poco escrupuloso en las descripciones desagradables de algunas de las escenas de la vida en estas regiones, que mencionaré en el transcurso de este diario, no creo deber privar de sus detalles al lector curioso.

No suministrarán lectura amena, pero en cambio con ellos se formará una idea de las costumbres de los habitantes que visito en este viaje.

El recuerdo del almuerzo que voy a bosquejar me hará más tarde estremecer de repugnancia, pero confieso que esta mañana cuando tuvo lugar –tal vez porque comprendía qué pocos escrúpulos debía tener en la eleccion de los manjares ya que quería conquistarme la amistad del indígena–, visto el medio que me rodeaba, no pude sentir toda la repulsión que debí experimentar ante tal espectáculo sólo comparable al que el Dr. Kane presenció en la choza de nieve de los esquimales.

Chora, otra hija de María, colocó delante del toldo, sobre las brasas del fuego que se alimenta casi perpetuamente, un asador conteniendo un gran trozo de carne de caballo de apariencia espléndida y cuya vista era un deleite para indios y cristianos. María se encargó de hacer un puchero de avestruz en un tarro de pintura vacío que había destinado para olla.

El hambre, acostumbrada ya a no revelarse sino cuando hay con qué satisfacerla, principiaba a despertar ante el olor del asado, cuando los perros hambrientos, que hasta entonces habían permanecido a cierta distancia gozando de las emanaciones del futuro almuerzo y esperando impacientes que se les tiraran algunos huesos con que atenuar su apetito jamás satisfecho, se tomaron en pelea con los del toldo inmediato, con los que viven en enemistad continua, apurados por la necesidad. En la furia del combate voltearon asado y puchero que fueron a caer entre los desperdicios que rodean el fogón. Según parece, esta escena debe repetirse con frecuencia, porque apenas los indios hacen ademán de disgusto serio. Tres o cuatro huesos arrojados por los chiquillos, lejos de la perrada, aleja a ésta hasta el punto donde han caído, para continuar allí el combate, disputando la presa. Los encargados del almuerzo recogen los pedazos de carne y los colocan nuevamente en sus respectivos adminículos culinarios, después de limpiarlos con un asqueroso cuero de guanaco. Así se pierde la mitad del almuerzo.

Solo los pelados, esos perros de aspecto repulsivo que conocemos, fueron admitidos y se encargaron de "espumar" el puchero, con sus lenguas, lamiendo de cuando en cuando el asado, que en las brasas concluía de condimentarse; así se producía una escena, desagradable para un blanco, que pasa desapercibida ante el sucio dueño del toldo. ¡Pero esto no es todo! ¡El pelado preferido de María alterna las lamidas del asado con engullidas de piojos que las chinas se sacan para regalar con ese bocado exquisito (según ellas) al estimable faldero! Nada más asqueroso que las comidas de los tehuelches y más de una vez he tenido náuseas al presenciar tal espectáculo.

Nuestro círculo alrededor del asado se compone, además de los dueños del toldo y de sus hijos, del viejo *Kaikokelteish*, del gigante *Collohue*, de su mujer, una especie de bruja a quien le hemos dado el apodo de "la Silvestre" por el inmenso matorral que representa su cabellera, y *Zamba*, desgraciada india de aspecto repugnante por estar desfigurada por la carie sifilítica que le ha consumido la nariz. Según los indios, en su juventud había sido la china más bonita de la tribu, pero habiéndose quedado en una de las estadías en Carmen [de Patagones], había adquirido allí esa enfermedad.

Mientras no estuvo pronto el almuerzo, se entretuvo a nuestra vista en golpear un quillango con una varita, para cazar los asquerosos insectos que su buena vista le revela y que devora en gran cantidad y con la mayor naturalidad, mientras otras dos chinas, las viejas *Jonjonia* y *Chamenec–quihue* se espulgan mutuamente a mi lado, comiendo el resultado de las pesquisas hechas con detenimiento en las enmarañadas cabelleras.

¡Buen espectáculo para prepararse a almorzar!... pero los viajeros se acostumbran a todo y haciendo abstracción mental de los pelados, de la suciedad del toldo y sus habitantes, diré que el asado estaba bueno y que satisfizo nuestra hambre, ya poco exigente después de los paliativos que nos han proporcionado esas escenas.

A costa de empeños y regalos, puedo conseguir que María me alquile un caballo, por cierta cantidad de azúcar y yerba; pero tengo que solicitar del pelado, tan estimado por ella, y ya tan odiado por mí, su consentimiento, y esto con la mayor seriedad posible, que me ceda uno de los suyos.

No sé cómo comprende el perro la importancia del ruego, pero su propietaria asegura que accede con tal que se lo pague bien. Según ella, este pelado es muy rico, es dueño exclusivo de cuatro caballos, dos vacas y un toro, lo que constituye la mayor fortuna que hay en la tribu, pues en toda ella el ganado vacuno se compone de tres vacas, el citado toro y un ternero.

El alquiler de los otros caballos no se puede conseguir en el toldo de María, y tengo que ir a solicitarlo de los indios propietarios en sus respectivas chozas, pues así lo prescribe la etiqueta.

Para hacer esas visitas a los otros toldos hay que hacer un peligroso viaje, aunque el más cercano no dista dos metros del de *Conchingan*: el arribo a ellos es casi imposible sin serio peligro a causa de los perros centinelas, y tengo que envolverme en un quillango. De otra manera, los citados animales, que no conocen los deberes de la hospitalidad, hubieran dado pronto cuenta de mis pantorrillas. Trasformado en tehuelche de una manera tan exacta que mis enemigos no conocen el disfraz, consigo en el toldo de *Bera* (otro indio gigante) dos caballos más al mismo precio que los otros, pero es imposible obtener ninguno del mestizo *Tétao*, pues éste es en extremo desconfiado y opone el pretexto de que el bote es demasiado pesado y que quebrará el espinazo del caballo que lo cargue. No es posible hacerle comprender que los caballos son para remolcar el bote y no para llevarlo sobre el lomo.

En este toldo vive Juan Caballero con su novia la china *Losha*, joven, viva y coqueta en extremo que tiene trastornado al pobre fueguino.

Hay alguien que dice que el amor es casi desconocido en el salvaje; no trato ahora de probar si esa aseveración es exacta o no, pero Juan ya está medio civilizado, ha visitado Buenos Aires y, sin embargo, prefiere *Losha* a las porteñas. Esto no pasa de ser una opinión de salvaje.

Desgraciadamente para él, los padres de ella conocen la belleza de su hija y la consideran, con fundamento, la más hermosa *ahonnecke* que habita estos toldos, y los vehementes deseos del pobre enamorado chocan contra el gran precio que los poco compasivos progenitores de *Losha* quieren obtener por ella. ¡Seis caballos! Es demasiado caro para quien no posee uno sólo, viviendo de prestado, y el infeliz Juan ha tenido que dejar para tiempos mejores, que es probable no lleguen nunca, la oportunidad de ser dueño exclusivo de la risueña china. Sin embargo, más de una vez pone hoy a contribución mi escasa provisión de regalos para poder conservar encendido "el amor que ella siente por él", y que probablemente se hubiera apagado a no tener a mano las mantas rojas, los espejos, las cuentas y las sortijas que hay en mi equipaje.

Con los cuatro caballos conseguidos, agregándoles los que dispone Isidoro, tengo ya los necesarios para el viaje, y aunque ninguno de ellos es bueno del todo, no quiero insistir en obtener mejores temiendo que los volubles tehuelches cambien de opinión y, desconfiando de nosotros, no quieran alquilarnos ninguno. El viejo *Pampa Rapa* no puede comprender qué interés tiene para un comandante visitar las sierras y el Agua Grande, donde nace el río Santa Cruz; y como todo lo que no es comprensible es sospechoso para ellos, ya se nota en los toldos cierto recelo respecto al destino que daré a los cuatro caballos, de los cuales uno es manco, otro cojo y tuerto y el tercero está lastimado en el lomo.

Tranquilo ya sobre este primer punto, trato de tomar algunas medidas antropométricas, lo que también consigo mediante algunos regalos y algunas mentiras.

Más adelante mencionaré estas observaciones que pueden arrojar luz suficiente sobre la tan debatida cuestión del gigantismo de los patagones.

Una escena curiosa tiene lugar durante la medición. La china Silvestre se ha enamorado de uno de los miembros de la comitiva y está empeñada en abandonar el tálamo de su marido *Collohue* porque éste ha comprado otra mujer; felizmente, podemos convencerla de que si bien ella es dueña de abandonar a su marido para seguir a nuestro compañero, no consideramos que pueda dejar abandonado a su sobrino *Málen*, que se dice hijo de *Kaikokelteish*, y a quien ella quiere en extremo. Este mocetón, ya de más de veinte años, puede pasarse sin los cuidados de su titulada tía.

Aun cuando los tehuelches conocen varios lazos de parentesco, parece que no dan a los vínculos sanguíneos la importancia que tienen, y desconocen la verdadera

acepción de las distintas denominaciones; muchas veces
puede tomarse el nombre de hermano o sobrino, como
sucede en este caso, sin tener la menor relación de sangre.
(Por eso, más de una vez, el centenario *Kaikokelteish* pre-
tendió ser hijo del viajero que tenía 24 años, insistiendo
cuando se le quería contradecir; y Juan Caballero, cuando
emborrachándose volvía a sus instintos salvajes, me llamaba su "abuelo".)

Cuando los indios visitaron la isla Pavón, me hablaron de
un "agua" que hervía y que era venenosa, pues cuando hombres, caballos o perros la bebían, morían indefectiblemente.

Está situada a trescientos metros de los toldos; es un
pequeño pozo, en el centro de una costra al parecer calcárea, llena de fragmentos de rocas volcánicas y de la cual
los indígenas han desprendido trozos para cubrir la fuente,
pues la superstición la hace ser habitada por el *Agschem*,
espíritu maligno.

Mide la boca veinte centímetros de ancho y su
profundidad quince. Está casi lleno de un agua que exhala
un olor bastante semejante al del petróleo y que bulle en
infinidad de burbujas.

Puedo llenar una botella que con este objeto he traído
desde Pavón; en el fondo del pozo, la mano, al remover el
barro, siente corrientes gaseosas que se elevan, pero el nivel del agua no aumenta mientras la registro: los indios me
dicen que nunca han visto lleno el pozo.

La temperatura de dicha agua es de 25°, mientras al
sol el termómetro marca 28.75 Réaumur.

El doctor Arata que ha estudiado el agua contenida en
la botella, ha tenido la bondad de darme el análisis
siguiente:

Agua	989,55
Carbonato sódico	10,19
Cloruro de sodio	0,26
	1000,00

Hubiera deseado averiguar, por medio del fuego, si hay aquí gases combustibles, pero la superstición ya ha alarmado a la indiada que me rodea mientras registro la fuente y se queja de los males que puede acarrearles mi osadía al tratar de averiguar lo que hay en la morada del maligno espíritu. Para los pobres, estas burbujas tienen algo de sobrenatural, y el poco sensible ruido que hacen lo interpretan en el sentido de demostrar los enojos de quien mora en el pozo, que no desea ser molestado; según ellos el agua está quieta mientras no la miran.

Su asombro al verme meter el brazo dentro del agua aumenta cuando la pruebo sin que me haga ningún mal, y algunas miradas del viejo *Tétao* me indican que la sospecha de que sea yo brujo, ha cruzado por su cerebro. Me amenaza con el *Agschem*, que me hará caer la mano que he mojado, y con el rencor de los indios, a quienes por mi imprudencia van a sobrevenir grandes males. Una formidable nevazón caerá el próximo invierno y si durante ella no mueren todos los habitantes de la toldería, tendrán que sufrir grandes penurias.

Los magníficos Andes blanquean en el fondo del valle, destacados del azul del cielo, y el pobre indio supersticioso los siente amenazadores, preparando cruel venganza de mi atentado contra la fuente.

La vista de la botella y el misterioso fin con que he recogido el agua que contiene dan pábulo al insaciable espíritu supersticioso de la indiada. Indudablemente va a servir para algún maleficio, y este pensamiento tiene desveladas y llorosas a la mayoría de las mujeres, alarmadas con el augurio del viejo y el del daño que puedo hacerles yo usando esa agua venenosa.

Ninguno de los tres grandes hechiceros tehuelches, *Cuastro*, *Samell* y Enrique el fueguino, está en la toldería de *Shehuen*; ellos viven ahora entre los indígenas que habitan el valle del río Gallegos, y no pueden, felizmente, explotar la credulidad de mis huéspedes en pro de la gran fama que gozan y en contra, quizás, de mi expedición.

Enero 8: Encuentro a cierta distancia de los toldos, en la falda de una loma baja, otra fuente más pequeña de la cual sólo se desprenden algunos delgados hilos de agua; sus emanaciones gaseosas son mucho más abundantes. Según el doctor Arata, contiene las siguientes sustancias:

Agua	31,75
Cloruro de sodio	5,84
Carbonato de sodio	58,53
Residuo insoluble, alumina, fierro,cal, magnesia	3,88
	100,00

Estas materias revelan una nueva e importante riqueza que algún día contribuirá a hacer próspera esta apartada región.

El paisaje que rodea la toldería indica la presencia, en sus cercanías, de fuerzas volcánicas de las cuales esas fuentes pueden ser manifestaciones. En el fondo se distinguen negras fajas horizontales que parecen basálticas; al norte, cruzando varias mesetas escalonadas que se interponen entre el valle de *Shehuen* y el río Chico, se distinguen cerros cuyas formas, indudablemente, son debidas a la existencia de esas rocas; uno de ellos, como puede juzgarse por la figura siguiente, afecta la estructura volcánica y según el nombre con que lo señalan los tehuelches, *Chalten*, se ve que éstos han encontrado semejanza entre él y otros picos volcánicos que se encuentran en la Cordillera, que más adelante mencionaré y que son señalados del mismo modo.

El cerro *K'mahuaish*, que es el paradero que Musters indica con el nombre de Mowaish o Sierra de la Ventana, no es visible desde *Shehuen*, pero me consta que también es de contextura basáltica.

El valle de *Shehuen*, en ciertos parajes situados al este de los toldos, en el trayecto de la ida, no presenta sino desolación, y las mesetas denudadas y casi sin vegetación tienen el aspecto más triste que conozco hasta ahora en la Patagonia; pero a partir de ellas, hacia el oeste, el paisaje es inverso: todo cambia, el valle es más angosto, más verde, el pasto amarillento es más visible y tupido y las mesetas tienen sus escalones más inmediatos. Además, las montañas que al noroeste se elevan, cruzan el horizonte, y al oeste, la grandiosa Cordillera, erizada de picos siempre nevados celestes, blancos, dorados y rosados, se presenta unas veces como nubes y otras contorneada severamente en el espacio azul, ostentando la esplendidez de los soberbios gigantes.

Pero los indios gozan poco de esta admirable vista: los temporales que se fraguan en estas montañas no les permiten tener sus toldos con su parte abierta hacia ese lado, pues correrían peligro de volar al menor amago de huracán andino. Prefieren tenerlos abiertos hacia el este, donde aparece el astro que los calienta y opuestos a los Andes, de donde viene el cierzo que los hiela.

Es muy probable que éste sea el motivo que impulsa a los habitantes de todas estas regiones a tener la entrada de su habitación abierta hacia el este; y quizás la disposición de hoy de los toldos, que muchos atribuyen a una especie de culto por el astro del día sea más que todo una costumbre de la que, en cierto modo se ha desprendido una idea mitológica. Esta costumbre es el resultado de una primitiva necesidad absoluta, como lo es el resguardarse contra las asperezas del tiempo. Así, a la larga, una necesidad puede llegar a crear un culto aparente. Muchos ejemplos pueden citarse en apoyo de esta opinión.

Enero 9: Emprendemos el regreso a la isla Pavón después de despedirnos de los habitantes de *Shehuen*, quienes, burlándose amigablemente de nosotros, nos dan cita para el lago donde nace el Santa Cruz, al cual debemos apresurarnos a llegar cuanto antes, por temor a que la estación fría se aproxime. Los incrédulos indígenas no pueden dejar de sonreírse ante nuestra promesa de regalarles víveres donde es insensatez pensar en llegar, pues, según ellos, "el agua es tan brava que muchas veces no permite que las mujeres recojan la suficiente para beber". ¡Y allí queremos llevarles víveres!

Seguimos el mismo camino que antes y acampamos a la orilla del río, en el punto donde lo hemos hecho a la ida. Aun cuando el terreno en este punto es ahora malo, creo que, en este paraje, haciendo algunas acequias que en ciertas estaciones fertilizarían las cercanías, podría plantearse una pequeña población intermediaria entre las de la costa y las que han de construirse en las inmediaciones de la Cordillera. La principal vegetación consiste en algunas quenopodiáceas, y el pasto lo componen las mismas gramíneas que he citado para el valle del Chubut.

Enero 10: A la tarde cruzamos el río Chico para penetrar en la hermosa isla que ya he mencionado, pasando antes por el paradero nombrado (*ayick*), donde María nos ha dicho que encontraremos su depósito de pinturas.

Lo encontramos y recojo muestras de ellas. Están envueltas en un cuero y atado éste sobre un palo; alrededor hay gran cantidad de huesos de animales que han comido, pero no puedo ver ningún objeto que haya sido usado por los indios.

Los tehuelches, lo mismo que los mapuches, al cambiar de toldería queman cuanto objeto inservible no pueden llevar consigo. Creen que basta que un brujo enemigo encuentre uno de ellos para que pueda dañar al indio a quien haya pertenecido; según ellos, el pelo es uno de los objetos que más prefieren los brujos para sus maldades.

La suerte del indio que va a ser ofendido depende de ellos, si llegan a apoderarse del cabello que buscan y nada podrá salvarlo del maleficio. El espíritu bueno, *Sesom*, no tiene poder contra un brujo que tenga el pelo del indio a quien quiera atacar. En muchas ocasiones he visto quemar los cabellos que se han caído al peinarse o espulgarse más de una vez, cuando viajaba entre los mapuches, vi a *Shai-huéque* que entregaba a alguno de sus hijos, hebras sueltas para que las quemara o arrojara al río, de donde el Espíritu de las aguas no permitiría que los brujos las consiguieran nuevamente. Entre los patagones hay la creencia que poniendo un cabello de indio dentro de la máquina de un reloj, es segura la muerte del indio de cuya cabeza se ha desprendido. Esa admirable obra de la industria moderna, los sencillos tehuelches la creen habitada por un ser malo; algunos de ellos a quienes se la he mostrado, la han mirado con recelo manifiesto.

El río Chico da vado en el paso y sus aguas correntosas no tienen el claro color del *Chalia* o *Shehuen*. (Este último nombre será el que emplearé en adelante porque es el más conocido, aunque no se aplique al río, sino al paradero indio.) Arrastra materia terrosa que le dan cierta opacidad que contrasta con la limpieza de las del arroyo. En los dos puntos que lo cruzamos no hay más de metro y cuarto de agua. Lo costeamos por su margen del sur; a la noche acampamos en otro paradero indígena abandonado donde, a causa de la oscuridad, no podemos obtener buena agua y tenemos que contentarnos con la salobre de unos pozos vecinos. Esta noche es terrible: los mosquitos son abundantísimos. Sobre una loma cercana, no dormimos sino que nos revolcamos toda la noche, envueltos en nubes de ellos que no nos permiten conciliar el sueño.

Enero 11: En la madrugada continuamos, sobre las mesetas con rumbo hacia el sudoeste, perseguidos de tal manera por los mosquitos que hasta nos impiden arrear los caballos de muda que llevamos; felizmente, una benéfica lluvia acompañada de fuerte viento aleja poco después esos crueles insectos, que van a alojarse en las quebradas. A las doce del día entramos a la isla de donde no saldremos ya sino para ascender el río.

Ascención del río Santa Cruz.

Enero 12–14: Los días trascurridos entre nuestro regreso de *Shehuen–Aiken* y el señalado para la partida definitiva los empleamos en arreglar el velamen de la embarcación, que es demasiado grande, y en construir dentro de ésta divisiones destinadas a contener las provisiones necesarias para el viaje. Su arreglo es serio asunto; debemos llevar la mayor cantidad posible, pero también en el menor espacio posible y todo en condiciones seguras, pues su pérdida nos traería indefectiblemente la ruina de nuestra expedición.

Enero 15: Todo queda listo temprano, y los víveres embarcados; hacemos cruzar la caballada a la ribera del norte, que es la elegida para principiar la labor que debe conducirnos a los Andes. A mediodía, después de haber almorzado todos juntos los habitantes de la isla, y de habernos regalado con los mejores manjares de que aquí podemos disponer, nos despedimos del Sr. Dufour brindando por el buen resultado del viaje.

Ninguno de los que lo emprendemos duda de él; todos llevamos voluntad decidida para hacer los esfuerzos necesarios para conseguirlo y la casi seguridad de navegar en el lago, nos sonríe. La confianza que nos da la ignorancia del porvenir nos acompaña, y cada uno de los expedicionarios se imagina hollando ya tierras vírgenes de planta humana.

Navegar al pie de los Andes, surcar con la quilla de nuestro bote aguas donde hasta entonces sólo flotaron témpanos y agregar así algunos conocimientos más a la geografía de la patria, es para nosotros algo que no puede ponerse en duda, desde el momento que lanzamos la embarcación al agua para cruzar el principal brazo del correntoso Santa Cruz.

El entusiasmo hace vibrar las más humildes fibras del jefe y de sus compañeros al penetrar en el bote. No puedo decir que éste se aleja de la costa "con vigoroso empuje, rasgando majestuoso las alborotadas ondas", puesto que con los dos únicos remeros de que dispongo no es posible vencer la corriente; además, la vista de la embarcación es poco majestuosa dada la gran diferencia que hay entre su tamaño y la exigüidad de su tripulación. Sin embargo diré, en verdad, que no porque la corriente, invencible por nosotros, nos aleje del rumbo que debemos seguir, decae nuestra confianza.

Entre saludos, con las banderas izadas en el mástil de la ballenera, y sobre la casa de la isla, las salvas de los revólveres y los "adiós" deseándonos mutuas felicidades, llegamos al costado opuesto donde, listo ya, nos aguarda Isidoro.

Algo de solemne en el fondo, aunque muy vulgar en la apariencia, tiene para mi el momento en que embicamos en el cascajo para principiar el remolque. ¿Llevaré a cabo mi proyecto? ¿Tendré suficientes fuerzas para ello? Son las cuestiones que se agitan en mi espíritu sin que pueda resolverlas.

Bien podrán tacharse de necio orgullo, de vanagloria impropia, mis ilusiones de este momento, pero todo lo disculpa el propósito que me guía. Las nacientes del Santa Cruz son un problema aún no resuelto completamente y creo que a nadie con más derecho que a los argentinos, dueños de ellas, corresponde descifrarlo.

Se dice, con o sin razón, que el patriotismo ciega y a ser cierto esto, quizás en mí se produce este noble fenómeno. Nada veo en este día que pueda ocasionarme tropiezos; olvido las penurias del marino inglés que me ha precedido y sólo pienso que, con energía y voluntad, condiciones con las cuales se vencen casi todos los obstáculos, obtendré el fin deseado. El ejemplo de tanto osado viajero que no disponía, generalmente, de los elementos materiales indispensables, cuenta con la fuerza moral que allana todo; que no reconoce estorbos para conseguir por medios loables lo que intenta, lo tengo siempre presente y bien necesario me es, dada la composición del personal de mi expedición, que presentaré dentro de un momento al lector.

Si grande es el fin que nos lleva a la región desconocida, pequeños son los elementos de que disponemos. El bote que acaba de alejarse de Pavón, quizás para no volver, no corresponde a la clase de expedición que emprende; el personal, que ha sido calculado para uno la mitad más liviano y pequeño, no es suficiente para manejarlo; sin embargo, la conformidad, hija de la necesidad, no me hace presagiar negros colores en el futuro horizonte.

Todas las expediciones que antes que la que dirijo intentaron descubrir las fuentes del río Santa Cruz, contaron con mayores elementos. En 1834, la que emprendió el ilustre Fitz Roy, y que es uno de los más importante trabajos de exploración llevados a cabo en las costas argentinas por el Beagle, dio a conocer la importancia de este gran curso de agua, aunque tuvo que retroceder a los veintiún días de penosísimo trabajo sin haber podido reconocerlo en toda su extensión. Fitz Roy llevó en esa excursión tres botes ligeros, tripulados por dieciocho marineros, además de un cuerpo de oficiales; sin embargo, los obstáculos fueron tantos que hubiera sido temeridad continuar, entonces, dicha exploración. Si bien no pudo obtener el éxito deseado, cábele a esa expedición la gloria de haber señalado el camino a otros, y los nombres del almirante inglés y de Carlos Darwin, son protestas suficientes contra los que pretendan tachar de poco feliz el relativamente importantísimo resultado de aquel primer recorrido remontando el Santa Cruz.

En estos últimos años, dos expediciones chilenas han tratado de seguir el imperecedero surco de las embarcaciones inglesas, pero ninguna de ellas ha podido adelantar nada a lo que nos han dejado los exploradores de 1834. La más importante, compuesta de una lancha de vapor y de dos embarcaciones livianas a remos, sirgadas por caballos, regresó a la bahía después de diez días de viaje habiendo recorrido sólo una pequeña parte del curso del río.

Únicamente la expedición que en 1873 envió el comandante Lawrence en la goleta nacional Chubut y que dirigía el subteniente Don Valentín Feilberg, compuesta de cinco hombres, llegó con un bote ballenero hasta el punto donde un gran lago lanza sus aguas en el Santa Cruz, pero no pudo navegar en él por los malos tiempos que reinaron durante su exploración. No obstante, Feilberg pudo pasar más adelante del paraje desde el cual regresó Fitz Roy.

La expedición que a mi turno dirijo y que va a tratar de avanzar más, si es posible, es aún más modesta que la del señor Feilberg, dadas las condiciones "náuticas" de la embarcación. Ésta tiene una eslora de ocho metros y sesenta y cinco centímetros, lo que corresponde a ocho remeros; sin embargo, está tripulada por sólo dos: Francisco Gómez (el correntino) y José Gómez (el brasileño), y un timonel, Estrella. He destinado al grumete para el cuidado de los caballos, pues Isidoro tendrá que alejarse continuamente para proveernos de caza.

Además, me acompaña el subteniente de la marina nacional don Carlos Moyano, quien, desde hace largo tiempo, desea tomar parte en esta excursión tan soñada por mí.

Como se ve, humildes son los recursos con que cuento, pero el valiente y el alentador "adelante", lacónica frase que nos sirve de proclama para el combate que vamos a librar contra la "Llanura misteriosa", lo acalla todo, aleja los presentimientos funestos y no nos permite fijarnos en las incrédulas aunque amigables sonrisas de los que no esperan el mismo resultado que nosotros para esta nueva tentativa. El "no llevan ustedes suficientes elementos" lo hemos olvidado. Inmediatamente principiamos el trabajo.

No pensamos, por supuesto, en ascender a remo la poderosa correntada nos hubiera llevado al Atlántico en vez de a la Cordillera; ellos son inútiles mientras nos encontremos en el canal del río, y sólo podremos hacer uso en los remansos formados por las innumerables vueltas.

La sirga de este día es encomendada al brasileño Pedro. Encargo al correntino Francisco impedir, sondando con el bichero, que el bote vare, y llevarlo siempre a cierta distancia de la orilla para que las ramas no entorpezcan el remolque; Estrella dirige el timón para que la embarcación ofrezca siempre la proa a la correntada. El señor Moyano se encarga de seguir en ella, con la aguja de marcas, las ondulaciones del río, comparándolas con la carta de Fitz Roy que hemos aumentado, para este objeto, a una gran escala. A Abelardo le recomiendo el cuidado de la tropilla mientras que Isidoro va a bolear algo para la cena. Yo sigo a pie por tierra y por agua dirigiendo la sirga y juntando al mismo tiempo objetos para las colecciones.

Nuestra inexperiencia nos ocasiona al principio grandes embarazos. El caballo y el caballero, ambos poco prácticos en la sirga, trastornan a cada momento la marcha; la inteligencia del primero le hace conocer el poco valor del segundo y, a la menor dificultad con que tropieza, se resiste a ir adelante seguro de que quien lo guía no pondrá gran empeño en la prosecución del viaje. El temeroso Patricio (es el apodo que le hemos dado al brasileño Pedro y así lo llamaré en la relación de este viaje), desde el momento que se sienta en el recado, comprende lo penoso de la tarea que le he encomendado y aunque no hay más recurso que obedecer lo hace de bastante mala gana. Confieso que, para su primera prueba, esperaba de él algo peor, teniendo en cuenta sus antecedentes y conociendo los desvelos continuos que le ha producido la sola idea de ver los Andes y, sobre todo, vivir con los salvajes. Mi pretendido odio de raza es el motivo que tengo para hacerle hacer esta expedición, y "puesto que ya que me consta (mentira que le han dicho sus compañeros, que conocen su poco valor) que él no regresará vivo" ¿por qué no dejarlo en Pavón? ¿Por qué llevarlo a morir cuando allí lo quieren tanto? ¡Odio al Brasil es la causa, y no hay otra! Estos monólogos son más enérgicos cada vez que un pantano o un matorral espinoso se le interpone al paso. Entonces las murmuraciones suben de tono y dice que prefiere morir a continuar de esta manera. Esta insurrección fatal, que se produce en nuestro sirgador, hace que el bote, el cual, también tengo que confesarlo, no está todavía bien arreglado, cambie de posición a cada momento, presente al torrente sus costados y se vare. Además, el río crece con rapidez, habiendo ya pasado en mucho la línea más alta de creciente conocida hasta ahora; el agua llega fuera del cauce natural hasta cubrir parte de los matorrales de la costa y hace realmente difícil y muy engorroso el camino.

Las fanfarrónicas promesas con que se ha despedido Patricio de los amigos que quedan en la isla, las ha olvidado ante el poco aliciente que le ofrece el viaje empezado de esta manera, es decir, sufriendo; así entiende él las hincaduras de las espinas de los arbustos, que le molestan bastante. La jactancia no le sirve de nada una vez puesto a la obra, y conoce, esta vez sin remedio, que las hazañas prometidas tan ligeramente son difíciles de realizar.

En un momento en que pensando en los rigores de su suerte no se fijó en un rápido producido por una enorme mata de incienso, que estaba casi cubierta por la inundación, cae con el caballo dentro del río y recibe así involuntariamente el bautismo del Santa Cruz al cual tanto teme. Este cómico suceso, aunque retarda unos momentos la marcha, contribuye eficazmente a que Patricio juzgue prudente abandonar los tristes pensamientos que le sugiere la desidia con que cumple su trabajo, tome aliento obligado por la necesidad, y continúe mejorando su servicio. De nada le ha servido mostrarse miedoso.

La marcha, ya más enérgica, nos aleja pronto de la isla; el bote, remolcado por una briosa yegua, aunque con trabajo, rompe la corriente que lleva una velocidad de seis millas.

La unión de las mareas que algunas veces llegan hasta este punto, ha formado algunos pantanos, que ofrecen dificultades para cruzarlos, pero pronto los pasamos; con la llegada de la tarde suspendemos el trabajo a unas seis millas de la isla Pavón, trayecto suficiente para el primer día. Enfrente tenemos el extremo oeste del Rincón de los machos, uno de los puntos preferidos para la caza por los habitantes de la isla.

El río, sembrado de islas más o menos pequeñas que, si bien dan cierto aspecto lozano a este valle triste, no creo sean muy adaptables a la población, corre intrincado por entre ellas arrastrando un agua azulada, ligeramente turbia unas veces, otras muy clara, según el fondo por donde corre. El ligero tinte lechoso, que le atribuye Darwin, es característico para este punto, pero en los que la creciente ha bañado fuera del cauce, las arcillas le dan otros más oscuros y barrosos.

En los parajes por donde hemos cruzado hoy, componen el fondo del río capas de cascajo, esto es, cuando el hilo de la creciente los baña; pero cuando, a la inversa, forma remansos, se ve arena mezclada con arcilla muy fangosa. En este lugar, el ancho del río mide trescientos metros más o menos, y no varía visiblemente donde las costas son bastante elevadas como para que la inundación no las cubra; en los bajos, el ancho es sumamente variable.

Las mesetas inmediatas se aproximan enangostando el valle; el gran bajo que se extiende al NO de la isla Pavón desaparece gradualmente y, en el lado este, la primera meseta que se desprende, desde más al sur de dicha isla, se ha unido con la que se divisa en frente de ella, y forma un primer escalón bastante elevado que hace cesar la diferencia que se notaba en la altura de ambas costas. El suelo es arenoso, arcilloso y está cubierto casi completamente de cascajo; grandes cantidades de arbustos (inciensos, calafates, etc.) de hojas de colores distintos armonizan el paisaje; entre ellos, manchones con pasto amarillento de penachos plateados le dan cierta apariencia metálica que alegra el suelo. Éste está surcado por infinidad de pequeñas sendas de guanacos que facilitan la marcha a pie, pues los *Cactus*, las espinas de los arbustos y la fabulosa cantidad de cuevas de *Ctenomys* cansan y maltratan cruelmente al caminante.

El campamento se forma detrás de grandes quenopodiáceas que nos protegen del fuerte viento de la Cordillera, que nos ha molestado y retardado bastante en el trabajo. Una pequeña bahía nos proporciona lugar seguro donde amarrar la embarcación, y la gran cantidad de arbustos que hay aquí, pues éste es uno de los parajes más abundantes en leña, nos suministra la suficiente para hacer grandes fogatas con qué anunciar a los habitantes de la isla el punto que hemos alcanzado en nuestro primer día de exploración.

Inmediata a nuestro paradero, la meseta se eleva a unos 100 pies, y a dos tercios de su altura puede verse un trozo errático sepultado entre el cascajo menudo, que mide cerca de un metro cuadrado. Es el segundo testigo de la época glacial, y de tamaño considerable, que menciono; aunque de menor volumen que el primero, se encuentra situado a una altura muy considerable, relativamente. Muchos otros fragmentos algo menores, pero que no esperaba hallar aquí y que establecen por eso una diferencia bien marcada con los que abundan en las planicies, se observan en este pequeño desagüe de la pendiente y suministran un motivo de observación bastante interesante. La causa que los condujo a este punto va grabándose cada vez más en el cerebro de quien los encuentra.

Isidoro ha corrido, mientras trabajamos con el bote, una tropilla de guanacos, y trae uno pequeño para la cena que es asado y comido alegremente por todos los expedicionarios. Apenas oscurece, cada uno tiende su quillango y se entrega al reposo, bien ganado, de estas primeras fatigas de la expedición.

Por mi parte, he hecho un hallazgo feliz en el pequeño claro donde he arreglado mi cama. Consiste en dos hermosas puntas de flechas; una de ellas, de obsidiana renegrida tallada a grandes golpes, me ha sido revelada por su hermoso brillo; otra más pequeña, de distinta forma, trabajada exquisitamente en sílice traslucida, con sus aristas admirablemente definidas, la he exhumado al alisar el suelo arenoso donde mi espalda debe encontrar comodidad. Un tercer objeto, consistente en un cuchillo pequeño de obsidiana, tallado de un solo golpe en una de sus faces y de tres en la otra, y que es el instrumento que aún a veces emplean los indios para sangrarse por las venas del brazo cuando no han tenido buen éxito en los tiros de bolas, completa mi felicidad, que poco ambiciona este día. ¿Qué mayor éxito puede desear un viajero antropólogo, en estas regiones, que dormir en el mismo sitio en que quizás lo hizo el primitivo patagón, en sus incansables correrías, cuando tenía por única habitación el resguardo de las matas y cuando buscaba con esas humildes armas su alimento o confiaba a ellas su defensa? Si es cierto que la diferencia real es bien grande entre el que estudia y el estudiado ¿quién, transportado a nuestro paradero, hubiera distinguido si el envuelto en el quillango es el indígena o es el que pretende descifrarlo por estas antigüedades? Seguramente las apariencias le hubieran engañado. En este momento, con diferencia de algunos siglos, salvaje y civilizado se encuentran en igualdad de circunstancias.

Todos descansamos perfectamente esta noche, a excepción de Patricio, quien ha hallado en la costa del río una avutarda (*Bernicla*) destrozada por un zorro, y en cuyas heridas ve, con seguridad, las terribles garras de un león. A él nadie lo engaña; vela toda la noche.

Enero 16: Bien temprano continuamos la marcha que debemos distribuir diariamente en dos etapas a causa de los largos días de la estación y del calor que a mediodía es sofocante. Tomamos el café con una galleta por hombre, pues esta clase de provisión no abunda habiéndose perdido casi el total de ella por descuido de los marineros; la sirga dirigida esta vez por el correntino Francisco remolca el bote con mayor empuje que en el día de ayer. El curso del río se dirige desde el sur, teniendo varias islas en su centro y en ambas márgenes; costas bajas, arenosas con gran cantidad de matorrales. Aun cuando el trabajo se hace con empeño, esos obstáculos ofrecen siempre dificultades que entorpecen la marcha que debe ser continuada unas veces tirando el bote a pie, dentro del agua, o espinándose entre la maleza. En los puntos donde el río no presenta islas, su aspecto es magnífico; los hilos de su rápida corriente se dibujan con claridad y las aguas bullen saltando sobre las matas que la inundación ha cubierto; una noble placidez reina en el centro del gran torrente que desciende con ligereza, mientras en los costados el agua choca en los recodos, entre las rocas de las barrancas, o asalta las citadas ramazones. En ciertos parajes la corriente es tan veloz, que al menor accidente del terreno forma un pequeño rápido o remolino que dificulta el paso del bote y nos obliga a hacer grandes esfuerzos.

A unos trescientos metros del paradero, el río corre lamiendo y batiendo la meseta del norte, casi vertical, mientras que al sur se dilata una planicie inundada. Ésta, para desgracia nuestra, no tiene agua suficiente para permitir el trabajo del remolque, sea a pie o a caballo; los traicioneros *Cactus* ocultos, las espinas de los arbustos y las cuevas de *Ctenomys* llenas de agua nos son bien conocidos y comprendemos la imposibilidad de cruzar a ese costado.

No hay más remedio que salvar la meseta, y a ello vamos. La pendiente del río es visible al ojo, y la fuerza de su descenso, aunque grande, no acobarda. La inclinación de la cuesta y el suelo suelto, producido por el desmoronamiento de la cumbre que forma la meseta, no nos permiten emplear los caballos, pero tratamos de salvar el mal paso poniéndonos los dos marineros y yo, a hacer ese trabajo. Lo conseguimos no haciendo caso de las espinas que nos arrancan grandes fragmentos de las ropas y no pocas gotas de sangre, ni de los *Cactus* que nos hincan cruelmente los pies; hay que hacer pie y tirar de la cuerda sin preocuparse de que basta una sola pisada falsa para desplomarnos hasta el agua, desde una altura que varía entre 30 y 50 pies. Pasada la meseta, la costa es más tendida y los matorrales van decreciendo en número. No se divisan tropiezos en la parte que se distingue del río y, juzgando innecesaria mi presencia allí, salgo a caballo a visitar los alrededores.

Hacia el NNO, subiendo la meseta empinada y pedregosa, diviso nuevamente el gran bajo que he mencionado situado enfrente de Pavón, que se dirige hacia el oeste. Entre ese bajo y el río se eleva una isleta separada, compuesta por tres mesetas de las más inferiores en altura (300 pies) y que la expedición de Fitz Roy nombró "Cerro guanaco" (Lat. 50°, 2. Long. 69, 3, G^{ch}).

En la cima de éste hay una capa terciaria cuya estrata superior está compuesta casi exclusivamente de *Ostrea Patagónica*, mientras que en la inferior abunda más la *Venus meridionalis* formando un conglomerado difícil de separar. La altura a que se hallan estos fósiles, relacionándola con la de las capas fosilíferas de las inmediaciones de la bahía Santa Cruz, indica una alteración de nivel igual a las que he señalado en Chubut. Esta capa presenta un tinte amarillento debido al óxido de hierro que contiene.

Un panorama tristísimo se extiende desde esta cumbre; los cerros denudados, áridos, pálidos, no se destacan bien contorneados en esa monotonía continua, que resulta de la disposición igual que ha producido la erosión del tiempo; sólo en la parda planicie baja se ven algunas lagunas; tres de ellas son de regular tamaño y dan al paisaje cierta variedad, que la vista contempla con algún gozo, aunque el suelo blando, la falta de vegetación y el poco aire que corre en el bajo hacen preferir la brisa de las alturas que continuamente refresca las piedras caldeadas por el sol. Desde ellas, si bien la perspectiva no es más variada, por lo menos hay mayor grandeza en su misma uniformidad.

La vegetación de ese bajo es la misma que la de los alrededores de Pavón, pero las matas de *Duvaua* son más numerosas y de tamaño mayor.

Los dos escalones que se destacaban al este desde Pavón, se distinguen claros, con sus pastos permanentes; más distantes, los Cerros azules, nombre que se ha dado a los que forman la Cadena del León, se van desvaneciendo hacia el mar. En el norte el río corre majestuoso en dirección a la bahía, primero sembrado de islas, luego límpido y anchuroso.

Desciendo de la meseta y sigo los bajos que se extienden al pie de ella, con matorrales tupidos, en pequeñas agrupaciones, hasta un punto donde el río vuelve a recostarse a la barranca y donde seguramente tendré que prestar ayuda, por más débil que ella sea; hago campamento junto a Isidoro que me ha precedido con la caballada y me espera con el mate listo. El bote no se distingue aún, y por más fuegos que he encendido en todo el trayecto, desde el sitio que me he separado de él, en la costa no se divisa ningún humo, en contestación. Recién a mediodía llega; cruzamos el mal paso y descansamos.

Seis horas de consecutivo trabajo son merecedoras de un buen pedazo de puchero o asado y un jarro de café, menú que, con un poco de fariña, será variado rara vez en el trascurso del viaje. Un piche (*Dasypusminutus*) que ha cazado Isidoro, y que incita el apetito con su amarillenta gordura, es pronto asado y devorado de una manera poco conocida de quienes no han gozado de la vida austral.

No podré decir si la necesidad o la gastronomía patagónica ha revelado el siguiente procedimiento culinario a los indígenas, que lo emplean frecuentemente; pero sí declaro que merece imitadores. Basta calentar algunas piedras rodadas (planas y ovaladas son las preferidas), colocarlas dentro del piche, y coser con el mismo cuero o con una ramita la abertura del vientre por donde se han extraído los intestinos, para conseguir un manjar delicioso. Esto, en menos tiempo del que se emplearía haciéndolo directamente en el fuego. El medio entre asado y cocido que producen las piedras es excelente, y el jugo de la carne y la gordura deja un caldo sustancioso que no se desperdicia jamás. Este mismo procedimiento se emplea en otros muchos animales, avestruces, guanacos pequeños, etc.

El descanso a la sombra de unos inciensos dura hasta las tres de la tarde. A esa hora continuamos y pasamos frente al paradero indígena de *Amenkelk*, que se encuentra a la entrada de una quebrada honda, fértil, donde se unen varias mesetas formando un conjunto de cerros de apariencia bastante pintoresca. En ese punto concluyen los Cerros azules; la pampa alta, que continúa hacia el Estrecho, se eleva en varios escalones bien pronunciados, pero tendidos. El río baña aquí la costa sur formando grandes recodos a los cuales no llega la inundación. Las orillas son firmes; las matas poco numerosas, y el camino se hace esta tarde tan cómodo como fue engorroso en el trayecto verificado por la mañana. El viento es de arriba y mantiene sereno el río; nada nos impide seriamente la marcha adelante. En las barrancas vecinas, infinidad de cóndores revolotean, señal de que hay alguna presa cercana.

A la entrada del sol paramos en un pequeño desplayado, inmediato a una gran mata de incienso, donde hallamos algunos troncos cortados hace muchos años: es el paradero de Fitz Roy en el tercer día de su exploración; pero a la inversa de la noche cruel que esa inolvidable expedición pasó allí, nosotros, felices de haber hallado esos vestigios y gozando de una temperatura bien distinta de la del 21 de abril de 1834, cenamos y nos dormimos en santa paz; sólo los perros vigilantes se encargan de hacer la guardia a los zorros que abundan aquí y que pueden hacer algunas pesquisas en nuestras provisiones.

Enero 17: Los rumbos que hemos anotado hasta ahora concuerdan perfectamente con los de la expedición inglesa. Ponemos el mayor empeño en observarlos y, salvo detalles muy insignificantes, no podemos sino admirar la precisión asombrosa con que han sido dibujados. La marcha se hace hoy muy difícil. Los matorrales espinosos abundan en el lado norte por donde vamos; en el sur, los cerros llegan hasta el agua.

Apenas hemos andado una milla, enfrentamos el paradero de *Chickerook–aiken*, situado en el lado sur; es un punto bastante frecuentado en las cacerías por los habitantes de Pavón. Fitz Roy señala en él (o en sus proximidades), un paso o vado de los indios, a juzgar por el siguiente extracto de su precioso diario:

"Abril 22: No habíamos adelantado una milla esta mañana, cuando rastros frescos de indios a caballo, arrastrando sus lanzas, despertaron nuestra vigilancia".

"Pensamos que habían estado reconociendo nuestra comitiva, al amanecer, lo que quizás fuera cierto. El humo de sus fogones [se elevaba] al lado de la línea de colinas bajas más cercanas, en nuestro lado del río, que era entonces el del norte; era mejor el terreno para caminar... Comimos cerca del punto donde creímos que había acampado una tribu de indios; en consecuencia, nuestras armas permanecieron listas y colocamos una guardia. Después, procediendo cautelosamente, llegamos al punto de donde.habían salido los humos, pero no vimos ningún ser humano, aunque señales de un fogón reciente y numerosas impresiones de pies sobre el suelo blando barroso de la orilla del río mostraban que una partida de indios había cruzado últimamente allí; un humo que se veía a cierta distancia en la orilla opuesta, indicaba dónde habían pasado. En ese paraje había cerca de un acre de buen pasto, al lado del agua, y el ancho del río era algo menor que por lo general; estas razones habían inducido a los naturales a elegirlo como un pasaje para cruzarlo (señalado en el mapa Paso Indio).

"Cruzar un río que corre a razón de 6 ó 7 millas por hora, y de cerca de doscientas yardas de ancho, puede no ser una tarea fácil para mujeres y niños. Pero como vimos en el barro muchas impresiones de pies muy pequeños, las mujeres y los niños deben haber cruzado en ese punto con los hombres. ¿Cómo pudieron efectuarlo? No hay allí madera, ni juncos con los que hubieran podido hacer balsas. Probablemente algunas de las mujeres y los niños fueron puestos en botes toscos de cuero y llevados a remolque por los caballos, cuyas colas servían para asirse los hombres nadadores y quizás muchas de las mujeres."

No hay duda de la exactitud de estas palabras; el paraje se presta fácilmente al paso, pues aun cuando en este punto el río es más estrecho que en otras partes y corre con una velocidad de siete millas por hora, la ondulación que forma su curso y la disposición del terreno lo hacen preferible a otros. Los indios también confirman el aserto del almirante inglés y me han dicho que antes que la isla Pavón fuera poblada, ellos cruzaban el río en este punto y en otros parajes situados más al interior donde, aunque el río siempre es demasiado profundo para permitir el paso a pie firme, como sucede en el punto de que me ocupo, ellos siempre encuentran más o menos facilidades para cruzarlo. Lo efectuaban (y aún hoy algunas veces lo practican) en balsas hechas de ramas y troncos de árboles que el río arrastra en su curso superior; cuando los troncos faltan, como sucede aquí en *Chickerook–aiken*, construyen dichas balsas, aunque más pequeñas, con los palos de los toldos. Sobre ellas colocaban los hijos pequeños y los reducidos bagajes; las mujeres y los hombres se agarraban de las puntas de los palos sumergidos en el agua y, nadando, seguían la balsa. Ésta era llevada por un caballo en cuya cola iba atada, pero antes de que tuvieran caballos, los indios más nadadores eran los encargados de dirigirla.

Este medio de cruzar los ríos no está exento de peligros y es frecuente el caso en que se ahogan uno o más indígenas: sin embargo, algunas veces lo he empleado con excelentes resultados en mi exploración por el río Limay y el río Negro. Nuestro compañero Isidoro me asegura que a él también le consta que este punto ha sido paso de indios.

Chickerook Aiken presenta un panorama que no es de desdeñarse en estas regiones. Las pendientes sucesivas de varias mesetas, que descienden gradualmente, desde alguna distancia, forman una pintoresca quebrada. Principia ésta desde los primeros derrames de las alturas, y aumenta en ancho y profundidad a medida que se acerca al río, a cuyo nivel, con muy corta diferencia, se encuentra la región inmediata. La humedad producida por la capa acuosa que se halla entre el cascajo que cubre el suelo de la Patagonia y la impermeable terciaria, adorna el paisaje con una franja de verdor entre el punto permeable y el impermeable del terreno. Además, abundantes arbustos, protegidos por los barrancos contra los vientos, forman un pequeño prado, risueño si se lo compara con la esterilidad de la margen opuesta del río.

Pasando *Chickerook–aiken*, el horizonte al oeste se despeja; las barrancas no son tan inmediatas al agua, ni sus pendientes tan escarpadas, y a ambos lados las mesetas se alejan formando llanuras bastante extensas. Una planicie se desarrolla amarillenta y triste, rodeada por graderías gigantes que gradualmente se desvanecen hacia el oeste; pequeños sacos de barrancos bajos cubiertos de pedregullo grueso, por en medio de los cuales corre el torrente en caprichosos serpenteos, son los únicos que ofrecen algún verdor.

Faltan en estas regiones los accidentes del terreno que halagan la vista y ofrecen al viajero tanto motivo de estudio y de ilimitada variación en sus ideas; todo es igual, la monotonía opresora enerva aquí, desespera. La aridez continua, las sabanas de piedras, los arbustos que viven muriendo, le comunican un abatimiento con el que sólo la energía puede luchar. Si bien no se siente aquí el decaimiento que causa el trópico, la desolación es tanta que se experimenta una misma impresión, hija del espectáculo tristísimo de la pobreza de la naturaleza. Así, las impresiones entusiastas de los primeros trabajos van desapareciendo en nosotros a medida que adelantamos, y el espectáculo que se desarrolla a nuestra vista no es a propósito para alentarnos.

La igualdad de la Patagonia es lo que más choca al viajero que, ávido de paisajes, sean risueños, salvajes o tristes, recorre con la vista ese panorama; si en la disposición orográfica y geológica ofrecen esas comarcas tan pocas variaciones, en la fauna y la flora sucede igual cosa. Guanacos, avestruces y nada más divisamos sobre la tierra; algunas aves de rapiña vuelan tétricas, y los lucientes y renegridos coleópteros desafían las arenas calentadas por el fuerte sol. Sólo las orillas inmediatas al río ofrecen vegetación relativamente casi lujosa, pero ella nos incomoda para nuestro trabajo; así, lo único que en la naturaleza nos sonríe, nos es también un tropiezo. Sin embargo, en el río hay vida; patos y avutardas lo surcan descendiendo, pues la corriente no les permite ascenderlo, y en los remansos sus nuevas y jóvenes familias aletean zambulléndose contentas.

El remolque se hace muy dificultoso; la corriente ha aumentado en velocidad y encontramos algunos parajes donde se forman verdaderos rápidos. Nos vemos obligados a ayudar al caballo, tirando todos de la cuerda. A la menor negligencia la embarcación puede zozobrar y concluir con nuestra expedición; además, las vueltas van aumentando en tal número que parece que no adelantamos camino.

Encontramos en la primera parte del tránsito de este día una tropilla de jóvenes avestruces, de la que obtenemos una docena; los demás, en número de cien más o menos, se dispersan en las mesetas o cruzan el río a nado. El avestruz no se echa al agua por su propio gusto y lo hace sólo cuando se encuentra apurado por el cazador o por alguna fiera. Fitz Roy cita el caso presenciado en el río Santa Cruz de seis o siete avestruces que cruzaron nadando el río, y agrega que hasta entonces no había tenido idea de que ave de patas tan largas pudiera, por su solo gusto, echarse al agua y cruzar un torrente rápido, pero que ese espectáculo le daba la prueba de lo contrario, porque nada, a su modo de pensar, había incomodado en tierra a los avestruces. Quizás algún zorro o puma los estuvo acosando en esos momentos. Es curiosa la vista que proporcionan estos animales nadando; sólo dejan que el largo pescuezo salga fuera del agua y van lanzando un triste silbido.

A mediodía descansamos para pelar los avestruces y almorzar algunos de ellos, pues el trabajo nos ha dado gran hambre; una vez satisfecha, nos tendemos sobre la arena a reposar en una siesta bien ganada. La modesta expedición duerme dos horas, lo suficiente para recuperar fuerzas y ánimo, que se consumen en la pesada tarea. Ésta continúa a la tarde de una manera aún más engorrosa. El desaliento va apoderándose de los marineros y a las chanzas de los primeros días sucede el silencio que produce el disgusto, pero ¿qué hacer? Si retroceder, materialmente, es lo más fácil, moralmente es imposible abandonar el proyecto de ascender el río, por más descabellado que sea él, dadas las circunstancias en que ha sido emprendido. Sería desdoroso para los que componemos la comitiva; esto sólo hace que continuemos, confiando en que las fuerzas que el trabajo gasta, la recupere el patriotismo. Sólo llevamos tres días de viaje y nuestras ropas revelan, por lo menos, el pesado trabajo de meses; las espinas las han convertido en harapos y nos van dejando desnudos; el calzado se va gastando rápidamente con el roce de las piedras y por los agujeros se introducen enconosas espinas de *Cactus*. Las manos se nos ampollan por el trabajo de la cuerda, y los chicoteos de los arbustos arañan en todo sentido piernas y brazos.

A la caída de la tarde, en lo más penoso del trabajo que se hace por la falda de una barranca sumamente tupida de arbustos y que nos hace marchar con lentitud y precaución, sentimos los ladridos de los perros, y a algunos pasos de nosotros vemos un puma que corre saltando entre los arbustos y que luego busca su salvación cruzando a nado el río. Estos animales son ya muy frecuentes en estos parajes y más de una vez han asustado al brasileño las señales que sus patas dejan en la arena. Los huesos de las víctimas que encontramos entre las matas, donde la fiera se ha regalado, y los guanacos muertos que aún conservan parte de sus carnes con el cuello dislocado y los miembros destrozados son testimonios suficientes para hacer temer la vecindad de estos terribles merodeadores de la Patagonia, que se ensañan con toda clase de víctimas, desde el elegante guanaco hasta el humilde ratón, como lo prueban los restos de uno de estos últimos animalitos dejados por el que los perros han perseguido.

Nos encontramos frente a una barranca a pico, bastante extensa; avanzada ya la noche, hacemos campamento, a pesar de las protestas de Patricio a causa de la vecindad de las fieras. El miedo lo mantiene desvelado y acompaña en la guardia a los perros.

Enero 18: De madrugada monto a caballo y me dirijo hacia el norte hasta alcanzar la meseta al . Se cuentan cinco escalones que ascienden gradualmente desde el río. Entre los primeros hay menor diferencia en sus respectivas elevaciones y éstas aumentan a medida que se asciende. La altura total de los cinco la calculo en 550 pies. Hacia el interior se ven otras aún más elevadas. La vegetación es pobrísima y los arbustos muy pequeños; la mata negra es raquítica aunque prepondera en número entre las escasas plantas que aquí viven. Las *Azorellas* son también abundantes.

El viento no encuentra obstáculos aquí y arrasa todo con la violencia característica de estas latitudes; apenas recojo algunos coleópteros (*Nictelias*) y algunos lepidópteros (*Colias Lesbia* y *Pieris Demodice*) que las ráfagas de las quebradas han elevado y que vuelan atontados dejándose tomar fácilmente.

Nada se distingue en el horizonte por donde desciende el río; no se ve la anhelada Cordillera y si la ilusión proporcionada por pesadas nubes, en esa dirección, da en ciertos momentos prematuras esperanzas, pronto el viento caprichoso borra esas vislumbres de alegría, otros tantos picos y mamelones vaporosos que el deseo imagina gigantes andinos.

Este espectáculo me entristece; es demasiada desolación y no quiero permanecer largo tiempo en esta altura; desciendo la falda de la meseta en momentos en que una gran tropilla de guanacos desfila, costeándola por las sendas que durante años han seguido. Los curiosos animales, al verme, se han parado como autómatas, todos al mismo tiempo; el venerable macho, el sultán de la tropa, se adelanta y relincha con brío, pateando el suelo y corcoveando: reconoce al intruso en sus poco disputados dominios. No es un puma, no es un zorro ni un gato ni un cóndor; es un hombre, animal que él no conoce.

Desciendo del caballo y me siento sobre el cascajo para presenciar el espectáculo que se prepara y que me ha dado a conocer el *Viaje* de Darwin. Los guanacos, considerándome inofensivo (a los menos en apariencia), van aproximándose: siguen al jefe. La curiosidad les hace olvidar el miedo y de la gran tropa sólo permanecen lejos algunas madres temerosas que amamantan en la quebrada sus recientes hijos; ya prevenidas, están prontas a fugar a la primera señal de peligro. El ser desconocido silba; Rigoletto y la Fille de Mme. Angot producen en ellos sensación; parecen luego preferir Aída; ponen gran atención, estiran sus cuellos, los yerguen, reconocen con mirada curiosa los alrededores y la fijan luego en quien les hace oír ese relincho o grito; se alejan algunos pasos, se paran; el macho brinca, saltan todos, corren, vuelven apresurados, se paran atentos y haciendo cómicas cabriolas se acercan hasta pocos metros del que les proporciona tal espectáculo. Se vuelven atrevidos; los relinchos se suceden al mismo tiempo que las piruetas y pasan en estas evoluciones largo rato hasta que un tiro al aire los calma, pero no los asusta. Prestan atención nuevamente, quizá comprenden, por la impresión que el fogonazo y el trueno han causado al caballo, que hay peligro; parecen consultarse, acercan sus suaves hocicos al suelo y lo aspiran; su instinto les hace comprender que esa manifestación de la industria humana les es hostil y deciden alejarse. Principia el desfile: las hembras, con sus crías, marchan adelante; luego las que aún no las tienen. El macho es el último; camina con pausa, salta de cuando en cuando, relincha, me mira a la distancia y, cuando parece comprender que no los persigo, vuelve a rumiar en las faldas. Tres o cuatro tiros más los asustan nuevamente y una nube de polvo que dura largo rato me indica que huyen con gran prisa. Sin embargo, no he pensado hacerles mal sino observarlos. En mi corta vida de viajero jamás he cazado por mi mano el más insignificante animal cuando no ha sido necesario para las colecciones o para el alimento. ¿Qué más gozo puede encontrarse que verlos libres sin temor de uno, cuando la lucha por la vida no nos obliga a destruirlos? No debemos hacer aún más grande y triste el desierto destruyendo o alejando sus escasos habitantes.

Después de perder de vista a los guanacos en los cañadones enciendo grandes fogatas para anunciar a la gente del bote el sitio donde me encuentro y bajo por un arroyo, seco ahora, pero que en invierno conduce al río las aguas y las nieves de la meseta.

Recién a mediodía nos movemos hoy. El camino por tierra es tan malo, hay tanta piedra, que los caballos han empezado a sufrir mucho. Antes de subir a la meseta había resuelto parar este día y dar descanso a la tropilla, pero he reconocido un pedazo del río y, como veo que hay un pequeño trayecto inadecuado para hacer uso del caballo, decido que continuemos a pie para salvar unos tres kilómetros de mal camino. A la tarde lo hemos hecho, después de grandes esfuerzos; tenemos que emplear toda la cuerda que traemos y añadir cuarenta metros más de la que nos sirve para sondar, pues encontramos pequeños rápidos extremadamente correntosos que nos obligan a llevar el bote alejado de la costa y a remolcarlo por donde el agua desciende con mayor violencia. El río continúa creciendo y son tales los esfuerzos que hacemos que a cada momento debemos descansar; nos fatigamos en este corto trayecto más que en todo el trabajo verificado hasta ahora.

Un refresco de Hesperidina de Bagley con agua y azúcar y dos galletitas del mismo fabricante, por hombre, es la recompensa que doy a toda la comitiva, que la recibe alegremente y olvida las fatigas de este día.

Hemos muerto dos gatos (*Felis pajero*); este animal abunda mucho más en estas regiones que en la parte septentrional, o por lo menos, se ha presentado a mi observación con más frecuencia; no sucede así con el gato montés (*Felis Geoffroyi*), que no he visto aún aquí. En este punto no se encuentran pajonales como en las pampas, donde tiene costumbre de vivir aquella especie cuyo nombre deriva de ellos, pero en cambio se esconde en los matorrales que le sirven de segura guarida. Es de mayor tamaño que el gato doméstico pero menor que el montés;

su cuerpo es más elegante y su pelaje difiere bastante; su fondo es blanco gris con manchas redondas, ovaladas, negras, bien pronunciadas, que le dan el aspecto de un pequeño leopardo; en la cola, las manchas se convierten en amarillas, que alternan entre el blanco y el negro; lo mismo sucede con las patas. Es una fiera pequeña pero terrible, iracible de una manera asombrosa; cuesta mucho trabajo cazarla. Relativamente, es más difícil obtener un gato pajero que un puma: se defiende con valentía; sus pequeños ojuelos relumbran y sus garras crispadas mantienen en respeto a los perros que los combaten.

Es el enemigo declarado de cuanto animal vive en estos parajes, pues hacen destrozos entre los avestruces grandes y pequeños a los cuales les come la cabeza y el pecho, partes que parecen ser las preferidas. Uno de los que hemos cazado se encontraba, cuando lo descubrimos, al acecho de una cuadrilla de *charas* (avestruces jóvenes).

En este paradero pescamos dos truchas (*Perca loevis*) y un *Silurus* igual al que he mencionado en el capítulo sobre la fauna de Chubut. Hemos sido más felices que Darwin, cuyas tentativas de pesca no tuvieron buen éxito. Las truchas son de regular tamaño; una de ellas pesa cerca de dos libras; su carne es buena y nos sirven de exquisito manjar para variar nuestra siempre igual cena.

Enero 19: Trabajamos muchísimo hoy, es un día cruel; caminamos poco y con dificultades enormes; las dos orillas son a pico; la del sur, más baja, nos deja ver la línea fértil que separa el cascajo de la roca terciaria; los matorrales en el norte son sumamente incómodos y el río corre con tanta fuerza que forma ondulaciones; perdemos más camino que el que ganamos, y a mediodía nos encontrábamos más abajo del paraje donde habíamos dormido anoche. Más de una vez tenemos que soltar la cuerda del remolque, pues quienes lo llevamos por tierra nos encontramos en inminente peligro de ser arrastrados al río. Nada resiste a la

correntada de un recodo: la cuerda se corta cada vez que
tres hombres y un caballo hacemos esfuerzos, y son tan
altos los borbollones de agua que asaltan la proa del valiente bote que pueden inundarlo. El brasileño tiembla y
no habla: ha llegado para él el momento de prueba. Nadie
se fija en las espinas que nos traspasan las piernas; el
rápido y el bote son el centro de nuestras miradas. Estamos
ya sobre él. A bordo, Estrella y Patricio, el primero en el
timón, el segundo con un remo, tratan de mantener la proa
fija hacia la corriente; ya casi tocamos el fin cuando la
cuerda se corta nuevamente y la embarcación tuerce con
velocidad y retrocede cerca de una milla por el centro del
canal. Debemos volver al mismo trabajo, pero esta vez con
mejor éxito; descargamos parte de las provisiones,
aligeramos el bote y hacemos con la pala un pequeño canal
por el cual cruzamos dejando atrás el rápido. A las tres de
la tarde volvemos a encontrar otra barranca elevada de
cien pies y casi a pique, sumamente arbustosa; la cruzamos
con peligro, pero con felicidad, es el punto llamado Swim
Bluff por Fitz Roy, promontorio a cuyo pie se extiende una
hondonada que en invierno sirve de estuario a las aguas de
las mesetas vecinas. El paraje es tristísimo.

Acampamos a las cinco de la tarde en una excelente
rinconada, bien abrigada. Aquí parece que acampó Fitz
Roy, pues hallamos viejos troncos hachados y huesos quemados hace largo tiempo.

El señor Moyano caza un guanaco con el revólver y
los dos marineros descansan y pescan luego algunas truchas que comemos fritas en grasa de avestruz. La cena es
abundante y consuela nuestros estómagos, vacíos desde la
noche anterior y ansiosos de encontrarse repletos después
de las grandes fatigas de este día. Por no permanecer ocio-
so pongo mis iniciales con grandes piedras para señalar
nuestro paso por este punto.

Enero 20: ¡Qué mal día se prepara hoy! Desde temprano principian los apuros. He pasado una mala noche; el

trabajo de ayer ha extenuado a mi gente, sobre todo en el último momento, al pasar una muralla perpendicular cubierta de médanos y en los cuales nos ha costado trabajo hacer pie para sirgar el bote. Tenemos las manos quemadas por la soga y las piernas y los pies ulcerados por las piedras y las espinas. No puedo exigir más esfuerzos, y voy creyendo que, aun a pesar de la decidida voluntad que tenemos, el buen éxito no coronará mi empresa. Los remolinos terribles por en medio de los cuales ha cruzado el bote se han grabado en mi cerebro y su vista no se aparta de mi espíritu. El padecimiento moral principia y me tiene agitado. Es demasiado el peso que llevo encima; hay momentos que yo mismo considero tentativa loca la empresa, pero la razón vuelve y no me doblego a pesar de que las dificultades van sucediéndose progresivamente. Me desconsuela el ver a mis pobres marineros, rudos pero fieles, no murmurar, aunque hay razón para ello. La muralla penosa está frente a nosotros y no pueden haber olvidado el atroz momento de su paso. Los premio, al despertarme, con la ración de galleta que me corresponde; es decir, una que parto en dos y que no desdeñan. ¡Qué exigua gratificación!

Al levantarme hoy me he derramado el jarro de café hirviendo sobre un pie, lo que me hace sufrir bastante. Continuamos la sirga. Hacemos media milla sin serias dificultades, pues ya no lo van siendo para nosotros los arbustos que incomodaban tanto al salir de Pavón; la costumbre y el encuentro de otros mucho más grandes las hacen olvidar y no nos causa extrañeza ni mucha pena el encontrarnos, de un momento a otro, arañado el rostro por una rama atrevida de berberis, o casi cruzado el pie por una espina de *Cactus*. En los barriales, que están tan sueltos que no se puede emplear el caballo pues desaparecería entre ellos, nos hundimos algunas veces hasta cerca de la cintura y, para adelantar camino, hay que hacer dos trabajos: remolcar y arrancarnos de una arcilla pegajosa que parece querer absorbernos. De nuestras caras parece brotar sangre; el calor de la mañana y la excitación nerviosa nos tienen agitados, y la perspectiva de una inmensa meseta a pique, en un recodo del río, nos pone casi fuera de nosotros. Trabajamos como fanáticos y no nos fijamos en obstáculos. La corriente ha aumentado y los rápidos van siendo más frecuentes; llega un momento en que parece imposible adelantar; las orillas del sur son a pique y no nos dejan paso; la del norte, por la cual vamos, presenta aun mayores dificultades; las vueltas del río se hacen más seguidas y las aguas, al costearlas, forman remolinos que mantienen el bote en continua oscilación. Al pasar un serio rápido, el pobre Patricio se asusta: con grandes esfuerzos hemos ido tirando los tres por dentro del agua, pero el miedo se apodera de él y creyendo ahogarse se lanza dentro del bote. Este suceso casi nos lleva a una pérdida segura. Como cada hombre tiene su lugar señalado en el trabajo, basta que falte uno para que éste se modifique, y la menor alteración en él puede perdernos. El señor Moyano ha sido encargado de llevar la punta de la cuerda por tierra para enredarla en alguna mata en caso de que la fuerza de la corriente arrastre la embarcación y a los hombres que la remolcamos; Francisco Gómez sigue llevando la cuerda a la cincha y cinco metros más atrás lo sigo yo, haciendo el mismo trabajo dentro del agua; Patricio, al costado del bote, trata que éste conserve la proa a la corriente; Estrella dirige el timón. Con la falta de Patricio, la embarcación, que se siente libre, se inclina y presenta su flanco al rápido; el agua la asalta y ya la imagino perdida; me lanzo al agua, pero pierdo pie; una poderosa fuerza de absorción me arrastra hacia el fondo del torrente, y pareciendo que me hace girar me vuelve a la superficie; creo que he trazado con mi cuerpo una espiral en medio del cauce del Santa Cruz. Felizmente, al ascender al nivel, puedo apoderarme de la cuerda que Francisco hace esfuerzos para no largar, arrastrándose en el suelo. Es tal la velocidad del agua que me cuesta trabajo sujetarme; empleando una frase vulgar diré que algo me ha tirado de las piernas tratando de arrancarme de la cuerda. Si mi buena suerte no me hubiera ayudado, de seguro que hoy blanquearía mi cráneo en algún rincón del Santa Cruz. Es casi imposible salvarse de uno de estos remolinos durante las inundaciones.

Hay que cruzar al sur para pasar un nuevo rápido y perdemos tres horas en andar cien metros; hecho esto, descansamos un momento. La fatiga nos vence; amarramos el bote en un recodo y, así mojados como estamos, tomamos un pequeño lunch; el balde–despensa contiene unos fragmentos de puchero de guanaco que el brasileño ha guardado con grandes precauciones; esto, con migas de galleta y unas gotas de jerez que distribuyo de mi pequeña provisión, nos da nuevas fuerzas, que bien necesitamos para cruzar el murallón que nos desafía enfrente. Aquí se ven los elevados barrancos, algunos de trescientos pies, que entorpecen tanto nuestra exploración. No es sólo su elevación, sino que encajonan el río, que adquiere así mayor velocidad y se torna caprichoso en sus vueltas: las aguas los baten y remolinean en ellos. Aquí los dos lados presentan orillas a pique; generalmente, hasta ahora, siempre hemos tenido una costa baja frente a otra alta.

Atacamos la alta muralla, pero hay que tomar grandes precauciones; un previo reconocimiento me muestra rocas que hacen bullir el agua al pie, y el paredón geológico a pique no permite que cerca de ella lo costeen hombres; el río lleva una velocidad de ocho millas. Embarco toda la gente y sólo quedamos Abelardo y yo en tierra; Isidoro va conduciendo los caballos a través del valle. Hago que Abelardo monte la briosa yegua, que es la que destino para los pasos difíciles, ponemos toda la cuerda disponible y ¡adelante! He embarcado a todos porque en este punto, si no se está prevenido, el bote puede zozobrar y perderse irremediablemente; además, en caso de que la soga se corte, el bote arribará a la costa contraria y la sirga tendrá que buscar camino por allí. También, lo confieso, veo serio peligro en llevar la cuerda por sobre la meseta; el caballo debe ir retirado del borde lo menos cinco metros, y la gran inclinación de la soga, vista la gran altura a que la llevamos (más de 100 pies), hace que roce los cantos de la muralla y que se enrede en las matas o grietas verticales del abismo. Hay que seguirla para impedir estos estorbos; el menor descuido puede lanzar al agua (es decir, a la muerte) a quien haga este trabajo. No debo exponer a nadie; ninguno más que yo tiene la responsabilidad de esta expedición y, por lo tanto, yo debo afrontar el peligro.

Hemos subido a la meseta y he principiado mi trabajo; los esfuerzos son grandes, mi corazón parece querer estallar y el pañuelo mojado que llevo en la frente se calienta, tanta es la sofocación que me produce el ascenso con la cuerda. El bote se desliza con trabajo, pero adelanta; la valerosa yegua no afloja y resuella con fuerza al adelantar inclinada, pero la muralla se resiste, no se deja vencer fácilmente; de pronto la correntada es tan fuerte que el bote arrastra al remolque y no hay más remedio que largar la cuerda; ésta silba, chicotea las piedras, pero no me envuelve. El bote, sintiéndose libre, ha remolineado; el torbellino de la correntada lo ha hecho girar, pero obedece al brazo fuerte del buen Estrella que no deja el timón; los marineros no pierden ánimo, están listos a los remos, hacen fuerza, y un momento después, luego que puedo arrastrarme hasta el borde del precipicio, veo al blanco bote que cruza ondulando, descendiendo veloz al este, y que trata de tomar la orilla opuesta. Toca la costa a quinientos metros más abajo y distingo a la gente que no se acobarda y que principia el trabajo del frustrado ascenso. Esta gran vuelta, que Fitz Roy llama Swamp Bend (Vuelta del Pantano), es difícil dejarla atrás, sobre todo con la actual inundación.

Desde el punto elevado en que me encuentro, domino el valle desolado y distingo a lo lejos al incansable Isidoro que bolea avestruces. Al oeste, los cerros van acercándose mucho más y me aseguran nuevas dificultades; allí el río debe ser más angosto y corre con mayor violencia. Los cerros inmediatos a nosotros han adquirido mayor elevación que los que hemos pasado.

El cansancio es tan grande que luego que veo a los marineros adelantar enfrente, aunque con lentitud, bajo por la muralla para tomar agua, pues la sed es espantosa y el calor sofocante. Hay aquí un espeso matorral que las barrancas protegen contra el viento y donde los arbustos son más elevados, pero hay muchos médanos. Ya la inundación va adelantando y antes de muchos días los habrá cubierto.

Caigo deshecho sobre un médano que han calentado los rayos solares y, mojado como estoy y fatigado hasta no poder más, quedo rendido y dormido al sol. Quizá lo hubiera sido para siempre si no me hubiera despertado tres horas después Abelardo, quien me buscaba, a caballo, temiendo que a pie, en esta soledad, sin armas, yo hubiera sido atacado por los pumas, pues se han visto dos en los alrededores.

No se qué pasó por mí durante ese trascurso; sólo recuerdo que la sangre afluía con fuerza a mi cerebro; me era difícil articular palabras y fue necesario que el grumete me trajera agua para mojarme la cabeza. El bote había cruzado a este lado y había pasado la muralla; feliz nueva, después de mi siesta forzada.

Pero no hemos concluido por hoy; volvemos a remolcar el bote por la costa baja, pero ésta se hace más pantanosa. Las aguas llegan con tal fuerza que hay que volver a largar la sirga y quedando Francisco Gómez en el norte, todos los demás cruzan obligatoriamente al sur. La corriente es muy grande, tanto que impide el manejo del bote que no puede presentar sus bandas porque se tumbaría.

Vamos adelantando con la proa hacia el río, que desciende, y así llegamos al sur. Trabajamos, pues, pero con dificultad; son muy empinadas las costas y llega un momento en que la barranca es a pique. En un instante en que el señor Moyano ha bajado a atar la cuerda, el bote se suelta y tenemos que volver a cruzar al norte, porque ir a tomar la costa sur más abajo sería perder el trabajo de todo el día: remolineando como una tina, tomamos la tierra en el punto donde había dormido la siesta letárgica. Patricio y yo, al remo, hemos hecho este *tour de force*; ¡cuarenta metros más abajo y hubiéramos tenido que volver a cruzar la inolvidable muralla! Con más facilidad ahora y con más precauciones, ayudados por la pala y el pico, podemos adelantar lo suficiente para dejar atrás el mal paso que nos hizo cruzar al otro lado. Cuando calculo que podemos hacerlo sin perder mucho camino, atravesamos nuevamente para traer al señor Moyano, quien, considerándose olvidado, hace grandes fogatas para llamar nuestra atención. Es la primera vez que se divide así el personal del bote.

Decido acampar en un desplayado donde abundan los arbustos; pero, para esto, hay que andar una milla más y es bien penosa. Tenemos nuevamente barrancas a pique, pero esta vez más bajas; sobre una de ella, en un médano, encuentro un *Pecten*, molusco cuya presencia aquí sería difícil de explicar, a no ser que lo hubieran llevado los antiguos indios, en lo que creo, pues he recogido hoy algunos cuchillos de piedra que me muestran que frecuentaron estas orillas.

Llegados al extremo de la vuelta pantanosa, acampamos al borde del río antes que el rojo sol desaparezca entre los negruzcos cerros del oeste. Media hora después, reunidos todos alrededor del fogón, devoramos un asado de guanaco, pues desde la madrugada no hemos tomado nada caliente. Estamos completamente mojados y el estómago frío necesita calentarse.

Enero 21: Paramos, obligados por el mal tiempo, lo que nos vuelve las fuerzas perdidas. Un temporal fuerte del SE inquieta el río; el agua parece que hierve y blanquea su curso con miles de penachos formados por el viento al soplar contra la correntada. Hemos pasado la noche al lado del bote; el ventarrón es tan fuerte que no podemos plantar las carpas; además la inundación aumenta, y nuestro campamento, al borde del agua, va siendo invadido. Hemos sentido pumas en la vecindad. Patricio ha velado y ha quemado su quillango porque tendió su cama al borde del fuego.

Cada uno hace campamento aparte para pasar el día con las mayores comodidades posibles; las matas abundan y con paciencia las convertimos en palacios provisorios. La que he elegido yo, antigua guarida de puma, es magnífica; habiéndola despojado de sus ramas espinosas y de las espinas y huesos que abundan a su alrededor, restos de feroces festines, construyo un resguardo donde sólo me incomoda la arena menuda que levanta el viento; con la lectura, echado sobre el cascajo, dejo trascurrir las horas del día. Es imposible hacer nada para comer; la arena lo convierte todo "a la milanesa" y los granos de cuarzo platean y doran el asado. Los remolinos elevan columnas de arena; si nos alejamos de nuestras respectivas cavernas vegetales, el polvo no nos deja respirar, ni mirar. En este paraje, el valle es más ancho; enfrente el río vuelve a correr al pie de unas mesetas bajas que se dirigen del este y sudoeste, pero que tienen siempre el mismo aspecto triste y árido de las mencionadas anteriormente. "La esterilidad se extiende como una verdadera maldición sobre el país." Aquí ya abundan mucho los fragmentos pequeños de basalto que venimos encontrando de tiempo en tiempo desde el Atlántico.

Enero 22: A pesar de haber calmado el viento ayer tarde, esta mañana vuelve a arreciar pero en dirección distinta; desciende de la Cordillera y nos obliga a buscar nuevos reparos porque las carpas no pueden mantenerse sujetas al suelo a causa de su blandura. El río parece de leche; el viento levanta una lluvia fina que por momentos nos oculta la otra orilla; a veces es tal la fuerza de rotación de los remolinos que elevan pequeñas columnas de agua de un metro de altura. Hago una pequeña excursión y encuentro otra boleadora y una punta de flecha bastante bien trabajada.

Enero 23: Tercer día de temporal; tenemos los ojos rojos a causa de la arena, pero ya vamos acostumbrándonos y podemos pasarlo con más comodidad. Como ha disminuido el viento, Isidoro y yo salimos a recorrer el camino al oeste y tratar de obtener algún avestruz. La demás gente se ocupa en hacer cuerdas, con cogotes de guanacos, para aumentar la línea de sirga y reemplazarla en caso de que se gaste; esto, desgraciadamente, es muy probable, vistos los inconvenientes que vamos encontrando; hacen también calzado de repuesto, pues el nuestro casi ha concluido. Aprovecho este descanso para decir algo sobre el guanaco, que nos va proporcionando elementos tan útiles para nuestro trabajo.

El guanaco es sin duda uno de los animales más interesantes que posee la parte austral del Nuevo Mundo, sin embargo, no ha merecido hasta ahora los honores de las grandes descripciones que los hombres de ciencia han consagrado a animales menos importantes. Encontramos observaciones ligeras en los libros de algunos viajeros y muchos de éstos, modernos, se contentan con nombrarlo. D'Orbigny sólo le consagra contadas líneas, a pesar de haber recorrido casi todos los parajes que este animal frecuenta, pero King, Fitz Roy y Darwin lo citan con algún detenimiento, sobre todo el último; lo encontraron más de una vez en sus excursiones y tuvieron ocasión de examinarlo al aprovecharlo.

Desde que Pigafetta lo describió fabulosamente, como teniendo la cabeza y las orejas de un asno, el cuello y el cuerpo de un camello y la cola de un caballo, ninguno de los visitadores de la Patagonia ha dejado de citarlo en términos más o menos exactos. Ha sido comparado con camellos; le han encontrado analogías con el caballo, con el anta, con el ciervo y hasta con las ovejas; le han llamado "carnero de la tierra". Su nombre llegó a ser casi tan popular como el de los habitantes de estas regiones, que él alimenta. Estos "ciervos de largos cuellos" encontraron un historiador detenido, aunque poco verídico, en el almirante Wood, quien durante su viaje al Estrecho, hace dos siglos, los vio pastando en esas regiones. La descripción más detallada y la lámina más perfecta que conozco de este animal es la que se encuentra en el libro de Meyen. (*Beiträige zur Zoologie*, etc., del doctor T. J. F. Meyer, 1833.)

Si hay inexactitud en las primeras descripciones es porque son el resultado del entusiasmo ciego que había en otros tiempos para las cosas de América, pues si hubieran sido descritas tales como eran, no habrían tenido la aceptación deseada. ¿Serían hoy conocidos los patagones de la manera que lo son, si no se hubiera exagerado su talla gigantesca?

Aunque Darwin dedica en su libro admirables páginas a los guanacos, voy a tener la osadía de indicar aquí algunas de sus costumbres, que he observado donde son más abundantes; distraeré así a mis lectores de la bien fatigosa y monótona ascensión del río, pero no esperen una descripción completa: no soy capaz de hacerla.

La historia genérica del guanaco no ha sido descifrada aún y dos opiniones le señalan diverso puesto en la escala zoológica. De la útil familia del camello, del cual tiene algunas condiciones en su estructura y en sus costumbres, es de proporciones mucho más modestas. Pertenece al género *Auchenia*, pero como aún se duda si este género está compuesto de sólo dos especies, es decir, el guanaco y la vicuña, que han producido por la domesticación la llama y la alpaca, o si todas son especies distintas, nos encontramos con que no puede ocupar aún un puesto bien definido en la Historia Natural. Como sólo lleno aquí mi obligación de viajero y no la de zoólogo, dejaré para otros la tarea de indagar cuál de las dos versiones es la verdadera o cuál de ellas presenta más probabilidades de serlo .

El guanaco es libre por naturaleza, es el heroico combatiente de los elementos. Pocas veces busca los halagos que pueden proporcionarle las feraces tierras bajas; prefiere las alturas, el desierto árido, las cumbres andinas; en la soledad, retoza. Más difícil de domesticar que el camello y de mucho menores proporciones, no nos puede prestar los mismos servicios que este "barco del desierto" que cruza las olas de arena y que a veces naufraga en ellas, pero lo encontramos en iguales parajes, físicamente, aunque muy alejados por la geografía. Este pequeño camello sin giba no sólo vaga en los arenales que convierten parte de nuestra América en pequeños Saharas y en las inmensas estepas patagónicas que recuerdan los desiertos del Asia, sino que, más fogoso que su hermano mayor, desafía las grandes alturas; vive salvaje, al nivel de los páramos de la Cordillera; allí el estridente relincho alerta al viajero que los atraviesa. Desde el Ecuador hasta la Tierra del Fuego, extiende su área de habitación; presencia todas las grandes escenas de la naturaleza sudamericana; busca en el verano la sombra bajo las selvas vírgenes del trópico y se cobija en invierno entre los sombríos bosques, cubiertos por la nieve antártica; bebe a veces el agua salada del golfo San Jorge y se deleita otras en los torrentes que bajan gozosos del pico del Illimani; pero donde se lo admira en su completo desarrollo salvaje, es aquí, en la Patagonia, de donde, como dice Darwin, es característico, y donde también, puedo decirlo, todo es salvaje, sean sus habitantes, sus bosques, sus ríos, sus soledades, sus desiertos y sus montañas. En estas regiones es abundantísimo y siempre en mis expediciones lo he visto, admirado, corrido y comido. Los hay de gran tamaño: he medido algunos que tenían desde la cabeza hasta los pies una altura de más de dos metros, pero la generalidad varía entre tres o cuatro pies de altura hasta el lomo y cuatro o cinco desde el hocico hasta la cola. Pesan hasta doscientos kilogramos. Su carne, aunque seca, es agradable, sobre todo en estos parajes donde sólo como un grato recuerdo se conoce la ternera; la de los jóvenes y hembras es preferible; la de los machos viejos tiene cierto olor desagradable y es muy dura, pero siempre es comible.

Es petulante en alto grado; su gallarda figura acompaña larga distancia al viajero que lo encuentra, sea para desafiarlo o para reconocerlo. Coronando una colina, una meseta o un peñasco, domina esta soledad austral y su relincho rompe a cada momento este triste silencio; cuesta quitar la vista del sitio desde donde mira orgulloso. Generalmente no es el hombre quien ve primero; el guanaco casi siempre lo adelanta y le advierte que ha sido descubierto; desde lejos le envía su grito de alerta y le sigue durante largo tiempo. Es el "dandy" de la región; su elegante cuerpo, su largo cuello e inteligente cabeza, su delgado y lanudo tronco y sus piernas finas y claras le dan una bella presencia. Difiere de todos los rumiantes pero participa de varios de ellos; tiene, como dijeron quienes primero lo vieron, algo de camello, de ciervo, de cabra y aun de oveja, pero a ninguno de estos tipos se inclina con preferencia bien marcada. Si hubiera sido conocido por los antiguos griegos, la fantasía de éstos le hubiera hecho representar importante papel en sus mitologías.

Su color general es amarillento, colorado y gris, pero entre éstos se destaca el blanco, uniéndose los otros tres en tintas suaves sin formar manchas. Estos colores varían según la edad y el sitio en que viven; he visto guanacos grises, casi blancos, y en las grandes tropillas se ven algunas veces uno o dos oscuros, rojos, casi negros. En su cabeza predomina el blanco y el negro con sus variantes; las orejas son blanquizcas–pardas y en el interior, negruzcas; la frente es del mismo color, que aumenta hasta el hocico, negro–ahumado y muy suave; el pescuezo en el frente es blanco, en lo posterior amarillento–rojizo desde el occipital y bastante lanudo; la parte más oscura, rojiza, se encuentra en el lomo y en los omóplatos donde la mancha de este color se distingue del resto del cuerpo; arriba es rojo–amarillento hasta la cola, que generalmente es del mismo color, aunque un poco más fuerte; el blanco predomina en el cuello, bajo el abdomen, en el lado interior de las piernas, a partir de un poco más arriba de las rodillas; los muslos son rojizo–amarillosos; sus rodillas, algo arqueadas. Se para con gracia; cuando camina lleva siempre levantada su corta cola; es muy gracioso en todos sus movimientos y se nota gran flexibilidad en su cuerpo. Hay algunos animales que producen hasta tres libras de lana.

Son miedosos, pero también curiosos en alto grado, y muchas veces esta última cualidad vence a la primera y le basta a quien lo examina no hacer el menor movimiento para que se acerque hasta muy próximo a él. Se los ve unas veces solos, otras en grandes tropillas; he visto algunas de éstas que contarían más de mil individuos y semejaban, disparando en las laderas, una majada de ovejas grandes. Entre ellos reina, como en todas partes, el derecho del más fuerte; generalmente, las tropas, compuestas de cien animales, son dirigidas por un solo macho, pues noventa y nueve son hembras que el valiente guanaco ha reunido y conquistado para formar su serrallo al aire libre. A veces dos o tres machos, que deben considerarse amigos, reúnen hasta más de doscientas hembras y vagan por las orillas del Santa Cruz donde son menos molestados por su gran enemigo, el indio. Se encuentran también tropillas de machos solos, sobre todo en ciertas estaciones; las componen los flojos que no han sido suficientemente valientes para procurarse las tan deseadas hembras y vivir separados dominándolas; pero, en la estación apropiada, estas tropas, que algunas veces llegan a reunir doscientos individuos, con el valor que da el número, buscan las tropas femeninas y se libran sangrientos combates con los guapos machos que las acompañan. Es entonces cuando las grandes tropas se reparten y los guanacos hasta ese momento solteros obtienen esposas formando reuniones de tres o cuatro hembras para cada uno; pero con la división han perdido sus fuerzas: se forman entre ellos caudillos, combaten y el gaje de quien triunfa son las hembras del vencido, pues éstas son esclavas y cambian con frecuencia de dueño. Cuando esto sucede, los machos flojos viven aislados, temerosos, y se los ve tristes, en número de dos o tres, lejos de los poderosos sultanes. Muchas veces he visto a cierta distancia de las tropillas de hembras, tres o cuatro machos aislados; los indios observadores me han dicho que son guanacos flojos que no se atreven a mezclarse con ellas por temor a quien reina allí; suspiran desde lejos. Muchas veces los machos de las tropas de hembras, se disputan sus amadas y las soledades australes son entonces testigos de combates formidables. Hay veces que uno de los combatientes muere y el otro queda inválido; siempre que he cuereado uno de estos guanacos grandes lo he encontrado cubierto de cicatrices. Las cuadrillas de machos son las más osadas, las que se aproximan más al cazador, pero también son las que huyen con mayor ligereza.

La hembra pare sólo un guanaco, aunque hay ejemplos de que se vea una con dos o tres; los pequeños, los que más prefiere el indio pues de ellos saca los cueros para los quillangos, son muy ligeros desde que nacen y ya a los dos meses es difícil tomarlos; también ése es el límite de tiempo que deben tener los que el cazador aprovecha; teniendo mayor edad el cuero se vuelve más lanudo y pierde la suavidad que lo hace tan estimado. Cuando son muy jóvenes no es muy difícil cazarlos; las madres en un principio los acompañan huyendo, pero cuando el cazador las apura se adelantan a sus hijos y entonces ellos se dirigen al hombre a caballo o a pie, que se encuentra más cerca y éste puede tomarlo con ciertas precauciones.

Las madres al principio protegen la retirada de los hijos. Es frecuente que éstas, con el macho, esperen a quien los persigue, para dar tiempo a que los pequeños se retiren, pero pronto los perros del cazador las asustan y la defensa es exigua; he visto caso en que la madre, viendo cazado a su hijo, se aproxima a quien lo ha conquistado. Heridos y en tierra, se defienden a mordiscos y patadas y aun a escupidas y es difícil arrancarles la vida. He visto correr más de una milla un guanaco que había sido herido mortalmente por una bala de Remington.

Ya he consignado en otra ocasión la sorpresa que experimenta el guanaco y el modo como expresa la sensación que le ha causado la presencia del hombre. La caza de ellos es fácil cuando se dispone de varios hombres; entonces, formando cerco y llevándolos a un punto donde se encuentren rodeados, es seguro tomarlos porque se confunden y no aciertan a disparar; pero cuando el cazador está solo necesita tener buen caballo y perros para alcanzarlos. Los indios, generalmente, esperan formar cerco antes de correrlos aislados. Se los domestica con facilidad y pueden formar rebaños como las ovejas. En Carmen [de Patagones] he visto algunos que vivían sueltos en una pequeña tropilla y que no se alarmaban del caballo ni de los perros. Como su lana es apreciada, llegará un día que las tropillas salvajes de la Patagonia se domestiquen, y que el hombre, en vez de aniquilarlas, como hace ahora buscando sólo su carne y abandonando su piel, a no ser la de los jóvenes, aproveche su lana sin quitarle la vida, como artículo de comercio lucrativo.

El guanaco es viajero; permanece poco en un mismo sitio y hace grandes viajes, según las estaciones; en verano, busca el centro del territorio, los valles y las mesetas del interior; en invierno, cuando el viento frío y la nieve lo incomodan, busca los tupidos bosques de las faldas de la Cordillera y las costas del océano; en ese tiempo es raro encontrar un guanaco en el territorio intermedio. La emigración se hace parcialmente en pequeños grupos o en grandes tropillas, y marchan de uno a uno por sus innumerables senderos, algunos trazados por otras generaciones. En las inmediaciones de la isla Pavón se han visto tropas tan numerosas que han tardado en cruzar la meseta más de una hora y esto mismo lo han observado los indios en otros puntos. Esas sociedades se compondrían indudablemente de miles de individuos, que la necesidad hacía viajar unidos.

El guanaco es sobrio, pues no busca los sitios bien provistos de pastos tiernos; prefiere las gramíneas bajas de las tierras altas y gusta de preferencia el pasto que llamamos "fuerte". Cuando encuentra alguna lagunita, vive en sus inmediaciones y aprovecha la oportunidad de beber, aunque en poca cantidad, y como es poco escrupuloso bebe hasta barro; se le ha visto saciar su sed en agua salada. Como se lo encuentra en abundancia en parajes donde el agua falta casi totalmente, es probable que este animal soporte la sed más que muchos otros; algunas veces me engañé al creer encontrar agua donde vivían cantidades de estos animales.

Dícese que antiguamente los indios tenían guanacos mansos y adiestrados para la caza, que les servían para atraer a los salvajes; hoy no los emplean.

Darwin menciona una curiosa costumbre del guanaco: dice que durante varios días seguidos deposita sus excrementos sobre un sitio que es siempre el mismo, y según Alcides D'Orbigny parece que todas las especies de este género tienen la misma costumbre, de gran importancia para los indios del Perú que emplean estas materias como combustible, que ni siquiera se toman el trabajo de recoger. Aun domesticados tienen este hábito, como me ha sido fácil observarlo en distintos parajes. Los que forman estos montones de estiércol sólo son los machos; desde largas distancias concurren a la letrina común y el observador puede ver que muchas de las sendas concluyen en ella. He visto unirse hasta veinte caminos que llegan de todas direcciones. Estos depósitos explican los manchones fértiles que se ven esparcidos sobre las mesetas patagónicas. Aparecen en medio de la aridez característica, como oasis de dos metros de diámetro, formados por agrupaciones de verde–amarillentas gramíneas que han encontrado sustento en los desperdicios animales.

Otra costumbre de los guanacos es formar revolcaderos comunes donde toda la tropilla se despereza; cuando ésta es muy numerosa, en un pequeño radio, se ven ocho o diez de estas concavidades, próximas unas de otras. El guanaco tiende a la sociabilidad comunal.

El paraje donde nos encontramos está sembrado de esqueletos de guanacos; en distintos puntos y desde que hemos principiado la marcha, podemos observar las mismas aglomeraciones. Darwin opina por eso que los guanacos parecen aficionarse particularmente a ciertos sitios para ir a morir, y dice que lo ha comprobado en este punto (río Santa Cruz), donde el suelo está oculto por los esqueletos acumulados. "Esos animales debieron, en casi todos los casos, arrastrarse a este punto para morir en medio de los matorrales." Esta explicación del célebre naturalista no satisface completamente ni explica la presencia de esas grandes cantidades de huesos que se ven detrás de cada mata. Esta mortandad de guanacos es debida únicamente al frío, acompañado de los temporales que en invierno se desencadenan en estos parajes. Las tropillas bajan en esa estación de las mesetas, donde la crudeza del tiempo es terrible y donde la nieve ha cubierto los escasos pastos que les sirven de alimentos; gradualmente los guanacos se refugian en las orillas del río, no para "beber antes de morir", como conjetura Fitz Roy, sino porque aquí la nieve no es tan espesa para que cubra totalmente la hierba. Se reúne gran número en pequeñas tropillas y, extenuados por la falta de alimentos y el frío, los que no han encontrado asilo en los bosques de la Cordillera emprenden su emigración al este. Así, los pobladores de Pavón han visto grandes tropas desfallecientes seguir hambrientas las orillas del río, dejando huellas horribles de su paso en las rinconadas, donde descansaron los fugitivos durante la noche; el frío aniquila a los más débiles que, en grupos, al reparo de un matorral, buscan el escaso calor que puede darles el mutuo contacto. Así se explican los esqueletos reunidos que siempre se encuentran depositados del lado opuesto al de donde llegan los temporales. Aquí he visto un rincón abrigado donde se pueden contar más de cuarenta esqueletos, unos enteros, otros destruidos por los pumas y los gatos, que acompañan a los elementos en su obra de destrucción y la completan.

Si en las estaciones agradables el guanaco busca, para descansar, los puntos elevados y limpios, donde sus enemigos no puedan acercarse sin ser sentidos, en el crudo invierno la necesidad les hace muchas veces ir a guarecerse hasta el reparo de la misma mata donde espía el puma. He observado también que, generalmente, los esqueletos pertenecen a animales de dimensiones pequeñas, lo que me hace creer que los que mueren son parte de los que han entrado a la vida en la primavera anterior. Cerca del río es donde siempre he visto estos depósitos; en las alturas de las mesetas pocas veces se ven guanacos muertos, pues este animal prefiere morir en las quebradas, donde, cuando el cazador lo acosa, cae al ir a buscar la salvación cruzando el río. Nunca he visto juntos en la meseta dos guanacos muertos, a no ser en la guarida de los pumas. La vista de estas osamentas y la de un amontonamiento de huesos de cabras que encontró en Santiago, en las islas de Cabo Verde, sugirieron a Darwin la reflexión siguiente que, con la explicación de la causa verdadera que doy ahora, puede ser exacta, tanto más que los depósitos de huesos de las cavernas pertenecen a una época en que la temperatura debió ser más cruel que la de Santa Cruz durante el invierno: "Doy a conocer esta circunstancia, insignificante en apariencia, porque puede explicar de cierta manera la presencia de grandes cantidades de huesos en una caverna, o el amontonamiento de huesos en un depósito de aluvión; explica también por qué razón ciertos animales están sepultados más comúnmente que otros en los depósitos de sedimento."

Cada año, miles de guanacos deben encontrar la muerte en las regiones australes a causa de la temperatura.

Enero 24: Habiendo calmado el viento pampero, salimos a las diez de la mañana y caminamos sin tregua hasta las siete de la noche. Es el mejor camino que hemos encontrado desde la bahía, pues la margen norte siempre nos da paso con grandes o pequeñas dificultades, pero no nos estorban las mesetas a pique que tanto tememos. Pasamos por parajes donde el río es bastante más angosto que en su curso general, pero hay pocos rápidos en la orilla y, aunque las vueltas son numerosas, los arbustos han disminuido y permiten que el caballo nos ayude en el trabajo.

Van siendo más abundantes los restos de industria humana; a cada momento vemos rastros del paso de los antiguos indígenas y, sin alejarme de la cuerda que tiro, encuentro varios cuchillos de piedra. El paraje en que se recogen estas antigüedades está generalmente en los bajos, donde una lomada que desciende hasta el río proporcionaba abrigo a los primitivos habitantes.

Una loma que sirva de reparo al viento, una mata que brinde protección, las boleadoras y las flechas para cazar guanacos y avestruces, las pequeñas puntas de flecha para pescar los peces que la claridad del agua permite distinguir cuando hay calma nadando en los remansos, bastaron al antiguo patagón para llevar una vida que quizá lo hizo feliz. Se comprende fácilmente que eligieran estos rincones porque, no teniendo caballos, la caza en los despoblados abiertos les hubiera sido imposible, y sólo en los bajos, con lomadas y arbustos, pudieron encontrar emboscadas fáciles y provechosas.

No se encuentra más vestigio humano que esas armas de piedra y sólo he recogido un fragmento de hueso, que parece haber sido pulido para darle punta y que pudo haber servido de lezna para hacer los cobertores de pieles que usaban.

Las mesetas desagregadas que dejamos al sur nos ofrecen un interesante panorama: una arquitectura fantástica ha convertido ese pedazo de pampa en castillos arruinados, murallas imponentes, pirámides de flancos desmenuzados con grandes cubos en la base; todo árido, blanquizco y alumbrado por el sol que los destaca del fondo incierto. Allí parece yacer una ciudad geológica destruida entre cuyos edificios inmensos se han formado médanos. Una interesante colección de fósiles espera en ella al feliz colector que disponga de tiempo y medios. Es éste un paisaje de Norteamérica, de las tierras de Nebraska, tan áridas para la labor industrial del hombre pero tan útiles para el conocimiento de la historia del pasado de nuestro globo.

En el paradero de esta noche, Isidoro ha cazado un puma, el que después de haber sido despojado de su piel, que se destina para las colecciones, es dividido en dos partes, una para la cena y la otra para los perros, los que no quieren comerla. Esta pieza, en el momento que Isidoro la encontró, espiaba una tropilla de guanacos que bajaban a beber al río. Patricio al verla, ya muerta, se asusta de tal manera que, sin fijarse que es inofensiva huye y se refugia en el bote; sólo cuando la ve dividida cobra ánimo y devora su carne con un placer tan grande como el temor que antes le tuvo. Los negros y otros salvajes comen la carne de las fieras para tratar de adquirir por ese medio el valor y la fuerza de ellas; Patricio, tal vez por herencia de sangre, hace lo mismo. Notando la afición que tiene por esta clase de alimento, le damos el apodo de *Yanta–féras*, aunque él desea el de *Mata–féras*. Éste jamás lo conseguirá. Se siente orgulloso con su nuevo nombre.

El paradero está situado en la falda de la meseta norte, al principiar una vuelta del río que cruza trasversalmente el valle; hay un pequeño bañado bajo que se interna en una quebrada que cae de los cerros y presenta un aspecto pintoresco por la abundancia de arbustos. Se nota cierto cambio en la orografía de la región: divisamos al oeste tablas negras que nos anuncian el basalto; en la costa hemos visto fragmentos redondeados de esta roca, muy celulares, que semejan negras esponjas petrificadas. Las mesetas se encuentran más próximas unas de otras. En el bañado cazamos algunas zamaragullones (*Haliaeus Brasilianus*) y una ardea (*Ardea melanoleuca*) que, con el cuello encogido, esperaba la noche para hacernos oír su lúgubre grito.

Enero 25: Corre el río por la falda de la meseta casi vertical y el principio del trabajo es sumamente engorroso, pues cuando no tenemos ese obstáculo, los bañados de la orilla opuesta se han vuelto intransitables con la creciente; ésta va en aumento y en ciertos sitios bate con tal fuerza la costa a pique que se desploman grandes fragmentos de roca; éstos pueden aplastar nuestro bote, que arrastramos con energía sin tener en cuenta el peligro.

Salvado el primer mal paso, monto a caballo y subo a la meseta; necesito estar solo, pues me temo que los obstáculos agrien mi carácter y comprendo que no debo manifestar mi intranquilidad respecto al porvenir de nuestra tentativa a los buenos trabajadores que me ayudan. Alcanzo a cruzar tres mesetas elevadas, la última es de cerca de 1200 pies (cálculo aproximado); sobre ésta encuentro un manantial situado en una hondonada agreste, pero triste; lo rodean más de cincuenta guanacos que se revuelcan en el barro salitroso para refrescarse del calor insoportable del día. Es el fragmento de territorio más triste que he cruzado. Reina una aridez espantosa; la sequedad se opone al desarrollo de la vida orgánica y asombra que el guanaco recorra esta tierra muerta; la lluvia pocas veces humedece esta planicie, y si con ella llega a desarrollarse la vegetación, pronto la crudeza del tiempo la abate. Solo los depósitos guaneros de los guanacos distraen la vista; ese pasto amarillento que crece en ellos les proporciona alimento; estos animales fecundan la tierra que los nutre.

La impresión que deja el aspecto de la naturaleza en una región determinada está íntimamente ligada con el estado del espíritu del observador en el momento que la observa; quizás mi opinión sobre este punto esté sujeta a esa impresión, pero la encuentro así estampada en las notas tomadas esta mañana y ahora que las pongo en orden considero que debo asentarla. Sólo he visto escasas matas de calafates, pero en cambio, en la última meseta, la mata negra sombrea grandes extensiones con sus oscuras ramas; encendiéndolas, me dan ocasión de avisar a los del bote mi paradero, y de poner en fuga a los pumas y zorros que guarecidos en ellas presienten el famoso picaso, tuerto y cojo, que monto. Éste es más terco que dañino el puma.

Cruzando planicies y quebradas llego a una de éstas, cuyos bordes perpendiculares y renegridos anuncian el basalto. Corresponde a la meseta mediana que se eleva a 750 pies sobre el nivel del mar. Cuesta trabajo encontrar fácil descenso entre esos enormes cristales imperfectos, opacos, que parecen ahumados por tremendos incendios. Es un desfiladero sombrío y tétrico dominado por inmensas murallas, cuyos flancos parecen haber sido asaltados y defendidos por gigantes que desmoronaron sus piedras. La lava basáltica ha formado, entre la soledad de las mesetas, parajes aún más tristes, más imponentes, verdaderamente salvajes, abrigo de pumas y cóndores.

La sabana ígnea que se extendió bajo el antiguo mar se ha quebrado sembrando de fragmentos la grieta, y entre éstos sigo por el precipicio que se dirige desde el NO. Lo dominan a ambos costados el basalto en cristales imperfectos, negros unos, pardos otros, sirviéndoles de contrafuertes los fragmentos que su infatigable enemigo, el tiempo, ayudado por el frío han arrancado de esos muros verticales de 120 pies de alto y que se elevan soberbios, entristeciéndolo todo. Es un espectáculo que ejerce melancólica influencia sobre el viajero; éste enmudece y hasta cierto temor se apodera de él, puedo decir, inspirado por el recuerdo de la catástrofe geológica que produjo esta escena. Todo calla aquí; hasta los guanacos cesan de anunciar su presencia y vagan solos entre los matorrales; únicamente chillan los halcones blancos y negros y los cóndores. Un pequeño arroyuelo, hoy casi seco, con mala agua, pero que en otoño o en invierno debe contenerla en más abundancia, serpentea por el centro de la quebrada que está obstruida en distintas partes por los peñascos que han caído de las alturas y por los matorrales que la naturaleza parece haber colocado aquí para atenuar la desoladora perspectiva de esta región verdaderamente infernal. Verdes gramíneas, algunas tan altas que parecen juncos, contrastan con la roca volcánica, y algunas amarillas y rojas calceolarias inclinan su tallo sobre esta negra lava representando la vida sobre una región de muerte. Es difícil recorrer a caballo esta garganta, y aun a pie hay ciertos puntos en que es muy molesto hacerlo.

Al volver al valle, noto que la salida de estos cerros se halla situada sólo a media milla del paradero de anoche y en su borde exterior la meseta muestra la inclinación del basalto que va desapareciendo entre la capa glacial hacia el este; al oeste continúa la negra sabana tomando mayor desarrollo. El río corre lejos de la meseta y me es necesario galopar largo rato entre parajes sumamente áridos para encontrar el bote que avanza lentamente. La lectura de los respectivos diarios de Fitz Roy y Darwin me anuncia más serios obstáculos en los parajes que tenemos delante, al pie de las imponentes y negras murallas y fortalezas arruinadas, construidas por las lavas; ansiosos de llegar a ellos trabajamos hasta muy entrada la tarde.

Enero 26: Hoy, a mediodía, hemos llegado al punto peligroso que señala Fitz Roy; el Santa Cruz baja saltando por sobre rocas que costean su margen septentrional. Inmensas moles negras se destacan sobre la meseta formando siniestro contraste con el celeste del cielo y las faldas que están sembradas de enormes fragmentos cubiertos por arbustos. Es un paisaje completamente distinto de los que hemos cruzado; a la aridez producida por la falta de agua en terrenos generados por ella, sucede la sombría formación volcánica. La amarilla cumbre de la meseta ha cedido bajo el sólido y espeso basalto, y la escena, si bien continúa siendo patagónica, no conserva ya los dilatados límites que generalmente la caracterizan. Sus horizontes son reducidos, mas diversos, de tintes más vivos; el azul de arriba, la oscura faja volcánica, la parda meseta, los arbustos creciendo más verdes entre las negras piedras al borde del ancho río de aguas azul–verdosas que las bate blanqueándolas, forman un variado panorama por el cual el hombre desarrolla también sus fuerzas con el blanco bote que roza los peñascos basálticos. Nuestro trabajo se hace sumamente peligroso, pues las aguas forman entre ellas rápidos remolinos que inclinan la embarcación exponiéndola a zozobrar a cada momento y a arrastrar a quienes, desde las puntas de las piedras llevamos el remolque. A cada instante nos encontramos en presencia de dificultades de esta clase, pero siempre tenemos suerte y las vencemos y dejamos atrás el paradero de Fitz Roy, al llegar a Basalt Glen. Esa sombría quebrada, inmensa rajadura en la estrata volcánica que la domina a ambos costados con sus moles geométricas, se dirige desde el NO hacia el río formando en este punto una pequeña bahía pintoresca en su misma tristeza. Estas moles oscuras, que caen a plomo desde la meseta, casi columnares, cuyos fragmentos han rodado hasta el agua, están matizadas por lujosas gramíneas y otras plantas distintas a las de la meseta, que ya hemos observado; todo indica más vida vegetal y más variedad en ella que en el territorio ya recorrido. Estos pequeños desfiladeros oscuros, sembrados de enormes peñascos de ángulos fuertes, negros y mohosos por el tiempo, dan al paisaje el aspecto de una región de hierro; el basalto cubierto de pequeños líquenes tiene, desde lejos, cierto viso de vetustez que caracteriza las antiguas construcciones del hombre. Un pequeño manantial, que corre por el centro con poquísima agua y es alimentado por las que se depositan en el punto que la capa volcánica reposa sobre la capa sedimentaria, produce en este punto una cinta alegre, verde, bien definida, de plantas tiernas que tratan de atenuar esta imponente soledad.

Fitz Roy se equivoca al creer que por esta quebrada corre el Chalia, mencionado por Viedma en su viaje a la Cordillera. El manantial que he visto hoy estaría convertido sin duda en un pequeño arroyo en el tiempo que el célebre marino lo examinó, es decir, en otoño (26 de abril de 1834); esto le hizo atribuir esa dirección al río citado por Viedma, a quien los indios dijeron que desaguaba en el Santa Cruz. En los datos que he dado en el capítulo anterior, encontrará el lector el verdadero curso del Chalia, que no es otro que el arroyo que pasa por el paradero de *Shehuen Aiken* y que desagua en el río Chico, el cual, a su vez, desemboca en la bahía de Santa Cruz.

Hemos conseguido salvar los malos pasos y hacemos nuestra parada al pie del murallón basáltico, que en la vuelta del río forma un valle pequeño. En éste, la caballada puede encontrar buen alimento; los matorrales abundan y adquieren dimensiones bastante notable;. Establecemos el campamento en un sitio bien resguardado y cómodo para poder descargar el bote y revisar el estado de las provisiones, pues con los distintos tropiezos hemos sufrido algunas averías a causa del agua que ha penetrado en él.

Enero 27: Isidoro amanece enfermo. El viento de los Andes sopla con fuerza y agita el agua que se encrespa sobre las piedras y choca en ellas con gran ruido. Como el cauce del río es aquí angosto (más o menos 200 metros), la corriente es más veloz y el trabajo incómodo en alto grado;

no debo exponerme a que fracasen mis proyectos y resuelvo no moverme hoy. El Sr. Moyano sale a cazar y vuelve con un avestruz (*Rhea Darwinii*), cuyo cuero saco para
las colecciones; en seguida hago una excursión a las
quebradas basálticas para poder, desde las alturas, buscar
las crestas de la Cordillera.

Todo se combina para hacer más lóbrego este desfiladero de basalto; el día es frío, oscuro y a ratos cae una
lluvia fina y el viento sopla con furia produciendo en ciertos momentos silbidos tristísimos en el valle silencioso.
Este escenario sería digno teatro de las hazañas cantadas
por Ossian; recuerda las soledades, hijas del paso de Fin-
gal. Cuando en un momento un chubasco cargado de grueso granizo, golpeando los negros flancos de los peñascos,
blanquea la superficie escabrosa de la angosta quebrada,
mi imaginación cree ver aquí un sudario mortal, y en los
esqueletos, residuos del festín de algún puma, despojos de
algún héroe de las huestes de Loclin abatido por el dardo
del titán de Morven. Los cristales de sólida lava, troncha-
dos y caídos unos sobre otros, semejan piedras funerarias
sobre las cuales las águilas exhalan gritos siniestros que el
espíritu toma como fatales augurios.

Enero 28: Al oeste del paradero, el río forma una rápida vuelta viniendo del sur, desde el borde de la meseta
opuesta, dejando al norte una extensa llanura, pues la meseta basáltica no la sigue sino que viene casi en la línea
recta EO. Presenta esa llanura dos pequeñas mesetas; en la
superficie, inmediata a la lava, se admiran preciosos manantiales, fertilísimos, como no esperaba encontrar aquí;
dos pequeñas lagunas permanentes alimentan miles de
aves, y se regocija el viajero mirando los flamencos (*Phoenicopterus ignipalliatus*), los patos (*Daphila spinicauda*), los
chorlos (*Totanus melanoleucus*) y las gallaretas (*Fulica
leucopyga*) que en innumerables bandadas cambian de ba-
ñadero a cada momento. Esta capa de agua que nace bajo
el basalto fertiliza la región; su aspecto nos arrebata la

tristeza que produjeron las quebradas visitadas ayer. Los guanacos abundan por cientos; en todas direcciones vemos tropas de avestruces que huyen de los perros de Isidoro, que también se han animado como nosotros. Esto es espléndido para una cacería, pero Isidoro continúa enfermo, bastante molesto, y ni siquiera le participo cuando regreso, al campamento, el feliz hallazgo de este fértil oasis. No podría aprovecharlo.

Esta tarde he hecho una excursión sobre la capa de lava; desde ella se divisan mesetas elevadas de 2.000 a 2.500 pies que se escalonan hacia el oeste; pero, a pesar de hallarse despejando el horizonte en esa dirección, la Cordillera está velada aún por la distancia que nos separa de ella.

Creeríase que el hombre no hubiera vivido nunca en esta región árida y escabrosa, pero me prueba lo contrario el encuentro de algunos rascadores y un cuchillo de piedra dejados por los antiguos indígenas.

Enero 29: Por las alturas termométricas tomadas hoy, en el punto de ebullición, obtengo una altura de 751 pies para la meseta basáltica, inmediata al campamento, y para éste la de 235; considero estas medidas bastante aproximadas a las verdaderas. La última da al curso del río una pendiente bastante sensible que vemos confirmada por su velocidad; calculo aquí la capa de basalto en cerca de 140 pies. La temperatura media del día ha sido de 12° Réaumur.

El Sr. Moyano ha cazado hoy un guanaco; así nuestro compañero reemplaza con buen éxito a Isidoro, que continúa enfermo.

Enero 30: Nos ocupamos en levantar un pequeño *cairn* como signo de nuestro paso por este punto.

Al presenciar este espectáculo, la tristeza vuelve a apoderarse de Patricio que no alcanza a comprender el significado de nuestra operación y no puede sino pensar que ella tiene por objeto servirnos de tumba.

He incendiado los matorrales de la falda del cerro para ahuyentar los pumas que anoche molestaron a la caballada y que ahora distinguimos, huyendo de las oscuras grietas que abundan en los flancos de estos enormes peñascos. A la noche el frío nos asalta y nos hace pasar momentos bastante desagradables pues nos anuncia un prematuro invierno.

Enero 31: Aún dura nuestra detención; innumerables cóndores y caranchos (*Polyborus vulgaris*) acuden al campamento en busca de los despojos de nuestra cocina; estamos rodeados por centinelas alados que alarman al brasileño que no duerme la siesta por temor a ser atacado por ellos.

El tiempo ha recrudecido: a las doce el termómetro marca 5° Réaumur y el frío andino nos llega; a la noche, en el arbusto inmediato a mi cama, encuentro que dicho instrumento ha descendido a 2°, ¡temperatura bastante desagradable para el mes de enero! El brasileño la comenta y bravateando la desafía; sus botaratadas llegan a tal punto que lo obligan a bañarse en el río, produciéndole una sensación tal que pasa más de cinco minutos sin poder articular palabra y con los miembros entumecidos por el agua helada. El desgraciado bañista tirita toda la noche, prometiéndose no volver a ser valiente "a la fuerza".

Nuestro campamento presenta un aspecto mágico. El incendio continúa con mayor intensidad; ha atacado los murallones de basalto y devora los arbustos.

La luna, que hace un mes veía elevarse sobre el tranquilo océano, alumbra radiante esta escena ardiente; las llamas gigantescas serpentean entre las grietas y hacen destacar los negros muros invencibles para ellas, y las columnas tumultuosas de densísimo humo hacen resaltar la suavidad y los tenues contornos de pequeñas nubes fugitivas que corren empujadas por el crudo viento andino. Los rayos lunares las platean unas veces y otras veces ellas los interceptan; entonces admiramos más la

escena infernal que se desarrolla frente a nosotros produciendo ruidos pavorosos que contrastan con el bello
panorama que, desde la altura, domina a nuestro tranquilo
campamento.

Ascensión del Santa Cruz. Llegada al lago.

ebrero 1°: La noche ha sido cruel y nos ha tomado desprevenidos. Isidoro ha curado y podemos continuar viaje a la madrugada. La inmensa vuelta hacia el sur no nos ofrece grandes probabilidades de adelantar mucho al oeste, lo que nos obliga a levantar campamento antes de la hora ordinaria para poder llegar a otra meseta, cuyos flancos se inclinan a cierta distancia anunciándonos que allí corre el río antes de torcer para formar la gran curva.

Al principio encontramos tropiezos, porque las piedras agitan demasiado el agua y además es necesario conocer la profundidad del río en este punto, para lo cual debemos cruzar a la otra orilla y largar la sonda en medio del cauce. Encontramos 84 pies, 48 pies y 24 pies en los distintos puntos; en la vuelta, 30 pies. Concluida esta operación, dejo que la gente continúe con el bote y emprendo la cruzada a pie para acortar camino y conocer ligeramente la llanura. Sigo un pequeño sendero que vengo observando desde hace algunos días y que no me parece trazado por los guanacos; es camino de "chinas", llamado así por haber sido formado por las mujeres indias que siempre siguen el mismo trayecto cuando van en marcha con los toldos, mientras los hombres buscan la caza. Parece ser muy antiguo, de la época en que el patagón usaba cuchillos de piedra, pues he recogido dos.

El aspecto de la comarca es bastante variado y las lomas no son planas, imitando mesetas, sino onduladas, como si hubieran sido levantadas por fuerzas internas, y forman bajos bastante pronunciados al llegar a la meseta alta que es coronada por el basalto negro.

Todo es más fértil; la vista del paisaje es más risueña y los pájaros más abundantes; los guanacos ascendiendo las pequeñas colinas retozan alegres, sin recelo del hombre que, a pie, cruza cercano espantando bandadas de pechos colorados (*Sturnella militaris*) o de patos que se alimentan con la exquisita fruta del calafate (*Berberis*). El río corre por el lado sur, pero las mesetas del norte se han aproximado más, siempre con las ondulaciones ya señaladas que impiden distinguir una larga distancia desde la costa.

Descanso durante la siesta al resguardo de un pequeño matorral hasta que Isidoro llega con la caballada; pero el bote no se divisa y varios cóndores que revolotean lejanos entre las colinas inmediatas al curso del río me hacen pensar que alguna desgracia ha acontecido a la tripulación; retrocedo a pie siguiendo la orilla, y recién a las tres millas doy con él y comprendo la causa que motiva el retardo: el camino que ha hecho es engorroso y además ha sido necesaria una demora para cargar un guanaco que han cazado y que es la presa que atrae a los cóndores.

Recién a las diez de la noche llegamos al matorral paradero, no sin grandes esfuerzos, sobre todo en la última parte, donde el borde del río es en extremo fangoso y donde la noche oscura nos oculta los buenos trechos para llevar la sirga. Pasamos agradable noche después de habernos alimentado bien con fariña guisada con grasa de avestruz y excelentes "beefsteaks" de guanaco.

Febrero 2: La corriente no es tan rápida en este punto, pero la inundación nos retrasa mucho en la marcha; hay parajes donde el río tiene 400 metros de ancho y donde las aguas han ocultado matorrales sobre los cuales vara el bote y que nos maltratan cruelmente al echarnos al agua para desligarlo de las ramas. El cauce del Santa Cruz se dirige ahora del norte; y estos zigzags van siendo tan numerosos y tan espaciosos que poco ganamos al oeste. A mediodía se levanta un fuerte viento que acrece la velocidad de la corriente de tal manera que nos obliga a detenernos, antes de entrado el sol, en un bajo inundado cubierto de matorro blanco (*Quenopodiácea*) y de calafates. Es el paraje más monstruoso que he encontrado hasta aquí; lo cubren médanos grandes que ocultan los peñascos negruzcos desmoronados de la capa basáltica que lo domina y con la cual el río, que desciende rugiendo al pie, forma un cercado natural casi completo para nuestra caballada. Éste es el punto donde el almirante Fitz Roy estuvo a punto de perder una de sus embarcaciones; el ruido que las aguas hacen al chocar en los peñascos derrumbados que hay en el fondo, en una hoya profunda y dominada por otras piedras, es grande: es una enorme caldera que bulle y cuyo hervidero siembra de blanca espuma todo el ancho del canal. Un trueno siniestro, aunque no fuerte, se siente continuamente y nos avisa el peligro que vamos a arrostrar si tentamos salvar ese infierno de rocas y de olas. El río está sembrado de islas formadas por la inundación que va invadiendo el valle; me encuentro perplejo sobre cuál de los canales debo seguir, pues por todas partes vemos piedras o matorrales cubiertos pero denunciados por los penachos que el agua forma sobre ellos.

Febrero 3: Nuestro campamento ha sido instalado ayer entre unas matas abrigadas que la casualidad nos ha mostrado y que hemos elegido previendo temporal. Los fenómenos meteorológicos parecen oponerse a nuestro progreso hacia lo desconocido, y el frío, el viento y lluvia, o el calor insoportable, nos incomodan cuando encontramos que el torrente no nos muestra seria oposición. No podemos pasar una hora sin que alguno de esos obstáculos ponga a prueba nuestra paciencia humana. Anoche, sin embargo, hemos tenido buena elección en el paradero, pues no sé cómo la hubiéramos pasado acampando en despoblado.

Aun en el abrigo en que nos encontramos todavía hoy, pues dura el temporal, hemos sentido los efectos de las inclemencias patagónicas. La maleza, que me recuerda días agradables pasados en las salinas catamarqueñas durante mi expedición a las ruinas de los calchaquíes, ha sido débil reparo; la lluvia se ha descargado sobre nosotros y nos ha mojado completamente a pesar de las cuevas que cada uno ha formado en los intrincados troncos de los arbustos, precaución que no olvidamos cada vez que el tiempo nos amenaza. Al despertar, cada uno se encuentra convertido en isla: rodeados completamente por el agua, apenas podemos levantarnos pues nos encontramos sumidos en la tierra guadalosa. Es un amanecer bastante desagradable.

El viento continúa del OSO con fuerza cada vez mayor levantando remolinos de arena que recorren, caracoleando, la llanura y elevando columnas de polvo sobre los peñascos basálticos, lo que nos produce la ilusión del humo de la lava aún incandescente; el bote se balancea con el viento y la corriente y, a pesar de sus buenas amarras, nos infunde serios cuidados su situación.

No hay posibilidad de movernos; si tratáramos de cruzar a la orilla opuesta, seguramente iríamos a tomar la costa frente al paradero de donde salimos ayer de mañana; más vale permanecer tranquilos entre tanta intranquilidad y aguardar para continuar la marcha a que los elementos se apacigüen. El señor Moyano, Isidoro y Patricio salen de cacería y vuelven a la tarde con los excelentes resultados de la excursión, que ha proporcionado un guanaco, un avestruz y una ardea (*Ardea mycticorax*) en cuyo buche encuentro pequeños pescados. El avestruz, que es muy gordo, alimentaba en sus intestinos una lombriz cilíndrica bastante desarrollada. Todas estas presas, aumentadas con un gordo pato (*Daphila*) de carne sumamente agradable, se convierten en pródigo banquete con el que mi expedición festeja el aniversario de la caída del Tirano.

Es el apéndice forzoso al bautismo que he hecho del cerro basáltico inmediato y donde truenan las rompientes.

Acabo de recorrer sus pedregosas faldas; he rebuscado en sus peñascos sombríos en medio de ruinas geológicas inmensas que los elementos han dado la apariencia de devastaciones humanas y, por una de esas evoluciones del pensamiento que sin quererlo unen en una misma idea sensaciones bien opuestas, he encontrado analogías entre esta creación de las furias volcánicas y las sangrientas obras del hombre odiado cuya caída tuvo lugar hace hoy veinticinco años.

El luto pétreo que cubre la meseta y que domina la garganta que he recorrido me hace pensar en el luto de la patria, impresionado por el recuerdo de la historia, en aquellos aciagos años que precedieron al día que hoy festejamos.

He mirado el espantoso remolino que gira vertiginoso puliendo los negros cantos del basalto que se ven renegridos entre la blanca espuma; he visto los desplomes del borde arenoso que la creciente labra y desprende de la orilla a pique y que pulverizan las veloces corrientes que debemos tratar de vencer, siguiendo nuestra marcha adelante, y esos obstáculos físicos me han recordado obstáculos morales que produjeron los malos días. Dando impulso al cuerpo al mismo tiempo que a la mente, me he internado entre las penas y los matorrales espantosamente sombríos por la tormenta que oscurece el cielo y el fuerte viento que hace temblar los tupidos arbustos en las empinadas y angostas quebradas, y al llegar a una de éstas, cauce de un pequeño pero profundo torrente, seco hoy, he visto un gran puma que destrozaba los sangrientos despojos de un indefenso guanaco que acababa de sacrificar saltándole al cuello desde el escondrijo volcánico que le sirve de guarida. Esa escena, aquí dominada por esos cerros negros que, para alejar las fieras he coronado de llamas que serpentean ascendiendo y asaltando la cumbre envuelta en denso humo, impone y fortifica más el recuerdo triste evocado al entrar en la quebrada obstruida; y para perpetuar el aniversario de la caída de Rosas, hombre, pero puma de instintos, doy a este paraje el nombre de "Cerro 3 de Febrero".

Este bautismo lo festejamos de la manera ya enunciada.

He vuelto a encontrar rastros del paso del hombre salvaje; desiertos hoy, estos parajes han debido ser sumamente frecuentados en épocas lejanas. Conforme con la opinión de Fitz Roy, creo que la naturaleza del terreno no incita a que los que usan caballos atraviesen estas regiones donde hay tan poco alimento para ellos y tan mal terreno; pero para el hombre a pie, necesitado, nada le presenta serios estorbos, y la prueba de que han pasado por este punto rocalloso no consiste sólo en cuchillos y rascadores con los cuales las mujeres preparan las sencillas vestiduras de esos nómadas Nemrods australes: en la cima de basalto he encontrado esta mañana un pequeño túmulo o *cairn*, muy antiguo, casi destruido completamente, donde sólo he hallado un fragmento de antebrazo humano, señal de que aquello fue el sepulcro de un indígena cuyos despojos trataron sus deudos de preservar de esa manera.

Los mosquitos nos incomodan horriblemente esta tarde; el sol ha vuelto a aparecer, ha calmado el viento y el calor alienta a esas pequeñas fieras que en grandes enjambres nos asaltan produciéndonos fiebre.

Varios cóndores silenciosos vienen lentamente a posarse cerca de nosotros y ahuyentan algunas palomas (*Columba maculosa*), que temblorosas se asilan en las ramas, pero es tal la excitación que nos causa la nube de dípteros que ninguno de los cazadores puede hacer presa de ellas.

Febrero 4: Apenas aclara, Isidoro, que ha pasado casi toda la noche en vela a causa de haberse alejado la caballada alborotada por algún puma, y que se halla impaciente por salir de este sitio, nos despierta con un buen jarro de café bien fuerte, según lo he dispuesto anoche. Vamos a atacar el mal paso; energía no nos falta, pero juzgo conveniente cierta excitación artificial para llevar adelante la marcha donde el terreno nos ofrece tantos obstáculos. La principiamos, pero por más tentativas que hacemos es imposible vencer el remolino; avanzamos hasta él, pero la corriente poderosa nos arranca la cuerda de las manos y hace girar el bote alejándolo aguas abajo y exponiéndolo a zozobrar contra las piedras.

Tres ataques seguidos y enérgicos no nos ayudan y resolvemos emprender por el sur la tarea del remolque, que es bien ruda y la más penosa que hemos efectuado hasta hoy. La anchura del río es grande, pues la inundación va ganando terreno y no es posible ir por la orilla donde los arbustos son numerosísimos y los rápidos que la corriente forma sobre ellos son casi invencibles; la velocidad es tal que el agua ondula en los canales formados en los desplayados; los matorrales cubiertos sólo están denunciados por los penachos del agua que choca contra ellos. Todos nos lanzamos al agua y, no ya tirando sino arrastrando el bote, unas veces tendiéndonos, otras enredándonos en las matas sumergidas, avanzamos hasta que por entre ese intrincado archipiélago de islas, piedras y arbustos sueltos podemos llegar con grandes precauciones al cauce del río. Haciendo esfuerzos para no dejarnos arrastrar demasiado por la corriente arribamos a la orilla norte donde Isidoro nos espera con la caballada. El sitio donde varamos sólo queda a cien metros del torbellino y para salvar ese espacio hemos necesitado cinco horas de trabajo continuo.

El excitante café ha ayudado a la energía de que hace alarde mi gente, que ahora almuerza para continuar la tarea.

La lámina representa el paisaje a cuya vista hemos tenido que trabajar tanto; el mal paso se encuentra oculto por el promontorio negro de basalto y los matorrales. Después de almorzar, continúa la marcha remolcando el bote con el caballo hasta el punto donde desemboca una

318 Francisco P. Moreno

quebrada, que es la situada en medio del grabado; allí, como la barranca es a pique e imposible de salvarla por su falda y presentando al lado sur una orilla cómoda para continuar a pie, hago cruzar el bote y me dirijo con Isidoro y los caballos por la quebrada mencionada. Ésta, en su borde derecho, se presenta coronada de basalto; a la izquierda el cascajo glacial reposa sobre la arenisca terciaria. Las capas de esta última formación no se encuentran aquí en estratas horizontales; hállanse inclinadas hacia abajo, en dirección al este.

La formación basáltica cesa aquí y bordea la quebrada en dirección noroeste hasta las mesetas altas que se divisan hacia ese lado y cuyas cimas onduladas no presentan la horizontalidad de las líneas que caracterizan las regiones que ha cubierto la lava submarina luego de solidificada. La meseta terciaria sobre la cual cruzamos se dirige al sur sin indicar el menor rastro de sabana basáltica. Curioso fenómeno de estas colinas tan próximas unas de otras: unas, coronadas de negra la lava; otras de arena y cascajo sin que conserven señales que puedan inducir a pensar que en otro tiempo fueran cubiertas por el liquido ígneo, cuando éste, después de solidificado, se hubiera descompuesto. Los fragmentos de esta roca son raros sobre ellos.

Al ascender por un cañadón la quebrada despojada de basalto, hallamos que sus laderas están cubiertas por un pasto amarillento, con pequeños manantiales profundos rodeados de lujosas gramíneas donde los caballos gozan aprovechando esta hierba tierna que hace ya tiempo no comen. Un león espanta a la caballada que huye despavorida, y mientras Isidoro lo corre con sus perros, me encargo yo de dirigir la tropilla y el carguero en busca de un descenso fácil por la abrupta ladera. De jefe de la expedición me convierto en arreador de caballos, pero lo hago con gran placer. Sobre la meseta que es más fértil que las otras elevaciones que ya he cruzado, se distinguen cerros en ambos costados, pero distantes. Al oeste, también, algunas mesetas elevadas se definen con claridad, pero la tan anhelada Cordillera aun está velada; cúmulos blancos como nieve forman, en el fondo azul celeste del cielo, un espléndido telón a los gigantes andinos cuya vista ansío tanto, pues preveo que ella nos dará más aliento para proseguir la marcha hasta admirarlos desde sus grandiosas bases.

El descenso con la caballada es asunto serio; aumentan las dificultades mi falta de práctica en esta operación de conducir tropillas y la escabrosidad de la pendiente por la cual debemos llegar al fondo del valle. Las yeguas y los potrillos se asustan al mirar al abismo, caracolean y echan a disparar por la inmensa pampa alta; el carguero siembra la llanura con los despojos de su carga desarreglada, y el picaso tuerto y cojo se convierte aparentemente en estatua de piedra, al borde de la meseta, al mirar cómicamente de reojo la profundidad árida del valle. Su escuálida figura no me hace reír, por el contrario, me fastidia sobremanera. Sólo después de largo rato y de repetidas tentativas, frustradas al creerlas ya coronadas por él éxito, consigo que la caballada se arriesgue por los empinados senderos de los guanacos que serpentean en la falda. Aseguro que mi aprendizaje fue cruel: el picaso, ciego del lado de la meseta, mira sólo el precipicio y éste le espanta, le teme, da vuelta y emprende nuevamente la ascensión a la pampa. Si no fuera por el gran valor que le han asignado los indios y que debo satisfacer en caso de pérdida, lo abandonaría a los pumas.

Mientras trabajo en las vueltas y revueltas, espantando los caballos que por cualquier piedra grande que se desprende o cualquier matorral que se les interponga al paso vuelven hacia atrás, diviso y atraen mi atención, algo más al norte, en el bajo de la meseta, enormes rocas pardas y amarillentas de fisonomía extraña a las demás. Llegado al paradero del bote, donde Isidoro ya se me ha adelantado llevando a la grupa el león que nos proporciona un buen asado, hago atar el caballo a la sirga, pues el camino se presta para ello, y me dirijo enseguida a esas rocas curiosas.

En el trayecto examino los primeros grandes trozos erráticos; inmensos peñascos pulidos, suavizados por el enérgico rozamiento de los hielos, se ven sepultados entre el cascajo, y con más generalidad al borde del río donde con los matorrales van a aumentar el número de los rápidos y, por consiguiente, el de los inconvenientes del viaje. Esos enormes fragmentos transportados, de granito, basalto y traquita, muestran sus faces negras, blancas y grises sobre la superficie del suelo. Son páginas imperecederas donde encuentra el geólogo, que lee en el gran libro de la naturaleza, la prueba evidente de uno de los fenómenos más grandiosos de los últimos tiempos geológicos. Al verlos, la imaginación retrocede en las edades e imagina el gigantesco ventisquero que sembró con los destrozos de las montañas el valle triste por donde serpentea el Santa Cruz, alimentado hoy con las frágiles ruinas de sus hermanas menores, las sabanas heladas de las cordilleras, y que salta bullicioso sobre los antiguos testigos de la pasada actividad del líquido elemento congelado.

Las rocas amarillentas que había distinguido desde la meseta se encuentran a un kilómetro de la orilla del río. Es la parte más compacta del terreno terciario, que por la desagregación de las superiores más deleznables avanza al pie de la meseta en peñascos macizos y de grandes dimensiones medio ocultos por matorrales de ropaje bastante lujoso, si se los compara con los que brotan en la planicie. Cubos enormes, grupas redondeadas de inmensos monstruos, escalinatas aún bien conservadas, vestigios de labor humana en los tiempos de su grandeza brutal, créese ver en esos trabajos del tiempo que semejan productos de creaciones antiguas del hombre.

Este rincón aislado que escapó a la observación de Darwin, ¡qué inmenso interés hubiera tenido para el ilustre naturalista! La historia de generaciones pasadas yace sepultada en las entrañas arenosas de este gris zócalo de meseta. La superposición de las capas han conservado entre ellas restos de seres que la naturaleza colocó en ese lecho, unas veces enteros, otras en pequeños fragmentos para atestiguar a los otros organismos generados por la incansable progresión de sus fuerzas la genealogía de los que les precedieron en el teatro de la vida y prepararon su aparición en esta escena. Esos animales, cuyos restos han hecho rodar las aguas marinas y fluviales hasta dejarlos sepultados bajo la superficie del suelo patagónico, muestran la riqueza y la variedad de seres que ostentaban sus curiosas formas en los paisajes terciarios.

Esta inmensa tumba que conserva un mundo que la erosión desentierra y revela al feliz observador, guarda los vestigios de la vida de miles de siglos. He investigado sus ruinas, he recorrido sus paredes y al menor indicio las he atacado batiéndolas con el martillo y el pico; y entre esa árida soledad he encontrado la animación de las épocas perdidas, ¡han resucitado a mi vista los extinguidos vertebrados de los tiempos de la aurora del terciario!

El período eoceno, no denunciado aún en la Patagonia, me ha asombrado con la extraña forma de alguno de los seres que vivieron durante él y que cumplieron su evolución sin dejarnos descendientes próximos en que imaginarnos su figura. Incrustadas en la dura piedra, mi feliz estrella me hace encontrar grandes osamentas; en las pequeñas grietas recojo, en varios fragmentos, el colmillo de un poderoso paquidermo desaparecido; ascendiendo la escalinata geológica de blancas, amarillas y grises lajas, mi colección paleontológica se enriquece con los despojos de variadas formas vivientes en los distintos períodos del terciario, marsupiales, roedores, carnívoros, paquidermos y hasta desdentados, que habíamos creído hasta ahora pertenecer al cuaternario. Diez formas distintas de seres vivientes en épocas que la tierra patagónica distaba de tener la disposición orográfica actual han encontrado un nuevo reposo en mi maleta, después de haber cruzado, en su duradero yacimiento, los grandes cataclismos; han reposado en el fondo del mar, han sido arrastrados por perdidos ríos, ha vuelto a las profundidades del océano, han sentido quizás el calor de la ardiente lava que cubre hoy las mesetas y luego el frío glacial representado por la capa de *detritus* de esa época, se han sentido humedecidos por las lluvias diluvianas, y hoy el cierzo seco y el sol los han acariciado antes de ser admirados por el hombre que los recoge como materiales importantes para la reconstrucción de la vida del pasado. La ley fatal los ha hecho desaparecer del escenario del mundo, dejando sólo sus osamentas para que, con el trabajo de su sucesor, el hombre, se reconstruya el panorama más o menos real de la época en que cumplía su misión en el universo precediendo la aparición de quien los estudia.

Buscando la orilla del río a través de unas lomadas sinuosas que cierran el pequeño valle por el oeste, he encontrado señales evidentes de la alteración de las capas terciarias, producida por algún levantamiento rápido; las barrancas de flancos desnudos muestran en sus capas una inclinación de 45° y hay algunas donde se las ve casi verticales; se hallan sembradas de fragmentos grandes y pequeños de basalto y otras rocas, predominando las primeras, lo que puede ser debido al disgregación de la capa volcánica y glacial por el impulso del accidente que ocasionó esa diferencia notable en la disposición del terreno.

En este punto el curso del río se presenta muy variable y las vueltas son rápidas, produciéndose remolinos en las corrientes que retroceden al chocar con los trozos erráticos de basalto y granito donde desagua, en invierno, un arroyo que debe ser bastante caudaloso; desciende del NO y corre por un cañadón bastante pintoresco dominado por amarillentas quebradas y fortificaciones volcánicas. Vuélvese a divisar hacia el oeste una nueva llanura, tan solitaria como las anteriores, pero ya más agreste; los inmensos trozos de piedra con que está sembrado el suelo a la distancia semejan pequeñas chozas; una vez la ilusión me ha hecho ver un rodeo de vacas dormidas en las piedras que señalan, al parecer, una antigua morena. Los cascajos han aumentado de volumen y los de un pie cúbico son innumerables. Algunos peñascos erráticos miden hasta quince metros cúbicos y los hay de formas distintas: unas veces créese tener delante un menhir funerario; otros, a primera vista, tienen la fisonomía de un pico de montaña cubierto por el pedregullo. Muchas veces se duda si son rocas erráticas o rocas *in situ*; sobre todo los enormes fragmentos basálticos, pero inmediatamente, al costado de una de esas rocas, se encuentra otra de cuarcita o de traquita que desvanece toda duda. Algunos presentan el aspecto de piedras largamente trabajadas por las aguas o los hielos; otros tienen sus ángulos tan bien definidos que se cree hayan sido separados de la roca madre en estos últimos tiempos.

El camino, a partir de este punto, se hace más fácil; habiéndose alejado hacia el norte la meseta abrupta basáltica, queda libre el valle bajo. Al sur se ve ahora esta formación que entristece la comarca con su negro manto y hacia el oeste y noroeste las mesetas vuelven a presentarlo también a ciertos intervalos.

A la entrada del sol, acampamos en la margen norte en un retazo fértil, al pie de un gran calafate de aspecto arbóreo que por su tamaño se divisa desde una distancia considerable, destacándose sobre el azul del agua que, dominada al sur por una barranca casi a pique, corre sombría por la hora. Está cubierta aquella cumbre por la lava basáltica que la fantasía de los elementos ha dado el aspecto de una imponente fortaleza.

El sol ha descendido enrojeciendo el pequeño horizonte que dejan ver dos negros peñones volcánicos; el cielo azul oscuro, con la tenuidad de la declinación del crepúsculo, nos muestra lánguidos los grandes astros aislados.

Gozando del fresco de la noche que reemplaza al calor sofocante del día, alrededor del fogón que mirado de lejos parece una llama desprendida de la lava que lo domina, comentamos las fatigas del día, las pesamos con nuestra energía y, contentos con haber cumplido nuestro deber, nos dormimos todos.

Febrero 5: Hoy, desde el momento que salimos, las piedras entorpecen nuestra marcha; un promontorio basáltico se adelanta hasta el mismo cauce y forma innumerables rápidos, a los que contribuye el menor ancho del río. Los grandes fragmentos de rocas amontonados unos sobre los otros dan paso con dificultad a la caballada que forzosamente tiene que cruzar por sobre ellos.

Las mesetas enangostan y cierran casi completamente el valle dejando sólo la abertura por donde el río, que forma una rapidísima vuelta trayendo su curso del sur, corre rugiendo.

Encontramos aquí extensos pastizales verdes, alegres, alimentados por preciosos y ligeros manantiales que nacen en la base del basalto. El viento fresco hace ondular los penachos de las gramíneas entre las cuales de vez en cuando se destaca un montuoso calafate que las domina con sus oscuras hojas; los juncos abundan en los parajes pantanosos y los berros prosperan en las orillas del manantial poco profundo que los alimenta. Cruzamos cuadras y cuadras refrescándonos los pies en esta agua fría y en el césped, pero encontramos pasos tan barrosos que es imposible cruzar a pie por allí tirando del bote: hay que hacerlo por el sur. La inundación va borrando el buen camino y convirtiéndolo todo en un pantano inmenso.

Estos sitios son los preferidos por los pumas y los cóndores; sobre todo las dos mesetas basálticas que dominan las márgenes del río; su vista borra la alegría que comunican los fértiles matorrales. Entre las peñas blanqueadas por sus excrementos se ven los gigantes del aire chillando lúgubremente, persiguiendo a veces algunos loros incautos (*Conurus patagonus*) mientras no se ofrece a su aguda vista otra presa más importante. En la llanura, donde los avestruces y los guanacos vienen a solazarse en estos oasis situados en el centro de tanta desolación, los pumas huyen de nuestro tropel y de nuestros cuatro perros. Miran asombrados la tropilla, que un momento creyeron ser de guanacos y dando grandes saltos se alejan a buscar refugio entre los peñascos y los tupidos matorrales.

Paramos a mediodía en las inmediaciones de un buen matorral y en la pequeña península que forma un río seco que cuando trae agua viene desde el norte, a juzgar por su cauce sumamente tortuoso. El paisaje me recuerda una escena del territorio de las Manzanas, a orillas del Limay cerca de Nahuel Huapí, pero faltan los corpulentos árboles que adornan esa región. El agua sumamente clara nos permite ver hermosas truchas nadando en un remanso; las pescamos y comemos.

Mientras descansan los marineros, salgo a caminar por el cauce seco y encuentro un puma, el más grande visto hasta ahora; Isidoro lo enlaza momentos después. Estaba en acecho esperando la oportunidad de arrojarse sobre uno de los potrillos, pero lo descubren los perros y el gaucho baquiano poco tarda en alcanzarlo; lo ha enlazado de una mandíbula al ir a hincar sus colmillos en uno de los cachorros que lo acosaban y al cual ha herido con sus garras. Al ir a colocarle bien el lazo y concluir de matarlo, se abalanzó sobre mí, y casi me hubiera despedazado si Isidoro no hubiera dado un buen tirón del lazo, arrastrándolo. Vi su garra a pocas pulgadas de mi cabeza. Patricio guarda las manos, con las uñas, para hacer tabaqueras que regalará a sus amigos en Buenos Aires como prueba de la veracidad de las aventuras de viaje que contará. Los demás nos contentamos con comer un buen costillar y con guardar el resto para los días venideros, pues el terreno es tan pedregoso que ya se va haciendo difícil obtener caza por medio de las boleadoras y los perros y nuestras municiones no son muy abundantes.

A las tres de la tarde continuamos; el río corre con menos fuerza y considero fácil ganar el extremo de la vuelta que hemos nombrado "de los Tres Cerros" por algunos mamelones glaciales que distinguimos sobre la meseta norte.

Este punto era en otro tiempo uno de los preferidos por los indios para efectuar el paso del río; en sus márgenes he encontrado pedazos de palos de toldos. Le llaman *Yaten–huajen*; conjeturo que haya sido elegido por la facilidad que presenta el menor ancho del río, su corriente menos veloz a causa de la poca pendiente, los buenos pastos para los caballos (cuando llegó el tiempo que los indígenas los tuvieron) y por la abundancia de caza en los manantiales, cuando cazaban a pie.

Los hielos flotantes antiguos han amontonado en este valle inmensa cantidad de rocas que forman pequeñas colinas que llevan la dirección NO a SE, como si hubieran sido depositadas por un inmenso ventisquero en distintos puntos de descanso, aunque me inclino a creer en lo primero. La ondulación del terreno es cada vez más pronunciada en el bajo, cuando se adelanta hacia el interior y las mesetas se elevan a 1.150 pies; se nota más variedad en la disposición de las cumbres; esto hace cesar la perspectiva uniforme hasta ahora de la región por donde corre encajonado el Santa Cruz.

Cruzando el valle a caballo para alcanzar el extremo de la vuelta he encontrado en el camino un elegante zorrino, que aprovechando la tarde hacía caminar a sus pequeños hijuelos; esta preciosa escena que se desarrollaba alrededor de la cueva, en cuya boca los esperaba la madre amorosa, fue interrumpida por mis acompañantes, los perros, que dieron muerte a esos bonitos pero asquerosos habitantes de la antigua morena. Sus cueros, sacados por Isidoro, servirán algún día de abrigada alfombra.

Paramos la caballada en la falda de los Tres Cerros, entre unos médanos que bordean por el este el río que corre NS en este punto. La abundancia de piedras erráticas es muy grande y los vientos han levantado la arena que las rodeaba formando profundas cavidades en medio de las cuales se hallan esos trozos. Desde nuestro paradero situado en una de esas hondonadas no se distingue nada, sólo se oye el río que ruge al saltar por unos peñascos que se divisan al pie de la opuesta barranca a pique, pero he subido al primero de los Tres Cerros y desde allí he experimentado un gran gozo. ¡Los Andes están en el fondo del horizonte! Sus atrevidas moles azules se destacan severas, coronadas sus cumbres por blanca nieve, pues ninguna nube las oculta. Encuentro compensadas todas las fatigas y sólo siento no tener la tripulación a mi lado para admirar juntos el grandioso respaldo de nuestra gran patria.

Nuevos tropiezos detienen el bote que no se avista y recién en la noche avanzada distingo una hoguera lejana en el oscuro fondo sur, inmediato a la meseta; dejo a Isidoro en el paradero y, temeroso de que algo haya sucedido a mi gente cuando estamos tan cerca de ver nuestras fatigas coronadas por el éxito, me dirijo hacia la luz sin preocuparme de llevar armas y con sólo una caja de fósforos para ir anunciando mi aproximación.

Aseguro que más de un rato amargo he pasado en el trayecto que separan ambos campamentos. La noche es sumamente oscura y los pozos en los médanos tan numerosos que no comprendo cómo no he muerto al caer en ellos por entre los arbustos espinosos que cubren sus bordes; pero éste no ha sido el mayor peligro. Sólo me quedaba un fósforo y faltaba la mitad del camino que hacer, cuando escucho el ruido producido por un animal que se mueve en la oscuridad; el instinto de conservación me anuncia un enemigo, enciendo ese fósforo último y veo delante un puma listo para lanzarse: ha confundido al hombre con un guanaco, pero al reconocer su error huye saltando. Cómica escena que pudo convertirse en sangrienta, pero bastó la luz del fósforo, destello de la inteligencia humana, para hacer comprender a la fiera la inmensa distancia que existe entre la víctima que creyó tener delante y la que encuentra.

Recién a medianoche llegué al paradero del bote que había sido sorprendido por la oscuridad al dar la vuelta al norte. Patricio a la distancia me cree un puma y casi me dispara un tiro de Remington. La embarcación ha caminado bien pero ha habido que cruzar un rápido bastante grande. Envío a Francisco a caballo para que acompañe en el otro campamento a Isidoro y le lleve algo que comer, pues él como yo nunca llevamos nada cuando nos separamos del bote; la costumbre de vivir en el desierto nos ha vuelto sobrios, cualidad que están lejos de tener los que vienen en el bote, pero ya se acostumbrarán.

Febrero 6: Un fuerte viento andino no nos permite caminar; además, la enfermedad que me han producido las agitaciones físicas y morales, sobre todo en los últimos días de trabajo, me ha abatido hoy, y los dolores reumáticos que vengo sintiendo desde el día que caí al agua y dormí rendido al sol, me han atacado la espalda y la cabeza de tal manera que me es imposible moverme. Con bayetas calientes desaparecen momentáneamente mis dolores y una fuerte dosis de sulfato de quinina calma la fiebre; esto me permite recorrer a la tarde las alturas de los tres cerros para volver a ver la Cordillera, vista que espero me consuele.

El mismo puma que hubo de atacarme anoche trata esta madrugada de hacer presa de Francisco que ha quedado descansando dormido en el paradero de Isidoro; debió su salvación a haber sido sentido por el vigilante "Blanco" que da el furioso ladrido de alarma. El temeroso Patricio se desespera, en todos lados ve leones y me pide permiso para dormir en el bote donde estará seguro.

Moyano caza un guanaco y Estrella, solícito conmigo, se convierte en excelente cocinera y me obsequia con un exquisito "beef–teack" del puma cazado ayer, que me hace olvidar por un momento mi triste posición de enfermo, a mitad de camino entre el Atlántico y la Cordillera.

Febrero 7: Cruzamos a la orilla opuesta con el bote porque los rápidos aumentan del lado este y los médanos inundados se han vuelto tan pantanosos que hay peligro de vida en ir por dicha orilla del río; al concluir la vuelta, vemos que éste desciende ondulando pero casi recto del oeste, lo que nos promete adelantar gran camino hoy; muchas de las barrancas son a pique, en otras el basalto inclinado llega hasta el agua que forma inmensos remolinos, pero siempre una de las dos costas nos permite el paso; además, la gente ha visto los Andes y éstos ejercen atracción sobre ellos, que hacen grandes esfuerzos.

Pasado el terreno volcánico, el valle se ensancha a ambos lados; colinas suaves preceden a las mesetas basálticas que se han alejado hacia los costados; el campo mejora; la vista tiene para admirar un horizonte más vasto y más alegre; los arbustos tienen mayor amplitud y más verdor; los cañadones son más fértiles y toda la comarca aumenta el contento que el lejano panorama de la Cordillera procura al ánimo entristecido por la sombría lava. Las barrancas del río varían de colores y vemos grandes fajas blancas que se reflejan en las aguas azules; de otras, amarillas, brotan verdes manantiales; un negro trozo de basalto yace al lado de un blanco peñasco errático de cuarcita. La gigantesca *Ostrea patagónica* vuelve a aparecer mostrándonos que el inmenso manto fosilífero que se extiende desde el Paraná hasta la Tierra del Fuego, en la costa del Atlántico penetra también en el corazón de la Patagonia. ¡Qué exuberancia de vida antigua denotan estos vestigios marinos!

La llanura está cubierta de matorrales de matorro blanco que le dan un bello aspecto; la arena que cubre el cascajo pequeño permite galopar con gusto. Se respira libremente aquí. Todos tiramos de la sirga con placer y siendo el camino tan cómodo (relativamente) vamos amontonando castillos sobre castillos, que se desmoronan en los primeros rápidos que encontramos al llegar a un zanjón, que debe ser arroyo en invierno y que se dirige del noroeste. Dormimos en él.

Febrero 8: El camino continúa por bañados extensos donde no se puede sirgar a caballo, siéndolo sumamente molesto a pie; pero, en los parajes donde la inundación ha abarcado gran parte del valle, podemos marchar ayudando los remos con el bichero. Las vueltas son sumamente rápidas en ciertas partes; en otras el cauce del río adquiere un ancho normal mayor que en la región que hemos recorrido. El valle es muy pobre de vegetación, pudiéndose decir que casi son tantos los trozos erráticos como los arbustos; así el país vuelve a revestir su triste carácter patagónico. En la costa del río hemos encontrado los primeros troncos de árboles, mayores que los inciensos o calafates, que nos anuncian los bosques de la Cordillera. La vegetación aquí cambia de aspecto y los arbustos citados van siendo menos numerosos, lo mismo que otras plantas de las que abundan en las inmediaciones del Atlántico. Acampamos en un bajo; hemos caminado poco pues mis dolores reumáticos han vuelto a presentarse.

Febrero 9: Anoche los pumas han alborotado la caballada, lo que no nos permitió dormir; uno de ellos se ha atrevido hasta llegar a nuestro campamento, causando gran pánico a Patricio y llevándose un avestruz que Isidoro boleó ayer.

El camino es pésimo y el calor insoportable; la creciente es terrible y hace difícil la continuación de la marcha; cuando no hay que cruzar por sobre matorrales sumergidos, las vueltas nos desesperan. Algunas barrancas a pique, que se desploman, nos ponen a riesgo de zozobrar. Tenemos ya los cuerpos completamente destrozados; varias veces el decaimiento moral de alguno de nosotros expone a la expedición a volver sobre sus pasos.

Al principio de una barranca a pique, que hay que cruzar indefectiblemente, paramos a descansar, teniendo nuestros cuerpos calados por la fría agua del torrente y calentada la cabeza por un sol de 25° Réaumur, a la sombra. Es uno de nuestros días más crueles; suave vapor se eleva de nuestros cuerpos y siento latidos dentro del cráneo que me hacen temer una congestión al cerebro.

Desde aquí, en el sudoeste, se divisa un cerro negro bastante elevado que presenta grandes manchas blancas que atribuyo a la descomposición de sustancias calcáreas dejadas por el agua, durante la época del levantamiento de las mesetas desde el fondo del océano hasta la altura que ocupan hoy. En un principio creí que eran depósitos de nieve.

Con peligro emprendemos el paso de la barranca, habiendo estado los dos marineros y yo, que somos quienes tiramos, a punto de perecer desplomados; pero a mitad de camino se aumenta tanto el trabajo que decido cruzar al sur exponiendo la embarcación a estrellarse contra una barranca de piedra dura o zozobrar en el centro del río sobre una isla medio sumergida. Vamos teniendo poco temor a un fin desastroso, tales son los tropiezos que encontramos; insignificantes quizás para una expedición numerosa, son muy serios para la pequeña que dirijo.

Patricio se resiste a marchar a pie tirando el remolque, porque ha visto en las orillas ciertas señales que le demuestran que los pumas han andado por allí; tanto más cuanto que oímos los ladridos de los perros que en la ribera opuesta persiguen a uno de esos animales.

Lo que ha alarmado al brasileño son en realidad las impresiones de las patas de los avestruces que se han refrescado en la arena humedecida.

Debo ponerme en la punta de la cuerda y tirarla sumergido en el agua y ayudado por el correntino, porque Estrella y Patricio dirigen el bote desde adentro. El señor Moyano ha quedado en la orilla del norte.

A no ser por la espléndida vista de la Cordillera, el paisaje no podría ser más desconsolador.

Llegados al punto que Fitz Roy señala como segundo "Paso de los indios", encontramos huesos de caballos y un fragmento de cuchillo que prueba la veracidad de la observación del marino inglés; habiendo cruzado a la margen norte, acampamos en el mismo punto que lo hizo él, alrededor de las osamentas que menciona en su diario.

Los picos de la Cordillera están más definidos y nos orientamos con la aguja tomando como punto de observación el "Castle Hill" de Fitz Roy. La apariencia de esta tarde es espléndida y nos compensa el mal día. Una nube celeste y blanca oculta el agudo pico de un atrevido cerro muy elevado, cubierto de hielo eterno y la ilusión del deseo me dice que es la gigante bandera patria que flamea gozosa saludando nuestra llegada. ¡Qué alegres ensueños voy a tener esta noche! ¡Qué agradables recuerdos evocará mi alma mientras el cuerpo descansa de la marcha penosa del día!

Febrero 10: Peor camino que ayer; no hemos hecho en todo el trayecto marcha más penosa; encontramos puntos donde el río parece tener una milla de ancho, tal es la gran inundación. Las vueltas, aunque no muy extensas, van siendo más numerosas. Las orillas del norte son bajas, preciosas, con pastos excelentes, con abras que son cauces de ríos de invierno y cuyos horizontes extensos y amarillentos dejan ver a lo lejos, en el NO, las capas basálticas que van retirándose a ambos lados formando un valle más ancho; en el sur, barrancas a pique, tristes, cubiertas de piedras, limitan el valle por ese lado. En el fondo, los Andes van definiéndose cada vez más y algo nos dice que pronto estaremos a la vista del ansiado lago. Una gran quemazón oculta la región del SO y una cadena casi recta EO de colinas elevadas de 1.400 pies, con grandes quebradas que sirven de escalones para llegar a otros cerros más elevados, limitan el valle en el sur. Al oeste de nosotros y al este de "Castle Hill" se divisa una quebrada grande a cuyo pie me parece que debe correr un río. Vamos, pues, a entrar en la parte más interesante del viaje en la región desconocida, la que Fitz Roy llamó "Llanura del misterio".

En el cauce actual del río hemos encontrado un gran trozo errático que fuera del agua mide 4 pies de altura.

En este día alcanzamos el paraje donde Fitz Roy suspendió su exploración, pero no hemos podido hallar el menor vestigio porque la creciente lo oculta todo; hubiera sido una dicha para nosotros obtener algún resto de aquella tentativa de develar las misteriosas fuentes del Santa Cruz. Sólo la falta de elementos, y sobre todo de alimentos, pudo hacer que retrocediera el marino inglés; tantos valerosos esfuerzos, tantas fatigas, se estrellaron contra la falta de provisiones y tuvo que dejar sin concluir la expedición que, realizada en todas sus partes, hubiera tenido magnífico resultado.

La rápida vuelta del río hacia el sur y un gran bajo que sigue en esa dirección, en este punto, fueron la causa por la cual suspendió Fitz Roy el trabajo de los botes para proseguir un día más, a pie, hacia el oeste. Al principiar esta vuelta, en el norte, hay una laguna bastante bonita, casi circular, que no fue vista por Fitz Roy y que se alimenta con las aguas del río que penetran a ella por un pequeño canal.

Hemos tenido que tirar el bote a pie, durante casi todo el día, y esto dentro del agua a causa de los arbustos y de la inundación, pero lo hacemos con gusto deseando llegar cuanto antes al famoso lago Viedma, donde nos dicen que nace el Santa Cruz. El valle está formado aquí por cascajo y arena traída por los hielos; la cantidad de los trozos erráticos es inmensa y vemos colinas de pedregullo, exclusivamente, a 200 pies sobre el río.

El bote ha tenido que pasar por el centro del cauce y fondear en medio de un matorral casi sumergido porque no ha sido posible llegar a tierra firme a causa de los guadales, que, si los pisáramos, gran trabajo hubiéramos tenido para salir.

No hemos comido nada hoy; Isidoro, de la costa, nos grita que ha cazado un avestruz pero no podemos ir a buscarlo por más tentativas que hacemos; aunque tenemos a bordo algunas conservas, un día de hambre se olvida con el sueño; debemos guardarlas para el porvenir, para cuando lleguen los días que el terreno no permita la caza o falte ésta. Además, el cansancio es tan grande que ni ánimo hubiéramos tenido para hacer nuestra comida; no sólo ha habido que sirgar por entre rápidos, lagunas, pedregales y matorrales, sino que para entrar en la vuelta ha sido necesario construir un canal por donde arrastrar el bote.

La corriente, velocísima aquí, lo devasta todo; habiéndose desviado en parte el curso del río, éste está sembrado de rápidos. Su aspecto desde la barranca en un principio casi me ha desalentado, pero esos penachos blancos que saltan sobre las matas con ruido que abruma, esas líneas de corrientes blancas que van arrastrándolo todo y que debemos resolvernos a atacar so pena de suspender la marcha, no nos han arredrado y hemos emprendido la tarea de combatirlas con la pala, el remo y la sirga, exponiéndonos a perdernos antes que retroceder.

Un espectador impasible que mirara la escena que se desarrolla en el centro de esta vuelta, dominada por barrancas a pique, de las cuales se desploman grandes fragmentos al venir las avalanchas de la corriente, y donde el bote y sus tripulantes tratan valientemente de vencer los obstáculos, hubiera creído empresa de locos el trabajo que estamos haciendo: desnudos, con medio cuerpo en el agua helada, con la cabeza calentada por el ardiente sol, arrastramos la blanca embarcación sin nombre que lentamente avanza, gracias a los refuerzos que trae consigo una pequeña ambición de gloria.

A la noche, el mismo espectador, atónito, hubiera visto la misma embarcación, inmóvil, fondeada en el centro del río e iluminada por rojas hogueras, fantásticas luminarias con que alumbramos el veloz Santa Cruz encendiendo las copas de los arbustos a mitad inundados. Es un mágico espectáculo el que nos proporcionan esta noche los rayos que serpentean sobre las aguas que bajan.

Pasado el primer cansancio recobramos ánimo y canciones alegres nos recuerdan la patria y las diversiones que en estos momentos contentan la amistad lejana. Es la víspera del Carnaval; todos los que estamos reunidos somos jóvenes y, aunque más no sea que en el recuerdo, las fiestas nos regocijan, cualquiera sea el punto en que nos encontremos.

Febrero 11: Entre las bancadas del bote o entre los arbustos, encogidos como aves de rapiña, dormimos esta noche pasada sin acordarnos que el menor cambio en la corriente nos hubiera arrastrado a la muerte. El brasileño está orgulloso porque hemos dormido todos tranquilos en medio de un torrente. ¡Qué cuento para Buenos Aires! ¡Cómo se asombrarán sus compañeros de taberna!

Hoy, en la capital, mis amigos festejan con alegría el primer día de Carnaval.

Honda impresión hubiera causado entre los chiquillos que admiran el Corso, la vista de estos cinco Neptunos estrafalarios que no juegan con las aguas sino que luchan contra ellas en el centro del Santa Cruz. Este es también para nosotros un día de locura frenética, pero bien distinta de la que tiene por teatro las calles de las ciudades porteñas. Es un carnaval siniestro; a cada momento la pequeña comparsa que arrastra el bote puede ser hundida en los remolinos o aplastada por un desplome de la barranca.

Hemos dejado atrás las huellas de las canoas de Fitz Roy y vamos siguiendo las del guigue de Feilberg, quien, más feliz que yo, no tuvo que luchar con esta gran inundación, y esto es consuelo grande; los colores argentinos son los únicos que han flameado en estos parajes, pero es deber nuestro llevarlos aún más adelante y con provecho.

Esta vuelta del Santa Cruz, prolongada en apariencia por un gran bajo que a primera vista parece ser el cauce del río pues la bordean barrancas escarpadas que se internan al sur hasta perderse entre elevados cerros fue, como ya he dicho, lo que indujo a Fitz Roy a no continuar el viaje por agua; a nosotros también nos ha desconsolado durante todo el día hasta que en un momento que podemos atracar en la costa sur, distinguimos desde lo alto de la muralla el curso del río que a pocas cuadras de allí desciende rápidamente desde el oeste, por entre barrancas muy aproximadas, lo que nos indica que el gran bajo que nos ha alarmado es sólo un antiguo cauce. En esta vuelta, inmensa S bordeada de barrancas escarpadas unas veces, otras de pantanos, es donde mi tripulación demuestra la resistencia tenaz que, llegado el caso, pueden desarrollar contra los obstáculos quienes se proponen llevar a cabo una idea que, realizada, sería recibida con aplausos; bástame decirles esto para que no desmayen en el penosísimo trabajo de diez y seis horas consecutivas durante las cuales sólo adelantamos a rumbo cuatrocientos metros. Pasados éstos, nos encontramos en la "Llanura misteriosa", próxima al lago que debe estar escondido por las grandes humaredas producidas por incendios de bosques andinos. Esta inmensa hoguera de leguas nos oculta hoy toda la falda sudoeste de la Cordillera y no nos permite orientarnos con sus montañas.

Cuesta trabajo la indagación de lo que encierra esta desconocida región, pero, por lo mismo, más agradable es la vista de cualquier objeto nuevo que, estamos seguros ha escapado a la de otros hombres civilizados. Hacemos noche en la costa del sur, dentro del bote, sumamente rendidos, mojados y sin tener ropas que mudarnos porque durante el trabajo del día varias veces las aguas han penetrado en él y ha escapado milagrosamente de hundirse;

sólo tenemos que lamentar la pérdida de parte de nuestras exiguas pero preciosas provisiones.

Febrero 12: Continúa el trabajo para concluir la vuelta, lo que conseguimos a mediodía; acampamos en la margen norte, en el paraje donde el río desemboca descendiendo casi recto del oeste.

En el gran bajo hemos encontrado un arroyo angosto, muy correntoso, que corre en el centro de un pequeño valle bastante fértil que se alterna con médanos y grandes extensiones de cantos rodados por donde el agua salta bulliciosa. Este bajo, como ya lo he dicho, es el cauce de un gran río antiguo, aunque menos profundo que el Santa Cruz. Debió ser alimentado en lejanos tiempos por las aguas y las nieves de las montañas terciarias y basálticas, que se elevan al sur a una altura mayor de tres mil pies, negras, pardas y todas áridas. Llamo a este pequeño curso de agua "Arroyo del Bote", en recuerdo de la embarcación que tripulamos.

Ni ayer ni anteayer hemos comido carne y sí sólo algunas galletas y dos cajas de sardinas con fariña frita en grasa de avestruz; es necesario buscar mejores alimentos pues los enumerados no bastan para las seis personas que forman la expedición. Isidoro ha salido a campear guanacos, pero éstos han desaparecido, lo que nos alarma, pues un avestruz, por más hermoso que sea, sólo es suficiente para un día; los caballos se encuentran en deplorable estado.

Empleamos el medio día en descargar el bote y en poner las provisiones al sol para secarlas y aprovechar las que no se hayan perdido; la operación nos muestra que la avería del Carnaval nos cuesta la tercera parte de los alimentos indispensables para el cumplimiento del viaje.

Salgo a pie a recorrer las inmediaciones y a contemplar otra vez más la vuelta que nos ha costado gran trabajo salvar; la llanura alta está sembrada de gruesas piedras y hay puntos donde parece que la mano del hombre ha contribuido a elevar los montones que el hielo ha formado. Más de una vez me he engañado creyendo tener delante un *cairn*, que Fitz Roy y Darwin hubieran dejado como testimonio de su llegada hasta aquí. La vegetación es más arbustosa que pastosa y el campo mucho más ondulado en la vecindad de nuestro paradero. En las cumbres de algunas colinas se ven inmensas piedras erráticas que semejan monumentos sepulcrales, tumbas de antiguos héroes que la idea transporta desde las Galias heroicas al despoblado desierto austral. En el paradero he hecho repetidas observaciones termométricas para averiguar por medio del grado de ebullición del agua la altura del terreno sobre el nivel del mar, las que me han dado un término medio de 392 pies, altura que concuerda bastante con la observada en estas inmediaciones por Fitz Roy; comparándolas con las que he verificado en otros puntos, me dan la creencia de que el río no es uniforme en su descenso gradual sino que hay puntos en que la diferencia de nivel, en un espacio dado, es menor o mayor. Esto también puede corroborarse por la variación en la velocidad de las correntadas y en la simple observación "a ojo", pues, como ya he dicho, se encuentran parajes donde la vista encuentra una inclinación en el curso del río, mientras que en otros no sucede eso. Esta altura notable me parece que no ayuda mucho la opinión de Darwin, quien imagina el Santa Cruz actual como corriendo por el cauce de un antiguo estrecho que uniera los dos mares, Atlántico y Pacífico, como el actual Magallanes. Más adelante me ocuparé de esta opinión del sabio naturalista del Beagle mencionando algunas observaciones que vienen a mostrar sus pocas probabilidades de certeza.

La latitud de este punto es 50°, 14 sur y su posición respecto a "Castle Hill" es S. 79, E. magnético.

Febrero 13: Caminamos; el río desciende por un cauce angosto con barrancas bastante elevadas, algunas de ellas a pique. Al principio es un verdadero rápido, pero poco a poco la corriente disminuye en velocidad hasta alcanzar a lo más cuatro millas, tanto que nos permite adelantar con los remos y el bichero, durante gran parte del trayecto. Paramos después de caminar unas seis millas a rumbo, habiendo encontrado sólo pequeñas vueltas. La anchura media del río puede avaluarse en 150 a 170 metros, limitado por barrancas de 10 a 20 metros. Nuestro campamento se instala en un pequeño desplayado donde abunda el pasto suficiente para la caballada y donde, en las orillas, encontramos muchos trozos de madera provenientes de los bosques de la Cordillera que pueden servirnos para arreglar las carpas, pues el tiempo amenaza y el aspecto del cielo nos anuncia que será grande la tempestad. Los marineros han quedado tan rendidos por el trabajo rudo de los días pasados que conceptúo prudente no continuar por hoy, tanto más cuanto creo que, haciendo un esfuerzo, será posible llegar mañana al lago, que no debe estar muy distante, y para ello es necesario un descanso preliminar.

Luego que queda arreglado el campamento de manera que la tormenta no nos ocasione perjuicios, monto a caballo y sigo al oeste en busca del lago, del cual debemos encontrarnos próximos a juzgar por el aspecto de las montañas. A ambos lados el triste valle está limitado por mesetas escalonadas que se elevan hasta cerca de mil metros, pero a cierta distancia, al NO, se distingue un claro al pie del descenso de una colina que me hace presumir la presencia de un río. Más al oeste, las montañas vuelven a aparecer más rugosas hasta Castle Hill, y en el fondo, anteponiéndose a la Cordillera, limitan el horizonte grandes macizos de cerros menos elevados que ella; al SO hay mesetas semejantes a las del norte, y en el centro, envuelto en el humo de los incendios, un gran bajo, denuncia el lago.

Siguiendo al norte del campamento y a rumbo ENE de Castle Hill, encuentro colinas que son verdaderas morenas formadas por acumulaciones de rocas erráticas amontonadas por los hielos que quizás al vararse sobre algunas

elevaciones terciarias dejaron, fundiéndose, los trozos viajeros que transportaban. Me parece que éste es el punto
donde Fitz Roy, en su última excursión a pie, hizo su observación de altura y llamó a la comarca, que en la estación de
nieblas se desarrollaba desconocida frente a él y a la cual
no podía develar, "Llanura del misterio".

Mirando hacia el oeste, sobre el montón de rocas,
gracias al compatriota que me precedió, veo ya una región
menos misteriosa que para el marino inglés y me imagino
qué tristes reflexiones harían y con qué disgusto retro-
cederían los infatigables exploradores de 1834 al verse
obligados por la necesidad de suspender la marcha adelante; me impresiona pensar a qué corta distancia del lago
almorzaron Fitz Roy y Darwin, seguramente bien tristes,
tratando de indagar con la mirada los nebulosos horizontes del oeste antes de volver hacia atrás.

Estos recuerdos y presunciones atenúan bastante mi
contento al encontrarme en el último paradero de mis pre-
decesores ingleses y con mayores elementos que ellos para
seguir adelante.

De este punto continúo recto al oeste; el camino
mejora aunque el terreno es en extremo pedregoso y los
trozos erráticos son innumerables y algunos de extraordinario tamaño. En las colinas el suelo no es tan suelto
como en la región que hemos recorrido en los últimos días
y las cuevas de *Ctenomys* han disminuido mucho. No veo
inciensos (*Duvaua*) pero en cambio el calafate es abundantísimo; la mata negra (*Verbenácea*), que en el trayecto de
la última quincena era más numerosa que en cualquiera
otra parte, desaparece aquí casi completamente.

Las colinas glaciales que forman el valle del Santa
Cruz y algunos mamelones terciarios que en otros tiempos
fueron islas, se acercan más unas de otras y van descendiendo gradualmente hasta un bajo lleno de grandes médanos semejantes a los que ocupan las orillas del Atlántico
en la provincia de Buenos Aires; unos tienen sus flancos

desnudos, otros son sombreados por inmensos matorrales de berberis, en fruta, que se halla en tal abundancia que hace tomar a las matas un color azul–morado; con ellas sacio mi apetito bastante sensible. Esta fruta es excelente y en extremo agradable; los indios que van a los bosques de la Cordillera a cortar palos para los toldos se alimentan únicamente de ellas cuando la carne les falta.

Entre estos médanos se ven pequeñas playas desnudas y cubiertas de cascajo o pobladas de pasto amarillento felposo que les comunica un reflejo pintoresco aumentado con la presencia de tropas de guanacos que pastan en ellas mientras los avestruces atacan gozosos y sin piedad las moradas guindas del calafate, sin fijarse que un hombre los admira de cerca, contemplándolos en su natural libertad. Mi presencia alarma a las bandadas de rojos pechos colorados que vuelan chillando a mi aproximación; alboroto a los tranquilos dueños del arenoso anfiteatro y un relincho del caballo llena de espanto a la temerosa cuadrilla de guanacos que cruza y recruza delante de mí sin atinar a alejarse, mientras los avestruces desplegando vaporosos sus pequeñas alas, describen curvas y círculos en sus rápidas gambetas hundiendo sus patas en la arena, al tiempo que un piche (*Dasypus*) calmoso, trata de huir escalando en vano un médano. Esta es mi única víctima, pero bien estimada, porque esta especie es rara en estos parajes, donde no creí encontrarlos.

Muchos insectos interesantes, entre ellos un curioso taurocerastes, dejan en la arena las impresiones de sus patas; estas huellas punteadas cesan de continuarse pues los que las trazan encuentran pronto cárcel en mi maleta; pero el objeto más interesante que ofrece a mi vista este paisaje es un zorro blanco, variedad del *Canis griseus* que, de cuando en cuando, se ve en las inmediaciones de la isla Pavón; huye apresuradamente al verme llegar a la cumbre de un médano; mi caballo fatigado le da tiempo para llevar una tierna avutarda, presa de su astucia y de sus garras.

Pero ya no dirijo mi atención a las cosas de los médanos. El aire ha refrescado; hay olor de agua y un ruido cercano halagador en extremo y que revela olas que baten contra rocas, me hace olvidar todo lo anterior.

Nada puede expresar mi entusiasmo en estos momentos que el caballo asciende y desciende jadeando la cadena de médanos, aguijoneado por la espuela, hasta caer extenuado en un pozo o embudo formado por el remolino de viento entre la arena movediza. El ruido es mucho más sensible pues parece que detrás del médano choca el agua; ya se oye el ruido del cascajo que rueda a su impulso; trepo la oleada de arena y encuentro al grandioso lago que ostenta toda su grandeza hacia el oeste. Es un espectáculo impagable y comprendo que no merece siquiera mención lo que hemos trabajado para presenciarlo; todo lo olvido ante él. Las aguas azul–verdosas penacheadas por las corrientes vienen ondulando a desparramarse sobre estas playas. Moviéndose a la distancia se ve un cristalino témpano que balancea fantástico, su blanco castillo en las profundas aguas del centro que minan su base, mientras que el sol radiante derrite manchones de nieve nueva sobre la elevada cumbre de "Castle Hill", inmensa fortaleza geológica destruida por las inclemencias y el tiempo. De un chubasco renegrido que se cierne sobre los canales del Pacífico, se destacan blancos y azules picos, otros tantos jirones del manto patrio que se divisa en el horizonte.

Un día más de trabajo y veremos flotando nuestro bote en las aguas de este mar interior, dulce, claro y profundo, alimentado por los derrites de los grandes ventisqueros.

Es deber mío ir a anunciar a los compañeros la buena nueva, y arrancándome a la contemplación que me absorbe desde el médano árido, ante el espléndido panorama que se desarrolla frente a mí, me alejo no sin haber antes penetrado a caballo en el agua mojándome todo lo posible; pueril satisfacción de un deseo largo tiempo arraigado.

Siguiendo la costa medanosa encuentro la naciente del Santa Cruz, en la que, por un ancho canal, descarga el lago sus siempre aumentadas aguas, por entre grandes trozos erráticos, sobre los cuales las corrientes se estrellan con ruido atronador, que sin embargo halaga mi oído. Es cuestión de circunstancias; veremos si mañana me sucede lo mismo.

En la entrada del lago he encontrado elevado sobre un médano un remo que conserva en su extremo restos de una bandera. Es el pabellón argentino que dejó flameando el subteniente Feilberg, en el punto más lejano que él alcanzó en su exploración. Atada al remo recojo una botella que contiene el documento que demuestra la feliz realización de la primera expedición nacional llevada a este punto. Con su lectura espero dar un gran gozo a mi tripulación, pues es la prueba irrefutable de que está cerca el punto donde terminarán las fatigas del remolque por el Santa Cruz para lanzarse en medio de las aguas desconocidas del anchuroso lago.

Al regresar por sobre la barranca elevada más de doscientos pies sobre el río, en una pequeña rinconada formada por una vuelta rápida, encuentro grandes trozos erráticos, los mayores que he visto hasta ahora; uno de ellos, desde lejos, parece un edificio arruinado. Como se puede juzgar por el grabado, esa inmensa mole de roca cuarzosa situada en esa elevación, en medio de una meseta terciaria y cascajo que son extraños a su formación petrográfica, es una de las pruebas más evidentes de la antigua inmersión del valle, otrora inmenso río donde flotaban témpanos tan grandes que podían trasportar monolitos de más de quinientos metros cúbicos como el que me ocupa. Éste está quebrado hoy por algún accidente meteorológico en varios pedazos; el mayor de ellos mide en su faz oriental nueve metros cuarenta centímetros; en la occidental once metros sesenta centímetros, cinco de altura por cuatro metros sesenta y cinco centímetros de ancho en la faz del sur y cuatro metros en la faz norte. A corta distancia se encuentra otra roca errática de tamaño colosal, con su faz occidental a pique; mide de alto tres metros cuarenta centímetros desde la superficie del suelo, por veintiún metros cuarenta centímetros de circunferencia. Ambos trozos están en línea norte–sur y paralelos, por consiguiente, a la Cordillera.

A la tarde llego al campamento, donde la buena nueva es recibida con gran gozo. Isidoro ha boleado un avestruz, que llenamos de piedras, asamos y devoramos contentos. La tormenta que nos alarmó se disipó sin causar gran daño al campamento, habiéndose reducido a un simple chubasco.

Febrero 14: Día de emociones pero de inmenso trabajo. La aurora pálida del día nebuloso nos encuentra ya levantados y listos para continuar la marcha, que se vuelve difícil porque la corriente ha aumentado y encontramos barrancas a pique donde infinidad de cóndores, que anidan en sus grietas inexpugnables chillan cuando pasamos al pie de ellas.

La vuelta que he mencionado ayer, en el punto donde están los trozos transportados, nos detiene algún tiempo por estar casi inundada y por formar el río una curva tan pronunciada que aparentemente desciende del este. A las doce la cruzamos y a una milla de distancia al oeste nos detenemos para tratar de cazar unos guanacos que se presentan en la orilla sur, y que, muy confiados, nos miran con curiosidad. Uno de ellos herido, nos da gran trabajo para agarrarlo; cuando ya no puede huir de quienes lo perseguimos a pie, se arroja al río y luego de cruzarlo, muere frente a la barranca del norte.

Los que vamos tirando de la cuerda que remolca el bote divisamos el lago a las cuatro de la tarde, en momentos que hacemos grandes esfuerzos para cruzar un rápido producido por el derrumbe de un barranco elevado. La alegría rebosa y se refleja en nuestras caras. Rozando las piedras donde las aguas furiosas se estrellan, adelantamos

por entre enmarañados matorrales hasta un pequeño remanso donde dejo amarrado el bote al cuidado de los marineros, mientras Moyano, Estrella y yo vamos por tierra
en busca del punto por donde debemos hacer nuestra
entrada al lago. Estamos indecisos; el camino está obstruido en ambos lados por enormes trozos; en la playa baja
sobresalen, de entre el pedregullo, grandes rocas, sobre las
cuales pasan arrolladoras las olas empujadas por una correntada veloz. Las márgenes arbustosas inmediatas son
abundantes en cactus que nos maltratan cruelmente, pero
¿cómo fijarnos en ellos cuando tenemos delante lo que tanto ambicionamos? ¿Cómo escuchar los dolores físicos cuando el contento moral es tan grande?

Todo nos halaga: el día baña con luz nítida las aguas
tranquilas o agitadas contra las rocas; el sol brilla en todo
su esplendor purpurando las quebradas lejanas y dorando
las crestas con sus rayos. La vista se recrea y el corazón se
expande y, para que el regocijo sea completo, bajo una
hermosa mata de calafate de las que cuelgan los más
exquisitos frutos que he conocido, encuentro algunos cuchillos de piedra. El antiguo patagón también tuvo la suerte de admirar este majestuoso panorama; sus cacerías han
tenido lugar ante él.

Las corrientes del lago se unen al llegar al principio
del desagüe del río, donde creo que hay algún banco
escondido, a juzgar por unos trozos erráticos que se
distinguen elevándose de la superficie, bañados y batidos
siempre por las olas, y forman un solo hilo sumamente
veloz pero de poco ancho. Aprovechamos ese punto para
cruzar al norte, lo que conseguimos no sin habernos balan-
ceado en grande al llegar a las corrientes, en las que penetramos dándoles la proa a causa de su potencia. Nuestra
buena suerte nos hace entrar en un gran remanso que nos
lleva hacia el lago en vez de alejarnos de él, tanto que casi
sin necesidad de remos podemos poner en tierra al Sr. Moyano quien a caballo, debe ir en busca del guanaco muerto;

dada nuestra escasez no podemos dejar que sea aprovechado por los cóndores.

Estrella, los dos marineros y yo quedamos con el bote para hacerlo penetrar en el lago, doblando la punta que forma la entrada norte, que he bautizado con el nombre de Feilberg.

Es el momento crítico; hemos dejado muy atrás el último punto alcanzado por Fitz Roy y nos hallamos en el mismo que, con diferencia de unos doscientos metros, sirvió de campamento a Feilberg; quien llegó allí arrastrando su bote por tierra; pero nosotros no podemos hacer lo mismo, porque el lago ha aumentado tanto sus aguas que no se encuentra playa entre ellas y las barrancas. Para doblar la punta nos dividimos la tarea: Estrella toma el timón, coloco a Patricio en la proa, para que impida con el bichero que la embarcación choque contra las rocas, y Francisco y yo nos encargamos de la sirga; ambos nos atamos a la cuerda para servir de anda, en caso necesario, contra los peñascos de la costa, lo que va a hacer peligroso el trabajo. Francisco se multiplica, lo que es necesario, pues Patricio a cada momento se asusta, las aguas truenan dentro de las pequeñas cavernas formadas entre los trozos erráticos y, al salir de ellas, chocan espumosas contra la ballenera, amenazando hacerla zozobrar al menor descuido; a veces el retroceso de las corrientes es tan fuerte que rechaza el bote, que roza las piedras, arrastrándonos a los dos que lo sirgamos; felizmente, siempre hay un hoyo o un arbusto donde enredarse, anclarse y contener así la embarcación. Más golpes nos llevamos hoy que en todo el transcurso del viaje, pero no se puede desmayar al llegar al final de la tarea. Después de dos horas de trabajo conseguimos doblar la punta, descansar un momento, beber el agua del lago y varar el bote al pie del médano donde Feilberg elevó la bandera. ¡Un mes de viaje nos costó poder contemplar sus restos!

Recién ahora, cuando el sol se esconde entre dos montañas, grieta gigante en la majestuosa muralla andina, encontramos tiempo para gozar de este grandioso panorama.

El lago está cubierto en parte por el humo del gran incendio en las montañas del sur; las blancas crestas de los Andes muestran de cuando en cuando sus nevadas y azules cumbres sobre el horizonte plomizo; pero es imposible distinguir la gran Cordillera en toda su majestad, a causa de las nubes que se han agolpado sobre ella. El cielo se ha convertido en espléndida paleta de la luz artista; los renegridos chubascos que asoman cerca de Castle Hill contrastan con blancos cumulus que se forman y se disipan, cual enormes capullos de nieve, a media altura de las montañas; cirrus purpurinos parecen reflejar en lo alto las ondulaciones del lago; de vez en cuando, una rajadura entre las estratas permite ver el azul oscuro del cielo. La esfera que se hunde entre dos picos cuyas agujas doradas cruzan las nubes, enrojece, entre las grandes sombras de los cerros, las aguas verde–azuladas del lago, y baña con sus luces la punta donde, sobre un médano cubierto de pasto claro que amarillea ondulando, he elevado la bandera del sol.

Éste es un momento que no olvidaré: Moyano, Isidoro y Abelardo han llegado; los dos primeros trayendo la caza sobre el caballo; la tropilla baja gozosa a beber en las aguas del lago, mientras los perros ladran a las olas y a los pequeños palos que ellas arrastran. Los tripulantes, dentro del agua, rodean la ballenera para sacarla fuera aprovechando los últimos rayos que destacan su blancura del azul del lago y de la amarillenta arena vidriada. El tiempo es de una dulzura inexplicable en el sitio donde nos encontramos, mientras que a lo lejos los chubascos y el incendio devastan la región aún misteriosa. Todos estamos impresionados; todo ejerce sobre nosotros una sensación inexplicable de bienestar y gozamos de este espectáculo que por más previsto que nos haya sido, lo encontramos nuevo, pues ninguno de nosotros imaginó la salvaje grandeza del lago, digna de la salvaje aridez del desierto que hemos cruzado. Entre las provisiones vienen dos botellas de coñac; destapo una de ellas y doy una ración a cada hombre, y todos, sin consultárnoslo, brindamos por la patria lejana cuyo recuerdo nos ha dado ánimo para llegar hasta aquí y que nos lo continuará dando hasta el fin de la expedición.

El pequeño grupo que, con la cabeza descubierta, rodea la bandera sobre el árido médano, promete cumplir con su deber y seguir adelante mientras los escasos recursos lo permitan. Esta modesta ceremonia, verdaderamente espontánea, me impone el compromiso de cruzar el lago; mañana lo tentaré.

Pasamos el resto de la tarde en festín, regado, no por el vino, sino por el agua del lago, que preferiríamos al más exquisito champagne, si lo tuviéramos. Piche, avestruz, guanaco, fariña frita y, como postre, dulce de leche, con un buen jarro de café y dos galletas por hombre, forman este banquete que nos damos en honor del gran acontecimiento del día.

La misma mata de calafate que sirvió de asilo a Feilberg nos proporciona cómodo abrigo contra el viento que se prepara y ya agita el lago que muge sordamente. El cansancio del día no da lugar a soñar, ni a formar nuevos castillos que la experiencia va demostrando ser cada vez más imposibles; pasamos una noche plácida durmiendo sobre la blanda arena, arrullados por las olas inmediatas y por el ruido del cascajo que va y vuelve al impulso de ellas.

En el Lago Argentino

ebrero 15: ¡Qué delicioso despertar! Aún resuenan agradablemente en mis oídos las armonías que el Espíritu de las Aguas hace entonar por las olas del lago que ruedan sobre las piedras, al aparecer la aurora de este día. ¡Qué espléndidos mirajes se reflejan en mi mente al mirar desde mi arenoso lecho estas aguas verdosas que han arrullado mi sueño! Por lo que gozo ahora comprendo los encantos de Livingstone al dominar el africano Tanganika. Juzgad, lectores.

Los vientos de la noche han calmado; el lago está tranquilo. Los destellos del gran incendio oscilan en las montañas del sur. El fondo de la Llanura misteriosa de Fitz Roy, para nosotros lago grandioso, permanece soñoliento, envuelto en la bruma que anuncia el día. Sobre él, en las alturas, los eternos y mágicos espejos de hielo que coronan los picos que rasgan altivos el velo de las nieblas, reflejan ya, en medio de sus colores, el naciente sol de nuestra bandera. ¡Mar interno, hijo del manto patrio que cubre la Cordillera en la inmensa soledad, la naturaleza que te hizo no te dio nombre; la voluntad humana desde hoy te llamará Lago Argentino! ¡Que mi bautismo te sea propicio; que no olvides quién te lo dice el día que el hombre reemplace al puma y al guanaco, nuestros actuales vecinos! ¡Cuando en tus orillas se conviertan en cimientos de ciudades los trozos erráticos que tus antiguos hielos abandonaron en ellas; cuando las velas de los buques se reflejen en tus aguas como hoy lo hacen los gigantescos témpanos y dentro de un rato la vela de mi bote; cuando el silbido del vapor reemplace al grito del cóndor que hoy nos cree fácil presa: recuerda los humildes soldados que en este momento pronuncian el nombre de la patria bautizándote con tus propias aguas!

No hay que extenderse en la contemplación de lo futuro; el real presente pide nuestro tiempo y no lo podemos distraer. La marcha desde el Atlántico al lago demanda reposo, pero no es posible tomarlo; el descanso prolongado ahora sería quizás precursor de desaliento. Inmediatamente de levantados, descargamos el bote para organizar nuestro almacén de provisiones que debe quedar en tierra al cuidado de Isidoro y Abelardo mientras me interno al oeste con el bote; las malas condiciones marineras de éste no permiten conducir nuestras riquezas alimenticias a través de las aguas, pues sería perderlas. Demasiadas averías contamos ya desde nuestra salida de Pavón.

Levantamos al lado del matorral la carpa que nos queda, habiéndose destrozado completamente la otra, y colocamos dentro de ella todo lo que tenemos de más precioso, es decir, la fariña, el azúcar y la yerba, mi baúl de libros y las colecciones. En el bote quedan algunas conservas, provisiones para quince días y dos guanacos charqueados para el caso que en las montañas no podamos obtener caza; hacemos en él las reparaciones indispensables sobre todo en el timón, que se ha hecho pedazos durante el trabajo de subir el río. Cuando está todo listo y almorzamos para embarcarnos, el tiempo se descompone y los chubascos, que desde ayer tarde se formaban en los desfiladeros del oeste, se desencadenan barriendo la superficie del lago, inquietándolo; el viento aumenta rápidamente, de tal manera, que en vez de salir a navegar con el bote tenemos que retirarlo de las aguas y vararlo sobre la playa lo más lejos posible de ellas, pues las olas ya se estrellan y pueden destrozarlo; el lago quiere guardar aún sus misterios y los defiende, pero al fin venceremos. Dejamos la tentativa de cruzarlo para mañana.

Sin embargo, el día de hoy no ha sido perdido; lo hemos empleado en examinar el desagüe que forma el Santa Cruz y la ribera hacia el norte, donde la quebrada nos ha indicado la probable existencia de un río.

Desde el punto que nos encontramos dominamos el canal con rompientes en el centro por donde el lago envía al océano, a través de las cien leguas de desierto que acabamos de atravesar, la exuberancia de sus aguas. En vano el ventisquero andino se agrieta y siembra con sus fragmentos las profundas aguas; éstas nunca rebosarán ni cubrirán totalmente las áridas orillas pues el curso del Santa Cruz las vaciará en el Atlántico, unas veces con lentitud, otras, con increíble rapidez, como sucede en estos momentos.

Desde cierta distancia el canal no se distingue; media milla antes de llegar al lago no se sospecharía su proximidad por el poco aumento de la velocidad de las aguas que descienden por él, comparándola con la de otros puntos ya señalados en nuestro trayecto; pero, una vez que se llega frente a su principio, los trozos erráticos, al estorbar el tranquilo paso de las aguas, las hacen rugir sordamente, resfrescando sus pulidos bordes con la blanca espuma que produce el choque. El viajero recuerda involuntariamente el serio peligro que correría si, dentro del lago, las corrientes arrastraran su embarcación hacia el desagüe. Como la inundación hace que éste tenga un ancho anormal, no puedo decir con seguridad cuál es el verdadero, pero actualmente mide más o menos doscientos cincuenta metros. A ambos lados de él hay médanos, mayores en el lado norte que en el sur, y en éstos los trozos erráticos son muy numerosos y de notable tamaño. Sin embargo, ninguno de los dos trozos que he mencionado en la meseta que limita el bajo encontrará aquí otros con qué ser comparado. Los grandes trozos, en las orillas, están rodeados por otros muchos más pequeños y por cascajo entre el cual se elevan los calafates, planta predominante de la región; un alhelí sedoso plateado sombrea y aterciopela los médanos; se encuentra aquí, en este paradero, la mayor parte de las plantas patagónicas. En este costado norte no he visto aún el incienso, pero lo he encontrado ayer en el sur, y en ambas márgenes ya se ven muchas plantas que me son desconocidas. Los troncos, fragmentos de ramas y hojas que el agua arroja a las playas vecinas al lago, me indican selváticos bosques en sus orillas del poniente, pero no se distinguen desde este punto a causa de la enorme distancia.

El río Santa Cruz no nace inmediatamente de la gran cuenca del lago; lo precede una pequeña ensenada con recodos tranquilos, abrigados por médanos y lujosos matorrales, donde los botes que lleguen a ese punto en momentos de malos tiempos que no permitan pasar por sobre las piedras de la entrada, podrán anclar o sujetarse en la costa sin temor alguno. Luego que una embarcación haya penetrado en el lago, operación que siempre deberá hacerse con buen tiempo, no encontrará fácilmente reparo: en el paraje donde me encuentro ahora estará siempre expuesto a los vientos del NO hasta SSO, y creo que inmediato a la boca del río ningún abrigo ofrecerá buen refugio, pues en lo que alcanzo a distinguir no veo sino una playa desamparada, limitada en un lado por un médano y en otro por la intranquila línea blanca que forma las olas al derramarse sobre el cascajo.

Este lago, en tiempos no muy remotos, en la época geológica actual ha debido tener una extensión bastante mayor. Las mesetas (300 pies) que dominan la llanura baja medanosa han sido la muralla contra la cual, en los tiempos a que me refiero, batían las aguas del lago; tanto *detritus* amontonado con lentitud, pero también incesantemente por las olas, ha llenado ese espacio, lo ha levantado sobre el nivel del agua sembrándolo de rocas y polvo de ellas que han formado los médanos sobre los cuales hemos instalado el campamento. Hoy esta región es árida, pero no hay duda para mí que el tiempo, ayudado por el hombre, la fecundará.

He recorrido a caballo la pequeña extensión situada al norte del paradero; el camino incómodo por la gran cantidad de médanos elevados, algunos de diez metros y sumamente sueltos; el paisaje, ahora que la tormenta nos oculta el horizonte montañoso, es parecido al del océano Atlántico en las inmediaciones de la bahía San Blas; pero aquí los arbustos (que son algo distintos de los que allí se encuentran) adquieren mayor tamaño. El calafate y el matorro blanco son los principales; aunque el último parece preferir terreno más sólido y abunda con mayor profusión en las mesetas. La costa es corrida NS con sólo pequeñas entradas bajas a donde acuden en vano buscando alimento algunas gaviotas engañadas que chillan tristemente. A cierta distancia los médanos cesan; son reemplazados por colinas glaciales de altas pendientes que muestran en sus flancos inmensos trozos de rocas; el agua baña su pie batiéndolo suavemente.

El lago concluye en este punto; pasando una corriente que baja del norte, se divisa desde la colina al oeste una planicie inundada, luego una ensenada profunda que se interna hacia el norte; enseguida una lengua de tierra que se adelanta al sur y más lejos elevadas mesetas y montañas lo bordean en línea casi recta al oeste inclinándose algo al sur. El fondo del poniente no se distingue; en él reina la tempestad que desprende veloces emisarios en forma de negruzcos chubascos, que cruzan sobre nuestras cabezas regándonos de cuando en cuando y anunciándonos que aquella región es su trono, bien digno de ella por cierto. Después del momento de tranquilidad de ayer tarde, en la mañana el viento no cesa de soplar; parece que el celoso Espíritu de la región se ha apercibido de que hay temerarios que quieren buscar sus misterios y trata de desanimarlos, previniéndoles con estas manifestaciones que se traducen en chubascos y vientos el poco deseo que tiene de ver allí intrusos. Los indios dicen que el Espíritu del Lago se disgusta con la llegada de hombres; que a veces se enoja y alborota el agua sin cesar y barre con sus olas las playas; en su avaricia ni siquiera les quiere permitir sacar el agua necesaria para beber. ¿Qué hará pues, al verlas cruzar por un bote?

A nuestros pies, la potencia irresistible de la inundación va arrasando un pequeño valle; al oeste vemos avanzar las aguas y me temo que cuando tenga que llegar allí con el bote no encontraré paraje seco donde hacer campamento. La corriente que desciende a nuestros pies desde el norte, es un río; desemboca en el inmenso bañado que tenemos enfrente y sus aguas, que corren por la pendiente, se dividen en infinidad de brazos por el delta que les ha formado la inundación; pero entre ellos se distinguen dos canales que cuando bajen las aguas serán indudablemente los únicos por donde descarga sus aguas este río; según creo es el que Viedma vio salir del lago que lleva su nombre y que los indios que lo acompañaban le dijeron era el Santa Cruz. Galopando más hacia el norte, veo que este río aumenta de velocidad en su descenso, la que es mayor que la del Santa Cruz.

La vista del territorio es diferente ya aquí; aunque es un desierto como lo señalado anteriormente, hay algo de pintoresco en las barrancas que dominan este río, con más arbustos y pastos, bien distintas de las áridas barrancas y médanos movedizos que nos han fatigado la vista en la comarca recientemente recorrida; algunos pequeños vallecitos me parecen risueños a pesar de ser solitarios; un trozo errático de espléndida blancura hace creer a mis ilusos sentidos que tienen delante una pequeña morada humana en los flancos escondidos de la quebrada. Engañoso fantasma producto de la distancia y del deseo; pasarán largos años y quizás siglos antes de que se convierta en una realidad.

El aspecto geológico de la meseta inmediata, que cae casi a plomo sobre dicho río que corre encajonado, sin valle, es distinto al de las mesetas que dominan el Santa Cruz: se elevan gradualmente hasta una altura de más o menos 1.500 pies, y en su límite superior, bajo el manto glacial, se ve una capa verde–amarillenta en estratificación poco visible, agrietada, con grandes derrumbes que han sembrado su base de peñascos enormes; la roca es blanquizca y amarillenta cerca del río. Éste no corre directamente del norte y forma una vuelta al salir del cajón de las mesetas con un desagüe ancho.

Ningún ser viviente vimos en estos parajes, salvo dos zorros (*Canis griseus*) que nuestros perros no pudieron cazar, a pesar de haberlos perseguido con encarnizamiento. A la noche regresamos al paradero, sin traer carne y sí sólo con la noticia de que aunque no hemos visto ningún guanaco ni avestruz los rastros de estos animales son muy comunes; Isidoro dice que mañana saldrá a campearlos. Aunque no los hemos visto vivos, en cambio es inmensa la cantidad de osamentas de guanacos que hay entre los médanos, al abrigo de las grandes matas. Del lado resguardado del OSO hay inmensos depósitos; en uno de ellos que por excepción mira a la laguna, es decir, expuesto a los vientos, he contado cuarenta y ocho cráneos de animales muertos todos en la misma época, a juzgar por el estado de los huesos. Quizás un temporal del invierno los aniquiló sin darles tiempo para abrigarse, o quizás, también, el médano movedizo, al cambiar de sitio, pudo haberlos transportado juntos del punto donde murieron.

Viernes 16: El día amaneció tranquilo; las pesadas nubes que ocultan el oeste se han disipado y entre la bruma rosada, las cumbres de los Andes despiden destellos dignos de esos eternos gigantes; el lago, hermoso en su calma, nos convida a internarnos en él mientras su Espíritu agitador duerme. No hay tiempo que perder y tratamos que el primer rayo del sol ilumine el bote navegando, izada la blanca vela y el pabellón al tope. Como el deseo no tiene en cuenta los obstáculos, ya nos hemos embarcado; mentalmente, la embarcación flota ondulando y se sacude gozosa, sintiendo llena de aire la lona; creemos vernos en el centro del lago, atracados a un tempano, saciando la sed en la nieve que como cana cabellera cubrió durante siglos la montaña y que la tempestad de ayer ha hecho rodar hasta las profundas aguas; pero, entonces, el *Walichu* del lago despierta y parece ordenar que se tornen contrarios los vientos que nos son favorables. Tristes volvemos a desembarcar y sirgamos el bote desde la costa, durante un trayecto de dos millas, hasta colocarnos en posición aparente para que, aprovechando el viento del OSO que sopla, podamos cruzar a la orilla del NO frente al río que baja del norte.

El viento arrecia, pero no nos acobardamos. Francisco y yo nos mojamos completamente y el bote casi se llena de agua al varar sobre un banco, pues una ola lo cubre y lo tumba. Nos embarcamos nuevamente y tratamos de dirigirnos a la desembocadura del río del norte; recién lo conseguimos después de repetidas tentativas, pues tenemos que luchar contra el viento y la correntada que nos arrastra con fuerza hacia el desagüe y que al mismo tiempo nos impide, no pudiéndola vencer, ganar camino hacia el punto de desembarque. El bote es sumamente pesado, de malas condiciones marineras, y no se levanta con facilidad al cruzar las olas, éstas penetran en él o lo chocan con violencia, y como es sumamente angosto (8,65 metros de eslora y 1,65 de manga) se tumba con facilidad poniéndonos en peligro de perecer ahogados. Además, cuando en las viradas el viento no es contrario, tenemos que emplear sólo los dos remos pues la vela es inútil. Entonces la embarcación no obedece bien al timón y las corrientes que hacen bullir el agua y blanquean de espuma la superficie del lago juegan con él arrastrándolo fuera de rumbo. Los remolinos que forman estas corrientes encontradas, que nos ponen en serios peligros, tienen acción sobre el fondo del lago; en ciertos puntos, como por ejemplo el paraje que cruzamos, no debe ser muy profundo, y por los *detritus* que levantan, comunican a los hilos de corrientes un color parecido al del río de la Plata. Estas fajas plomizas, de color siniestro, parecen zonas de muerte de donde nos cuesta trabajo arrancarnos. Forman contraste con las aguas azuladas, que a cierta distancia divisamos meciéndose pero sin sacudir sus cabelleras. La marejada es hoy tan fuerte en estas corrientes que me parece igual a la que se levanta en el puerto de Buenos Aires cuando sopla el fresco SE. Las provisiones se han mojado completamente, y si no fuera por el trabajo continuo de quienes desagotamos el agua que hay dentro del bote, poco hubiera tardado éste en irse al fondo. Los golpes de la marejada en la popa son tan grandes que el timón sale de su lugar varias veces, pero es arreglado siempre por Estrella. Recién a mediodía podemos, a fuerza de remos, llegar a la costa y desembarcar en una caleta angosta y profunda (25 pies), protegida contra todos los vientos, suerte rara pues los abrigos parecen ser muy escasos en este inhospitalario lago.

He satisfecho una de mis más grandes aspiraciones, es decir, navegar en el lago y pisar tierra virgen de planta humana; ni salvajes ni civilizados han impreso sus plantas en la fina arena de esta playa, pues no creo que los antiguos patagones fueran navegadores. Es un nuevo misterio develado; estas matas que tenemos delante causan mayor impresión a mi alma que la que sintiera delante de las grandes ciudades del mundo. Esta misma soledad habla; parece que nos llama; los jilgueros que saltan de rama en rama, no huyen, y un loro gozoso se para en el mástil y nos mira curioso. Es la Edad de Oro; aquí se olvida la estepa, pero se recuerda la patria; su imagen está arriba de todo. Mis compañeros, al pisar tierra, piensan probablemente en el cumplimiento de mi promesa al salir de Pavón: "Navegaréis donde flotan témpanos; hollaréis tierras vírgenes".

¡Qué gran satisfacción experimento! He cumplido.

En este ancón escondido, desde el cual se distinguen bien el lago y sus imponentes costas, no sopla el viento y el agua clara está tranquila. Los patos, las avutardas y las gallaretas la rayan con animado buril mientras el blanco casco del bote se refleja en ella. La bandera que mis amigos me entregaron al embarcarme en Buenos Aires, sube al mástil; la pequeña que ha flameado constantemente en tierra y en agua, sobre el basalto y sobre el lago, se coloca en la costa sobre un remo y armamos campamento sobre esta virgen tierra argentina, no hollada aún ni por sus mismos dueños.

Luego que ponemos a secar nuestras ropas y las mantas que forman nuestras camas, dejo a cargo de Estrella el desembarque de los víveres, que están completamente averiados, y salgo con Moyano hacia el norte para visitar el país y buscar objetos. El aspecto del suelo no varía mucho del de la costa del este; las mismas plantas, los mismos pájaros, los mismos médanos, pero en insectos se nota variedad, aunque todos los que veo están muertos. Donde sólo se pueden coleccionar es en los telares de unas arañas negras y coloradas, que parecen ser grandes destructoras de esos animales. En este punto los rastros de los pumas son más frecuentes que en la región del este, lo mismo que los huesos de los guanacos que han sido sus víctimas; a esto atribuyo que estos animales sean aquí más ariscos que en cualquiera otra parte. Moyano trata en vano de matar alguno; uno de ellos, aunque herido, huye y no puede ser encontrado.

He examinado muchos trozos erráticos y veo que todos son de rocas antiguas y generalmente primitivas. No se ven los de basalto; esto me demuestra que las capas de lava no llegan hasta este punto, pues los hielos que han arrastrado los otros hubieran podido también transportarlos, en caso de haber existido. De estos trozos hay algunos que miden cien y doscientos metros cúbicos, y estos últimos no son raros; hay lomas de doscientos pies de elevación que parecen ser casi enteramente formadas por una aglomeración de ellos, entre grandes y pequeños, y están cubiertos por cascajo más pequeño y arena sobre la cual crece una hierba amarillenta. Parecen monumentos funerarios de razas perdidas y me recuerdan los *mounds* norteamericanos; otros, despojados de hierba, semejan materiales amontonados por la naturaleza para formar nuevas llanuras; en eso se convertirán seguramente, con el tiempo.

Caminando hacia el norte llegamos hasta el nuevo río, frente a la meseta elevada del este; el río parece descender con una pendiente muy grande y veo que es imposible emprender su ascensión a la sirga con la clase de embarcación que llevo, pues los rápidos son en doble número que en el Santa Cruz y siempre aumentan con la inundación. Es más angosto aquí y tiene en su aspecto general cierto parecido con el Limay, aunque la formación geológica de la comarca es distinta.

Ya tarde, entrada la noche, regresamos al paradero que nos es señalado por grandes fogatas encendidas para indicarnos el camino y para anunciar a los dos expedicionarios que vigilan el almacén de provisiones, en la margen este del lago, el punto donde hemos acampado y al mismo tiempo la feliz nueva de haber cruzado el lago. Después de comer un humilde puchero con fariña y festejado el acontecimiento con un trago de Hesperidina que es el último licor que nos queda en el bote, encontramos en nuestra cama humilde descanso de las fatigas del día, bajo la inmensa bóveda austral celeste y plateada. Los cinco tripulantes del bote dormimos orgullosos y contentos; somos los primeros navegantes del Lago Argentino; algo nos ha costado, no lo olvidéis, lector.

Febrero 17: El tiempo no nos favorece; los ventarrones que bajan de los Andes alborotan el lago durante la noche; sus olas han rugido y hoy, cuando lo miramos a la claridad del día, lo encontramos encrespado, rompiendo ruidosamente contra la estrecha península que se va inundando y saltando sobre las grandes piedras glaciales. El viento nos es contrario para hacernos a la vela; juzgo conveniente, pues, disfrutar un día más de esta soledad que hoy debiéramos abandonar. Las provisiones necesitan también un poco de sol para poder utilizar la mitad de las que hemos traído; la otra mitad se ha perdido.

Paso parte del día sobre una colina terciaria cubierta de despojos glaciales que domina parte del lago y el río del norte; desde ella distingo enfrente a Isidoro, que busca los guanacos cuyos rastros vimos hace algunos días. Es un punto adecuado para orientarse y tomar direcciones para formar el croquis de la región, lo cual hago de la mejor manera posible. Frente a este sitio, hacia el SO, se ve en el lado sur del lago un elevado promontorio blanco–amarillento, o negruzco, según el estado del cielo, que se adelanta hacia el agua despertando cierto interés por visitarlo. Parece ser un contrafuerte de las mesetas elevadas que en ese costado bordean en una línea casi recta, que asciende en escalones desde el Atlántico hasta los Andes, en dirección EO. Desde este mamelón se ve la pequeña ensenada donde está amarrado el bote; pasando las lenguas de tierra donde hemos establecido el campamento, se distingue una larga bahía, la cual no puedo decir si está formada por la inundación o si persiste en el tiempo de la altura normal del lago.

Siguiendo al oeste, encuentro una larga llanura cuya costa se inclina al NO hasta casi encontrarse con la meseta alta. Allí, un brazo del lago se interna y forma una preciosa bahía casi circular en cuyo fondo norte y oeste se elevan murallas altas que le dan un aspecto agreste bastante interesante. Toda esta región, a partir del punto donde la meseta elevada que sigue desde el este, es casi paralela a la que he mencionado en el sur, que se interrumpe para dar paso al río del norte. Continuando luego hasta el borde de la citada bahía redonda, el terreno es bajo, exceptuando el mamelón que me sirve de observatorio y que ha sido formado por los materiales glaciales; está tan sembrado de arbustos como de trozos erráticos sobre los cuales veo parados infinidad de caranchos y chimangos. Al norte, el río que baja de esa dirección aparece entre quebradas; el lado este es más elevado que el contrario, donde una hilera de colinas precede una meseta inclinada y deja ver su cumbre sembrada de amarillento pasto que doran los rayos solares alegrándola. Más al oeste, otras mesetas más a menos uniformes, pero más elevadas, se siguen hasta Castle Hill cuya cumbre, que imita restos de una torre geológica elevada por fuerzas gigantes y destruida por los hielos eternos, los indios la creen morada de espíritus. A su pie se eleva una montaña más baja, puntiaguda; creo que es la que Fitz Roy llamó Hobler Hill, aunque su posición geográfica no concuerda del todo con la que el marino inglés le asigna en el mapa.

El viento va calmando en el bajo y ha tornado al sur y luego al sudoeste como ayer, lo que muestra que la virazón es aquí a la inversa de la de Buenos Aires, pero en el cielo se nota gran agitación en las nubes. Son imponentes los blancos y plomizos chubascos que, naciendo detrás de Castle Hill como una nubecilla blanca, van aumentando de volumen hasta cubrir la mitad del cielo; pasan entonces veloces, regando al mismo tiempo que sombreando un gran espacio, mientras a corta distancia los rayos solares cruzando por el firmamento azul despejado de nubes alumbran otros parajes que parecen recibir más brillo a causa del contraste. Cuando la luz y la sombra se alternan sobre la superficie del lago, se diseñan en él inmensos fantasmas.

La latitud del punto en que tenemos el bote es 50° 11 sur.

Las arañas coloradas que mencioné ayer no se contentan con devorar los insectos; he puesto dos en una caja y hoy sólo encuentro una y restos de la otra. Los pequeños coleópteros negros son los únicos del género *Nictetra* que se encuentran al oeste del río del norte; los semejantes a ellos, pero de mayor tamaño, han ido desapareciendo gradualmente desde Basalt Glen.

Esta tarde el viento se calma y el tiempo, de crudo que ha sido durante el día, se torna agradable; hace feliz a quien lo disfruta. El sol se hunde tras los Andes entre nubes de púrpura; sus rayos, aunque colorean los bordes de ellas, hacen resaltar la blancura del hielo de sus picos que aparecen y desaparecen agujereando altivos las capas de rosadas nubes para presentarse gallardos ante el azul del firmamento. El lago calla sus enojos; ya no alborota entre las rocas; todo me anuncia para mañana un buen día para ir a buscar lo que encierra el otro costado. Soy feliz aquí; puedo abandonarme libremente a mis pensamientos. Me siento solo en este inmenso pero escondido templo de la naturaleza donde sus mismas fuerzas levantan altares para que el hombre la venere. Los malos ratos que ha producido la ascensión del río van desapareciendo del recuerdo y la enfermedad que me habían producido se disipa, lo mismo que la tristeza que la acompañaba. No hay ya lucha; uno de mis propósitos se ha satisfecho y puedo gozar a mis anchas de los encantos de esta soledad tan buscada. Este silencio que durante la tarde patagónica envuelve la naturaleza que en el día no se muestra en estas áridas soledades sino para revelar su energía en este bosquejo de tierra, cuadro físico que aún no parece concluido sino para hacer alarde de algunas de sus terribles manifestaciones, proporciona languidez al espíritu. En una niebla intelectual dejo trascurrir las horas de la tarde, que siguen a la humilde cena, hasta que el sueño me sorprende.

Febrero 18: A mediodía, un viento favorable nos ayuda y abandonamos el campamento para hacernos a la vela en dirección al fondo del lago, a rebuscar en los ancones del pie de Castle Hill y en los residuos de los antiguos ventisqueros, los bosques que han producido los troncos y las hojas que boyan sobre las aguas. Al principio, la corriente nos empuja nuevamente hacia el desagüe; pero el viento arrecia y ciñendo la vela, a la que tomamos rizos, vamos contentos saltando de ola en ola hacia los témpanos. Éstos parecen islas de claro cristal en medio de las aguas; unas veces brillan, otras permanecen pálidos y tristes. La incidencia de la luz, producida por las nubes, les comunica alegrías o tristezas. Cuando están alumbrados por el sol, proporcionan contentos; hay entonces algo de suave dulzura en esas inmensas moles congeladas que se balancean sobre el celeste del agua, pero cuando un negro chubasco oculta el rayo vivificante, pierden ese aspecto, adquieren un color equívoco, terroso, severo y parece que reflejan las nubes pardas.

Pasamos a corta distancia de un fragmento de gran tamaño y vemos que sirve de pedestal a una negra roca que reposa sobre su cima. Este témpano nos muestra cómo han sido depositados los grandes trozos erráticos que hay en la costa.

A lo lejos, vemos inclinarse una enorme masa blanca que se hunde momentos después con estruendo y produce una gran ola que viene rodando hasta estrellarse contra nuestra embarcación. Donde ha desaparecido, vemos alzarse blancos conos que se diseminan y balancean al impulso del agua alborotada con el choque. Son los restos del gótico monumento, tallado y desprendido por la hábil naturaleza en el flanco del ventisquero. ¡Qué cruel es el destino de éste! La nieve vetusta que lo forma, anciana de siglos y siglos, ha avanzado lentamente hacia el lago, coronada de ligeros capullos y de rocas que ha desprendido a su lento, pero majestuoso paso, del flanco de la montaña; de este modo ha ido creciendo el campo de hielo que cubre los valles o sirve de cintura cristalina al pico de granito. Pero las aguas del lago, hijas de otros hielos anteriores, baten con sus olas los flancos congelados, lo carcomen, lo agrietan por su base, desgajan grandes trozos y dan nacimiento al grandioso témpano; así la bulliciosa onda triunfa y en un instante desaparece la obra del cierzo helado de los siglos, que se disipa a los primeros rayos del sol de enero. La montaña flotante es un pedazo del ventisquero; los pequeños conos que vemos son los fragmentos en que se ha convertido, con su hundimiento en el seno de las aguas. Así los hijos viven a expensas de los padres; así lo exige la marcha de la naturaleza.

¡Qué multitud de recuerdos se despiertan en mí mientras dirijo el timón hacia los hielos! Recién ahora comprendo las obras de los navegantes polares que tantas veces he hojeado y que otras tantas me han producido sensaciones desconocidas con su lectura: de asombro, de admiración y de incredulidad algunas, lo confieso, ante la sublime abnegación de esos hombres que oponen sólo el ardiente entusiasmo por la ciencia, al espantoso frío del polo donde los lleva la progresión del pensamiento que no reconoce barreras. Recién cuando tengo delante un pálido reflejo me imagino las bellezas sublimes, pero terribles, que ostenta el mundo en sus extremos. No hay aquí el temible "pack" ni la bruma mortal, pero en cambio, el inmenso témpano tambalea al recibir los rayos de un sol que en ocasiones recuerda el de los trópicos, pero que dista mucho de dar al paisaje el colorido fantástico de las auroras en un día de calma boreal, o el de la llegada de las ondas luminosas ardientes, que en medio del largo crepúsculo anuncian la reaparición del astro del día. Encuentro cierta voluptuosidad en esta escena patagónica cada vez que los chubascos, al pasar por sobre nuestras cabezas, siembran de luces y sombras la superficie del lago o de destellos los hielos, cuando aparece despejado el firmamento.

Lo mismo que los lagos alpinos, estos lagos de los Andes deben tener grandes profundidades en relación con su tamaño, pero me encuentro desprovisto de los elementos necesarios para hacer sondajes continuados; sin embargo, cuando hemos largado el plomo nos ha dado honduras que varían entre 17–32–56–65–78 pies a corta distancia del paradero de donde hemos salido, y a dos millas de la costa, la línea de sonda que mide 120 pies no encuentra fondo en las varias veces que tentamos buscarlo. Esto sucede en la parte del lago que se halla al NO del desagüe; no podemos continuar en la parte sur por el mal tiempo que nos sorprende. Al creernos ya próximos al canal que se extiende al pie de los cerros de Castle Hill, en dirección al NO de esas montañas, y que es uno de los canales por donde bajan los hielos, nos encontramos con vientos sumamente violentos que ponen por un momento en peligro nuestra embarcación y nos obligan a retroceder y buscar punto de desembarco en la margen sur. Estos tifones y las corrientes, nos arrojan a una pequeña playa rodeada de rocas en la cual varamos el bote, que las grandes olas y el viento hacen chocar contra el fondo llenándolo de agua; esto nos hace perder otra parte de las provisiones.

El arribo a estas playas desabrigadas y sin fondeaderos equivale casi a un naufragio. Necesitamos hacer esfuerzos serios para poner el bote a salvo haciéndolo rodar por sobre ramas de árboles, que la casualidad nos proporciona, hasta la mitad de la barranca donde no hay peligro de que lo arrastren las olas aunque barran sus costados. La violencia del choque es tal, que nos cuesta trabajo impedir que al empujar el bote, nos maltratemos contra sus costados. Inútil es decir que no tenemos nada seco sobre nosotros y que nos hiela el viento fresco al barrer el pequeño campamento que formamos en la llanura abierta, sobre todo al brasileño que en voz baja maldice los majestuosos Andes.

Nos encontramos a corta distancia del promontorio que divisábamos esta mañana desde el lado opuesto y el cual deseaba visitar, aunque no tan pronto.

Febrero 19: Mal tiempo; es imposible navegar a causa de la agitación de las aguas. Salgo a caminar hacia el promontorio y después de curiosear largo rato entre los derrumbes que caen casi a pique sobre el lago, hago un descubrimiento interesante.

Las barrancas verticales están cubiertas de signos trazados por mano de hombre. Tengo delante más o menos los mismos vestigios que en medio de las lujuriosas selvas y al lado de las fragosas cataratas de Orinoco revelaron al ilustre Humboldt la existencia de un gran pueblo antiguo y extinguido. Estas inscripciones, aunque más humildes y menos complicadas que aquéllas, revelan aquí, al borde del gran lago austral, el paso y quizás también la prolongada morada de hombres más perfectos moralmente que el tehuelche, que no tiene otra idea del dibujo que las informes rayas y puntos que traza al reverso de sus quillangos.

En el segundo volumen de este libro el lector encontrará amplios detalles y la copia de estas inscripciones o signos[1]; su descripción sería demasiado larga, y colocándola aquí saldría de los límites de un simple "diario" como éste.

Este encuentro me es agradable en extremo; había oído hablar a los indios, en mis excursiones por la Patagonia septentrional, de ciertas cavernas habitadas por malos espíritus y también de algunas donde se distinguían figuras trazadas "por mano de ellos" en las sombrías paredes. Las hay en las inmediaciones del río Negro, en las sierras de San Antonio y en los alrededores de *Mackinchau*. *Shaihueque* me señaló repetidas veces una sierra que se halla situada frente a sus toldos, en *Caleufú*, diciéndome que allí se encontraban guaridas de *walichus*, con paredes pintadas, pero nunca, a pesar de habérmelo prometido, quiso acompañarme ni que yo llegara a ellas. En la falda del *Quetropillan* también me las indicaron, desde muy lejos, pero sin permitir que me acercara.

1   N. de E. El segundo volúmen nunca fue publicado.

Por las indicaciones que he recibido de algunos indios que por casualidad, sin haber tenido la intención de examinarlas, habían penetrado allí obligados por las tormentas, conjeturo que esas figuras son semejantes a las que tengo delante; esto me muestra la presencia indudable en este extenso territorio, en tiempos remotos, de una raza extinguida hoy y que quizás precedió a los indígenas actuales.

Estas inscripciones se extienden en la escarpa del promontorio, en grupos aislados, representando cada uno, como se verá cuando me ocupe detenidamente, una combinación de distintas figuras. Adelantaré que en el primer grupo, si se exceptúa unas dobles sucesiones prolongadas de puntos rojos, que en un extremo se unen y que probablemente, en un principio, hicieron parte de un tosco dibujo de forma animada y que se hallan situadas a ambos extremos del fragmento de barranca sobre el cual han sido pintadas, se nota gran semejanza en estas combinaciones de signos con las que han sido descubiertas en el territorio del Colorado, en Arizona y Nuevo México, y que allí han sido trazadas en peñascos de estructura igual a los que menciono. Esas manos rojas estampadas son idénticas, lo mismo que ciertas combinaciones de puntos y líneas. Encuentro también cierto parecido con algunas figuras de animales formados con puntos rojos, que se notan en otro peñasco; más adelante veo figuras humanas trazadas tan toscamente que algunas podríanse tomar por imágenes de lagartos, del mismo género que las ya citadas de Norteamérica. En más de cien que copio noto analogías más o menos exactas con las que Schomburgk y Brown citan de las Guayanas; con las de Ceará en el Brasil, descritas por J. Whitfield; con las que se encuentran en el Perú, Bolivia, Argentina y Chile; muchas son parecidas a las de Norteamérica. Hasta los mismos colores de las últimas se encuentran en éstas: el rojo predomina, pero hay algunas purpúreas, blancas, amarillas y hasta verdes.

Este descubrimiento me demuestra que las inscripciones que asombraron a Humboldt no están encerradas en centenares de leguas, sino en decenas de miles; me hace ver que, con corta diferencia, se encuentran los mismos signos en todo el Nuevo Mundo desde las islas de Vancouver cerca del círculo boreal, hasta este Lago Argentino y que las figuras pintadas que copio de las paredes abruptas y verticales de punta Walichu, nombre que le he dado a este promontorio, son iguales a las que los exploradores americanos señalaron al norte de México; y que las piedras grabadas en remotos siglos por los habitantes de México, Centroamérica, Guayanas, Brasil, Perú, Bolivia, Chile y Argentina parecen haber sido trabajadas por individuos si no de la nueva raza al menos de igual cultura.

La descripción de estos signos, que será clave para el conocimiento de una raza extinguida, es materia de arduos estudios; la interpretación de los signos antiguos americanos está por principiarse y largos años pasarán antes que pueda bosquejarse siquiera el plan de ellos; pero dato etnográfico bastante importante es encontrar signos iguales en regiones tan apartadas. América, cuando sea estudiada, resolverá más de un problema oscuro de la historia del pasado del hombre; cada nuevo descubrimiento en ella asombra por los grandes horizontes que revela y prueba que las soledades salvajes han sido en otro tiempo teatro de escenas civilizadas relativamente. Los estudios llenos de erudición de mi respetable amigo el Dr. D. Vicente Fidel López han despejado las sombras que cubrían los tiempos remotos del Perú y Bolivia; su interpretación científica de los monumentos ha convertido la prehistoria de parte de América en luminosa historia, y este descubrimiento de signos trabajados por hombres a la vista del solitario lago, va a aumentar el caudal de datos para ella. Es mi deseo que sean bien interpretados. Pero para conseguir descifrarlos habrá que aguardar la aparición de algún Champollion americano.

Al pie de una de estas barrancas he encontrado un pequeño montón de tierra que me ha parecido artificial; habiéndolo cavado, he descubierto gran cantidad de huesos de guanacos muy antiguos, tallados como si hubieran sido restos de comida y mezclados con cuchillos, rascadores y hasta una hachuela de piedra. Estos utensilios pertenecieron indudablemente a los hombres que pintaron los signos, y fueron abandonados entre los desperdicios del festín primitivo.

Más adelante, hacia el oeste, al llegar a un pequeña ensenada abrigada por grandes fragmentos de peñascos caídos de los flancos de la barranca, hago un hallazgo aún más valioso en una pequeña cueva de paredes con figuras pintadas; mide ocho metros de ancho por tres de profundidad, su altura que en el frente es de dos y medio disminuye gradualmente hasta tener sólo veinte centímetros en el fondo. Las excavaciones que emprendo en ella son coronadas de buen éxito; al poco rato la pala y el pico dan con un objeto que impresiona al brasileño, que huye abandonando la tarea que le había confiado mientras copiaba los signos estampados en las piedras. Con algún trabajo prosigo yo mismo la investigación y tengo la felicidad de extraer del fondo de la cueva un cuerpo humano, bastante bien conservado, que fue inhumado envuelto en cueros de avestruz y cubierto luego con pasto y tierra sobre la cual recojo dos cuchillos de piedra y una punta de flecha de la misma materia.

El cuerpo está pintado de rojo; la posición en que se encuentra es análoga a la de las momias del Perú y a la que las tribus pampeanas sepultan sus muertos. La pierna derecha ha sido replegada sobre el cuerpo de una manera tan forzada que poco ha faltado para que la cabeza del fémur abandonara la cavidad cotilóidea.

El fémur izquierdo ha desaparecido, lo mismo que gran parte del costado del mismo lado, que habría sido descubierto y comido por algunos carnívoros, quizás zorros; se conserva, sin embargo, el resto de la pierna, la posición del pie, que es igual a la de su congénere, me indica que esta pierna tuvo en el cadáver fresco la misma colocación que la otra. Conjeturo que los pies han sido colocados de manera que los dedos grandes se tocaran. El brazo izquierdo está doblado y la mano cubre la cara y los ojos. ¿Es esto un signo de dolor o de meditación eterna? No sabré decirlo, pues no me atrevo a considerar a este salvaje, único resto conocido de una tribu extinguida, como poseedor de ideas elevadas o religiosas, pues muchas veces una circunstancia como ésta puede hacer incurrir en un error atribuyendo fines dados a los resultados de accidentes casuales. Sin embargo, es bien posible en este caso, puesto que reconociendo estos signos que rodean la cueva como producto de la industria de la raza que representa este cadáver momificado, no se le puede negar una cierta cultura compatible con ideas religiosas avanzadas relativamente.

Entre este brazo y el cuerpo encuentro cruzada una bella pluma negra de cóndor, que también ha sido pintada. ¿Es un signo de poder, señala el rango que en vida revistió en la tribu, perpetúa la memoria de un cazador atrevido o es un simple adorno con que el deudo o el amigo sencillo quiso ataviar la muerte? Tampoco sabré decirlo. Los siglos que han pasado están mudos y estas soledades no responden.

El brazo derecho ha sido colocado casi verticalmente entre ambas piernas; la mano crispada parece que araña la tierra y el plumoso sudario con que ha sido envuelto y del cual sólo quedan restos, también ha sido pintado de rojo. La posición del cuerpo en la tierra, en relación a la disposición de la caverna, es curiosa: no ha sido colocado sentado como en vida, como sucede con las momias peruanas, por el contrario, la encuentro con la cara vuelta hacia abajo y dirigida hacia el punto más oscuro de la cueva. Junto con los cuchillos recojo huesos de guanaco, tallados;

son los alimentos con que los vivientes han querido alimentar al muerto, en el tránsito a la vida futura. En un principio creí ver restos de un banquete funerario como los que tenían lugar en las tribus que habitaban Francia durante la Época de la Piedra, idea ésta sugerida por la analogía que indudablemente existió entre estos hombres y aquéllos, dado el mismo modo de vivir y el mismo grado de cultura intelectual que denotan los restos encontrados en ambos parajes, geográficamente tan distantes, pero etnográficamente mucho más cercanos.

Esta interesante momia tiene el cabello cortado casi a la raíz, y esto, junto con la pintura roja con que ha sido cubierto el cuerpo, en vida o después de la muerte, me hace pensar que quizás pertenezca a un fueguino, no de los que habitan la gran isla, sino de los del continente, que vivían en el tiempo que Francisco Sarmiento de Gamboa hizo su memorable expedición al Estrecho de Magallanes (año 1580). Este navegante menciona mujeres con el pelo cortado y el cuerpo pintado de rojo; sin embargo creo que la momia en cuestión es de un hombre, y de muy elevada estatura.

Otros viejos navegantes también descubrieron huesos humanos en algunas cavernas, en la costa del Pacífico de la región patagónica; los antiguos habitantes del archipiélago de Chonos, que probablemente pertenecían a la misma raza que los mencionados por Sarmiento, enterraban sus muertos de la misma manera; añadiré que los tehuelches me han dicho que sus abuelos les contaron que los fueguinos habitaban en otro tiempo estas regiones; además, ellos llaman a las cavernas *alln–kau*, que puede traducirse por casa de hombres (*alln*, cabeza–hombre, *kau*, casa); pero esto último puede referirse a las antiguas habitaciones de los tehuelches lo mismo que a las de los fueguinos.

No hay duda que esta momia no pertenece a los tehuelches, pues la forma de su cráneo es suficiente para demostrarlo. Aunque deformado artificialmente, tiene mucha más semejanza con los antiguos patagones, que con los actuales. Aún no lo he estudiado, pero cuando lo haya efectuado me parece que encontraré analogía con la raza que he nombrado caríbica antigua; a ésta pertenecen probablemente los cráneos macrocéfalos, deformados, que se encuentran desde Estados Unidos hasta este punto, lo mismo que los extraídos de las necrópolis de Bolivia y atribuidos, por falta de estudio, a los constructores de las obras monolíticas de Tiahuanaco y bautizados con el nombre de aymaráes.

Más al oeste es imposible seguir por el pie de la barranca, porque el agua nos corta el camino; ascendemos el cerro, dominamos el lago, aunque sin distinguir sus contornos pues la tormenta lo alborota, oscureciéndolo, y bajamos nuevamente a la playa para prolongar las pesquisas que continúan con buen éxito. En otra caverna encuentro un trozo de árbol cubierto de rayas rojas blancas y amarillas que sin duda ha sido dejado allí por los antiguos indígenas. Creo que fue un objeto respetado, pues aún hoy los indios señalan con recelo los troncos que, como éste, tienen agujeros formados por el desprendimiento de los nudos; me han asegurado que son los ojos del Espíritu Malo. Las manos pintadas, en este último punto, son distintas de las que se encuentran en el otro costado del promontorio. Allí parece que la mano del indígena, generalmente la izquierda, puesta sobre la roca, fue contorneada con la pintura siguiendo su forma y dejándola estampada en claro; aquí, por el contrario, parece que la mano fue frotada con la pintura y estampada luego sobre la piedra donde ha dejado su forma en rojo.

No encuentro la menor señal que me indique que estos antiguos habitantes de la orilla del lago fueran navegantes en esta región y que penetraran en él; más bien me inclino a creer que no; el lago no alimenta peces sino en los remansos inmediatos a la costa, donde pueden ser tomados sin necesidad de internarse. Siguiendo la barranca me

encuentro en un trance apurado; la roca es a pique, pero tal
es mi entusiasmo que sin fijarme sigo adelante indicando
el camino al Sr. Moyano que continúa detrás de mí. Llega
un momento que las ramas en que me he asido se
desprenden de la roca y me hacen rodar más de 30 pies
hacia el abismo. Felizmente un peñasco se encuentra a mi
paso, puedo sujetarme a él y quedo suspendido al borde
del precipicio, profundo de casi cien pies, donde las olas
saltan estrepitosamente sobre las puntiagudas rocas
terciarias. Tenemos que retroceder y esto ya de noche, pues
con los felices hallazgos no nos hemos fijado en el tiempo
que ha trascurrido; llegamos a las diez de la noche al paradero donde la tripulación se halla alarmada por nuestra
ausencia.

Estamos muy fatigados y encontramos exquisito el
poco de fariña y arroz que compone nuestra comida, pues
un golpe de ola nos ha arrebatado el charque que por descuido de Patricio había quedado secándose sobre el bote.

Dormimos profundamente al reparo de los remos y de
algunas pequeñas tablas del bote, exiguo abrigo de medio
pie de elevación contra el temporal del oeste. Las matas
que pudieran proporcionarnos cómodo alojamiento se
encuentran demasiado distantes y no podemos ni debemos ir a resguardarnos detrás de ellas. Hay que elegir entre el cuidado del bote y la comodidad para nosotros; nos
resolvemos por lo primero.

Febrero 20: En una excursión verificada esta mañana a
los matorrales inmediatos a los elevados cerros terciarios
que dominan la ondulada llanura sobre la cual nos encontramos, he recogido una punta de flecha perfectamente
trabajada, de la forma que comúnmente se conoce con el
nombre de "laurel". Un hermoso huevo de avestruz nos
proporciona, además, un nuevo manjar con que aumentar
nuestro humilde almuerzo.

Los temporales han dado mala cuenta de nuestras
provisiones y sólo haciendo economías, a expensas de

nuestros estómagos, podremos continuar la exploración; de manera que cada nuevo contingente que recibimos es bien acogido, pues en estas circunstancias no nos cuidamos de ser muy delicados; más de una vez me ha sacado de apuros un hallazgo semejante, que es el gran recurso del viajero en el desierto. Los huevos que han sido puestos antes que el macho formara la nidada, y que las hembras han dejado diseminados por el campo, duran largo tiempo, pues nunca son empollados; sólo el zorro, el gato o el puma los destruyen. Estos huevos permanecen sin podrirse varios meses.

La manera patagónica como se los prepara permite que no quede ningún desperdicio y que el feliz descubridor los aproveche enteramente. Se les hace un pequeño agujero de una pulgada de diámetro en un extremo y, después de sacarles una parte de la clara, se los coloca entre la ceniza cuidando de revolver su contenido y mantenerlos verticales; así, a fuego lento se asan sin que la cáscara se quiebre. Cocinados de esta manera son excelentes en estas soledades (no sé si entre las comodidades de la ciudad diría lo mismo). Si se ha cuidado bien, la cáscara puede servir después como taza para té o café y hasta de mate, pero se necesita tener buenos dedos para agarrarla. El contenido de este huevo se divide entre los cinco que forman la tripulación del bote; es una ayuda a la fariña con porotos que ha preparado Patricio, quien ha sido nombrado cocinero de la expedición.

Continúo el reconocimiento de las cuevas de punta *Walichu*, pero sólo encuentro cuchillos de piedra.

Pasando este promontorio se extiende una llanura cubierta de médanos donde inútilmente perseguimos algunos avestruces. Esta llanura va inundándose con las aguas del lago que aún crece.

Al oeste de la punta hay una bahía casi circular, mayor que la que he mencionado en el lado norte, que con la inundación adquiere mayor tamaño; sus quietas aguas sirven de estanque a millares de pájaros que casi la cubren matizándola armoniosamente; las bandurrias, los flamencos, los gansos, los patos y las gallaretas vuelan gozosos en todas direcciones arrojándose luego sobre los pequeños peces; en una isla, peñón terciario que domina la entrada, miles de blancas gaviotas alborotan con sus gritos agudos la solemne majestad del lago. En esta bahía descarga sus aguas un pequeño torrente que desciende, fertilizando retazos de este desierto, desde una estrecha garganta que se ve sombría al sur, entre las grietas de inmensos murallones terciarios casi a pique de más de 1.000 pies de altura, que muestran sus fajas verde–azuladas y amarillentas inclinadas por el levantamiento.

En su extremo parecen distinguirse formaciones volcánicas a través de la bruma de este día. El torrente desciende del SSE.

El incendio de las montañas va disminuyendo y podemos ver, en el SO, las blancas cumbres entre las nubes que corren impulsadas por los vientos polares atravesando el humo y dominando las altas llamaradas. Sobre las mesetas se ven elevadas torres negras formadas por el basalto, alzando sus astilladas cúpulas a 3.000 pies sobre el nivel del mar.

Febrero 21: Continúa el mal tiempo del OSO. La latitud del punto en que nos encontramos es 50° 17′. Las rocas inmediatas pertenecen a la formación terciaria; las capas se alternan, unas arcillosas, otras arenosas, otras con gran cantidad de pedregullo grueso o sumamente fino. En punta *Walichu* hay una capa de arcilla verde–azulada, al parecer de un metro de grueso, pero es imposible reconocerla de cerca por ser un precipicio el paraje donde se encuentra. No he podido descubrir ningún fósil en esta tarde que he empleado en investigar los peñascos.

Febrero 22: Este temporal se prolonga demasiado; es necesario salir de aquí lo más pronto posible, pues perdemos un tiempo precioso. Vuelvo a subir la punta *Walichu* sin tener en cuenta las ramas espinosas y los cactus que me maltratan los pies, pues mi calzado está completamente destrozado. Desde la cumbre descubro, en el centro del lago, una inmensa mole de hielo que viaja empujada por el temporal. Un rayo de sol que cruza por las rasgaduras de los chubascos hace resaltar su azulada blancura. Se distinguen fácilmente las columnas cristalinas sosteniendo una cúpula colosal elevada aparentemente de cien pies, y la luz juega entre las bóvedas formadas por el agua congelada; aquello parece un foco gigante de luz eléctrica, aunque no daña la vista de quien se recrea con ese espectáculo. Los indios me han hablado de *walichus* del lago: "uno, imponente, inmensamente grande, va y viene en sus aguas, dominándolas, viaja continuamente, jamás desaparece y alborota sus aguas cuando van hombres a beberlas". Hoy comprendo que los témpanos han sugerido esta superstición, pues a mí mismo me impresionan; Su fantástica travesía tiene algo de fúnebre ahora que el cielo está nublado. Entristece ver el hielo eterno vagar oscilante y, cumpliendo su destino, licuarse entre las olas o vararse en las costas, astillado, como inmensa lápida funeraria.

Esta tarde, notando que la entrada del sol tras los picos andinos enrojece unos y amarillea otros, entre nubes plomizas y renegridas, anunciándonos un día nada bueno para mañana, decido tentar la suerte lanzándonos en las aguas intranquilas del lago. Desde temprano hemos distinguido humos sobre las montañas del noreste al pie del Cerro Inclinado, que me anuncian la llegada de los indios a nuestro paradero en busca de los víveres que les prometí llevarles a estos parajes; y más tarde, en el punto donde ha quedado acampado Isidoro, vemos grandes hogueras que son la señal convenida para indicarnos el arribo de los tehuelches. La contesto encendiendo la falda montuosa de un cerrito vecino, operación que, en esta clase de telégrafo patagónico, dice a mis lejanos compañeros: ¡Allá vamos!

Si los elementos se oponen a que continúe por ahora la exploración hacia el oeste, hay que tentarla al norte; allí se extienden otros lagos que esperan nuestra visita.

Lanzamos el bote al agua; las olas que ruedan lo hacen golpear sobre la playa, pero haciendo esfuerzos nos desprendemos de la costa después de haber acondicionado los preciosos objetos coleccionados.

El viento continúa soplando fuerte y el lago se encrespa a su impulso; tomamos tres rizos a la vela y, ciñéndola, volamos, tratando de alcanzar la ribera norte antes que nos sorprenda la noche que va a llegar. Desgraciadamente sobreviene la calma; no una calma plácida que nos augure una marcha lenta pero sin peligros, sino la que precede a la tempestad. El cielo toma un aspecto imponente: las nubes se convierten en círculos y en esferas plomizas divididas por estratas variadas y cirros veloces cruzan en diversas direcciones; podría decirse que se arremolina la espesa atmósfera en un combate de vientos. Negras nubes descienden de las montañas del oeste; se hallan tan bajas que parece que reposan sobre las aguas; el aire andino se acerca salpicándolas y a las siete de la tarde se declara el temporal rugiendo sordamente. Nuestro bote no resiste la vela mayor y sólo dejamos el pequeño foque para aprovechar la furia del viento, pues los remos apenas tocan las olas que ondulan. La noche llega y con ella el temor de ser estrellados contra el gran témpano que no debe hallarse a mucha distancia, pues el viento y las corrientes han debido empujarlo hacia el punto por donde navegamos; lo sentimos cerca, pues algo truena; son los fragmentos que le arrebata el furioso chubasco del noroeste. No hay tiempo que perder; podemos chocar con ellos, y nuestra ruina sería entonces segura. Las corrientes aumentan la excitación de las aguas que alborotadas se lanzan dentro del bote; continúa así hasta más de medianoche, hora en que nos encontramos en el centro del lago a merced de la corriente, balanceados por una marejada sumamente gruesa que no nos permite adelantar nada, mojados completamente y extenuados por el trabajo de desagotar el bote cada vez que una oleada choca contra sus costados. A las dos de la

mañana, creemos distinguir tierra inmediata; la superficie
del lago está blanca de espuma que hierve; conjeturo que
nos encontramos en las inmediaciones de la desembocadura del río del norte. Momentos después una veloz correntada nos arrastra haciendo dar vueltas a la embarcación
que recibe de costado el viento y el oleaje.

Cerca de nosotros se elevan sombrías barrancas que
podemos distinguir a pesar de la oscuridad, mientras escuchamos el estruendo de las olas que chocan; calculo que
vamos arrastrados hacia la naciente del Santa Cruz. Las
rompientes rugen estruendosamente; las olas encontradas
se abalanzan y casi llenan la embarcación; no veo más remedio que poner proa a la costa y, si es necesario, nau-
fragar allí; esto es preferible a perecer destrozado contra
las rocas glaciales en el centro de la boca del río . Al acercarnos a la costa, las olas embravecidas con el choque que
las repele tumban el bote dándonos sólo tiempo para lan-
zarnos todos al lago exponiéndonos a quedar aplastados
bajo la embarcación; y, rodando entre las arrolladoras
aguas, tomamos tierra en el instante que una gran ola
arroja el bote sobre la playa llenándolo de cascajo que la
fuerza de la marejada arranca de la costa y deposita dentro de ella. Hemos embicado al pie de los médanos, sobre
una playa de pedregullo sumamente pendiente que pone
en serio peligro la embarcación, que se encuentra rodeada
por un furioso oleaje que la barre en todo sentido; con
inmenso y peligroso trabajo, maltratados por las piedras
rodadas que nos golpean las espaldas al ser bañados por
las olas, conseguimos salvarla descargándola, habiendo
perdido el timón y el palo pintado y una gran parte de las
colecciones que el agua arrebata. Los víveres están casi
completamente inutilizados; sólo la momia se ha salvado
preservada por un espeso sudario de lona con el cual la
había envuelto.

El gran peso del bote no nos permite sacarlo más afuera de las aguas, que continúan batiéndolo; acompañado

por Moyano salgo, siguiendo la costa, en busca del campamento de Isidoro. Encontramos que se halla muy cerca de nosotros, a 500 metros. Esto me dice que habríamos perecido todos si hubiera tardado algunos minutos más en embicar.

Nuestra presencia alarma a la gente dormida; la sorpresa de los indios, que ya han llegado, se traduce en gritos; quizás nos creen fantasmas, ¿quién puede figurarse que en una noche semejante hayamos cruzado el lago?

Los perros hambrientos nos atacan y tenemos que refugiarnos nuevamente entre las olas de las cuales nos hemos salvado tan milagrosamente. Nos cuesta hacer comprender a nuestros amigos que venimos del otro lado del lago; María, *Bera*, su mujer y la madre, la coqueta *Losha*, que son las recién llegadas en busca de las provisiones prometidas, lloran prorrumpiendo en alaridos. Me echan en cara mi tentativa sacrílega contra el "agua que hierve" de *Shehuen* y dicen que este temporal es un castigo del *Agschem*; también el Espíritu encarnado en el témpano fantástico ha demostrado sus iras.

El buen Isidoro, siempre dispuesto, toma un caballo y se dirige al galope, sin cuidarse de los médanos y pozos, a prestar auxilio a los que quedan con el bote. Mientras regreso con Moyano, observo un curioso fenómeno meteorológico. En medio de la oscura noche y el horroroso tronar del agua en la costa, vemos aparecer entre nosotros dos una viva luz y escuchamos inmediatamente un estruendo semejante al de un disparo de fusil. Es una chispa eléctrica; momentos después volvemos a ser iluminados por otra, pero esta vez sin ruido alguno.

Isidoro no consigue gran cosa, a pesar de sus esfuerzos, y tenemos que dejar el trabajo del salvamento del bote hasta que calme un poco el temporal.

Cada uno carga con sus mantas mojadas y se acuesta sobre la arena, molido de cansancio, pero feliz de haber navegado en el lago. El alba nos sorprende despiertos; la

preocupación por la casi pérdida del bote no nos permite
dormir.

Excursión hacia el norte. Las tolderías.

Febrero 23: Anoche, mientras el temporal azotaba el lago, caía nieve en abundancia sobre las montañas del sur y sobre la derruida torre de "Castle Hill". Hoy tienen blancas sus cumbres.

El viento continúa con mayor fuerza, pero a la tarde disminuye cambiando al oeste y los chubascos se suceden con rapidez prometiendo una noche cruda. Conseguimos descargar el bote, vaciando el cascajo que durante la tempestad han depositado las olas dentro de él y podemos llevarlo, arrastrándolo sobre troncos, a un punto seguro; entierro la momia, para que no sea vista por los indios que miran asombrados el bote tumbado, y hago la misma operación con el madero pintado que he podido recuperar de la costa, donde lo ha arrojado el agua después de haber borrado casi completamente las figuras que los antiguos indígenas trazaron sobre su dorso.

Nuestra triste situación no ablanda el corazón de los indios, la pérdida de casi todas nuestras provisiones no les hace olvidar nuestras promesas de *Shehuen–Aiken* y me acosan sin cesar, pidiéndome el cumplimiento de mi palabra; con harto sentimiento, y para satisfacer mis compromisos hechos en un momento de entusiasmo, tengo que entregarles la mayor parte de las provisiones que poseemos.

Estos pobres indígenas, en sus relaciones con los blancos, tienen manifestaciones verdaderamente infantiles: les había prometido darles dos bolsas de yerba y otro tanto de azúcar y fariña, según el modelo que me sirve para repartir las provisiones de la semana para la expedición y en la cual no caben más de cinco libras de cualquiera de esas sustancias; sin embargo, con toda picardía, cada uno de los cuatro individuos instala delante de mí, uno, un cuero completo de guanaco joven, perfectamente cosido y que quiere que lo llene de azúcar; el otro presenta una especie de árgana para conducir su ración de fariña; otro una colección de bolsas hechas de cueros de gatos salvajes, para que sean llenadas de yerba, y el cuarto (*Bera*), que es el dueño del odiado picaso tuerto, pide con toda seriedad que le de a él una cantidad igual a la suma de las otras tres porciones. Dice que yo he prometido bolsas, y bolsas son las que presentan; si no cumplo mi palabra seré un mal cristiano. Pero, como niños, pues son niños moralmente (exceptuando sus vicios que son de hombres), se calman al fin y concluyen por contentarse con lo que les doy, que sin embargo, es el doble de lo que pensé en un principio.

El déficit lo cubro con algunas galletas; un momento después reina la alegría en el desamparado campamento cuando de un pequeño órgano que les regalo hago brotar poco pretenciosas armonías; la música les produce singulares sensaciones. Estas melodiosas manifestaciones de la cultura humana agradan sobremanera a los tehuelches; los cuatro que están presentes no saben cómo manifestar su contento al escuchar las alegres cuadrillas francesas. De la alegría de los expedicionarios... no digo nada. ¡Oír la Fille de Mme. Angot frente a los témpanos!

Doy a los indios un poco de aguardiente que he traído para las colecciones y tenemos fiesta. La madre de *Losha*, que goza de renombre como gran bebedora, no está contenta con la porción que le doy; incitada por el ardiente licor, quiere beber más; se pone frenética, me ofrece todas sus riquezas y, por último, para halagarme, pretende cederme en matrimonio a la novia de Juan. La fueguina *Ast'elche*, repelente en extremo, decide abandonar a su poco envidiado esposo *Bera*, pues quiere quedarse con nosotros: tenemos aguardiente. Es asqueroso el espectáculo que presentan estas terribles viejas, ya borrachas. Estas infernales brujas, repugnantes engendros, degradan la danza saltando borrachas alrededor del brasileño que, en el paroxismo del terror, se ve rodeado por estas mujeres de caras pintadas de negro y de melenas desgreñadas. La enorme cantidad de fruta de calafate que han comido esta mañana ha teñido los alrededores de sus bocas de un color violáceo; las tiras de grasa de potro que han traído en sus recados, que se han humedecido con el sudor del caballo antes de servirles de alimento y que devoran desde hace unos instantes, han dejado en sus mejillas blancos residuos que quedan pegados sobre sus caras con el zumo del calafate.

Comen estos indios con tanta suciedad como los cerdos, tienen grasa hasta sobre los ojos, y el cabello está apelmazado por ella.

Hago que quemen sus mantas, lo que obedecen inmediatamente, y les doy otras de bayeta roja porque es tal el olor que despiden las que han dejado que las emanaciones fétidas son insoportables, a pesar de que nuestro campamento está al aire libre.

La madre de *Losha* se empeña, luego que la borrachera va desapareciendo, en comprarme al brasileño: lo considera apropiado para ayudar a llevar los toldos y ofrece tres yeguas por él. Es excusado decir que el infeliz cree posible la venta y que llora para que no lo esclavice. Dice que él es haragán pero que jura que hay hombres que aún lo son más. Es su consuelo y debe ser también el mío. ¡Qué sería de mi expedición si me hubiera tocado llevar un hombre más flojo que él! La fueguina me ha prometido mostrarme carbón de piedra en estos alrededores, pero por más que lo buscamos no lo hallamos. No se da cuenta del paraje donde se encuentra y más bien creo que equivoca este lago con otro.

Febrero 24: Temprano, al alba, despido a los indios; no quiero demorarlos porque no tenemos carne que comer

desde ayer a la tarde y es imposible obtener caza pues ésta
se ha alejado. Llevan orden de hacer fuegos sobre los
cerros para mostrarme el camino que debo seguir en la
marcha que voy a emprender a la toldería. Los indios llaman *Carr* al punto donde nos encontramos y algunas veces
dan también este nombre al lago.

Las provisiones frescas con que contamos hoy consisten sólo en un corazón de avestruz, que se divide entre
Moyano y Estrella; Isidoro y yo nos contentamos con un
puñado de fariña, exiguo lastre para estómagos de gente
que va a hacer una larga marcha.

El bote queda a cargo de Francisco Gomes, quien tiene
orden de no moverse del punto donde se encuentra; le quedan provisiones abundantes, relativamente, para quince días.

Echamos la tropilla por delante y cruzamos el titulado
valle de Santa Cruz; vemos que la gran morena antigua,
donde abundan los grandes trozos erráticos, se halla separada de la meseta alta que limita el valle por el norte por
el cauce de un río seco. Este ex río conserva visibles vestigios de su importancia pasada y fue sin duda el reem-
plazante de uno de los brazos del gran ventisquero prehistórico. Así, la morena citada parece haber sido una
morena central. El suelo en este punto es de un color
rojizo–amarillento debido a óxidos ferruginosos.

A la meseta, que podría llamársela sierra pues se presenta muy ondulada, se asciende por una pendiente bastante notable cubierta de trozos glaciales que en ciertos
parajes reposan sobre ricos mantos fosilíferos terciarios.
Siguiendo por sobre ella, encontramos una quebrada profunda que muestra su tortuoso fondo a nuestros pies, las
laderas desnudas de los cerros, cuyas bases la forman,
presentan las macizas capas terciarias, grandiosas, perfectamente bien definidas, entre las cuales de tiempo en tiempo se notan rojos manchones que señalan depósitos de los
ocres tan estimados por los indios, que los usan como
pintura para adornar sus facciones y sus quillangos. Este

paisaje, solitario en extremo y en el cual no se oye otro ruido que el monótono andar de nuestra caballada, encajonado a ambos lados por elevados cerros (2.500 a 3.000 pies sobre el nivel del mar) formados de capas basálticas, tiene algo de los panoramas que han dibujado los infatigables exploradores de las Malas Tierras de los Estados Unidos. Como lo diré más adelante, se nota en la constitución física de la Patagonia más de una relación curiosa con las de ciertas regiones de Norteamérica. Este paraje es un "cañón", aunque sus murallas no son tan perpendiculares, y probablemente en sus entradas petrificadas guarda inmensas riquezas paleontológicas, análogas a las que, en compensación de sus fatigas, encontraron los exploradores de las regiones del norte.

Apenas se ve en este desierto uno que otro guanaco y avestruz intranquilo; de cuando en cuando un zorro salta de entre los matorrales y nos observa, azotando su peluda cola; algunos cóndores nos muestran sus altivas figuras en las negras peñas o, al elevarse, sombrean nuestro camino con sus grandes alas extendidas. Costeamos la ladera de la quebrada, lo que nos hace algo penoso el trayecto, pues a cada momento hay que cruzar, descendiendo o ascendiendo, los derrames de los cerros. La lava basáltica domina el punto más elevado de esta región; se presenta en capas más o menos horizontales y algunas llegan a formar con el levantamiento que las ha alzado hasta la altura que hoy ocupan, y que es a veces mayor de 3.000 pies, inclinaciones sumamente sensibles, como sucede con el Cerro Inclinado que, desde lejos, del SO, presenta en uno de sus bordes la forma de un pico y no de una mesa, como sucede generalmente con la disposición de las masas volcánicas solidificadas bajo el mar. Las capas que dominan la región que vamos cruzando tienen por lo menos 350 pies de espesor; no son unidas y las vemos sólo en las cumbres altas. En las regiones donde no las hay, no se nota el menor fragmento importante que denuncie que allí también ha habido lava que más tarde se haya desagregado. A distancia de una milla de las mesas basálticas no se ven trozos de ellas y estas mesas no se hallan todas al mismo nivel, por el contrario, es sumamente variable y muestra que las fuerzas internas que operaron la elevación de la capa basáltica, desde el fondo del mar al punto que hoy ocupan, obraron con desigualdad, unas veces lentamente, otras con movimientos bruscos que han ocasionado el quebramiento de algunos de los mantos volcánicos.

Ninguno de los cañadones que cruzamos tiene agua en esta estación y ya no es sólo el hambre lo que motiva la marcha apresurada que no me permite examinar tanto objeto nuevo; nos molesta la sed de un día de camino continuo, así es que con gozo distinguimos al anochecer, sobre un elevado cerro, verdes manchas que se destacan de las nieblas que van envolviendo las alturas: son los manantiales que nos han indicado los indios. Después de trepar entre la oscuridad largo rato, acampamos alrededor de uno que contiene líquido suficiente para atenuar nuestra sed y la de la caballada. Entre el triste paisaje donde se desarrolla, esta verde escena puede considerarse como lujosa; los arbustos son frondosos; los *Gynnerium* espesos y mullidos; hay algunas papilionáceas (*Lathirus Magellanicus*), ya sin flores, y una que otra modesta anémona se distingue en los alrededores de mi lecho herbáceo. Estas plantas nos sirven de débil abrigo contra la gran helada que cae, endureciendo el suelo y congelando las aguas del pozo. El hambre clama pero no es posible satisfacerla; tenemos que contentarnos con un poco de café amargo, y sólo el señor Moyano, que hace su primer viaje terrestre, es auxiliado con un puñado de fariña.

Febrero 25: ¡Qué bella madrugada es la de hoy! No ha aclarado completamente y las estrellas, con la claridad de la atmósfera, pues las nubes se han alejado, se ven aún en el espléndido cielo austral; la nieve relumbra con suavidad a nuestro alrededor y nuestro fogón esparce tibios rayos sobre el polvo blanco que cubre nuestros quillangos y el escaso pasto de la ladera. Rato después, al aparecer el día, las vaporosas brumas de la mañana nos envuelven en una atmósfera húmeda y fría; luego graniza; son las rápidas transiciones meteorológicas que produce la aparición del calor del día después del frío de la noche. La luz nos permite ver inmensos trozos erráticos, pero la capa glacial no parece tener aquí gran espesor, comparándola con la que se encuentra en el valle.

A mediodía, llegamos a los toldos que están situados a 50 kilómetros más o menos al norte del río Santa Cruz. Los indios han elegido un valle hondo y abrigado, con buenos pastos y mejores manantiales, donde han encontrado una manada de cuarenta caballos salvajes de los cuales han matado seis. Estos animales, restos de las antiguas tropas de caballos que en siglos pasados vagaban salvajes en las pampas de Buenos Aires, viven en estas regiones desde los tiempos que los indios recuerdan.

El amor a la querencia no es sólo patrimonio de los animales domesticados; estos caballos que hace siglos nacen y mueren en estas regiones poco penetradas, nunca se alejan a gran distancia de ellas. Mis datos no me dicen que un caballo salvaje haya sido visto en las inmediaciones del Atlántico, al sur de la bahía Santa Cruz; por el contrario, se los encuentra siempre en las inmediaciones de la Cordillera, no esparcidos en grandes extensiones de tierra sino en lugares determinados. Su principal paradero está situado al sur del Lago Argentino en las regiones que domina el monte Stockes; desde hace muchos años, en verano, allí van los indios a cazarlos, habiéndoles declarado una guerra de exterminio. Estas alturas también son otros oasis de vida caballar; más de una vez en el silencio de la noche he sentido el lejano relincho de un potro salvaje. En las alturas de la bahía San Julián, hacia el oeste de dicho punto, los indios me han mencionado otro paradero muy frecuentado por los baguales, y algunos tehuelches me han dicho que en las nacientes del río Chubut hay tropas que pueden contar más de mil animales. Generalmente son de colores unidos; predominan los oscuros, zainos y colorados; he visto un hermoso blanco y varios "moros"; las pequeñas manchas que muchos de ellos presentan en su pelaje son sólo resultado de las heridas sufridas en los combates, frecuentes entre ellos, y de las lastimaduras producidas por las ramas en los bosques donde se resguardan en invierno.

La toldería está dominada por un manto de basalto que reposa sobre una capa terciaria de cascajo pequeño, lo que hace que la lava contenga algunos fragmentos de piedras rodadas.

María ha llegado esta madrugada y ha anunciado mi visita; al principio los indios no la han creído, pero las golosinas que le había regalado han probado la verdad y también han contribuido a que se me espere con vivos deseos. He cumplido mis compromisos y esto de una manera más galante de la que esperaban los taimados tehuelches.

El órgano ha entusiasmado a la chusma y desde que me avistan descienden las lomadas; el gigante *Collohue* monta a caballo llevando el instrumento que ya ha aprendido a manejar. Me recibe en la cima de una colina, montado sobre un potro que, por más que lo desea, no puede encabritarse bajo el enorme peso del caballero y se contenta con rascar frenético el suelo, polvoreando al jinete. Éste, con la majestad de un Hércules y con la seriedad de un diplomático, no atiende al enojo del bagual; parece sentado sobre un caballo de piedra, medio oculto por el enorme quillango de quince cueros de revés amarillo y rojo, y con la mayor calma toca las cuadrillas de "Orphée aux enfers". Es quizá la centésima repetición en estos lugares de la popular ópera francesa, cuyos aires hoy no se pierden en el estrecho recinto de un teatro, entre el humo de los fumadores y la gritería del alegre público: sino que tienen un eco grandioso en el sonoro basalto y por las desiertas mesetas se expanden las armonías entre el clamoreo de la indiada que alrededor de los toldos se golpea la boca en señal de regocijo. ¡Qué agradable es para el que viaja escuchar entre el estentóreo y primitivo alarido –único signo, de gozo o de venganza, en el indio, y que necesita un oído salvaje para distinguir que expresa en su ruda modulación–, el cadencioso himno que entonan unos maderos pulidos, algunos pequeños clavos y una piel curtida! La civilización y la barbarie son representadas hoy por un inculto individuo, pues *Collohue*, luego que se cansa de hacernos oír música francesa, prorrumpe en alaridos patagónicos, esta vez de gozo, al ver una botella que le señalo. Es aguardiente, el néctar de la vida, la producción humana que más interés tiene para él; olvida el órgano, que cae redondo, para acercarse apresurado a tomar la botella que escondo a mi turno, exponiéndome al odio pasajero del benévolo gigante.

A pesar de nuestros regalos, principalmente de las mantas que hago sacudir con Estrella para que sus colores animen a las chinas, encuentro muchos obstáculos para conseguir nuevos caballos con que continuar mi marcha hacia los otros lagos. Sin embargo, después de ruegos y promesas, consigo uno.

El alimento es escaso en la toldería y aun cuando se nos ha recibido (y nos hemos deleitado con él) con un excelente asado de bagual, que, sea dicho de paso, nos ha sido distribuido de una manera bastante diferente de la que se usa entre gente civilizada, no puedo conseguir la cantidad de carne necesaria para marchar hoy. Resuelvo parar e intentar ablandar el corazón de los indios, para obtener los otros tres caballos que necesito. También la estación fría avanza; mi gente no tiene abrigo y hay que hacer negocio para procurar algunas mantas de pieles. De a tres mantas rojas por un buen quillango, logro conseguir cinco de éstos.

Por precaución he traído conmigo el resto del alcohol destinado para las colecciones; la damajuana que lo

contiene está casi vacía y sólo hay en ella dos litros de
líquido, lo suficiente, sabiéndolo distribuir, para conseguir
de los indios todo cuanto ambicionamos.

Para tratar con ellos hay que tener el mismo tino que
para los muchachos; hay que tentarlos. Así lo hago, después de agregar al contenido de la damajuana igual
cantidad de agua, y doy a *Collohue*, que es quien más
caballos tiene, una pequeña dosis del licor bautizado. Le
gusta, lo considera puro, fuerte y no desagradable "como
el que los chilenos le han vendido en Río Gallegos". Éste
que le doy no le produce dolor de cabeza "porque es verdadera *lama* (bebida) pura, sin agua" Según él, la que venden los comerciantes de Punta Arenas está muy mezclada
y enferma a los indios. *Collohue* me dice que no hay peor
cosa que el aguardiente impuro; puede matar a un
hombre; el puro sólo emborracha. Como todo es empezar,
como dice el adagio, pronto la bebida ejerce influencia benéfica para nosotros en el cerebro de estos buenos amigos
y poco a poco piden más cantidad; satisfago sus deseos,
pero cuando llega el momento que la necesidad imperiosa
de beber más se apodera de ellos, guardo la damajuana.
¡No doy; ahora vendo! Y héme aquí convertido en comerciante y en comerciante, falsificador. Es la fuerza de las
circunstancias que me obliga a ello.

El licor que contiene la damajuana ya es agua casi
pura, pues no tiene una décima parte de alcohol. Primero
compro dos matambres de potro; luego, para no dejar de
aprovechar nada, hago repartir por *Jonjonia* (la insectívora)
un espléndido asado que se condimenta desde largo rato
sobre las brasas, ya lamido y relamido por los pelados. Un
pequeño cuerno lleno de "aguardiente" que doy a beber a
la repugnante cocinera, hace su delicia; corta a grandes trozos la carne asada y nos la distribuye a los presentes
arrojándola de la misma manera que la empleada por los
cazadores cuando reparten alimentos a una numerosa jau-
ría. No hacemos caso de este ceremonial gastronómico *sui*

generis y devoramos las delgadas tiras que nos corresponden y que hemos agarrado en el aire, en contra de los deseos de los perros que aúllan, o se lamen los labios, impacientes, detrás de nosotros. Es curioso observar los ardides de estos canes famélicos para conseguir un trozo de carne o un hueso. Se acercan, aparentar dormirse, no se quejan si son pisados, pero pobre del indio que se descuida con el pedazo que la china le arroja; antes que pueda recogerlo, el perro "dormido" lo ha agarrado y no lo suelta aun cuando lo maltraten: su hambre está arriba de todo.

Cochingan no bebe, pero los demás indios se entusiasman y me estrujan, recibo seis o siete puñetazos de amistad; *Collohue* casi me ahoga abrazándome y llamándome su padre mientras los pelados, quizá de alegría al ver contentos a sus dueños, me muerden las pantorrillas. Acepto todo, pues he alquilado dos caballos y un petiso, tengo carne para un día más y llevo cinco quillangos para la gente. Esto es más de lo que esperaba obtener. *Collohue* continúa bebiendo y quiere más licor, pero se resiste a darnos un caballo por lo que me resta. Transigimos por un potrillo y le doy en cambio cuatro litros de agua y la damajuana. Es una adquisición bien barata.

María se ha enternecido con una pequeña cantidad de licor y me cuenta la última y bien triste aventura de su pelado predilecto. Este valeroso animal (según ella) quiso correr días pasados un atrevido guanaco que se había acercado a los toldos, pero se entusiasmó tanto en la persecución que volvió al toldo arrojando sangre por las narices. Triste acontecimiento que fue acompañado por el llanto de todas las chinas; se sacrificaría una yegua al Mal Espíritu para que cesaran los sufrimientos del querido pelado.

Las aventuras de este animal, que hoy me relata María, son interminables; no hay nada más valiente ni más bello que este asqueroso perro, que ella abraza tiernamente y que envuelto en la preciosa manta de zorrino reposa sobre las faldas de la china. El pícaro parece que conoce que se ocupan de él y me gruñe mostrándome sus afilados dientes, pero María trata, de cuando en cuando, de calmar sus enojos dándole dos o tres piojos que saca de su cabeza y que coloca suavemente entre los labios del faldero.

La música del órgano completa la fiesta; la noche nos sorprende escuchando esas modestas armonías que entusiasman tanto a los indios, que hacen poco caso de los sonoros relinchos de los baguales que desde los cerros vecinos llaman a las yeguas mansas de la toldería.

Mientras duermen, embebidos con las sensaciónes que les ha producido la música y el licor mezclado, voy a comunicar al lector algunas observaciones ligeras sobre estos tehuelches, tan hospitalarios como rudos.

Considero inútil consignar aquí en extenso las observaciones propias o ajenas sobre estos indígenas, porque ello sería materia de volúmenes; lo mismo digo de las distintas versiones que corren sobre su estatura. No quiero salir del cuadro que he trazado para la redacción de este diario de viaje y dejo para la segunda parte de esta obra el ocuparme de estos interesantes asuntos. Me concreto a dar enseguida, sin comentarios, las pocas medidas antropométricas que he podido obtener en este viaje y las voces indígenas que he apuntado en mi cartera con el objeto de formar algún día un diccionario *tehuelche, ahonekenke* o *tsoneka*.

	I	II	III	VI
índice cefálico (medio)	81,56	85,02	85,35	87,07
Circunferencia del cráneo (id.)	0,595	0,568	0,559	0,542
Altura total desde la planta del pie hasta el vertex (medio)	1,855	1,701	1,602	1,478
Altura total hasta el acromion	1,527	1,409	—	—
" " " la espina ilíaca	1,104	1,015	—	—
" " " el dedo medio	0,793	0,640	—	—
Envergadura	1,869	1,730	—	—
Circunferencia del pecho	1,100	0,978	—	—
Largo del pie	0,278	0,264	0,245	0,242

La primera columna del cuadro contiene mis observaciones sobre cuatro individuos que considero indios puros, verdaderos tehuelches; la segunda se refiere a otros doce hombres que se han dejado medir; se notará gran diferencia entre ambos, y esto es a causa de la sangre mezclada, sea araucana, pampa o fueguina que tienen estos últimos indígenas. Uniendo las dos observaciones se tendría, sin embargo, el mismo medio que señaló Musters (1,778 m) para la estatura de estos indios, pero no habría en ello gran exactitud, pues no se referiría en ningún caso a verdaderos tehuelches. Éstos bien merecen el título de gigantes. Creo que D'Orbigny, al consignar sus observaciones hechas en Carmen de Patagones, incurrió también en un grave error: todo me hace suponer que confundió a los indios pampas, que fueron indudablemente los observados por él, con los grandes tehuelches, y me adhiero a la opinión de Mr. de Rochas quien cree que el ilustre viajero francés sólo vio los patagones del nordeste. Sin embargo, puede ser muy bien que entre los individuos medidos por D'Orbigny se encontrara uno que otro tehuelche verdadero, como lo atestigua la talla de 1,930 m., máximo de sus observaciones; pero el medio de 1,730 m. viene a corroborar mi creencia de que el mayor número medido fue de pampas, porque esta cifra concuerda con la que he obtenido en individuos de esa tribu, en otra excursión anterior.

En los cuatro verdaderos tehuelches que he podido medir, la variación individual no alcanza a diez centímetros entre el más bajo (*Gennayo*) y el más alto (*Collohue*), (1,818–1,902 m., medidas tomadas con la cinta métrica y con la más escrupulosa exactitud); el segundo indio mide 1,820 m. (el centenario *Kaikokelteish*); el tercero (*Bera*) tiene una estatura de 1,880 m. La estatura de los doce hombres que considero mezclados, no con blancos sino con otros indígenas (algunos de los cuales han viajado con Musters, quien por consiguiente ha debido tomarlos en cuenta para sus observaciones), varían entre 1,602 y 1,802m., de lo que resulta una diferencia entre la máxima y la mínima mayor del doble de la que hay entre los cuatro tehuelches verdaderos. Esto debe ser al resultado de las mezclas con araucanos, pampas y fueguinos.

La tercera columna corresponde a nueve mujeres; da una estatura media de 1,602 m., siendo la altura máxima 1,663 m. y la mínima de 1,529 m., lo que indica una desproporción menor que la observada en la de la segunda columna. No hay una notable diferencia, comparando ambos medios (hombres mínima y máxima): 1,701–1,802 m., entre los dos sexos; pero esta diferencia aumenta mucho si se refiere la comparación de la estatura de estas mujeres a la de los cuatro hombres. Sólo he visto una mujer que, si hubiera accedido a ser medida, habría dado una estatura mayor de 1,750 m., pero no me fue posible conseguirlo a pesar de mis ruegos y regalos. Estas medidas comparativas entre los cuatro hombres y las nueve mujeres no vienen, sin embargo, en este caso, a confirmar la proposición del doctor Topinard (observación que considero bien exacta en otros casos y que trataré de confirmar más adelante con la publicación de los datos que poseo sobre otras tribus) de que la diferencia de estatura entre los sexos es más grande en las grandes razas, porque estas mujeres de ninguna manera son tehuelches puras, es decir, de la misma raza de los cuatro hombres. Es tradicional entre los indios tehuelches la escasez de mujeres que ellos sufrieron en otros tiempos, y más de una vez me han referido, en sus cuentos, los raptos de fueguinas que hicieron en épocas pasadas, a las tribus que habitan las orillas del *Skyring Water*, *Otway Water* y península de *Brunswick*.

La cuarta columna indica algunas medidas tomadas en cuatro muchachas de 13 a 14 años; la falta de algunas observaciones que se notan en dicha columna y la tercera, es debida a la desconfianza que cundió en la toldería cuando practicaba la medición, sobre el objeto que tenía ésta, incomprensible para ellos.

En estos cuadros hay motivo para interesantes observaciones que siento no poder hacer aquí yo mismo; entre
ellas encontrará el lector la verdaderamente curiosa relación que existe entre el tamaño del pie y la estatura. Por
mis mediciones se ve que si "patagones" quiere decir pies
grandes, estos indígenas no merecen ese nombre. Comparando las observaciones que trae el doctor Topinard en su
interesante manual de Antropología (pág. 357), se verá en
estos cuatro patagones verdaderos que he medido pueden
ser mencionados entre los hombres de pie más chico (en
relación con su estatura) de las razas que han sido
observadas (14.19).

Se haría interminable este diario de viaje si consignara
aquí mis opiniones sobre estos indios; las dejo para el
segundo volumen donde haré conocer los datos que poseo
para tratar de constatar la emigración desde el norte, a
estos parajes, de la raza que hoy representan estos cuatro
hombres gigantes; mis observaciones sobre las tribus pre-
históricas o sobre las actuales me hacen pensar en la poca
antigüedad del tehuelche actual que ocupa la región habitada en otros tiempos por tribus hoy perdidas, y me atrevo
a decir que considero su presencia en estos territorios muy
moderna relativamente. Podría avanzar que creo que si la
deformación artificial no alterara la forma de su cabeza, se
vería que el gigante patagón es un tipo más aproximado a
la dolicocefalia que a la braquicefalia. A pesar de tener en
sus cráneos un aplastamiento fronto–occipital artificial, los
cuatro que he medido dan un índice cefálico de 81.56:
comparándolo con el medio de los otros doce hombres,
85.02, demuestran ya grandes diferencias entre ambos; los
primeros son sub–braquicéfalos mientras que los segundos son braquicéfalos verdaderos. El más alto de los cuatro
tiene un índice de 78; por consiguiente es mesaticéfalo.
Pero esto no quiere decir que los actuales tehuelches puros
sean de la misma raza que los hombres de las tribus
extinguidas.

A pesar de encontrarse en los cementerios prehistóricos cráneos de tehuelches iguales a los de estos cuatro hombres que he medido, otras razas mucho más antiguas demuestran en sus índices cefálicos haber sido de las más dolicocéfalas que han existido en la tierra; otras braquicéfalas más modernas han vivido en la Patagonia, pero en épocas distintas.

El idioma de los tehuelches es otro asunto digno de atención; exceptuando los datos que contiene el pequeño diccionario formado por los misioneros ingleses y las voces que nos han dejado Fitz Roy y Musters, muy poco conocemos de él. Como es una lengua hablada y no escrita, está sujeta a variaciones ilimitadas; si se toma el lector el trabajo de comparar las voces que se conocen, publicadas en las obras de Pigafetta, Falckner, Viedma, Fitz Roy y Musters, con las que consigno aquí, encontrará diferencias notabilísimas. Habría deseado hacer un estudio detenido de esta interesante lengua, pero debo reducirme a la sola enunciación de las voces, a causa del poco espacio de que dispongo.

La curiosa costumbre que tienen los patagones de cambiar nombres a las cosas, cuando muere un indio que haya usado el de una de ellas como nombre propio, hará que sea en extremo laboriosa la confección de un buen diccionario.

Entre estos indios los nombres de las cosas mueren cuando mueren quien las ha usado; traen desgracia y deben ser olvidados. Por eso, entre los indios de las tribus que no se han visitado durante algún tiempo, se encuentran muchas veces cosas que son señaladas con nombres distintos: uno de los dos es nuevo. Muchas veces les he nombrado las palabras que indica Fitz Roy y aun Musters, y me han contestado "así se decía antes".

Vocabulario Castellano–Tehuelche, Ahonekenke o Tsoneca

A

Abalorio	*Jien'meken*
Abandonar	*Keits'huenocaitsh*
Abertura o puerta	*Gonke*
Abierto	*Gonkesh'k*
Ablandar	*K'poish*
Abofetear	*Yeguajiestko*
A bordo	*Yeniek'ash*
Aborrecer	*Kéta'ásh*
Abrazar	*K'shai*
Abrazo	*K'shai*
Abrir	*Gonkocot*
Abrochar	*Neuekengen*
Abuela	*Kon*
Abuelo	*Bai*
Acabar	*Yhuahue*
Acampar, alojar	*Hueieu*
Acordarse	*Met'homoneno*
Acortar	*Tagmèsh*
Acostarse	*Eshishuète*
Acostado	*Eishijishken*
Acostumbrarse	*Taiken*
Adelante	*Eu*
Adelgazarse	*Ke'elmashko*
Adivinar	*Euiejeu*
Adivina (y médico)	*Huamenke*
Adolescencia	*Huènekeu*
Adulto	*Choómekèu*
Adversario (y enemigo)	*K'jomiè*
Advertir (avisar)	*A'harrshkè*
Afeminado	*Aiush*
Aficionado	*Ketko'orsh*
Afuera	*Huaieken*
Afeitarse	*A'ashchegsta'ash*
Afilar	*Meuhuesej*
Agacharse	*Kamctesh'e*
Agarrar	*K'shaiush*
Ajeno	*Ahuecó*
Agil	*Kash'epsh*
Agonizar	*Jamesh'ke*

Aguardiente	*Lam ó lama*
Agua dulce	*Léekemekekóleé–remacó*
Aguada o pozo	*Lee cashquen*
Aguila	*Oilkelcapang*
Aguja	*Jul*
Agujero	*Katepenk*
Agujerar	*Catemp*
Aguzar	*Urrmata*
Agua	*Laè'o–leè*
Agua salada	*Jono*
Ahí–allí	*Mo'mè*
Ahogarse	*Keaienti*
Ahogado	*Keaienti*
Ahondar	*M'Kasth–tarc*
Ahuecar	*Katepenk*
Alcanzar	*Ma'azesh*
Alegre	*Uélanksh*
Alfiler (de capa o prendedor)	*Azerr*
Almohada	*Kameken*
Algarrobo	*Ak'all*
Algarrobo (fruta)	*Ak'all*
Alesna [lezna]	*Jull*
Altura o alto	*Yernk*
Amigo	*Yenno's*
Andar	*Uenolksh*
Anochecer	*Tareneshkáó o taenesh'ka*
Antropófago	*Alln'taenk*
Anillo	*Orrkoguen*
Anciano	*Ailn'k'naink*
Año	*Zorr*
Apagar	*Chos*
Aquel	*Mon o Mun*
Aquella	*Keeren o mon*
Aquello	*Montsh*
Aquí	*Huinai*
Araña (mygale)	*Shapelon*
Arco iris	*Guiyer*
Arena	*Chie–chig (chig chig)*
Arenal	*Chie–cash*
Armas	*Yehuoroi*
Armado	*Allnk–huoroik*
Arrancar	*E'ska'a*
Arrastrar	*Eschol*

Arrempujar	*Cash'e*
Arañar	*K'poltensh*
Araña	*Tóone*
Arroyo	*Koóné*
Arbol	*Carró*
Aros	*Kerru*
Así	*Négkè*
Asta (de ciervo)	*Shonomen–bash*
Atropellar	*Shek'gen*
Avisar	*Ksh'quengen*
Avestruz	*Hoione o M jiosh*
Avestruz (tendones de avestruz	
para coser quillangos)	*Omeken*
Ayer	*Uask'nesh*
Ayudar (o ayuda)	*Kienegesh*

B

Bailar	*Anèjen*
Bailarín	*Che–choènèk*
Baile	*Che–choèn*
Bajar	*Uaiyesh*
Ballena	*Ualern*
Bolsa	*Johuoyen*
Bambú o caña	*Zeunuen*
Bañarse	*Shagen*
Bandera	*Pañuelo*
Baraja	*Birrje*
Barato	*Amilchen*
Barba	*A'ash–cheg*
Barbudo	*A'ash–cheg–tenk*
Barro	*Set o Set–kashken*
Barranca	*Huéelcho*
Bastos de caballo	*Chelske*
Bayeta	*Bait*
Barriga	*Jaten*
Beber	*Kem'jamiero–lam*
Bella	*Huenen keten*
Besar	*O'omen*
Bebida de incienso fermentada	*Kakoi*
Blanco	*Orrnko'Orrnéck*
Blando	*K'hoish*
Bolsa de género	*Jol*
Bolsa de cuero	*Oié*

Bolsa de cuero para sal	*Jiechen kepaten*
Bolsa para aguardiente	*Lam kepaten*
Bolear	*Korriegesh*
Bolazo	*Shomek–huajen*
Borracho	*Lam'an'k*
Borracha	*Lam'an'n*
Borrachera	*Lam'an'k*
Bostezar	*Ko'otenish*
Botas	*Chokerr*
Botón	*Yeperr*
Bozal	*Shem–coll*
Boca	*Kon'ken*
Botella	*O'oterr*
Bola perdida	*Calkem*
Bote	*Ienniesh*
Bote chico	*Ienniesh–talenk*
Boleadoras (de dos)	*Shoma*
(de tres)	*Yactshico*
Bolas	*Shome*
Bravo (animal)	*E'enk*
Bravo (hombre)	*Ga'ank*
Brazo	*Merr*
Brillar	*Pack'aish*
Brujo	*Shoieken*
Bruja	*Shoien–enehuen*
Brujería	*Jo'otko*
Brújula	*Geut–omkenekuen*
Brazo	*K'chen*
Bronce (oro)	*Potarnich*
Buche de avestruz	*Jaten*
Bufar (los caballos)	*K'patea*
Buitre	*Uiriou–k'pei*
Bueno	*Yenie*
Buque	*Uiher*
Buche	*K'paten*

C

Caballo	*Cahúel*
Cabalgar	*Cau'elkepsh o Caueresh*
Cabello	*Shoirr*
Capturar	*Kehaiush*
Cabeza	*Alln'–a*
Cabo de (cuchillo)	*Tàè*

Cabra	*Capsh*
Cacique	*Corrg*
Cadáver	*Yarrenek*
Calafate	*Kone*
Cambiar	*Amiéle*
Camino	*Nóon*
Camisa	*Kakànètè o kalleueten*
Campamento	*Yhuemen*
Campar	*Hue'en*
Cara	*Ke'*
Caña	*K'zeuru*
Candil	*Huenemug enehuen*
Cangrejo	*Kamell*
Cano	*All'elernk*
Canoa o bote	*Yenié*
Cantar	*Kemyaiesh*
Cantor	*Kirorensh*
Castrar	*Jat'ketsh*
Capón	*Jat'kern*
Cautivo	*ChìkenkË*
Carancho	*Car–oó*
Caracol	*Col*
Carguero	*K'chon*
Caballo carguero	*Jaterrnke*
Carne	*Yéperr*
Caldera	*Companque*
Carnero	*Carip*
Casa	*Kau*
Casado	*Kosh'enk*
Casada	*Ek'shein*
Casarse	*Cosh'ksh*
Caminar	*Uenolksh*
Cascara de huevo	*O'pe*
Cascara tatu	*Anok'shanke*
Cautivar	*Shekenke*
Callo de los pies	*N'aush*
Calzoncillo	*Terrn'ke*
Catorce	*Cagehuaern*
Cañón	*Yalloc*
Calor	*Poshen*
Canasto	*Chep–taiú*
Cansado	*Uotersh*
Cadena	*Delmuken*

Campo	*Jauke*
Caliente	*K'shush–afcar*
Caída de las hojas	*Catkouatesh*
Cerco	*Mal*
Cerco de avestruz o guanaco	*Huaken*
Cerebro	*All*
Cerro	*Yeuta*
Cerda	*Terr*
Cejas	*Cash'sheg*
Chasque	*Huaken*
Chupar	*Ottersh*
Charque	*Ja'an*
Chico	*Talenk*
Cinturón	*Huaten*
Cinco	*K'tsàen*
Cierto	*Huek'sho*
Cicatriz	*Kamkeshken*
Ciego	*Aikenchem*
Cielo	*Kochkóochè*
Cien	*Pataca*
Cinchar	*Mugenksh*
Clavo	*Koll o Jull*
Corneta	*Co'olo*
Cobertor	*Sha'aga*
Cordillera	*Yeu'ternk*
Cojear	*Karjenken*
Cabello	*Shoin o Shoirr*
Colorado	*Pai o Ka'apenkè*
Como	*Kèmke*
Conejo (tuco–tuco)	*Tukem*
Contar (números)	*Aéimen*
Contar un cuento o historia	*Mecheni 'n*
Contagioso	*Calchen*
Contestar	*Ipíehuen*
Collar	*Keroken*
Correr	*Alasho. Uelakesth*
	Uleken
Corriente de río	*KeténkË*
Cortado	*Uekelpsh*
Cortar	*Chesh–cheiush*
Costilla	*Parr*
Comer	*Jaternk*
Corazón	*Sheg*

Cómo te llamas	*Cat'iam*
Concha de molusco	*Koll*
Cráneo	*Kauen*
Creciente	*Ka'áke*
Cuerda de cuero para atar toldos	*K'shauh*
Cuerpo	*Kanei*
Cuchillo de piedra	*Paijen, yatenshue*
Cuatro	*Kague*
Cuadrilla de avestruces	*Hirouk'genehuenekneke o Knau'–genehuenkenke*
Cutis	*Cosh–airrtk*
Cuchillo	*Paijen o Paijan*
Cuero	*Currtk*
Cuchillo chico	*Pajen–talenk*
Chaira chilena	*Jam'ekon*

D

Daga	*Koherko*
Dañino	*Ketershamchen*
Dar	*Esch*
Dadme	*Err–iot–ya*
Dadmelo a mi	*En–iot–ya*
Debajo	*Emesch*
Débil (hombre)	*Kegolel*
Declarar	*Argüineshk*
Defender	*Kemakesh*
Defenderse	*Huage–aish*
Deforme (hombre)	*Oketchor*
Degollar	*E'egsh*
Dejar	*Kegesh*
Delante	*Eu*
Demasiado (cosa grande)	*K'trai*
Demente	*Ai'ush*
Dentro	*Cash*
Derecho o recto	*Kokerr*
Derecha	*Korjokrr*
Derramar	*Kaish*
Desafiar	*Euihourish*
Desaparecer	*Huiatsh*
Despreciar	*Kas'ukeshquiË*
Desprender	*Kemekengenkotsh*
Desaseo, sucio	*Tartsh*
Desatar	*Cotè*

Descalzo	*Chokorkon'eneke*
Descansar	*Kemshash*
Descomponer	*Matersh*
Desear	*Amkeniketfaust*
Desembarcar	*Aukjesh*
Desensillar	*Oin'otsh*
Desenterrar	*Kotem'amstrherr*
Desgracia	*Jamenke*
Deshacer	*Katesh'k*
Desagarretar	*Jalchesh*
Desmayo	*Arr'esh*
Desmayarse	*Keue'mesh*
Diez	*Kaken*
Desollar	*Kaikotsh*
Desorden	*Pell*
Despacio	*Genko*
Despalmar (un caballo)	*Kauel–k'etesh*
Desparramar	*Uaish*
Despertar	*Pash*
Despierto	*Aiksh*
Devolver	*Keuegsketesh*
Dedos	*Orrèa*
Diablo	*Kerrkenge*
Dios (Espíritu–poderoso)	*Sesó o Sesom*
Día	*Chocheg Shehuem (un sol)*
	Pe'niekeken
Día (claridad del)	*K'pekeken–heisque*
Dientes	*Orr o Urr*
Dormir	*Kotsh o kotenk*
Dibujar	*Alk'maip*
Doblar	*Pachem*
Dormido	*Kotenehuen*
Dormirse	*Kotok'uté*
Dos	*H'áuke*
Docto (indio que sabe mucho)	*Keteomkemke*
Dolor	*Ker'ush*
Domador	*Makamenke*
Dulce	*Ko'osh*

E

Echar	*Kai*
Elegir	*Uinshikosh*
Embarcarse	*Jesh'utË*

Embarcado	*Kosth'ikashjen*
Embarazo	*Oormer*
Emparejar	*Huakesr*
Emplumar	*Kais'iguish*
Emplumado	*Kaishiking'huage*
Emborracharse	*Iclamashk*
Enamorarse	*Kem'uegsh*
Encerrar	*Kemkesh*
Encerrado	*Gonkerr*
Encogido	*Gonkerrenk*
Endurecer	*Kumènash*
Enemigo	*K'shorrehs*
Enfermo	*Yétaank*
Enfermedad	*Shoienk*
Enfermarse	*Shoiershk*
Enflaquecer	*Kelma–ashk*
Engañar	*Metarreshk*
Engrasar	*Otsh*
Enlazar	*Korigesh*
Enloquecerse	*Aiueshke*
Enojarse	*Yénkeshke*
Enredar	*Ketalegue*
Ensillar	*Oinsh*
Entero	*Vilemko*
Enterrar	*Lae'msh'uaken*
Entregar	*Ki'esh*
Entrañas	*Uilemle'shc*
Enfermedad	*Shoien*
Equivocarse	*Tor'uait*
Erupción volcánica	*Geutk'paan*
Escapar	*Kió'osh*
Escarbar	*Uaish*
Esconderse (lo mismo que escapar)	*Kióosh*
Esconder	*Eiód*
Escopeta	*Al'ueune*
Escribir	*Ajeish*
Escribano	*Ajem'ankenke*
Escupir	*Tep o Tepe*
Eslabón (piedra de chispa)	*Oue*
Espada	*Kaicharenk*
Espantar	*Mei'on*
Espejo	*Kei'or*
Espinas	*Jolu*

Espuela	*Huaterrntac*
Este, Oriente	*Henkonken*
Este, esto, es, etc	*Ueu*
Estiércol	*Cho'op*
Estómago	*Jaten*
Estribo	*Keshom*
Espalda	*Tepatenken*
Estrellas	*Terrke o Tap–tarr*
Esposa	*Tcheimon*
Esclavo	*Aunk*

F

Fácil	*Uone*
Faja	*Huaten*
Fallecer	*Jam*
Falso	*Tarrssh*
Familia	*Y'amell*
Fango	*Zet'kashken*
Fastidioso	*O'aimkesh*
Figura	*Allnk'maip*
Fierro	*Tauke*
Flecha	*Shotè o Arekchul*
Flechar	*Shot'paum*
Flojo	*Kemash*
Flaco	*Kelmash*
Fuego	*Yaik'à o Yaikè*
Fuerte	*Pash*
Fuente	*Teuken*
Fresco	*Mako*
Frío	*Kojesh o K'cojen*
Fruta	*Ga*
Frutilla	*Chaun*
Fuerza	*K'shorre*
Fusil	*Alchoche*
Fumar	*Paan. Yauchilesh'*

G

Gallina	*Peio*
Galope	*Ya'keén*
Galopar	*Ya'kersh*
Gambeta	*Jatepejen*
Gancho	*Kelken*
Garganta	*Emero*

Garrón	*Tee*
Gastar	*Eéhnahue*
Gato	*O'cherr*
Gestos	*Gegeliejesh*
Golpe	*Uajen*
Golpear	*Koshíesh*
Golpearse	*Uajien*
Goleta	*Yotelluamon*
Gordo	*Kzenè*
Grande	*Chaenk*
Grasa	*Ol* u *Oll*
Grueso	*Daunk*
Gritón	*Kosh'uenk*
Grito	*Kosh'. Cos'oi*
Gritar	*Kosh'osh*
Gruta	*Allnk'kan*
Guardar	*Kaishk*
Guijarro	*Yatemotshjenk*
Gustar	*Keish*
Guanaco	*Kmau*

H

Haber	*Pesh'keto*
Hacha	*Pilkill*
Hachar	*Pelkellkajié*
Hachazo	*Huajen*
Haragán	*Ketekouejenk*
Harina de algarrobo	*Ton*
Hacer figuras	*Allnk'kajesh*
Hablar	*Aiosh*
Hermano	*Pemon–ash'ari*
Hermana	*Ash'tochels–pemon*
Hinchar	*Ozell*
Historia	*Mechenica*
Hígado	*Tcheu*
Hielo	*Taárr*
Hijo	*Yekalelm*
Hocico	*Orr*
Hoja de árbol	*Kú*
Hombre	*Alen. Aln. Alnk*
Hombro	*Ka*
Hormiga	*Choken*
Hueso	*Calol o Colula*

Huevo	*O'oma*
Húmedo	*Chajesh*
Hundir	*Mahashiesh*
Hurtar	*Molsh*

I

Insectos	*Cheperr*
Invierno	*Shei*

L

Lanza	*Huaik*
Labios	*K'sham*
Laguna	*Koi*
Lagarto	*Ka'ameten*
Largo	*Terrnk o Teke*
Lengua	*K'tall'Tal, Pelchat*
Leche	*K'majen*
León	*Galln*
Loro	*K'a'ake*
Luna	*Keingueinken o keingueincon*
Luna (salida de la)	*Kengueinken keénegen*
Luna (puesta de la)	*Ashaish–keingueincon*
Lluvia	*Kap'cash*

M

Mano	*k'chen o Chen*
Manantial	*Chem o Chim*
Mariposa	*Kenk*
Mando	*K'she*
Madre	*Y'am*
Matar	*Mash'co*
Mañana (la)	*Atiem*
Madera	*Jú o Carró*
Manta	*Kai*
Marido	*k'ske–arrék*
Mentón (barba)	*Shiken*
Meta	*Elquequen*
Mirar	*Kesh o Lacar*
Miel	*Huaranca*
Misionero	*Penkopeneke*
Mortero para pisar hierbas	*Kash'keuke*
Morir	*Jamienek*

Mosca	*K'telgo*
Monte	*Caésh*
Mocetón	*Hueneken*
Mujer	*Ishe o Enack*
Muslo	*K'panken*
Muerto	*Leuf–kasko*
Mundo	*Kauejekoge'ta o uishukar*
Muchacha–o	*Uenon o Hueneken*

N

Nariz	*Urr o Arrg*
Nadar	*Shagesh*
Nadie	*Jan*
Negro	*Poink*
Niño	*Matenenk*
Niño de pechos	*Apo, Yecochelet*
Nieve	*Jieue*
Nieta	*Elcheguen*
Norte	*Pee'neken*
Noche	*Ter–nsh*
Noche oscura	*Pe'tni.ten'nsh*
No hay ya	*Huegosh.Coora. Comsh'k*
No quiero	*Comsh'k*
Nunca	*Hatell*
Nube	*K"paeun, Jahuen*
Nutria	*Choch'eg*
Nueve	*Y'amakeitzen*

O

Ocho	*Uenik'cage*
Oeste	*Oneken o Unoken*
Oír	*Yaish o Tel'lish*
Ojos	*Ottell o Te'th*
Olor	*Shahuen. At'ksh*
Oler	*Giell*
Obsidiana	*Kosh'om*
Olla de barro	*Katenehue–kamehue*
Olla de fierro	*Katenehue–tanque*
Orejas	*Shan*
Orilla	*Kuienequen*
Orilla del mar	*Jonog–kuinequen*
Otoño (cerca del frío)	*Kepenkeken*
Otro	*Auek*

Otra	*Chalí*

P

Pasear	*Huenolsh*
Parte posterior	*Chó*
Palma de la mano	*Haihuenken*
Pájaro pequeño	*K'ché* o *Chehue*
Pato	*Chotk* o *Chot*
Padre	*Yanko*
Pasto	*Corr*
Pelo	*Shoin Choirr* o *Chorérr*
Pescuezo	*Hot'hue* o *Jatieg*
Pecho	*Oet*
Peludo (*Dasypus*)	*Po'o*
Pequeño	*Talenk*
Perro	*Huach'na. Huachin Shamehuen*
Pescado	*Koloin. Kooin*
Pescar	*Kooinkoregkek*
Pesado	*Laieksh–pog'enish*
Peine (hecho de junquillo)	*Pack'ell Uashni'guenehuen*
Pinchar	*Uanejesh*
Piedra para pisar charque	*Cot–tenehue*
Pierna	*Yeun. Zonn. Corrèr. Aiesho*
Pie	*Hall. Gall*
Piche (*Dasypus*)	*A'ano*
Pito	*An'chué*
Piedra de fuego	*Kaan, Yeckshlekel* o *Kan*
Pintar quillangos	*Ajen*
Pintarse la cara	*Kesh*
Pintarse para los bailes	*Kepetjen*
Primavera	
(tiempo de los huevos)	*Yessomken*
(tiempo de los guanacos chicos)	*Ariskaisken*
Piedra	*Chau*
Plomo	*Zet*
Playa, costa	*Quienenquen*
Pluma	*Aurr. Auerrsh*
Pómulos	*Cotche*
Poner	*Kie*
Pólvora	*Shepen*
Pulmones	*Goulta*
Pulseras	*Jenteken*

Q

Quillango (sin hacerse aún) (antes)	*Hapercó* o *Kai* y *Sog*

R

Rascador (de piedra)	*Kan–jalúnehue*
Raíz (comestible)	*Kerupe–Chalí. Kurpe*
Reír	*Ieuesh*
Reírse	*Ieuesh* o *I'ehuen*
Reunión (de hombres)	*Chorile'k'zeuenek*
Resina	*Mechain*
Río	*Kóonè*
Roto	*Ushatenk* o *Kalak*
Rodilla	*Tepn*
Ropas	*Kaquehueten*

S

Sangre	*Schau*
Saltar	*Uen'oish*
Salto	*Gieush–co*
Sal	*Jechen's* antes *Conek*
Seis	*Uaenecash*
Senos	*Naden*
Sí	*O'oi*
Siete	*Aièkèr*
Sin	*Aahueneguen*
Sol	*Sheuen* o *Shehuen'à*
Sol (salida del)	*Tehenejen'Sheuen*
Sol (puesta del)	*Jaskene–Sheuen*
Sonar	*Konan*
Sombrero	*Kó*
Sortija	*Orrkojen*
Sud	*Jaueneken*
Sueño	*Koten'kesh*

T

Talón	*K'taè*
Tendón	*Kat'siè*
Temporal	*Sheuen–taeronk*
Tibio	*Ja*
Tierra colorada para pintarse	*Yemon*

Tigre	*Halscheuen*
Tigre del agua (*Lutra*)	*Yem'chen*
Toldo	*Kau'á o kan*
Tres	*Ká'ash*
Tripas	*Leé*
Tumba	*Tem* (*Cairn* antiguo *Coshom*)
Tronar	*Caroten*

U

Uno	*Chochieg*

V

Váyase	*Err'echenemen*
Vaya afuera	*Erruchenèmèn*
Ven	*Gieuet*
Ven aquí	*Gieuet–uetque*
Vena hilada para coser	*Omeken*
Vena	*Katsh*
Vela de buque	*Jakan o A'kan*
Verano	*Zorr*
Vidrio	*Kúol*
Víbora	*Chaliam o Memen*
Viejo	*Alnku'aink*
Viento	*Kosten*
Vincha	*Cochell*
Volar	*Yjiensh*

Y

Yo	*Yà*
Yerba	*Corr*

Z

Zorrino	*Uekeshta*

El Lago San Martín. El Lago Viedma.

ebrero 26: Los indios han decidido mudar su campamento. Las exigencias de la vida nómada han despojado de caza estos alrededores y hoy temprano levantan sus tiendas de pieles para dirigirse a otro punto, donde los cazadores avanzados han avistado las caballadas salvajes. A la misma hora en que concluyen las chinas de cargar los toldos en los escuálidos cargueros; cuando principia el pintoresco y pausado desfile de la caravana mujeril seguida de los aulladores y famélicos perros que ladran de envidia a los pelados que reposan orgullosos sobre los quillangos acondicionados sobre los caballos o echados entre el carguero de suaves plumas, me despido de mis buenos amigos y emprendemos la marcha hacia el norte.

Mi comitiva se ha aumentado; llevo a *Chesco*, o sea Juan Caballero, quien debe servirme de guía para llegar a los otros lagos.

Las mesetas, que dominan en un principio nuestro camino, no varían en su disposición orográfica de las que he señalado anteriormente, pero no todas presentan basalto en sus cimas. Atravesamos anchos cañadones, más alegres, que fueron lechos de ríos que cesaron de correr hace tiempo y que con el trascurso de él se transformarán en prados fértiles; ahora no lo son mucho. Las colinas que vamos costeando están sembradas de monolitos de variados colores, monumentos sencillos pero grandiosos que conmemoran grandes hechos en la evolución del globo, y que hoy, solitarios entre las elevadas gramíneas, sirven de distracción al que viaja entre tanta igualdad.

Como la humedad andina ya favorece la región, los arbustos van adquiriendo mayor lozanía, sobre todo en las quebradas estrechas; en las alturas, la oscura verbenácea negrea grandes extensiones de planicie; esta planta sirve a los indios de pila eléctrica para su primitivo telégrafo; *Chesco* la aprovecha y, en un instante, nuestro trayecto se señala por densas columnas de humo que pronto después son contestadas desde los lejanos cerros del SE por los indios boleadores de baguales.

Es un consuelo para el viajero, que siente dominado su ánimo por la soledad y el triste aspecto del paisaje al atravesar las mesetas patagónicas, ver el horizonte empañado por el humo que denuncia la presencia de hombres: el país está habitado, hay seres humanos que lo frecuentan, no se siente solo, aun cuando esos humos se distinguen algunas veces tan lejanos y tan tenues que indican una distancia de varias decenas de leguas entre quienes los han encendido y quien los divisa.

Después de caminar por la altura y por las secas cañadas unos treinta kilómetros, llegamos a un cerro basáltico inclinado desde donde distinguimos, hacia el este, el valle del *Shehuen* donde el mes pasado encontramos los indios de *Conchingan*.

Parece que en las inmediaciones de este cerro los indios no se entregaran a menudo a los grandes atractivos de la caza, pues me extraña encontrar los guanacos, y los avestruces en extremo confiados. No sé si es ilusión mía, pero creo que algunos de estos últimos pertenecen a una especie distinta de la *Rhea Darwinii* y de la *Rhea Americana*; los indios me han dicho que hay otra más pequeñas que esas dos, del mismo color que la primera, y los que veo me parece que corresponden a ella; a la distancia, puedo calcular su tamaño en dos tercios del de la *Rhea Darwinii*, y no son jóvenes, según *Chesco* quien, como cazador nómada, es autoridad en la materia.

En la tarde acampamos a orillas del *Shehuen*, que corre angosto y encajonado por una quebrada oscura; allí encontramos pastizales excelentes, aunque no muy extensos. El arroyo desciende del oeste y se inclina desde este punto hacia el noreste con un sinnúmero de vueltas que harían sumamente engorroso el levantamiento topográfico de su curso. Componen sus alrededores mesetas terciarias cubiertas de cascajo rodado, y entre ellas abundan bajos, antiguos lechos de arroyuelos de invierno o primavera, después de haberlo sido, en pasadas épocas, de caudalosos torrentes.

Las capas sedimentarias parecen haber sufrido una violenta conmoción; unas están levantadas de oeste a este e inclinadas; otras a la inversa; pero las últimas son menos numerosas y sus líneas de inclinación no son tan pronunciadas; otras tienen arqueadas sus cumbres formando una bonita sucesión de curvas.

Inmediato al pie del cerro de basalto se ven varios pequeños troncos de árboles petrificados destruidos e innumerables fragmentos de ostras, de una especie pequeña, de menor dimensión que la *Ostrea Patagónica*, que no he encontrado en los depósitos fosilíferos de la costa. Éste es un descubrimiento precioso; estos troncos y esos moluscos ¡qué cúmulo de grandiosos fenómenos físicos representan! Revelan que, miles de siglos ha, la árida planicie dominada hoy por la negra lava de rugosos flancos, donde hemos perseguido inútilmente un puma, ha alimentado frondosos bosques, y que estas tierras, donde hoy las negras *Nyctelias* se arrastran perezosas, fueron las riberas de un antiguo mar siempre agitado. Donde el viajero sediento no encuentra una sola gota de agua, se estrellaron inmensas olas contra murallas escarpadas. En los mansos abrigos de éstas y en las profundidades inmediatas, vivieron las parásitas ostras cuyos calcáreos esqueletos cubren el suelo y se quiebran con la presión de la pata del caballo.

Estas manifestaciones de la siempre activa naturaleza hablan a la imaginación; su vista le dice que ellas no son

vanas hipótesis, hijas del deseo que quiere anteponer
bellezas, aunque no sean más que ilusorias, a esta ener-
vante desolación. Los fragmentos de vegetales, que recojo
convertidos en informes piedras, no hay duda que son
vestigios de un bosque terciario, quizá semejante en su
aspecto a los que hoy mezclan sus enérgicos o suaves
murmullos con los de las agitadas o tranquilas aguas del
Magallanes, que se elevaba tupido y lozano sobre lo que
hoy cubre la lava arrasadora.

Un sacudimiento de la tierra, una de las portentosas
manifestaciones de su vida interna, hundió esas antiguas
riberas y ese bosque en el seno de las aguas, haciendo
elevar otras tierras sobre ellas. El fuego interno surgió
luego de las entrañas del globo y cubrió esta región con
manto ígneo devastador. Su vida orgánica sucumbió y sus
restos quedaron oprimidos por los grandes elementos: el
fuego y el agua, restos que aún se ven bajo las escorias y las
lava, vomitadas por los volcanes submarinos. La dura
temperatura transformó más tarde el agua en montañas
congeladas; pedazos de cordilleras heladas y llanuras inmensas de hielos, que en su aparente inmovilidad marchaban, depositaron nuevos elementos en las profundidades
del mar cuaternario y aumentaron el gran monumento
geológico que cubre los despojos del bosque y del mar
terciario. A través de un sueño de dos mil siglos, revisto de
opulenta vida la ingrata región por donde hoy viajamos y
trato en vano de imaginarme el arnero de columnas de fuego de los hogares volcánicos sub–terrestres que lanzaron
por sus rocallosas chimeneas la lava que en gigantescos
manchones se consolidó en las profundidades del entonces
océano: la tan enérgica como lenta fuerza, que hizo emer-
ger la llanura antigua del seno de las aguas, después de
haberla sumergido, esta vez no poblada de bosques, sino
desnuda, cubierta por la masa líquida producida en las
fraguas internas y solidificada rápidamente al contacto del
agua. Esta masa ha sido bautizada por el hombre con el

nombre de lavas basálticas y el espíritu investigador ha sorprendido en su aparente rudeza, en su uniforme colorido, en sus finos granos, las trazas del fuego cósmico.

La ciencia, que engrandece al hombre, que hace que su pensamiento revista de vida lo que carece de ella, que reconstruye la historia de las edades en que la humanidad no existió probablemente y en las que la fuerza vital que la produjo fluctuaba sin reducirse en otros elementos de la naturaleza, proporciona al hombre un grandioso telescopio intelectual. Sus lentes mentales hacen aparecer lo que ya no existe y muestran en este caos de mesetas y quebradas, de cerros negros inclinados y de inmensas piedras esparcidas al acaso, la incansable acción de las fuerzas naturales que no cesamos de admirar. Los fósiles de la época terciaria, los basaltos de la cuaternaria, el manto glacial que envolvió la cuna de los tiempos actuales, presentan maravillosos ejemplos de esa acción.

¡Qué inmenso acopio de motivos de estudio vislumbra hoy el viajero en la pesada nube de ignorancia que lo enerva y entristece! Por más amor a la observación de los fenómenos físicos, por más veneración hacia las obras de la Creación, no puedo aprovechar del goce intelectual que proporciona el saber.

Hacia el este de nuestro paradero se distinguen dos mesas basálticas. Una de ellas es más baja que la otra, a pesar de estar muy próximas, pero no me parece que este desnivel indique una superposición de capas de lavas; más bien creo que las mesetas terciarias sobre las que reposan han adquirido su actual posición de una manera desigual, por dislocación.

El valle del *Shehuen* en este punto es muchísimo más angosto que en la parte ya visitada, pero en cambio es mucho más fértil y encontramos verdadero placer en tender nuestro recado y hacer nuestro humilde campamento sobre los verdes pastizales, en los húmedos sitios y al borde del arroyo, sin acordarnos de la aridez que nos domina desde las alturas.

Febrero 27: Marchamos al oeste siguiendo el valle; al norte distinguimos dos escalones de mesetas elevadas a más de 2.000 pies. *Chesko* bolea un avestruz que, aunque muy joven, es un buen contingente para nuestra reducida despensa, pues sólo contamos con un asado de potro y una caja de conservas para los días que debe durar la presente excursión. El camino es excelente, casi recto, pero, a corta distancia del paradero que hemos abandonado, el valle cambia de dirección y desciende al NO. El arroyo *Shehuen* penetra en él a unos siete kilómetros, aproximadamente, del punto donde dormimos anoche y aparece por el centro de una cadena de colinas. En el valle hay un lecho de río antiguo con muchos manantiales y algunas pequeñas lagunas pintorescas, bastante animadas por las aves acuáticas. En algunos parajes, la fertilidad de la región disminuye y sucede a ella la arena y el cascajo, pero luego vuelve a verdear el suelo y la región continúa bastante feraz en el punto donde almorzamos, situado antes de llegar a un bañado que ocupa casi todo el valle, hacia el oeste.

El paisaje ha variado; ya tenemos en el horizonte verdaderas montañas; hay cerros rojizos imponentes y poderosos mantos de basalto, elevados a 2.500 pies, polvoreados en estos momentos por la nieve que cae allí; el aspecto del cielo nos anuncia que pronto la tormenta andina nos visitará. Dejamos pasar una turbonada de lluvia y viento, al abrigo de un bosquecillo de preciosas plantas (*Maystenus Magellanicus*) que aún no he visto en esta parte de la Patagonia, pero sí en Nahuel Huapí, y que me revelan una formación fitológica distinta; la triste raquítica vegetación de las mesetas cesa para dar lugar a la poderosa aunque sombría vegetación de la región antártica. El trozo de potro y un poco de fariña desleída en agua sobre la carona de mi recado, que sirve igualmente de montura, cama, cocina y fuente, forma nuestro almuerzo. Aquí he visto numerosos fragmentos de un mineral ferruginoso

(*Hematita*) arrastrados por antiguas aguas, pero ignoro dónde está el verdadero yacimiento geológico.

En este punto confluyen tres mesetas elevadas, con basalto en las cumbres; los trozos erráticos son muy numerosos en la más baja y parecen, entre los matorrales, los restos de una ciudad ciclópea arruinada, arrasada hasta la superficie del suelo. Anidando entre una mata de adesmia, de lujosas proporciones, encuentro un *Bubo Magellanicus*, que al ser perseguido exhala su fúnebre grito, harto desagradable en este solitario escenario.

Al pie de las colinas, hacia el oeste, se extienden campos de un verde lozano, surcado de hilos de agua que serpentean entre el carrizo (*Phalaris?*); es el paradero tehuelche nombrado *tar–aiken*, que los indios de *Shehuen* han abandonado hace pocos días. Este campamento es magnífico pero no de gran extensión; al sur lo limitan las mesetas; al norte, el gran bañado o laguna llamada *Tar* o "Sucia" se extiende con sus aguas enturbiadas hasta el pie de un cerro eruptivo de curiosa forma, llamado *Kochait* (pájaro), que, aunque domina el valle y las lagunas, es mucho menos elevado que las mesetas que lo bordean al norte. A ambos lados de éstas se distinguen cerros de la misma roca que parece ha perforado la capa terciaria.

El campamento indio está desierto; los boleadores se han alejado y sólo en las verdes orillas de la laguna un gallardo bagual renegrido, de largas crines, relincha y se pasea; quizá desprecia, en su vida libre, a sus hermanos domesticados que cansados trotan en fila conduciendo a los expedicionarios. El terreno es en extremo blando y hay que cruzar con cuidado un bañado de seis kilómetros de largo cubierto de espléndidas gramíneas y regado por varios manantiales. Hacia el ONO encontramos dos lagunas de menores dimensiones que la *Tar*, bordeadas de lomas amarillentas y entre las cuales pasan arroyuelos límpidos, pero pequeños y poco profundos. Cruzados estos parajes, ascendemos una hilera de lomadas sumamente agradables, de piso sólido, sin las innumerables cuevas de *Ctenonys* que hay en los bajos, y galopamos un largo rato hasta que, desde una de las colinas divisamos un gran lago y en el fondo, elevadas montañas agrestes. Acampamos en sus orillas, donde los indios lo han hecho antes, pues varios palos clavados que sobresalen del terreno anegado indican el sitio que ocuparon sus mansiones de pieles. (Aquí también se nota la gran inundación que nos ha molestado tanto en el Santa Cruz). El incendio, que sucede al abandono de un campamento, ha dejado el terreno sin un arbusto verde; sólo troncos y ramas carbonizadas se reflejan en las aguas que van avanzando.

Es la tarde; tendemos los recados al borde de un manantial que corre entre preciosas *Gynneriums* y apetitoso apio; asamos el pequeño avestruz, lo devoramos, y luego, impresionado por la hora que aumenta la majestad del panorama donde ondulan sus aguas, busco el nombre que he de darle a este lago. Somos los primeros cristianos que lo visitan, que admiramos sus ondas oscurecidas por el tormentoso cielo cuyas nubes llegan a reposar sobre las cumbres de las bellas montañas del oeste y del sur, escondiéndolo al abrigarlo. Parece separado del resto del territorio patagónico, pues todo es distinto aquí y en vano se buscaría la planicie y los médanos que preceden al Lago Argentino. Este es un paisaje de los Alpes, pero triste, desconocido, sin nombre; sólo lo visita el indio que, de cuando en cuando, viene a plantar en sus orillas el toldo primitivo; llama al punto donde acampa *Kellt–Aiken*; pasa aquí algunos días sin darse cuenta de la belleza del paisaje; recoge la fruta del dulce calafate; corta algún tierno árbol para su sucio *kau*; persigue algún altivo bagual y regresa a la llanura. La civilización no lo conoce aún y es necesario buscarle un nombre que le sirva de égida de progreso, que atraiga la vida argentina para que el lienzo azul y blanco flamee entre el bullicio, como hoy lo hace agitado por el aire del crepúsculo silencioso.

Llamémosle lago San Martín, pues sus aguas bañan la maciza base de los Andes, único pedestal digno de soportar la figura heroica del gran guerrero.

Al partir para esta exploración, los agradables sueños que produce la imaginación preocupada me hicieron presentir montañas o lagos desconocidos, y entre los nombres que servirían para bautizarlos coloqué en primera línea el de la Nación y el de su libertador; gracias a mi buena suerte, el lago Argentino figurará en la geografía de la patria y el lago San Martín también encontrará su puesto en ella. Así, cumpliendo mi deseo, pago tributo a la memoria de quien, encarnando la libertad, escaló los Andes que tengo enfrente; así la geografía, secundando a la historia, ayudará a perpetuarla.

En el fondo del poniente este lago está limitado por una cadena de montañas eruptivas, de elegantes contornos, que corre del NE al SO y cuya mayor altura calculo que no excede de 4.000 pies. *Chesco* no conoce ningún nombre indígena empleado para señalar estas montañas y me permito indicarlo en el croquis de mi itinerario con el de montes General Lavalle, en recuerdo del fogoso cooperador de la gran obra del general San Martín.

Febrero 28: Anoche hemos admirado una espléndida luna llena; el plateado disco se ha mostrado tras del monte *Pana* (cerro volcánico situado al este del lago), derramando sus suaves luces sobre el oscuro cono y ha alumbrado de lleno el lago, cuyas tranquilas aguas reproducen la imagen del satélite sin vida.

El lago mide aproximadamente, a la vista, doce millas en su mayor diámetro NS por diez de ancho EO; sus aguas son tan claras como las del Argentino. La latitud de nuestro paradero es 49° 12'. Al este está dominado por el cerro *Coshait*, de formación eruptiva, y al norte por sierras elevadas de 3 a 4.000 pies, pero precedidas por lomadas terciarias, pardo–amarillentas; por entre estas últimas corre un río caudaloso que desagua en el lago, según

opinión de los indios. Al NO del paradero, los montes
Lavalle se ostentan macizos, precedidos por cerros de elevación menor cuyas hondas quebradas dan paso a varios
torrentes. Estos montes están limitados al sur por una gran
abra o canal que comunica con otro lago que está situado
hacia el NO, al poniente de las montañas citadas, pero al
naciente de los Andes. Desde las alturas se divisa en esa
dirección el gran bajo que sirve de cuenca al lago, aún
misterioso para mí, y que envía por el citado canal los
témpanos, hijos de sus ventisqueros, a que aumenten las
aguas del San Martín. Al fin del gran canal se alzan varios
macizos de montañas cuyas crestas denudadas de distintas
maneras revelan diferentes formaciones petrográficas. Entre los picos eruptivos se ven torreones sedimentarios; un
inmenso cerro ostenta en su cumbre la imitación de un castillo feudal arruinado; otro, catedrales góticas resplan-
decientes de blancura adornadas de festoneadas cúpulas y
forma todo un paisaje maravilloso de grandeza pero también de oscura soledad en las bases de las colinas. Quien ha
nacido y ha crecido en las inmensas llanuras sin horizontes
montañosos que atenúen la brillante claridad del día que
alumbra la pampa porteña y el ilimitado Plata, y no ha
conocido más accidente topográfico que las barrancas de
los arroyos, se sorprendería al presenciar el agreste con-
torno del lago San Martín; ni las imponentes masas pétreas
que rodean el Nahuel Huapí, donde alza su cráter helado
el intranquilo Tronador; ni los rápidos del Limay, domi-
nados por las lavas y los cipreses; ni los bosques de araucarias que bañan de verdura las bases del *Quetropillan*; ni
los rientes valles del norte, en Catamarca, al pie del Acon-
quija, son comparables, según mi modo de ver, con este
rincón de tierra donde el fuego y el agua antigua han
elevado estas montañas atrevidas, y donde el fuego y el
agua moderna han labrado cráteres y lagos a cual más
grandioso. El habitante de la llanura se sentiría oprimido
ante este paisaje observado a la escasa luz de las quebradas

que oscurecen sus bordes; sólo cuando el sol alumbra de lleno encontraría contento con la vista de los bosques lejanos que esperan al hombre para convertirse en construcciones cómodas al pie de los montes Lavalle, y con la de las elegantes hayas antárticas (*Fagus*), que al pie de los cerros góticos del sur embellecen las orillas de los torrentes.

Al sudeste se ven varios cerros eruptivos, y distintas capas de rocas volcánicas sirven de gradas al cono del Pana que se eleva teniendo a sus costados una pequeña eminencia de apariencia porfírica, un cerro blanquizco y una capa negruzca basáltica.

A media tarde levantamos campamento y caminamos un corto trecho hacia el sur, pero nuestros caballos están en deplorable estado y no podemos apurarlos mucho porque sería exponernos a perderlos. Los malos caminos y las piedras han destrozado sus patas y todos están mancos o cojos. Acampamos a orillas de un torrente que baja del macizo del Pana para contribuir al aumento del caudal del lago. Arrastra algunos troncos, lo que prueba que en sus orillas, en las montañas del SE, hay también vegetación arbórea. Recojo aquí muestras de carbón de piedra, que supongo superior a la lignita considerada terciaria de Punta Arenas; y algunos moluscos fósiles, incrustados en un calcáreo compacto muy arcilloso y magnesífero que hay rodados en el torrente, y que considero cretáceos, me hacen suponer por el manto carbonífero de donde provienen, una edad geológica contemporánea con la del depósito de lignita de Magallanes; el profesor Agassiz cree pertenecen también al período cretáceo. Este yacimiento carbonífero, que ocultan las quebradas, evoca una vegetación opulenta que cubrió, a principios de la época terciaria o fines de la secundaria, el occidente de la Patagonia oriental desde el cabo Froward, y quizá desde la Tierra del Fuego, hasta las fuentes del Neuquén y aún más al norte, hasta cerca de La Rioja. Las minas de Punta Arenas alimentan ya la industria moderna; las que se encuentran en Otoway y Skyring

Water pronto serán explotadas; éstas del lago San Martín contribuirán con su combustible precioso a dar vida humana exuberante a sus territorios; los indios me han afirmado que el río Chico y el *Senguel* arrastran carbón en sus fuentes; cuando visité los territorios del Limay, más de una vez se me dijo que yo iba allí a buscar el carbón de piedra que, según los indígenas, abunda en los cajones inmediatos a la Cordillera.

La falta de provisiones y medios de movilidad no me permiten internarme a estudiar la estructura geognóstica de estos alrededores, pero, por los trozos pétreos rodados que hay en el torrente, puedo decir que en estas cercanías hay granito, cuarcita, pórfiro, jaspe, traquita, arcilla esquitosa, conglomerados de basalto, serpentina y cuarzo, con cimento calcáreo arcilloso, y calcita compacta sedimentaria magnesífera.

El paraje que hemos elegido para campamento es el más fértil que he visitado en este viaje; las gramíneas son tan espesas que incomoda caminar por entre ellas, y los espesos calafates están cargados de frutas. Una de las plantas más comunes es una euphorbia herbácea (*E. chilensis?*) que crece en los sitios húmedos al borde del torrente; las oxalídeas (*O. Enneaphylla, O. magellanica*) abundan también, lo mismo que algunas anémonas, acaenas y calceolarias; las adesmias son mayores que en otros parajes y el color de sus hojas alterna del plomizo al plateado sedoso; crecen de preferencia sobre la arena. Una verónica no es rara; el *Lathyrus magellanicus* no tiene flores, pero también es común. Se observan pocos ejemplares de *Maytenus magellanicus* porque aún no hemos entrado en la verdadera zona antártida. Entre las aves, las más abundantes son las *Sturnella militaris*, el *Aegialiptis faklandicus*, el *Centrites niger*, el *Zonotrichia australis, Troglodites magellanicus* y *Chysomitris magellanicus*; en los cerros, las aves de rapiña están representadas por el cóndor y en las matas inmediatas al campamento, por el *Buteo melanoleucus*, el *Tinnunculus sparverius* y el carancho. He recogido pocos insectos de los géneros *Enmallodera, Epipenodota, Tribostethes, Cylindrorhinus, Platestes, Trox, Nyctelia* y *Cardiophthalmus*; el hasta hace poco muy raro lamelicórneo, *Taurocerastes patagonicus*, es común en este punto, pero no tanto como en las inmediaciones del lago Argentino. El valle verde y angosto por donde corre el torrente, contrasta con el color amarillento–rojizo del suelo de la mayor parte de la región alta; creo que este color es producido por cenizas volcánicas.

En nuestro campamento no hay casi alimentos, sólo queda la caja de conservas y una libra de fariña y tenemos que visitar el lago Viedma, aún distante de este punto. Sentimos hambre pero falta con qué apaciguarla pues no quiero tocar las modestas provisiones mencionadas; para que Moyano, Estrella y *Chesko* puedan comer o más bien roer, entre los tres, un alón de avestruz (único resto del pequeño cazado ayer por la mañana) tengo que alejarme del campamento.

Enseguida, mientras los dos primeros llevan mi revólver para tratar de cazar algún guanaco y *Chesko* va a atar los caballos, subo amarillas colinas y bajo verdes cañadas para adelantar algo al sur y poder examinar los bosques que se distinguen al pie de las montañas. He instalado el campamento en el desagüe del torrente en el lago; como éste está muy lleno, no hay paso por sus extensas orillas.

A pesar de sufrir tanta necesidad es cosa bien agradable para mí poder distraerme y contemplar este majestuoso escenario.

No hay nada que impresione más al viajero que las grandes soledades; la naturaleza severa de estos sitios se graba en mi imaginación y podré contar estos instantes entre los más agradables de mi existencia. Reina una tarde espléndida; el lago no tiene ninguna arruga en la superficie llana de sus aguas; los témpanos blanquean cerca, pero tristes; los cerros Lavalle se colorean de rosa en sus

426 Francisco P. Moreno

cumbres y de violeta oscuro en sus bases, y el verde de las hayas antárticas se destaca con los rayos del sol que penetran por el canal que da paso a los hielos andinos. No había notado el menor movimiento en el lago, pero de pronto veo elevarse de su centro, a larga distancia, a seis millas, una columna de agua que surge espumosa, remolinea algunos instantes y desaparece para volver a elevarse otra vez. Pienso que es una de las manifestaciones de la actividad volcánica que conocemos con el nombre de geysers; es un fenómeno imponente y bello en alto grado. Observándolo, no he visto las inmensas moles cristalinas, blancas, celestes, que se hallan diseminadas en estas orillas. Es un témpano varado, dividido en grandes fragmentos, que muere, licuándose, para aumentar las aguas del San Martín. Llego a él y corto algunos trozos; así me creo por un momento en las regiones polares. Sentado sobre un cubo de casi diáfano cristal, dominado por una columna partida y rodeada de tenues ruinas celestes, de un palacio de hadas antárticas, todo de agua congelada que el sol de la mañana disipará, pienso en las gloriosas víctimas del hielo: en Franklyn, en Bellot, en Hall; lleno los bolsillos de baldosas de agua y vuelvo al campamento a avisar a mis compañeros el interesante hallazgo. Considero bien reemplazada mi parte de alón de avestruz por este hielo que masco y que si bien no debe ser muy provechoso para mi estómago, lo es para mi carrera de viajero; despierta en mí mayores aspiraciones; me dice que debo seguir el ejemplo, aunque de manera modesta, de los héroes cuya vista me ha recordado el témpano ¿Qué son las insignificantes penurias que he pasado en mis viajes al lado de las espantosas necesidades que se sufren en los polos?

Marzo 1º: A las 9 a. m. abandonamos el paradero prometiéndonos volver a demorar más tiempo en él en otra ocasión y con mayores elementos; cruzamos, casi asfixiados, el gran incendio que desde unas matas quemadas por *Chesko* ha tomado gran incremento en las misteriosas laderas de los cerros y cuyo humo envuelve, en fantásticas espirales, la cumbre del Pana. Después de caminar unas diez millas al este (magnético) por el camino hecho anteriormente, paramos a orillas de la laguna *Tar* para almorzar algunas frutas de calafate y un poco de fariña seca. La necesidad imperiosa de abandonar el lago San Martín sin haberlo podido explorar detenidamente y la aflictiva perspectiva del hambre, nos tienen tristes.

Al lado del arbusto–campamento recojo un cráneo de *Canis Magellanicus*, el zorro grande rojizo–oscuro que abunda en la zona antártica argentina y en la chilena. El basalto vuelve a presentarse en mesetas quebradas. Desde la laguna *Tar*, cambiamos de rumbo y nos inclinamos al sur, costeando un arroyuelo, que desciende de esa dirección por dos millas, apareciendo de entre angostos cajones formados por las barrancas de enormes capas de cascajo rodado. Cruzamos este arroyo, continuamos unas seis millas y llegamos a un paradero indio abandonado a orillas del *Shehuen*; este último arroyo desciende también del sur, pero a tres millas al norte de este paradero se dirige al este para vaciarse en el río Chico y luego en el Atlántico; corre aquí por sobre un lecho de piedras rodadas y por el centro de un valle, bastante fértil si se tiene en cuenta la poca feracidad de estas tierras altas; los pastizales son verdaderamente hermosos; los manantiales muy abundantes, y no dudo que este sitio será habitable con ventaja el día que el hombre aproveche las riquezas que encierran las vírgenes montañas vecinas al lago San Martín. Las grandes gramíneas pueden ser cortadas para provisión de invierno, y los animales lanares, vacunos y caballares, si bien no encontrarán en dicha estación alimentos en campo abierto, a causa de la nieve, podrán vivir con pasto seco. Este valle está limitado por mesetas terciarias, coronadas de basalto las más elevadas, y todas muestran inmensos trozos erráticos sobre los que abundan algunos líquenes.

Para llegar a este valle, hemos cruzado algunas lomadas que separan los cerros de ambos arroyos. Cerca del
punto donde paramos, la meseta basáltica se ha disgre-
gado y sólo quedan de ella trozos aislados. He notado que
aquí no se encuentra ninguna planta de *Duvaua* y sólo las
he visto en las inmediaciones del paraje donde encontramos los troncos petrificados. Tampoco he visto, al norte
del río Santa Cruz, en esta excursión, la gran quenopodiácea blanquizca que tanto abunda allí.

Los caballos están en un estado tal que no podemos
correr avestruces, y el señor Moyano ha sido desgraciado
en sus tiros a los guanacos. Van ya dos días de casi abso-
luto ayuno y de marcha por estos parajes, donde el fresco
aire andino despierta el apetito; por mi parte, sólo he
comido el hielo del témpano. Me es desagradable en extremo negar esta tarde alimento al señor Moyano, mi buen
compañero, que hace su primera campaña al interior y me
dice sentirse mal, pero es imposible socorrerlo porque en
igual caso nos encontramos todos. Para darle algo a él debería hacer lo mismo con Estrella y *Chesko*, y entonces la
fariña concluiría. No sabemos a qué distancia estamos del
lago Viedma, ni qué tropiezos podemos encontrar en el
camino hasta el punto donde ha quedado Isidoro con la
caballada. Me inclino un momento a sacrificar uno de los
caballos, pero reflexiono luego que todos están en malas
condiciones y que el ascenso y descenso de los cerros
fatigaría irremediablemente al que tuviera que soportar
dos viajeros; por comer bien unos días más, nos expon-
dríamos a quedarnos a pie y sin recursos. Pasamos una
noche bien triste; la necesidad nos hace desconfiados.

Marzo 2: Salimos temprano y caminamos unas ocho
millas al SSO, por parte de un hermoso, aunque solitario
valle, y por mesetas basálticas. Ascendemos algunos cerros
cruzando capas de tenues nubes que nos hielan mojándonos; estos fríos húmedos de la niebla densa hacen apreciar más el tibio rayo de sol cuando el vaporoso cúmulo se

aleja. Llegados a un cerro bastante elevado, del que se desploman algunos trozos de lava, que sirve de guarida maternal a algunos jóvenes cóndores que chillan al sentirnos, vemos la gran ladera del sur y en el bajo extremo este el extenso lago Viedma. Según *Chesko*, hemos seguido parte del camino que *Kaikokelteish* dice que llevó el explorador español, en 1782.

Es un espectáculo en extremo desolador el que presenta este gran lago, el mayor de los que sirven de depósito para sus derrites a las nieves de los Andes patagónicos. También el día tempestuoso se presta a hacerlo más triste; el incendio humea aún en la ladera por donde descendemos y enfrente, al sur, áridas mesetas elevadas, que forman parte del macizo situado entre el lago Argentino y éste, se elevan pardas, rosadas y violáceas limitando el agua azul–verdosa oscura. La mayor parte del lago está envuelto en la bruma pero, de tiempo en tiempo, entre las nubes aparece una cresta oscura o un blanco cerro que anuncia la proximidad de la Cordillera. Bajamos de la cumbre de la mesa basáltica a la orilla del lago, por entre lomadas cubiertas de duros pastos y de trozos erráticos, y en este trayecto, algo penoso, una feliz casualidad me hace bendecir la buena idea que hemos tenido en buscar descenso por este punto y no por donde, más al este, hubiera sido más fácil. La falta absoluta de provisiones se convierte en abundancia con el encuentro de un joven avestruz en una quebrada honda, que algún zorro o gato ha dejado inválido; cojea, saltando en una sola pierna y trata en vano de alejarse de nosotros, pero lo descubrimos, lo tomamos, y pronto es asado y devorado al borde del agua; tal es nuestro entusiasmo al hacerlo que no nos fijamos que nuestro "comedor" se inunda con las aguas del lago que aumenta rápidamente.

Mi deseo es continuar al NO siguiendo el trayecto de Viedma para tratar de rodear el lago, pero los caballos no pueden marchar más y tengo que dirigirme al SSE para reconocerlo por esa parte hasta el desagüe, que debe ser el mismo río que los indios dijeron a Viedma ser el Santa Cruz y que es el que desemboca en la margen NE del lago Argentino.

Los Andes del fondo ONO están cubiertos por las nubes; el volcán, del cual tanto me han hablado los indios, se distingue vagamente y conjeturo que la gran tormenta que ennegrece el lago en esa dirección puede ser de origen volcánico, pues el polvo tenue, casi imperceptible, cae cerca de nosotros. El viento no agita las aguas, pero la tormenta avanza con tal rapidez que pronto se oscurece casi por completo el cielo quedando la región poco menos que en tinieblas. Aseguro que impone el encontrarse a oscuras en las soledades patagónicas en medio del día. Los caballos que montamos tiemblan y sólo los grandes trozos erráticos que han dejado los hielos antiguos en la costa nos sirven de reparo durante este temporal que me recuerda el que se desencadenó sobre Buenos Aires el 19 de marzo de 1865. Poco dura; pasa veloz, barriendo los médanos del SE y levantando lluvia de arena; luego que se despeja el cielo, los rayos solares alumbran una inmensa sabana plateada, situada al SO del punto en que nos encontramos y que se destaca, con la viva luz, de los oscuros nubarrones que la dominan. Es el gran ventisquero que vio Viedma, resto de la llanura helada que ocupó en otro tiempo la cuenca del actual lago.

A la tarde, después de haber galopado algunas horas por tierras áridas, encontramos el río que desagua el lago y acampamos a alguna distancia de él, a algunos metros del lago, al lado de una pequeña laguna producida por la inundación; el viento de la tarde agita las aguas de ésta y no podemos obtener que los caballos la beban, entre las olas espumosas que baten con furia. A orillas del desagüe no hemos encontrado pasto suficiente para nuestros cuatro caballos.

La costa que hemos recorrido está circundada por médanos e inundada, y lo mismo sucede con la parte del bajo

que alcanzo a divisar; no se ve el menor rincón fértil, pero
Chesko me dice que cerca de las montañas hay arboledas y
abundante pastizales. Como la falta de recursos me prohíbe recorrerlo personalmente, recomiendo al lector la
parte del "diario" de Viedma que se refiere a este lago; en
otra ocasión trataré de completarla haciendo una exploración detenida en sus aguas y sus orillas.

Por lo que he visto, puedo decir que este lago es
mayor que el Argentino. En su región este, tiene varias
pequeñas ensenadas y, entre ellas, la que nos sirve de
campamento. Pasando el desagüe hay una sucesión de cerros bajos que se internan en el lago, formando en su parte
oeste un abra prolongada; luego se adelantan otros cerros
con varias ensenadas entre ellos, hasta el gran ventisquero
que parece tener en su punto norte otra bahía cuyo fondo
esta ocultado por un cerro pequeño que se ve adelante; al
NO hay otra gran abra, en la que, según *Chesko*, desagua
un río caudaloso que puede ser el que comunica el lago
situado al oeste del San Martín, con éste. Varios macizos
montañosos preceden en esa dirección a los picos nevados
de los Andes. Al NE de la citada abra, se ven las mesetas
cubiertas de basalto que continúan hacia el ESE; son las
que hemos cruzado esta mañana. En el fondo sólo distinguimos una pequeña cadena de cerros; el horizonte,
sobre ellos, está toldado de nubes plomizas y oculta las
Cordilleras pero, en un momento que se hace un claro entre los vapores agolpados, vemos el negro cono del volcán
y una ligera columna de humo que se eleva de su cráter.

Los tehuelches me han mencionado varias veces, y
con terror supersticioso, esta "montaña humeante". Es el
Chalten que vomita humo y cenizas y que hace temblar la
tierra; sirve de morada a infinidad de poderosos espíritus,
que agitan las entrañas del cerro y que son los mismos que
hacen tronar el témpano que se desmorona en el lago. Todo
lo que no se explica por causas sencillas, encierra un misterio para el indígena primitivo, y esto motiva que, en sus

supersticiones, jueguen un papel importante los fenómenos volcánicos. Las imaginaciones infantiles, aún embrionarias, ven siempre en las grandes manifestaciones físicas de la vida del globo, influencias sobrenaturales y es por eso que el inculto tehuelche no se explica, si no es por obra de maléficos espíritus, cómo la tierra tiembla y el fuego brota de la elevada chimenea, espolvoreando de ceniza la región inmediata, donde el ventisquero agrietado envía de cuando en cuando algunos de sus helados hijos, a vagar y morir en el profundo lago. La indiferencia del indio que poco admira las obras de la naturaleza, desaparece y se apodera de él respetuoso espanto por el *Agschem* cuando cuenta los estragos del terrible espíritu del fuego encarnado en las llamaradas que pocas veces se elevan de la hoguera infernal por el negro cráter, y cuando recuerda los quejidos de la nieve eterna, manto misterioso que cubre los cerros y que se desprende y se fragmenta al sentir el calor vital interno.

Grandioso espectáculo debe presenciar el salvaje, al pie del Chalten, cuando en la noche del fuego brota del centro del agua congelada en las altas montañas e ilumina como gigantes faros con sus rojizos resplandores las blancas nieves de los Andes y las azules aguas del lago, mientras la densa columna de negro humo oculta las brillantes estrellas del sur.

Este volcán es la montaña más elevada de las que se ven en estas inmediaciones y creo que su cono activo es uno de los más atrevidos del globo; su cráter, situado a una altura que calculo a la vista en 7.000 pies, no guarda la nieve, y su color negro, igual al del pico más agudo, situado en su costado oeste, se destaca sombrío de la nieve de la base. Viedma cita en su diario esta montaña, al decir que hay dos piedras como torres que los indios llaman *Chaltel*, pero no dice que sea un volcán. Los volcanes activos de la América del Sur se les consideraba todos situados mucho más al norte de éste; el más austral (exceptuando el que creyó ver Hall en la Tierra del Fuego, 55° 3') esta situado en 44° 20'; pero hoy puedo decir, siguiendo las indicaciones de los indias, que las montañas cuyas fuerzas volcánicas aún no se han extinguido, son varias entre los grados 44 y 51; sin embargo, ninguna de ellas arroja lava en fusión ni rocas incandescentes; sólo emiten vapores y cenizas, y esto no constantemente, sino con intermitencias prolongadas; parecería que la lava concluyó hace tiempo de derramarse en la Patagonia, agotados los focos que la producen, por las antiguas erupciones que sembraron de acumulaciones de materias volcánicas de centenares de pies de espesor la región situada entre los 40° y 52°y que he podido visitar en sus extremos. Las capas de basalto cavernoso y escoriáceo que dominan el Limay, en el primer tercio de su curso, se extienden, con cortos intervalos, hasta las inmediaciones del estrecho de Magallanes, lo mismo que los mantos conglomerados que contienen cenizas y productos eruptivos vitrificados, obsidiana y piedra pómez, que he observado entre el *Caleufú* y el *Yala–lei–curá* y que llegan hasta cerca del Atlántico. El monte Pana, que ya he mencionado, no hace muchos años que arrojó humo (según dicen los indios); quizás aún tiene vida, y su nombre, el indio, lo indica (*Paán*: humo) y las cenizas rojas que hay en los alrededores del lago San Martín, pueden haber salido del cráter de ese monte.

Es sabido que el mar provee generalmente a los focos volcánicos del alimento necesario para ayudar a su actividad, como lo ha demostrado el análisis de sus lavas y sus vapores, y puede ser muy bien que las aguas de estos grandes y profundos lagos contribuyan a alimentar la actividad sulfatárica del Pana y del que me ocupo, y la aparición del geyser en el lago San Martín lo prueba.

Más al sur de los lagos, hay otros volcanes aún no extinguidos del todo. Musters dice que los indios que vivían en Coy Inlet, se vieron envueltos una vez por una nube de humo negro, denso, que venía del oeste, y que los atemorizó sobremanera; dicho viajero cree que era el resultado de una erupción volcánica. La tarde que desembarqué en Santa Cruz (21 de diciembre) vi el horizonte del oeste muy oscuro y supuse lo mismo; hoy creo que el humo fue lanzado por el volcán que tengo a la vista, que, según me dice *Chesko*, nunca arroja piedras, sino humo y cenizas.

Como este volcán activo no ha sido mencionado por los navegantes ni viajeros, y como el nombre de *Chalten* que le dan los indios lo aplican también a otras montañas, me permito llamarle volcán Fitz Roy, como una muestra de la ingratitud que los argentinos debemos a la memoria del sabio y enérgico almirante inglés que dio a conocer a la ciencia geográfica, prestando al mismo tiempo inmensos servicios al comercio, las costas de la América austral; sus minuciosos y magníficos trabajos siempre serán admirados.

Marzo 3: La noche ha sido cruda, por el lecho blando entre el menudo cascajo y el tierno césped que la humedad de las infiltraciones del lago hace brotar en la árida llanura. El agua ha salpicado con sus heladas gotas las abrigadas matas, y estas caricias de las olas que baten las piedras que nos sirven de almohadas, me despiertan de madrugada haciendo que admire el inquieto descanso de este inmenso lago. Los chubascos se han sucedido sin cesar toda la noche, y apenas aclara distinguimos cubiertos por la nieve los cerros basálticos que cruzamos ayer. La aparición de la mañana calma la agitación de la atmósfera y podemos volver a observar el volcán Fitz Roy, dorado por el sol, humeando impasible, mientras en su base duermen pesadas y negras nubes.

Caminaba solo hacia el río para dejar en su orilla una botella que contuviera la prueba de mi visita a él, cuando al pasar cerca de un matorral he sido atacado por una leona. La poca precaución que toma el viajero pocas veces agredido, hace que me encuentre sin armas; el revólver lo tiene Estrella y sólo llevo conmigo la brújula primática en su estuche y una pinzas para tomar insectos, débiles armas para repeler una fiera. Sin embargo, la presencia de ánimo no me abandona y a pesar de haber sido arrojado al suelo por la fuerza del choque violento que he recibida, al sujetarse la leona con las uñas sobre mis espaldas y cara, tratando de morderme en el cuello, puedo levantarme arrollar el poncho y remolinear velozmente la brújula a manera de boleadora e imponerme así a la puma que se lanza varias veces con intención de herirme, consiguiendo sólo romper el poncho y arañarme en el pecho y las piernas, desgarrándome las ropas. Este animal ha creído tener por víctima un guanaco y no un hombre; el color de mi ropa y del poncho han contribuido a engañarla. Por mi parte, acostumbrado a ver correr a los indios araucanos, cuando tratan de atemorizar al cristiano descuidado, embistiéndolo con ademán de ofenderlo, imaginé en un principio, al oír la carrera veloz de la puma que saltaba para alcanzarme, que era *Chesko* que pretendía jugar conmigo y pasaba corriendo a caballo a mi lado; pero al sentir el manotón feroz de la fiera y la sangre que instantáneamente brotó de mi cara y de la herida de la espalda, al caer envuelto en el poncho, supe quien me atacaba. Sin ser herido gravemente pude llegar hasta el paradero; en sus inmediaciones la puma se ocultó cerca de unas matas para esperar el momento de hacer la víctima que esperaba su estómago vacío; y aquí la hemos matado, pero por desgracia es muy flaca y su carne despide un olor poco atrayente; según *Chesko*, comerla nos enfermaría.

El río que Viedma creyó era el Santa Cruz recibe por este suceso, que poco ha faltado para ser trágico, el nombre de río Leona, y luego de almorzar en su llana margen este, teniendo en la del oeste una línea de médanos que costea su curso, ancho aquí de 200 metros (más o menos) y que se dirige al sur, retrocedemos para buscar a Isidoro. La observación astronómica efectuada en el desagüe, sobre un gran trozo errático, da una latitud de 49° 48′ para este punto donde nace el río; su desagüe en el lago Argentino se halla situado en 50° 11'. Los indios llaman *Orr–Aiken* a este punto del lago Viedma; en sus orillas hacia el NO están situados los otros dos paraderos indígenas de *Kaperr–Aiken* y de *K'char–Aiken*.

Siguiendo al este por el pie del cerro *Cheul* llegamos a través de un abra bastante extensa, cortada de cuando en cuando por colinas cubiertas de grandes piedras erráticas y capas de lava, al paradero de Isidoro, instalado en la falda de un cerro, al lado de preciosos manantiales donde los caballos se han repuesto algo de las fatigas de las ascensión del Santa Cruz.

Marzo 4: Temprano levantamos el campamento y nos dirigimos al lago Argentino, siguiendo el mismo camino de la venida, hasta llegar a las inmediaciones del cerro Inclinado; luego subimos la meseta hacia el oeste para poder conocer la pampa alta. Es un panorama grandioso el que se presenta a nuestra vista, luego de galopar algún tiempo. Los cerros basálticos se destacan de la pampa verde–amarillenta por donde llevamos nuestro camino; al oeste, los Andes son dorados por el sol que fulgura sobre el firmamento celeste, y en el fondo, en el bajo, el gran lago Argentino está matizado de blancos témpanos. En la abrupta ladera vemos un ciervo; es el huemul, el tan célebre y casi fabuloso ciervo chileno considerado como caballo–anta en los tiempos de la conquista. Encontramos nuestro campamento tranquilo: los dos marineros y Abelardo han limpiado el bote y arreglado las escasas provisiones que nos quedan. Patricio se ha asustado más de una vez con los pumas y tiembla de temor al ver la sangre que mancha mi ropa y la que, con la herida de la cara, le prueban la verdad de lo que le ha contado Estrella. "¡El señor Moreno ha sido atacado por un león! No hay tranquilidad posible en estas regiones y es necesario volver a la isla."

Marzo 5: Malísimo tiempo; los chubascos continúan sin interrupción todo el día y las nubes parece que ruedan sobre las aguas. En la Cordillera hay gran temporal de nieve. Es imposible salir del paradero; la arena movediza no permite ver nada y no hay más remedio que tener paciencia y aguardar mejor tiempo para arreglar los preparativos de marcha.

Marzo 6: Salgo hacia el norte a tomar algunas direcciones con la aguja, desde los cerros inmediatos al río Leona. Llegado a la cumbre, diviso el volcán y un gran bajo, que es el lago Viedma. El señor Moyano, que ha salido a cazar, consigue matar un guanaco, que dividimos y cargamos sobre nuestros caballos en momentos que principia a llover; el terreno se vuelve intransitable, la oscuridad de la noche no nos permite usar la brújula y, completamente mojados, llegamos al paradero a las 9 de la noche, costeando las márgenes del lago entre ramas y médanos; lo descubrimos por las grandes hogueras que Isidoro y Estrella han tenido la precaución de encender, pero que, a pesar de sus grandes llamaradas, no se distinguen desde lejos a causa de la lluvia que cae.

Marzo 7: Continúa la lluvia y el temporal que enfurece las aguas del lago. La época de los malos tiempos ha llegado y, con los escasos elementos que me quedan, no considero conveniente tentar navegar nuevamente al oeste. Prefiero hacer el reconocimiento por tierra y a caballo para vencer la mayor distancia hacia ese rumbo y regresar luego a la isla Pavón. La carne del guanaco cazado ayer hace que sobrellevemos mejor el mal tiempo.

Marzo 8: Nos ocupamos en trasladar por tierra la colección y los objetos más delicados y valiosos hasta la punta Feilberg, para no exponernos a perderlos si, embarcadas en el bote, éste sufre averías al penetrar en el correntoso desagüe. El tiempo se ha compuesto; el sol ha vuelto a brillar; aparecen cientos de taurocerastes sobre los médanos y de preferencia en las inmediaciones de los puntos donde ha pastado la caballada; buscan el estiércol.

Marzo 9: Algunas observaciones termométricas por medio del punto de ebullición del agua me han dado para este paraje una altura de 412 pies sobre el nivel del mar. La temperatura del agua del lago ha sido hoy de 7° a 8° 75' R. Los vientos que han reinado estos días son del SO y NO. El termómetro ha marcado, a la sombra, una temperatura media de 10° R.

Marzo 10: El lago está calmado y el día amanece menos crudo que ayer (a las 6 a .m. 3° R). A las 10 a .m. teniendo un viento favorable, es decir, del este, que no levanta marejada, echamos el bote al agua y despidiéndonos del lago Argentino nos dirigimos velozmente, arrastrados por la corriente, a la rinconada situada al este de punta Feilberg, de donde, después de dejar un poste clavado, atar una botella conteniendo un documento que indique nuestro paso y dejar una bolsa de cuero llena de sal para que sea aprovechada por los indios, ponemos la proa al este y principiamos el descenso del río para buscar un buen punto donde cruzar la caballada a la ribera opuesta. El bote desciende con gran rapidez y pocos momentos después encontramos una playa y hacemos cruzar los caballos, no teniendo que lamentar pérdida alguna a pesar de que algunos han sido arrastrados por los remolinos. Fondeamos el bote en una pequeña abra tranquila, formada por la inundación que continúa y habitada por algunos haliaeus, que juegan gozosos, cazando pequeños peces. Es un buen punto para instalar el campamento mientras me dirijo al oeste.

Excursión al oeste. Punta Bandera. Los Andes. Descenso del Santa Cruz. Viaje a Punta Arenas. Conclusión.

Marzo 11: Bien almorzados, como para poder soportar el hambre durante algún tiempo, y llevando aún intacta la caja de *paté de foie* que ha viajado por los lagos San Martín y Viedma, Moyano, Isidoro y yo trotamos y galopamos todo el día hacia el oeste. El trecho que nos separa de punta *Walichu*, se compone de lomas más o menos elevadas; algunas tienen pendientes suaves, otras laderas abruptas por entre las cuales corren tres pequeños arroyuelos que en invierno y durante el deshielo que produce la llegada de la primavera, conducen las aguas de las tierras del sur. Uno de éstos trae su curso desde un bajo situado al ESE y se desprende del punto donde dos mesetas se destacan con claridad; una de ellas es de poca elevación lleva la dirección OSO hasta la Cordillera y es la que forma la meseta inclinada situada frente a punta *Walichu*; la otra que se aleja hacia el SO, es bastante más elevada que la primera; ambas preceden las mesetas basálticas que se divisan a lo lejos en el sur y que se elevan a 3.200 pies, según Fitz Roy, quien las señaló desde su último paradero. Otro de los arroyos corre por un lecho pantanoso, y el tercero lava con sus limpias aguas las rocas terciarias. Los trozos erráticos son innumerables y algunos de enorme tamaño; puede decirse que el terreno está cubierto por ellos; varían desde un decímetro hasta 300 metros cúbicos.

La vegetación es la misma que la que hemos encontrado en el trayecto del Atlántico hasta este lago. Vemos lagunitas que contienen pequeñas cantidades de sulfato de sosa.

Desde la punta *Walichu*, donde los médanos vuelven aparecer, el terreno mejora rápidamente; hay un arroyo con corto caudal de aguas que desciende del sur; en sus alrededores el pasto es excelente y tan abundante que podría ser segado para servir de provisiones en invierno; los calafates adquieren proporciones notables; cantidad inmensa de patos, avutardas, cisnes y gansos, gallaretas y ardeas llenan de vida la región. Este paraje se encuentra frente a la bahía Redonda, que está casi cerrada por una pequeña isla terciaria bastante semejante a la isla Pengouin, situada en las inmediaciones de Puerto Deseado. Pasando este arroyo que baña el pie de la montaña inclinada, subimos varias colinas de ascensión fatigosa por la cantidad de pequeños torrentes, secos hoy, que llegan a la bahía Redonda. En estas colinas el pasto es bueno y las haciendas que vivan aquí, en los años venideros, podrán encontrar abundante forraje. Pasando esas colinas descendemos a un bajo y dejamos a nuestra izquierda una pequeña estrata inclinada con las cumbres hacia el ESE formadas por productos eruptivos, en este punto encontramos fértiles manantiales.

Hacemos campamento entre unos médanos que se elevan a la orilla del lago, cubiertos de matorrales de berberis; entre ellos, nuestros perros tratan en vano de hacer presa de un *Canis Magellanicus* que se refugia en las peñas, lo mismo sucede con un joven huemul que hemos encontrado pastando en lo que va a ser nuestro alojamiento; este animal, si bien al principio se asombra y no nos considera ofensivos, puesto que los perros que ven en él un objeto desconocido no lo atacan, huye cuando estos últimos se resuelven a embestirlo. El elegante ciervo (*Cervus Chilensis*) prefiere la muerte entre las heladas aguas, a ser presa de ellos, y lo vemos lanzarse al lago y nadar largo rato hasta que desaparece en sus profundidades. Con la noche llega la lluvia y el viento andino; el termómetro ha bajado 2° Réamur y la bóveda celeste no nos proporciona mucho abrigo.

Marzo 12: Ayer, al acampar, teníamos delante un gigantesco témpano; su enorme tamaño, calculo su altura sobre el agua en más de 30 metros por un largo de 100, lo mantenía inmóvil, varado; durante esta noche pasada hemos escuchado grandes estruendos, prolongadas salvas, y el día nos ha mostrado ahora que los ha producido la cristalina isla que sucumbe. Ahora que el sol calienta, pues el termómetro marca 16° R., el hielo eterno se zafa de su varadura y se dirige majestuoso hacia el Santa Cruz. Imita un fantástico navío con blancas y celestes velas transparentes y desplegadas; el desplome de los fragmentos agita las ondas aéreas y escuchamos lúgubres cañonazos que completan la ilusión: parece pedir auxilio. Entre los manantiales cercanos, donde la vegetación herbácea es espléndida, encontramos muchos rastros de caballos y, más al oeste, a la orilla de un pequeño río, que califico así para distinguirlo de los torrentes o arroyuelos que he mencionado ayer, vemos un camino de "Chinas" que nos muestra que los indios del sur han vivido aquí hace pocos días. A ellos se les debe seguramente el gran incendio de los bosques de los cerros inmediatos que nos han ocultado la Cordillera a nuestra llegada al lago. En este arroyo conseguimos cazar un joven cisne. Continuamos caminando hacia el poniente costeando unos barrancos que forman un semicírculo que domina el bajo incendiado que está cubierto de pastos magníficos y de juncos; en este bajo desagua el río pequeño. Costeamos la falda de un cerro bastante elevado y extenso, aislado, de formación arcillo–esquistosa, cuyo pie baña el lago. Llamo a este cerro "monte Félix Frías" en honor de mi venerable amigo el esclarecido patriota que defiende con tanto ardor la causa de los argentinos contra las temerarias pretensiones chilenas. El camino que hacemos por sus faldas es en extremo incómodo y peligroso, tanto que Moyano cae tres veces del caballo. Los ctenomys tienen la culpa; han revuelto los terrenos sueltos donde las raíces de los

arbustos y del pasto son más fáciles de descubrir. Pasando
este mal paso que mide cinco kilómetros, más o menos,
llegamos a un bajo con pastizales abundantes, y luego,
siguiendo hacia el NO, a una hilera de colinas bajas formadas exclusivamente por los hielos y donde los trozos
glaciales son muy numerosos; más de un ciento de éstos
coronan las lomas que forman una morena lateral
antigua.

No encontrando paso por este paraje y viendo que el
lago se enangosta a causa de una punta de tierra que
avanza al norte, y que luego se divide en dos brazos, uno
que se interna al NO hacia los ventisqueros y otros al SO,
dejando en el centro, como una enorme cuña, bellas y
elevadas montañas, cambiamos de dirección y nos dirigimos a las sierras del oeste para internarnos siguiendo sus
laderas.

Varias pequeñas lagunas con algunos árboles (*Fagus*)
que son la continuación de un bosque que cubre la punta
que cierra el lago y muchos manantiales a cual de ellos más
fértil, alegran la región cambiando totalmente el aspecto
árido que tiene desde el Atlántico. Es un hermoso parque
que la naturaleza ha formado sin ayuda del hombre y que
espera a éste para aprovecharlo. En la falda de las sierras
volvemos a encontrarnos con los guadales y los tucu–tucales;
el camino se hace casi imposible por la inmensa cantidad
de matas de calafates y de árboles secos; a las cinco de la
tarde no podemos adelantar más. Nos encontramos en el
último punto donde es posible llegar con los caballos y
establecemos campamento en un pequeño prado, frente a
uno de los grandes canales que, desprendiéndose de los
Andes, forman el lago.

El camino hecho en la falda del monte Félix Frías,
donde se han instalado en las sueltas arenas glaciales esos
millones de ctenomys que han convertido el zócalo de la
montaña en paraje tan intransitable, ha cansado completamente a nuestros caballos; aunque las colinas elevadas

por hielos han presentado menos obstáculos que los ofrecidos por las habitaciones de los trogloditas roedores, cuando éstas han vuelto a aparecer amenazándonos con hundirnos en sus antros arenosos, no podemos seguir con ellos. La inundación ha cubierto la región llenándola de peligros; los bosquecillos de tiernas hayas apenas asoman sus amarillentas y verdosas copas sobre el azulado bañado inmediato, y únicamente después de seguir un laberinto de albardones hemos parado, extenuados, en la mullida alfombra que cubre este fértil pedazo de la falda de la gran Cordillera.

La noche va acercándose; las nubes pardas abandonan las alturas y buscan sus gigantes nidos entre los flancos de las montañas vecinas o descienden a extenderse sobre este valle, que pierde el agradable calor del día ante la fina lluvia que empieza a caer ocultándonos el fondo del hermoso aunque imponente paisaje que a ambos lados nos domina. Al sur, casi perpendicular, a unos doscientos metros, los flancos de una elevada montaña muestran tristes y renegridos troncos, ruinas vegetales dejadas por el incendio; al norte, el anchuroso brazo lacustre baña el ahora lóbrego pie de un bosque virgen ya oscurecido por la hora, que se eleva tupido en la empinada falda de otra montaña cuya cumbre nos oculta, en blanco vapor, la evaporación del día. Al oeste, en el primer plano, un grupo de árboles gallardos de flexibles ramas y de rectos troncos resalta de los contrafuertes parduscos de los peñascos, reflejando sus lucientes hojas en las aguas de un bullicioso torrente. Más allá, lomadas cubiertas de vegetación preceden rugosos cerros, y más lejos, entre la niebla de la lluvia y las sombras del chubasco que la descarga sobre nosotros, una forma aguda, atrevida, se eleva radiante de blancura entre rosados tintes; comunica al cielo, allí tan despejado, el sol que en estos momentos alumbra el horizonte inmenso del Pacífico y que se despide de ella dándole la última caricia de la tarde.

Esta montaña se llamará en adelante cerro de Mayo; su pedestal azul no se distingue hoy; las nieblas lo amortiguan a la vista, pero su inmensa aguja paleocrística se destaca del cielo celeste a través de la capa de nubes.

Establecemos nuestro "wigwam" al resguardo de un frondoso berberis; las largas y tiernas ramas de las hayas y los ponchos nos proporcionan tosco y abovedado techo, y así nos encontramos a la entrada de la noche abrigados bajo una cabaña improvisada. De sus endebles murallas vegetales que dejan respirar el céfiro andino, cuelgan dulces y moradas frutas, y si la puerta ocupa todo el frente de la choza, en cambio, sin movernos de su ancho dintel admiramos el lago y los fragmentos de hielo que arrastran sus aguas. Lástima es que de la alegría de nuestros ojos y de la mente no participe el estómago. Nos encontramos en el punto deseado hace tanto tiempo, pero también sin las provisiones que hubieran amenizado nuestra estadía en él. El contenido de la media lata de "paté", un puñado de fariña y otro de café, amén de la ración de yerba que es inseparable compañera de Isidoro, son todo lo que contamos para festejar el punto más avanzado al oeste que hemos alcanzado en esta expedición.

El pichón de cisne, nuestra presa de esta mañana, obtenida a costa de tanta fatiga, ha desaparecido de los tientos del recado del señor Moyano, quien se había encargado de la conducción de este trofeo inapreciable. Entre las ramas del camino o quizás en una de las varias caídas del caballo, perdióse y servirá de cena imprevista a algún puma merodeador incansable de estos parajes. Igual cosa, aunque no con el mismo destino seguramente, ha sucedido con el mate y la bombilla; de esta manera nos vemos desprovistos de lo más necesario para las fiestas gastronómicas que habíamos preparado. Felizmente, el tarro que contuvo dulce de leche en un tiempo lejano, hoy convertido en olla y pava, se ha salvado; hervimos agua en él, colocamos la fariña y la porción de "paté" y hacemos un guiso desconocido en la terminología culinaria; los tres expedicionarios lo devoramos sin que nuestro corazón insensible se compadezca de los infelices perros que aúllan de hambre y se quejan. Isidoro está triste, pues no tenemos cómo tomar mate, y cada uno reflexiona buscando la manera de proveernos de lo necesario para prepararlo. Me cabe a mí el honor de fabricar ambos aparatos indispensables. Derramo sobre un pañuelo el resto del "paté", seguro que la cruda temperatura no lo desleirá; limpio la lata que lo contuvo: ya tenemos mate. Después de largas tentativas, mi inventiva, hija de la necesidad ayudada por el deseo, hace nacer la bombilla de un hueso de avestruz que pasa a servir de tubo, y un pedazo de lata de la tapa de la caja, envuelto toscamente en una de las puntas del hueso, se convierte en colador de la yerba. (Este útil instrumento, que más de un buen rato nos proporciona en esta parte del viaje, hizo exclamar más tarde a uno de nuestros más distinguidos literatos y hombres de ciencia: "¡Qué instrumento salvaje tan curioso! El indio que lo hizo no pudo seguramente imaginar nada más primitivo".)

Marzo 13: La madrugada despierta las pesadas nubes que se han abrigado durante la noche en esta profunda quebrada; cuando se elevan, despejando las onduladas cumbres, dejamos Moyano y yo nuestro paradero para continuar a pie al oeste; El aspecto del paisaje que nos rodea me promete bellezas desconocidas en las áridas mesetas. Este último día de marcha adelante va a proporcionarme perspectivas nuevas que compensarán las fatigas. Inmediatos a nosotros, en la costa del lago, limitando el bello prado que está circundado por bosquecillos de *Drymis Wintiri* cubierto de elegantes flores rojas, hay un bosque pequeño de *Libocedruo tetragonus* sumamente tupido, pues apenas hay un metro de distancia entre cada árbol. Este conífero no ha sido señalado aún en la falda oriental de los Andes; aquí tampoco alcanzo a divisar otros árboles que los que forman este grupo, compuesto de ciento cincuenta ejemplares, muy poco elevados, pues el mayor no alcanza a tener cinco metros de altura por veinte centímetros de diámetro. Una pequeña lechuza rojiza, que ha entristecido la noche con su melancólico chillido, habita entre este monte, pero no podemos darle caza por más que lo tentamos.

Nuestra marcha tiene por objeto tratar de alcanzar una punta rocallosa lejana que se divisa en el fondo. Marchamos costeando la orilla del lago. La naturaleza no ha sido hollada aquí por la planta del hombre civilizado; las tupidas ramas de árboles gigantescos que crecen en las faldas de los elevados cerros sobre los *detritus* dejados por los hielos al fundirse e innumerables (dieciocho) torrentes pequeños que se desprenden de las cumbres de los montes que he llamado Buenos Aires, donde hilos y manchas de nieve reciente, depositada en las grietas de la roca, anuncian la entrada del invierno, hacen sumamente difícil el camino. No nos preocupamos por los pequeños fragmentos de oro que arrastra el torrente que lava el cascajo aurífero. Seguimos adelante, hollando helechos y espesos musgos; apartando las barbas vegetales (*Mysondendron*) rojizo–amarillentas arrolladas que cuelgan de los inmensos cohiues (*Fagus betuloides*) y de las hayas de oscuras y plegadas hojas (*Fagus antarticus*). En estos árboles se albergan algunas orquídeas (*Asarca?*) y la parásita *Cyttaria* anaranjada alimento del salvaje, plantas ambas que buscan la sombra de estos bosques seculares donde bullangueros loros (*Conurus*) y trabajadores carpinteros (*Picus*) mezclan sus alegres vociglerías con el rugido del viento y de los torrentes, mientras el hálito andino penetra en la enmarañada arboleda y sacude los racimos de corales que cuelgan de las hermosas y arbóreas fucsias. Muchas veces avanzamos arrastrándonos bajo un lóbrego techo vegetal, entre piedras erráticas inmensas; otras el torrente a pique corta nuestro paso y cruzamos la bulliciosa corriente por sobre alguna haya añosa o seguimos por alguna escalinata geológica formada por la desagregación del exquisito micáceo de los cerros. Llegamos así hasta la punta donde un precipicio separado del macizo de la Cordillera por un hermoso canal que arrastra témpanos, ramificación del lago Argentino, impide continuar más adelante. Inútil es que tratemos de cruzar el inmenso peñón; la arcilla esquistosa que lo forma está quebrada en grandes fragmentos verticales y no da paso; retrocedemos algunos metros y en un pequeño claro del bosque, teniendo a nuestra derecha la arqueada falda de los montes que he llamado Buenos Aires, al pie del ramal del lago que precede a los inaccesibles Andes y al norte del pintoresco monte Avellaneda, que nombro así en honor del presidente de la República, resuelvo no seguir más adelante. Nuestra posición actual es a 500 pies sobre el lago, 7° 45' SO de la cumbre del citado monte y a 43° SO de la Punta de los Ciervos.

El paisaje aquí es grandioso: la Cordillera en el fondo está blanca de nieve, las montañas que al NO de nosotros se destacan separadas sólo por el brazo del lago, tienen en sus cimas trozos de hielos y sus bases están cubiertas por bosques inmensos, algunos árboles destacan sus copas del seno de la aguas; los torrentes rasgan las montañas. Entre donde cesa la vida vegetal y donde aparece la nieve mortal, se ven vistosas capas de arcilla esquistosa, sinuosas y onduladas caprichosamente, señal evidente del estremecimiento del Andes gigantesco. Todo esto forma un magnífico conjunto en la falda del eje de América. Descansamos un momento al reparo de un gran tronco abatido por la tempestad.

A la tarde emprendemos el regreso, después de dejar como signo de nuestro paso, clavada sobre un enorme fragmento de roca testigo mudo de la poderosa erosión de los hielos, y rodeada por verdes helechos y rojas fucsias, la bandera patria que nos ha acompañado durante toda la expedición y cuyos colores copian ahora la alfombra blanca de nieve recién caída y el celeste del hielo eterno que cubre desde la cumbre el inaccesible pico Mayo.

Esos colores que se han reflejado en las aguas de los lagos Argentino, Viedma y San Martín y que han sido más de una vez saludados por el alarido del gigante patagón, lo son hoy por las salvas atronadoras que producen los aludes al desprenderse de los ventisqueros vecinos. El calor del límpido sol que los alumbra arranca témpanos inmensos que truenan como cañones de gran calibre, frente al punto donde nos encontramos.

Conseguimos cazar una pareja de huemules (*Cervus Chilensis*) y extraer el cuero y el cráneo del macho, objeto rarísimo en las colecciones zoológicas. Recién a las diez p. m. llegamos al Real, yo todo dolorido, con la ropa hecha pedazos por haber servido de guía, como más baquiano, y medio sofocado por el pesado cuero del ciervo que he llevado a manera de boa. La lluvia y la oscuridad casi nos han obligado a pasar la noche entre los torrentes, pero las hogueras que ha encendido Isidoro nos han señalado el campamento en momentos que íbamos a suspender la marcha. El cuero y las muestras de plantas y rocas valen ahora menos que el corazón y el pecho del huemul que trae Moyano; asamos estas dos piezas y dormimos tranquilos bajo la improvisada choza, felicitándonos por las tareas del día y por no haber tenido que pasar la noche bajo el tronco hueco de algún árbol centenario.

Marzo 14: Ha nevado casi toda la noche; el techo de nuestra vivienda parece cubierto de algodón, y el pasto y los árboles blanquean; triste es la vista de la nieve sobre los negros troncos quemados. Al mediodía, luego de reparadas las ropas y arreglado el herbario, salimos todos hacia el sur, por el valle situado entre los cerros Buenos Aires y el monte Frías; en el trayecto recojo varios fragmentos de cristal de roca. El camino en su principio es bueno, muy fértil, pero a dos millas encontramos colinas glaciales con trozos erráticos y, pasando éstas, los terrenos blandos que sirven de guarida a los tucu–tucus. Aquí vemos que los cerros Buenos Aires, en su frente este, presentan un paisaje espléndido rodeado por inmensos bosques donde corre bullicioso formando bellas cascadas un torrente que nace entre dos cumbres en una sombría quebrada.

Al principio creemos que al sur están circundados por otro lago y seguimos sus orillas hasta convencernos de que no es sino la prolongación del lago Argentino, con el que comunica esta gran bahía por el canal de los témpanos. En el fondo de ésta, que está limitada al sur por una serranía cubierta en parte de bosques, hay siete enormes témpanos. Hacia el SO se ve una gran abra en la cordillera; a la entrada del sol podemos ver los rayos que cruzan por ella, a través de los Andes. Alumbran al mismo tiempo los canales salados del Pacífico y los del lago Argentino. Hacia el norte de esta abra, inmensos cerros nevados con ventisqueros que se extienden casi hasta el agua, son los que producen los témpanos.

Seguimos al este por un extenso guadal, cruzando una morena antigua (los trozos glaciales se ven en la falda de los cerros, hasta una altura que calculo aquí en mil pies); vemos un gran número de avestruces, que indudablemente se han internado en los bosques al aproximarse los indios, que vuelven a la llanura abandonando las faldas de las montañas. La lluvia principia a caer al anochecer y paramos en la orilla del riacho que he mencionado anteriormente. Éste desciende del sur, con fuerte pendiente, bañando el pie de un cerro eruptivo que he llamado monte Moyano en honor de mi compañero de viaje. Las rocas eruptivas abundan en estas inmediaciones, se ven cerros y estratas que indudablemente son antiguas producciones volcánicas; la traquita y el basalto parece que predominan.

Marzo 15: La mañana clara permite ver más de cuarenta picos de notable tamaño en esta parte de los Andes. Momentos después, una tempestad de nieve los cubre; el cielo toma un color amarillento imponente, las nieblas nos envuelven y ráfagas formidables cruzan la región. Apenas tenemos tiempo de ensillar los caballos y ponernos en marcha dando la espalda al temporal y a los Andes. Mientras galopamos, transidos de frío, ocupémonos de estas montañas que están tan ligadas a una de las cuestiones internacionales más importantes que los argentinos tenemos pendientes.[1]

Nadie ignora que el cordón andino tiene a sus lados la precordillera oriental y Argentina, y la cordillera marítima o de la costa de la República de Chile.

De formación general más moderna, al parecer, que las de sus costados, el cordón central, que divide las aguas, tiene los conos más elevados; éstos disminuyen de altura hacia el sur formando algunas veces pasos bastante bajos e importantes como el boquete de Ranco y de Villarica, los de Bariloche y Pedro Rosales, frente al lago de Nahuel Huapí, el que visitó Musters frente a Teckel, el del río Aissen, en los 45°, y el situado en 50° 40' más o menos, un poco al sur del monte Stockes y que se divisa cubierto por cielo desde el fondo de este lago Argentino, en cuyas inmediaciones ya no se ve la formación más antigua de la precordillera oriental, quedando sólo la arcilla esquistosa.

En estos parajes los Andes se separan y ese hermoso conjunto de picos atrevidos y murallas, casi verticales unos, otros redondeados como cúpulas y torres, todo pulido y cubierto por el hielo eterno que refleja los colores del cielo, cambian su rumbo norte–sur que traen, puede decirse, desde las regiones boreales, se inclinan casi imperceptiblemente al sudoeste y se pierden completamente al llegar a 53° de latitud austral.

En el espacio comprendido entre los 51° y 53° los últimos eslabones de la gran cadena se separan y se desvían por entre un intrincado laberinto de canales profundos y angostos, cuya sinonimia geográfica revela las

---

1 Véanse mis Apuntes sobre las Tierras Patagónicas. Bs.As., 1878.

angustias y el desconsuelo de los atrevidos marinos que trazaron en las cartas las líneas que allí dibujó la Creación. El abra de la Pequeña Esperanza, la de la Última Esperanza, la Zonda de la Obstrucción y el Canal de las Montañas que corre al pie de la cordillera de Sarmiento, rodean casi la extremidad de la verdadera Cordillera, y sólo él monte Burney, su último pico elevado, se levanta en la tierra del Rey Guillermo. Los últimos contrafuertes andinos llegan poco más al sur, terminando en las inmediaciones del cabo Providencia, donde "los Andes, propiamente dichos, principian en el Estrecho de Magallanes", según la opinión de Agassiz, eminente autoridad científica. Allí, en las cercanías, el espinazo de América concluye, ocultado por selvas impenetrables.

Según el mismo autor "las montañas al norte del cabo Providencia, las cordilleras de Sarmiento y las cadenas de montañas al este y al norte del ventisquero Nevado, son parte de una sola y misma cadena y forman en realidad la terminación meridional de los Andes".

Al oeste del punto en que los Andes se desprenden del continente, la Cordillera marítima de Chile, que principia en el desierto de Atacama, forma, hundiéndose desde el grado 42, un cordón de islas cuyas elevaciones están formadas por rocas graníticas y metamórficas separadas del continente por canales tortuosos que son la continuación submarina del gran valle longitudinal. Así, en el archipiélago de Adelaida, en la isla Santa Inés, en la isla Clarence y en otras, se levantan hermosos cerros en cuyas laderas se ven inmensos ventisqueros.

Desde allí, en la punta sudoeste de la gran isla de la Tierra del Fuego, la cadena que se hace más unida cambia de dirección, limitando el continente americano y sirviendo de poderosa muralla contra las olas antárticas.

En sus dos extremos se levantan el Monte Sarmiento y el monte Darwin y el eje granítico varía allí entre 3.000 y 7.000 pies de altura, cubierto todo por un manto nevado.

En monte Darwin concluye esa Cordillera, cuyo sistema orográfico parece ser distinto del de los Andes verdaderos. Éstos terminan en la Tierra del rey Guillermo, según la opinión de Agassiz y Skyring, y también según King en las islas vecinas a ese punto, pero su carácter petrográfico parece que ha inducido a Darwin, que las ha estudiado con detención, a hacerla terminar en monte Darwin y en las islas al sur de éste; según su opinión, la Cordillera andina corre casi norte–sur hasta el norte del Estrecho y luego cambia su curso en la punta sur del continente en dirección este y aun ENE.

Las demás elevaciones del las regiones australes, al este de esta cordillera, están formadas por pizarra y arcilla esquistosa con vetas delgadas de cuarzo, como lo son parte de la Tierra del rey Guillermo y casi toda la península de Brunswick; la punta nordeste parece de formación terciaria.

En la isla Dawson y en las que entra la Cordillera de la costa, se ve también algunas veces esta formación esquistosa; extiéndese en la parte sur de la Tierra del Fuego, desde cerca de la falda del monte Darwin hasta el Estrecho de Lemaire e Isla de los Estados, en montañas elevadas de 3.000 a 5.000 pies, independientes del macizo del Sarmiento y Darwin, comprendiendo la isla Navarino y parte de la península de Hardy y de la isla Hoste. Exceptúase la región fueguina norte oriental, que es la continuación de la meseta terciaria de la Patagonia, elevada de 800 a 1.000 pies, que se extiende desde Santa Cruz. Al norte, en el continente, la formación esquistosa y la pizarra se extienden en toda la República Argentina en el lado occidental. Como se sabe, estas formaciones son independientes de los Andes.

Las islas de la Tierra del Fuego, al oeste, están formadas por rocas graníticas y metamórficas que pertenecen a la cadena marítima, pero sus picos no son muy elevados; uno de los más importantes, el Kater Peak, en la isla Hermite, cerca del Cabo de Hornos, mide 1.743 pies.

De todo lo que antecede resulta que el límite andino y único natural entre la República Argentina y Chile, concluye en cabo Providencia, en las inmediaciones de la bahía Beaufort, situada a 60 millas más o menos antes de llegar a la desembocadura occidental del Estrecho de Magallanes, en su margen norte, y si la opinión de Darwin es aceptada, esa línea continuaría en la cordillera de las islas hasta monte Darwin y de allí hasta el Cabo de Hornos.

Chile, pues, no tiene derecho al dominio del Estrecho en la región que hoy ocupa.

La República Argentina, única dueña de esas regiones, en las que se comprende la península de Brunswick donde está situada Punta Arenas, tiene el derecho incuestionable de pedir el desalojo de ella, pero, consultando la equidad, creo que podría ceder a Chile la Tierra del rey Guillermo, donde termina la Cordillera, territorio que me parece separado del resto del continente por un canal que quizás comunica la Zonda de la Obstrucción, en las inmediaciones del cabo Up and Down con Skyring Water por el abra de Rhys, entre el monte Dinevor Castle y las colinas de Pinto que creo son el extremo oeste de las colinas que con el nombre de San Gregorio principian en el Estrecho. Ese canal aún no ha sido recorrido por personas competentes pero he oído decir que existe y, si esto fuera así, aquella gran tierra quedaría convertida en isla. La península de Brunswick también quedaría chilena. La línea divisoria pasaría entonces desde el extremo del abra de la última Esperanza, que baña el pie de los Andes, por el canal probable ya citado, por el canal Fitz Roy, por Otway Water y por la parte más angosta del istmo, situado entre ésta y el Estrecho, en una línea de este a oeste desde el sur de Shoal Haven en Cabo Negro, por el arroyo que corre allí, paraje donde los depósitos glaciales y el levantamiento han cerrado la comunicación marítima que en otro tiempo convertía la península en isla. Las islas al este de Punta Arenas, en el Estrecho, quedarían argentinas. Este límite

natural se continuaría al sur dejando chilena la isla
Dawson, por el fondo de la Zonda de Almirantazgo desde
donde se extiende hacia el SSE una planicie glacial
formada por los ventisqueros del monte Darwin que han
llenado el canal que comunicaba dicha Zonda con el canal
Beagle frente a la Zonda de Ponsomby, y de allí la línea
seguiría al sur hasta el Cabo de Hornos; así ambos países
dividirían amigablemente, casi por partes iguales, el Estrecho y la Tierra del Fuego, quedando en poder de los
chilenos una extensión mayor de tierras magallánicas que
a los argentinos.

Éstos son los límites que la naturaleza ha trazado
entre los dos países. Las pretensiones chilenas no deben ir
más allá de ellos y nosotros los argentinos no debemos
tampoco consentirlo.

Continuamos nuestro camino: éste está casi compuesto totalmente de trozos erráticos; encontramos
algunos de arcilla negra compacta muy antigua, algo
esquistosa, tan grandes que al principio he creído que for-
marían parte de alguna punta de sierra que la capa glacial
hubiera cubierto. La inclinación distinta de sus bordes y
lajas me hace pensar que no se hallan *in situ*, sino que han
sido transportados, pero me llama la atención el gran
número de ellos y que sean de la misma roca.

Al subir la punta *Walichu*, vemos que el lago arrastra
los fragmentos de la gran isla flotante que vi desmoro-
narse hace tres días. A la tarde llegamos al campamento
del bote.

Marzo 16: A medio día hemos embarcado todos los
objetos coleccionados y abandonamos, no sin tristeza, los
lagos Argentino, Viedma y San Martín y la salvaje y severa
Cordillera. Salimos de este abrigo para ir a esperar en el
Arroyo del Bote a Moyano e Isidoro que llevan la caballada
por el sur. El viento del oeste aumenta la velocidad de las
aguas del Santa Cruz y apenas la angosta embarcación toma el centro del canal, emprendemos el descenso del río de

una manera tan veloz como lenta fue la ascensión. La vuelta que domina los grandes trozos erráticos nos expone a zozobrar, a causa de las olas que levanta el viento con la corriente encontrada y que blanquean el curso del río formando remolinos en las inmediaciones de las rocas de las orillas. El bote no obedece al remo que nos sirve de timón, ni a los dos que, en las bandas, manejan Francisco y Patricio: las aguas lo oprimen, lo zamarrean, inclinándolo sobre sus bandas y arrastrándolo con rapidez vertiginosa entre las piedras donde las olas revientan con estruendo. El deshielo producido por los últimos días calurosos ha sido tan grande que el caudal del Santa Cruz ha aumentado tres pies de ayer a hoy y barre todo lo que encuentra, de una manera que impone. El bote carga un pie de agua en esta vuelta. Los puntos por donde habíamos pasado sirgando a pie se hallan cubiertos hoy y las barrancas donde chillaban los cóndores se desploman con gran estruendo al pasar nosotros. Luchando salvamos la vuelta y la embarcación surca el trecho comprendido entre ella y el Arroyo del Bote. El paradero del 13 de febrero está cubierto por el agua, pero las corrientes no han aumentado mucho en este punto por la poca pendiente y puedo hacer algunos sondajes que dan hasta 33 pies de profundidad. Acampamos en inmediaciones del arroyo citado, pero los puntos donde lo habíamos hecho antes están bajo las aguas y no hay más remedio que atar el bote en la costa este de la Vuelta del Carnaval y hacer campamento momentáneo a algunas cuadras, dentro del valle del arroyo donde Isidoro ha parado su tropilla. En las inmediaciones del bote no hay cómo hacer pastar los caballos, y debiéndose separar la comitiva mañana temprano, quiero que todos los expedicionarios cenemos juntos. Un avestruz que acaba de ser víctima de los perros es comido con gran contento, sin dejar más restos que algunos huesos pues la necesidad no admite desperdicios; en el bote sólo hay un trozo de guanaco, y las municiones que nos quedan sólo son tres tiros de

Remington, seis de revólver y algunos de escopeta; son los
únicos recursos que disponemos para llegar hasta la isla.

Al anochecer nos retiramos al bote, habiendo ya
combinado con Isidoro las señales que indicarán nuestra
posición en caso de algún accidente desgraciado, pues en
el diario del almirante Fitz Roy encuentro que mayores
peligros ofrece el descenso que el ascenso del Santa Cruz,
y esta opinión vale. En compañía de Isidoro queda Patricio
para que lo ayude en la conducción de la caballada.

Cerca del bote no encontramos sitio suficiente para
dormir, la pendiente de la meseta es demasiado grande
para tender sobre su falda el recado y los quillangos, pero
con la pala y el pico cada uno forma una pequeña cueva
que cubrimos con ramas, y pasamos la noche lluviosa
como antiguos trogloditas.

Marzo 17: No ha aclarado aún cuando Patricio aparece
en nuestro paradero; llora, no ha podido dormir. "Ha
sentido algo en sus adentros que le dice que, si lo hubiera
hecho, *Chesco* (a quien cree antropófago) lo hubiera
muerto a él y a Isidoro". Me pide que lo lleve en el bote;
dice que trabajará; que su haraganería de los últimos días
cesará y que no temblará como antes en los malos pasos.
"*Chesko* no se atreverá a hacerle daño, pues voy yo", le
digo. Me compadezco de él, envío en su reemplazo a
Abelardo y, después de haber cazado una *Ardea melanoleuca* que recién despertaba, tomamos la corriente y
continuamos descendiendo. En menos de cinco minutos
desandamos el camino verificado en tres días; marchamos a 10 y 12 millas por hora, rapidez considerable para
un bote de dos remos. Todos los bajos están anegados y
de nuestros antiguos paraderos pocos son los que se
reconocen; las barrancas caen a plomo sobre el río y el
polvo que producen al desprenderse los desplomes llega
hasta el bote. Con buena suerte pasamos los Tres Cerros,
remolineando el bote en las cavidades formadas por las corrientes encontradas que lo quieren absorber, y dormimos

en la orilla del sur en las inmediaciones de la Fortaleza. Varias veces hemos querido acampar, pero la velocidad de las aguas es tan grande que hubiera sido peligroso embicar en la costa; solo el gran remanso donde lo hacemos nos da buen atracadero para el bote y bastante leña para pasar cómodamente la noche que se presenta muy fría; alrededor de este paradero he recogido más de veinte cuchillos y rascadores de piedra, además de dos puntas de flechas. El termómetro marca 3° R. a las 2 a. m.

Marzo 18: Volando por sobre las aguas del río llegamos hasta frente al punto donde había descubierto los fósiles; a fuerza de pico extraigo gran parte del cráneo del gran paquidermo. Varios restos de otros animales que recojo me parecen pertenecer a la capa superior del terciario inmediato a la formación glacial, pues aquí no hay basalto, y a 50 pies de profundidad, contando desde la superficie de la meseta, obtengo varios fragmentos de la coraza dorsal de un *Hoplophorus*, de un *Eutatus* y fragmentos de nesodon. Pasamos el cerro Tres de Febrero, no siguiendo el cauce del río, sino por entre las islas de la margen derecha; el estruendo que producen las olas en las rompientes es atronador; el bote tiembla con el choque repetido del agua, y el ruido, semejante al que produce una pila eléctrica en acción y que resulta del roce del agua en los costados de la embarcación, aumenta de tal manera que impresiona; es difícil remar; la gran velocidad de la marcha apenas lo permite y el menor obstáculo nos perdería a todos; pero la suerte nos favorece: a veces avanzamos quince millas por hora empujados por la corriente anormal y por un fuerte temporal que solo sentimos en las vueltas cuando las aguas se oponen al viento y el bote le presenta su proa. No puede ser más verídica la observación de Fitz Roy ya mencionada, pues un minuto de esta rapidísima carrera equivale en emociones a un día del trabajo hecho para llegar a los lagos. Hay momentos que el silencio se impone, sin pensarlo, a los que arrostran este peligro, y entonces no se oye en este torbe-

llino de corrientes sino el estremecimiento de la embarcación, el ruido continuo del agua que arranca pequeñas
astillas de sus costados y el ronco desplome de las piedras;
son minutos solemnes que no olvidaremos fácilmente.

Nuestro campamento en la quebrada basáltica está
cubierto por el agua; únicamente se distingue la parte
superior del *cairn* que elevamos para señalar nuestro paso.
Anochece frente a la meseta desnuda tan pintoresca; nuestra noche es bien triste, la lluvia empieza a caer sobre el
pequeño rincón que hemos elegido y lo convierte en un
pantano. El hambre, que es grande, sólo podemos satisfacerla con la flaca ardea, que es un ave bien repugnante;
el guanaco ha concluido casi y en el trayecto que falta para
llegar a la isla pueden presentársenos tropiezos que hagan
necesaria nuestra demora. Aquí recojo, en la roca terciaria,
varios fragmentos de la coraza del *Hoplophorus* ya
mencionado.

Marzo 19: A las 5 a. m., aún oscuro, continuamos la
marcha sin parar; la crepitación del bote por efecto de la
corriente se siente más fuerte que ayer y el rápido descenso
no me permite esperar a cazar un precioso *Canis griseus*
que se acerca astutamente a una bandada de confiados patos que picotean las frutas caídas de algunos calafates. El
paradero de *Chickerook–aiken* está inundado y el río tiene
hoy en sus inmediaciones hasta cerca de 500 metros de
ancho; en algunos puntos la fuerza de la corriente es tan
grande que levanta olas y ha habido momentos que, no
obedeciendo el bote al timón provisorio, ha continuado
descendiendo sin dirección a merced de las aguas y dando
vueltas como si estuviera vacío y abandonado. He creído
perdernos en estos lugares.

A las once embicamos en el punto donde habíamos
dormido el primer día de nuestra marcha, cuando, llenos
de esperanzas que después fueron satisfechas, emprendimos la fatigosa sirga; grandes fogatas de humos claros,
señal de gozo y de próximo arribo, coronan las lomadas

inmediatas para avisar a los isleños el regreso de la expedición. Serios temores abrigamos respecto de ellos: la inundación ha cubierto todas las islas que habíamos visto en este punto y tememos que haya sucedido lo mismo en Pavón.

El río es ancho en extremo; la embarcación lo surca veloz sin riesgo alguno; no hay tropiezos y la alegría vuelve a renacer entre quienes se ven próximos al fin de sus fatigas. Pasamos el Rincón de los Machos y distinguimos el techo de la población de la isla y su chimenea que humea; está habitada, pero no han visto nuestras señales. Momentos después llegamos al islote que está situado antes de Pavón, donde guindos y membrillos que ha plantado Piedrabuena reemplazan la pobre vegetación del valle. El blanco bote aparece en el ancho canal frente a la isla. Hemos izado las velas aprovechando el viento de los Andes, y con ellas rasgamos las corrientes, haciendo doce millas. Las aguas se arrollan en la filosa proa que se levanta sobre olas de blanca espuma, la embarcación ondula y los tripulantes saludamos gozosos la cultivada ribera. Estos son instantes de grata emoción; hemos cumplido lo prometido; los lagos Argentino, San Martín y Viedma nos han albergado en sus costas o en sus aguas, y las nacientes del Santa Cruz han sido por fin develadas.

La margen norte del río está ocupada por varios toldos que no conozco; el tiro de rifle, salva que anuncia nuestra presencia, ha alarmado a sus habitantes. Grande debe ser el asombro de los sencillos tehuelches que contemplan atónitos el curioso espectáculo, incomprensible para ellos, de la llegada de un bote tripulado, que desciende con velocidad increíble desde la Cordillera; desde un recodo oculto los vemos ansiosos; los hombres observan en la orilla y las mujeres frente a las pintarrajeadas tiendas de pieles; los perros que presienten algo desconocido aúllan: todo representa la barbarie estática ante la civilización. De pronto el bote da vuelta a la pequeña isla y aparece esta vez navegando gallardo a la vista de los toldos. Un clamoreo salvaje contesta nuestros saludos de alegría. Los hombres montan los potros en pelo y, a todo correr, prorrumpiendo en alaridos, tratan de acortar la distancia que aún nos separa de sus primitivas moradas. No hay duda que un momento creyeron fantasma andino el ligero bote. *Chesko* les contesta con estentórea voz, sacudiendo en el aire su quillango y descubriendo su bronceado cuerpo indígena, ¡Un indio en un bote descendiendo el Santa Cruz! Verlo y correr a los toldos y armar una vocinglería infernal es obra de un momento. Al pasar frente a ellos, las muchachas que han formado un grupo sobre la barranca palmotean, y vemos llegar a todo escape al gigante *Collohue* que había apresurado a los indios asombrados. Me saluda a gritos: ¡Coom'aut! ¡La incógnita se ha despejado; es el comandante que llega de las Aguas Grandes!

En veintitres horas y media de navegación hemos desandado el camino hecho en un mes, lo que demuestra la gran velocidad de las aguas del Santa Cruz y las dificultades con que se tropieza para remontarlas.

En esta isla no encontramos novedades de ningún género. Los indios que han acampado frente a ella son los de *Conchingan* y los del cacique *Gumerto*; estos últimos vienen desde las inmediaciones de Nahuel Huapí, a conocer los campos de Santa Cruz. A la tarde los visito llevándoles aguardiente. *Gumerto* me dice que "tiene el corazón muy contento" porque conoce ya al Comandante, y que como pariente de *Shaihueque* ha oído hablar de mi visita al campamento del Rey de las Manzanas.

La mayor parte de los pocos indios que dependen de este cacique son de sangre pampa, de menos estatura que los tehuelches, y entre las mujeres jóvenes hay algunas muy bien parecidas. Contentamos a éstas dándoles abundantes sartas de cuentas y mantas; los hombres se emborrachan con aguardiente y la noche se pasa entre llantos y alaridos. Sólo *Chesko*, contento con la presencia de la hermosa *Losha* y luego melancólico con la bebida, no participa de la alegría general; con el Cooll'á, instrumento musical tehuelche, pasa rozando con un hueso hueco de cóndor las cerdas del primitivo violín y acompañando a la triste armonía que arranca del sencillo instrumento una especie de canto compuesto de frases incoherentes, sin sentido común, que no son pronunciadas sino balbuceadas por el enamorado indio

Noto en este toldo más mujeres que hombres y algunas me dicen estar separadas de sus maridos; la causa de este alejamiento es que están encinta unas, y otras tienen hijos pequeños, y que por una costumbre de los tehuelches, el marido abandona temporariamente a su mujer, mientras ella se halla en ese estado y no vuelven a juntarse ambos hasta que la criatura tenga mas de un año. Esto me recuerda que he leído en el último libro del glorioso mártir, Livingstone, que cerca de Mozambique las mujeres rehúsan toda relación íntima con sus maridos mientras se hallan embarazadas y no vuelven a unirse hasta después del destete de las criaturas, lo que generalmente tiene lugar allí en el tercer año.

Marzo 20: Tranquilos, durmiendo bajo techo, contentos con los resultados del viaje, paso este día analizándolos. La exploración que acabo de verificar en las nacientes del Santa Cruz, donde he podido comprobar la verdad de la opinión del ilustre Fitz Roy, quien suponía que este río nacía en varios lagos, me ha revelado extensos territorios desconocidos que pueden ser aprovechados por sus propietarios los argentinos. En ellos la colonización tiene ancho campo donde extender su benéfica influencia. El valle del Shehuen, visitado en casi toda su extensión, espera los ganados que han de fructificar esa tierra hoy improductiva. Algunos parajes en él pueden utilizarse con ventaja para la agricultura. Las quebradas del oeste, donde los pastos hacen ostentación de hermosura, hoy sólo aprovechados por el caballo del indio nómada, por el bagual y por los guanacos, pueden alimentar miles de animales vacunos. Los ricos depósitos de carbonato de sodio atraerán la industria, las minas de carbón del lago San Martín harán que el silbido del vapor que contenta al civilizado y que llena de estupor al salvaje, se mezcle con el del hacha y del martillo, que aprovechen los bosques que hemos visto en ese solitario paraje, y que los buques a vapor que llegan hoy a la Bahía del Santa Cruz, vayan a buscar a través de cerca de doscientas leguas de ríos, lagos y canales, el combustible precioso.

Veo no muy lejano el día en que la hélice alborote las aguas de los lagos Argentino, Viedma y San Martín, y los de aún más al norte, y llene de vida la región hoy desierta. Los campos abrigados entre el lago San Martín y el Viedma pueden ser utilizados por estancias, y veremos que el faro gigante del volcán Fitz Roy no tendrá por único admirador al temeroso tehuelche sino también a los civilizados que lo estudiarán y buscarán en sus faldas las riquezas que revela la ciencia. El lago Argentino con sus bosques y los valles hermosos que lo rodean ofrecen al hombre elementos para la vida lucrativa. Los paraderos tehuelches pueden convertirse en ciudades argentinas. Las maderas del monte Buenos Aires, del monte Avellaneda y del monte Félix Frías, lo mismo que los campos hermosos que hay en esas inmediaciones, en manos de una población trabajadora, proporcionarán ganados para alimentar a miles de hombres; esa población andina dedicándose allí al corte de los hermosos árboles, que luego de arreglados en balsas, las aguas del lago y del Santa Cruz se encargarán de llevar al Atlántico, contribuirá con las maderas necesarias a la construcción de las futuras colonias argentinas del litoral patagónico.

Los habitantes de la bahía Santa Cruz no verán entonces descender, como ahora, un bote como el mío sino grandes embarcaciones trayendo al Atlántico las riquezas del corazón de la Patagonia y de los Andes. Donde hoy no hay más que soledad y desamparo; donde se han visto, con distintos intervalos, pequeñas expediciones luchar contra dificultades que sólo el entusiasmo allana, veremos colonias permanentes y florecientes, y la hoy poco visitada bahía Santa Cruz ha de ser el punto más frecuentado de los mares del sur. Ese día, conocidas las regiones que acabo de visitar y las que aún me quedan por recorrer, serán una hermosa realidad las siguientes palabras del Dr. Tejedor: "si porvenir marítimo ha de tener un día la República Argentina, él está en Patagonia".

Marzo 21 – Abril 5: Esperaba encontrar en este punto las noticias de Buenos Aires, de donde he salido hace cinco meses, que el buque del capitán Piedrabuena debía traer. Defraudado en mis esperanzas, resuelvo dirigirme por tierra hasta Punta Arenas y tomar allí el vapor del Estrecho. He empleado algunos días en el arreglo de las colecciones, en la formación de otras nuevas y en la reconstrucción, puedo llamarla así, de la capitanía argentina que yacía abandonada en la bahía Santa Cruz, sin techo, ni piso, ni ventanas, ni puertas y con el asta bandera en el suelo.

Abril 6 – Mayo 8: Llenado este deber de argentino, dejé en la isla Pavón al teniente Moyano con los dos marineros, el muchacho y el bote, me despedí del señor Dufour a quien debo mil atenciones, y emprendí viaje al sur. Me acompañaban Isidoro y Estrella.

Aunque me proponía revisar detenidamente y por completo la región situada al sur del Santa Cruz, no he podido hacerlo en todas sus partes. Diré con Darwin que es muy bueno hablar de estómago ligero y de fácil digestión, pero que en la práctica es cosa bastante desagradable, y este axioma me es conocido prácticamente desde largo tiempo. Nuestras provisiones son sumamente escasas y consisten tan sólo en algunas tortas, regalo de la tehuelche Rosa, mujer de Manuel Coronel, otro buen gaucho compatriota que ha acompañado a Pertuiset a la Tierra del Fuego y a quien el muy farsante hace aparecer como el peruano *Yupanqui*, con la misma formalidad que asegura

más tarde que Rosa es una princesa de la imperial raza de
los incas; a las tortas agrégase carne para un día y dos cajas
de *paté de foie gras*, que a nuestra ida para el interior había
dejado de reserva en la isla. Aumentan lo penoso del viaje
el mal estado de los caballos y la extenuación de los perros,
que es tanta, que sólo uno de estos, el bravo Perilla ha
podido acompañarme, aunque sin prestar el menor
servicio. Esto nos advierte desde el principio que no
podemos contar con la caza y que debemos contentarnos
con lo poco que tenemos. La necesidad hace prodigios y,
aunque algo escuálidos, llegamos a Punta Arenas después
de una travesía de siete días.

Como se podrá juzgar por lo que antecede, no he hecho este trayecto en las mejores condiciones para observar,
pero puedo decir que, a pesar de esto, mis notas no son tan
escasas que no pueda dar una idea sobre el territorio comprendido entre Punta Bandera y Punta Arenas.

La sequedad del clima y la esterilidad del suelo,
circunstancias desfavorables para la colonización de la Patagonia, principian en Bahía Blanca, donde llueve mucho
menos que en Buenos Aires; aumenta gradualmente en Río
Negro y Chubut; sigue en las mesetas, es decir, en la región
árida de la que ya me he ocupado, y alcanza su máximo en
los grados 47 a 48, según los informes de los indígenas.

En Santa Cruz, el continente principia a enangostarse,
disminuyendo la distancia entre la Cordillera y el mar, y
las lluvias vuelven a ser más frecuentes, aunque no de
gran duración. El valle extenso que desde el río Chico se
dirige hacia el oeste, hasta el lago San Martín, regado por
el río Shehuen, presenta extensiones de verdura verdaderamente lujuriosa que contrasta con la aridez de las mesetas que lo rodean; durante el tiempo que permanecí allí, en
enero y febrero, la temperatura era sumamente agradable.

Desde ese punto, a contar desde el grado 50 al sur,
principia la zona útil fertilizada por las lluvias; siendo casi
diarias en la Patagonia occidental pasan sobre la Cordillera

poco elevada y la riegan de cuando en cuando, sin hacerla inhabitable como en la opuesta. La vegetación raquítica de las mesetas, batida incesantemente por los vientos, experimenta un cambio brusco sin acercarse aún a la de la zona andina al aproximarse a la zona mencionada. Su aspecto agreste impresiona agradablemente al viajero que acaba de atravesar la elevada pampa, donde el paisaje entero no presenta más que soledad y desamparo y donde sólo el guanaco inquieto pace espiado incesantemente por los pumas, que en ellos y en los avestruces hacen sus mejores presas.

Al sur de los lagos, desde la Cordillera, praderas extensas, verdes de pastos tiernos y trébol, cubren los depósitos glaciales y son esos los paraderos preferidos de los indios durante las grandes boleadas de caballos salvajes. Esta pradera la limita al sur la planicie de lava que desde el pie de los Andes se dirige en una extensión de 30 leguas al este, con mesetas basálticas gigantescas, que disminuyen gradualmente de altura, y entre las cuales se levantan algunos volcanes extinguidos. De allí descienden varios arroyuelos, algunos de los cuales arrastran pajitas de oro, y desaguan en el lago Argentino en pequeñas bahías abundantes de peces y en las que también se bañan innumerables gansos y cisnes blancos; rosados flamencos, avutardas y patos. La planicie basáltica está cruzada de distancia en distancia por profundas quebradas que le son perpendiculares y llega hasta el Abra de la Última Esperanza, donde cesa bruscamente, bañado su pie por las aguas marinas. En esos parajes, entre rocas de lava salpicada del verdor de los manantiales que se forman en las grietas, nace bullicioso el río Gallegos que desagua en el Atlántico.

Desde las nacientes del Gallegos, el paisaje es distinto; se ven colinas suaves y onduladas que principian en pequeñas mesetas y disminuyen de altura a medida que se alejan al sur; hacia el oeste inmensos bosques, en las llanuras de Diana, cubiertas de *Fagus Antartica*, matizadas de *Drimys Winteri*, forman un cordón arbóreo al borde de los canales.

Esos terrenos ya son adecuados para la cría de ganados; cuando los vio el almirante Fitz Roy, siendo oficial subalterno, le recordaron las pampas del Plata. Más al sur se divisa la laguna Blanca cuyo borde está situado a pocas millas de Skyring Water. El nombre de esta laguna (que no merece el calificativo de lago por su poca hondura) se deriva del color de sus aguas tomado de la arcilla arenosa que cubre en parte el suelo, lo mismo que sucede con la laguna *Tar* o Sucia al este del lago San Martín.

En la laguna Blanca los campos son magníficos; allí viven los indios del cacique *Papon* durante grandes temporadas del año, alternándose con los valles fértiles de *Coy Inlet* y del río Gallegos. En sus inmediaciones, el gobierno chileno tiene parte de sus haciendas, en el punto nombrado Vaquería del Norte. Cuando hice mi viaje, habían resuelto poblar esos puntos algunos chilenos que habían construido una casilla de madera.

Algo más al sur se encuentran excelentes mantos carboníferos que se extienden hacia el mar, hasta ser ocultados por él en marea alta. Ellos dan una importancia enorme a esa región, que continúa hasta el Estrecho con algunas poblaciones, tales como Palomares, etc., en una llanura que algún día alimentará los ganados de la futura provincia argentina de Magallanes. Esa llanura está limitada al oeste por las aguas Otway Water y por las mesetas de la península de Brunswick; cubiertas de bosques impenetrables que crecen entre las rocas erráticas, que a s_1 turno ocultan las ricas capas de hulla que se explotan en Punta Arenas.

Entre la parte norte de la región que acabo de describir a grandes rasgos y la costa del Atlántico sobre el río Santa Cruz, se extiende la meseta elevada, primero de 3.000 pies, luego de 1.500, 1.150 y 900, formando otros escalones más pequeños hasta el río; todo es terreno árido, aunque mejor que el de la margen norte, mejorando a medida que se acerca al océano. El profundo valle escalonado del Santa Cruz (antiguo estrecho interoceánico probablemente, según Darwin), como el valle *Coy Inlet* y el del río Gallegos, no tiene extensiones fértiles notables. Desde su nacimiento en el lago, el río corre por entre rocas erráticas, mantos volcánicos y poderosas capas de cantos rodados, hasta las inmediaciones de la isla Pavón donde las mesetas bajas se apartan y el río se bifurca entre islas formando recodos de alguna importancia en ambas márgenes, hasta que se llega a la bahía, que desde el Atlántico se dirige al oeste, formando el pie de la gran Y, con los brazos del río Chico y del Santa Cruz. En el lado sur de la bahía hay pequeñas cuchillas con pastos regulares; pero el agua potable es escasa. Subiendo el primer escalón de la escalinata de mesetas que en esas regiones forman el pedestal de los Andes, se llega, a la altura de 350 pies, a una llanura con desigualdades insensibles, de mejores pastos que todos los que nacen desde el Chubut hasta allí, en el litoral, y que tiene pequeñas lagunas, unas dulces y otras saladas, que abundan en cloruro de sodio que el capitán Piedrabuena extrae de cuando en cuando.

Más al sur se extienden las colonias del León, que principian en la costa del océano, elevándose 710 pies sobre el nivel del mar, hasta la cuarta meseta cuya altura varía de 850 a 1.000 pies. Su elevación principal es el monte León, a cuyo pie se halla la isla del mismo nombre y de la cual ya me he ocupado, pedazo de roca desprendida del continente y testigo del apresamiento violento de la Jeanne Amélie.

En esas colonias los pastos son excelentes, aunque duros, que mejorarán los ganados que algún día las recorran. El agua es escasa, pero cavando pozos hasta cruzar la capa de cascajo, espesa de 30 a 60 pies, se la encontrará de muy buena calidad.

Esa es la meseta alta que se extiende desde Santa Cruz hasta Gugory Renge, donde cae a pique, batida por las correntosas aguas del Estrecho; en mi viaje la crucé en toda su extensión.

Al subirla, desde un poco más al NE de *Chikerook-aiken*, la vista se dilata ante una extensión inmensa, bastante parecida a la pampa sin límites del sur de Buenos Aires, y sólo al SO se ven azuladas y tenues las lejanas mesetas cercanas a la Cordillera.

El campo, no tan bueno como nuestras llanuras, no tiene ya el aspecto de las estepas estériles del norte; los arbustos son menos numerosos y se ven algunas lagunas, saladas a causa del cloruro de sodio o del sulfato de sosa que contienen las capas del terreno. Una de ellas, Las Perdices, tienen en sus bordes ojos de agua dulce; allí podría plantearse una población que sirviera para facilitar la comunicación con el Estrecho.

El único inconveniente sería el clima muy frío por la falta de arbustos y su elevación sobre el mar, tanto que el día que dormí allí, el termómetro marcó 5° C. bajo cero, aunque creo que es excepcional una temperatura tan cruda.

A medida que se adelanta hacia el sur, el terreno mejora, se penetra en algunos cañadones que hacen recordar las inmediaciones de las sierras del Tandil; se vuelve a subir la meseta cruzando una quebrada transversal, pasando después los Tres Chorrillos, preciosos manantiales de agua dulce que se pierden en una laguna salada en cuyos alrededores viven a veces los indios.

Así consecutivamente por entre lomadas suaves y lagunas saladas a las que acompañan casi siempre pozos dulces, se llega a *Coy Inlet*, punto extremo al que alcanzan las salinas verdaderas y que Darwin da como situado en las inmediaciones de San Julián, dos grados más al norte.

La vista de *Coy Inlet* es pintoresca, es hoya de un río antiguo o quizás de un estrecho marino, que cruza de este a oeste. Sigue esa línea un arroyo tortuoso, entonces seco; esto me indicó que no nace en las montañas nevadas porque era ése el tiempo de los deshielos, como lo había notado poco antes de las nacientes del Santa Cruz. En un ancho de dos leguas, tiene campos buenos para pastoreo, que aprovechan los indios en el punto llamado *Uajen aiken.*

Desde *Coy Inlet* al río Gallegos, los campos son aún mejores.

El río Gallegos es el paradero principal de los indios, sobre todo en *Guerr–aiken.* Allí los encontré, pero como estaban en gran borrachera, sólo pude conversar con algunos y esto de paso. Esos parajes son de gran porvenir, y es lástima que el tehuelche, antes de una sobriedad extrema, se extinga rápidamente a causa del alcohol que los cristianos le venden. Así, esos indios, incapaces para la vida civilizada, no sacan resultado de ellos, convirtiendo en campos de labranza los que ahora son testigos de espantosas carnicerías.

Se cree vulgarmente que para la población de Patagonia es necesario la extinción del indio. Si éste en su orgullo de salvaje no pide a la tierra lo que ella voluntariamente no le proporciona, es porque desprecia la vida sedentaria y prefiere ceder a la atracción que en su cerebro ejercen los horizontes ilimitados del desierto, que lo encamina a la vida nómada, porque la ambición le es desconocida y porque le basta tener con qué cubrirse y alimentarse para vivir contento. El día que el tehuelche, así como las demás tribus de la pampa, conozcan nuestra civilización antes que nuestros vicios y sean tratados como nuestros semejantes, los tendremos trabajando en las estancias del Gallegos, haciendo el mismo servicio que nuestros gauchos.

El río Gallegos corre con una velocidad media de cuatro a cinco millas por hora y se alimenta de las nieves que en invierno caen en las altas mesetas volcánicas y en las sierras inmediatas a las cordilleras. Nace de dos brazos que a corta distancia se juntan, recibiendo además dos pequeños arroyuelos que riegan una extensión regular al sur del río principal. El valle puede ser utilizado para la agricultura y la ganadería.

En ambas orillas, sobre las mesetas, principian capas de lava que las cubren hacia el sur, en enormes rocas negruzcas que como murallones inmensos se levantan de las colinas fértiles, sembradas de grandes fragmentos de columnas semejando una ciudad antigua destruida.

Los distintos paisajes sombríos que se admiran entre los manantiales que se destacan de la masa oscura del basalto y las tranquilas lagunas saladas que ocupan hondonadas, quizás cráteres antiguos, y a cuyas orillas el guanaco centinela da su grito de alarma, traen a nuestra memoria los espantosos cataclismos que han formado esas masas tristes. El fuego y el hielo han dado relieve a esa región.

Todas esas elevaciones, muchas ya marcadas en las cartas geográficas y que se extienden desde cerca del Cabo Vírgenes, son pequeños volcanes extinguidos, submarinos en un tiempo, independientes del sistema andino y cuya mayor altura parece ser ahora de casi mil pies sobre el nivel del mar.

Mis observaciones por medio del punto de ebullición del agua me dieron para esa región una altura media de 860 pies.

Las capas de la lava que se extendió bajo el antiguo mar, se han inclinado cuando el levantamiento de las mesetas terciarias, al que contribuyeron ciertamente esas fuerzas volcánicas, y han salido algunas de ellas de 150 a 200 pies sobre el nivel medio del terreno en formas caprichosas, como el monte Aymon, Los frailes, Las orejas de Asno, El Volcán, Los Bonetes, etc.

Esa formación volcánica entre el Estrecho y el Gallegos, se dirige hacia el ONO y, aunque algunos pretenden que esa lava forma una ramificación de la Cordillera de los Andes, esto es una puerilidad que no merece atención.

En la región comprendida entre el Gallegos y las barrancas de San Gregorio donde se elevan esas capas, parece que el levantamiento no se ha hecho de una manera tan

igual como en el resto de la Patagonia, y allí los hielos la
han bosquejado con rasgos más pronunciados. El camino
serpentea por sinuosidades caprichosas, unas veces en bajos ocupados por lagunas y manantiales formando valles
preciosos, que son otros tantos paraderos indígenas; otras
en elevaciones que, cubiertas de pasto, dejan ver a intervalos grandes piedras erráticas.

Llegando al límite de la meseta, el paisaje cambia; a la
derecha la línea azul y blanca de las montañas nevadas se
destaca del fondo oscuro del cielo tempestuoso de occidente; a la izquierda la punta de San Gregorio; luego las
angosturas que, como fajas de plata, forman el Estrecho; y
más allá, de color rosa pálido, envueltas en la bruma y en
el humo de los incendios, característicos de la índole
salvaje de sus habitantes, se divisan las mesetas fueguinas.
Al frente, en el bajo que termina en el Estrecho y en la
elevada península de Brunswick, la campaña ondulada y
verde más aún que las pampas de Buenos Aires, cruzada
de hebras cristalinas y adornada por pequeños bosquecillos de calafate (*Berberis*) que proporcionan deliciosa
fruta, y de algunas lagunas dulces y saladas que llegan al
pie de los mamelones glaciales, imitando todo un inmenso
parque inglés, con sus prados, bosques, lagos y montañas
artificiales.

El camino sigue al sur, bordeando al oeste; una línea
de colinas bajas glaciales, antigua morena que señala un
período de reposo de algún ventisquero prehistórico, que
cruza el Dinamarquera, arroyuelo rápido con pequeños
saltos que corre entre bellas plantas acuáticas y desagua en
el Estrecho; riega una gran extensión de tierras fértiles,
producto de innumerables generaciones vegetales que las
han cubierto con una riquísima capa de *humus*. Numerosos
manantiales también la bañan con sus aguas claras como el
cristal de nieves derretidas que se han filtrado en las
antiguas morenas y que corren veloces por entre la tupida
hierba.

El pasto es tan elevado en esa región que el viajero muchas veces cae en los pozos ocultos entre esos manantiales, sobre todo en los que se hallan cerca del camino; entre ellos el Pozo de la Reina, cuyo nombre se debe a haberse caído allí la india tehuelche a quien sus compatriotas llaman "la reina Victoria".

La región continúa así, con pequeñas alteraciones, hasta Cabeza del mar, canal marítimo que se interna desde Peskett Harbour formando una angostura que concluye más adentro en un bonito lago salado que casi toca a Otway Water. Ese canal, sumamente correntoso, es vadeable sólo en marea baja.

Al oeste del canal ya principian los árboles y se ven pequeñas agrupaciones de *Fagus Antartica* y *Fagus betuloides*, que dan sus nombres a ese paradero, Los Robles, y la llanura feraz que colorean los frutos de la *Chawra* y de la *Mutilla*, se extiende hasta el Cabo Negro, surcada de arroyos que bajan de la península hasta el Estrecho. El cielo claro de las regiones australes embellece ese paisaje que no tiene nada de la monotonía de las mesetas ni de la severidad de las montañas.

La región que he descrito y que presenta tan alegres paisajes, donde la vida parece ser más abundante que en el resto de la Patagonia, ha sido el resultado de una de las revoluciones más terribles del globo.

El período glacial ostenta allí toda su terrible acción; sus detritus, provenientes de los gigantescos ventisqueros que avanzaban en otro tiempo hasta el Atlántico y que arrancaron de las montañas esos enormes fragmentos que miden hasta 1.000 metros cúbicos, llevados allí por los hielos flotantes, proporcionarán, con los depósitos vegetales, riquezas importantes al pionero que en el porvenir los trabaje.

Los cambios que se han producido en la Patagonia desde el principio de la época terciaria permiten admirar allí la fuerza portentosa de la naturaleza.

En el período eoceno, la tierra se eleva del fondo del océano y alimenta monstruos terrestres parecidos al *Dinoceras* del mismo tiempo en Norteamérica; desconocidos aún en esos parajes, he tenido la suerte de encontrarlos en dicha capa geológica cuya existencia he revelado en la Patagonia. Luego se sumerge y permanece quieta durante un número indefinido de años que la geología no cuenta, período que se nota por la horizontalidad de las capas. Más tarde vuelve a mostrarse en la superficie y nutre árboles enormes, cuyos troncos petrificados se ven en las inmediaciones de la Cordillera, y curiosas formas animales como el *Nesodon, Anoplotherium*, etc., y el mar alimenta en sus costas lobos marinos delfines, enormes saureanos, tiburones y moluscos, algunos de ellos gigantes como la *Ostrea Patagonica* que se encuentra en toda la Patagonia y hasta en la Tierra del Fuego. A su turno esta capa vuelve a desaparecer en las profundidades del mar hasta 800 pies más o menos; bajo ella se depositan entonces los basaltos en mantos tan gruesos que alcanzan hasta 400 pies. En seguida de este mar de fuego, llega el mar de hielo a aumentar el espesor de las mesetas con *detritus* de 250 pies en algunas partes.

Después, por un movimiento lento, la Patagonia se despoja de su manto glacial elevándose en partes hasta tres mil pies sobre el mar. Y este levantamiento continúa todavía: se nota en la costa desde Buenos Aires, cuyas pampas quizás se deben a los hielos. ¡He visto lagunas saladas con conchas actuales y vivas todavía que en la región fértil del Estrecho se han alzado hasta una altura mayor de 100 pies!

El Cabo Negro tiene un precioso paisaje, rodeado de bosques y de pequeños prados pastosos que alimentan una cantidad regular de ganado de una estancia chilena, situada enfrente, desde el que se domina la isla Isabel, punto probable.

Desde allí en una extensión de 10 millas, es preciso hacer el camino por la costa, cubierta de grandes piedras erráticas y troncos de árboles que las aguas del Estrecho bañan incesantemente. Compénsase la molestia del viaje con la impresión que causa el ruido ritmado de las olas y del bosque espeso y florido que lo verdea, haciéndolo delicioso para el viajero. A lo lejos, al sur se divisa la cresta de los montes Sarmiento y Darwin, cuyo "hielo se ha vuelto azul a fuerza de envejecer"; aparecen dorados por el sol.

Quince millas dista Punta Arenas del Cabo Negro y se llega a ella atravesando el arroyo Tres Puentes en cuyos bordes se levanta un aserradero a vapor que reduce a tablas los árboles seculares para emplearlos en los edificios de Punta Arenas e islas Malvinas; su denso humo, indicio de civilización, se detiene en las copas elevadas de los cohiues (*Fagus betuloides*) que llegan hasta treinta metros de altura. Desde Tres Puentes se extiende una preciosa llanura en la cual viven los pocos animales que tiene la colonia, situada en la falda de la meseta separada de dicha llanura por el Río de Oro que arrastra en sus bulliciosas aguas pepitas de ese metal e inmensos troncos de árboles aún más valiosos.

La península de Brunswick, donde está situada Punta Arenas, está cubierta por una vegetación poderosa que animan millares de loros bullangueros haciendo olvidar al geólogo el aspecto salvaje y terrible que presentaba cuando los hielos la cubrían. El suelo es muy fértil y en parte está poblado por chilenos y suizos de los que hay una pequeña colonia en Agua Fresca, al sur de Punta Arenas; además, otras poblaciones se encuentran en el Río de los Ciervos. El nombre de Hambre que tiene uno de los puertos situados en esa península no debe alarmar al inmigrante que ignora que la espantosa catástrofe de la colonia que Sarmiento [de Gamboa] fundó allí en 1582, fue el resultado de la mala administración y de la falta de comunicaciones frecuentes.

A lo que dejo dicho sobre la estructura geognóstica, sus recursos minerales y vegetales, sus vastos campos para la ganadería y agricultura, agregaré algo sobre la climatología de las tierras australes.

La región al occidente de los Andes, seguramente una de las más inhospitalarias del mundo, donde las lluvias son continuas, lo mismo que las tempestades, y donde los ventisqueros se extienden hasta el mar, a lo cual contribuye la gran humedad del clima, es difícil de poblar, pero no sucede lo mismo con la parte oriental, más favorecida, donde las condiciones climáticas cambian. No hay aquí esas grandes precipitaciones atmosféricas ni esos choques de vientos, productos del cambio brusco de las corrientes de la atmósfera, fenómenos imponentes que hacen que los canales del oeste sean fecundos en naufragios. Puedo decir que según las observaciones que conozco y las mías, el clima de la región comprendida entre el río Santa Cruz y el Cabo de Hornos puede compararse con el de las islas de la Gran Bretaña desde el Canal de la Mancha hasta el norte de Escocia.

En la meseta alta el clima es seco, llueve poco y la evaporación se hace con prontitud, pero durante la noche los rocíos son abundantes. En invierno cae nieve en regulares cantidades; en primavera, verano y otoño, estaciones que he pasado allí, el clima es sumamente agradable y hay días de calor excesivo.

En las márgenes del Estrecho las lluvias son más frecuentes, alcanzan poco más o menos a dos terceras partes de las que caen en Buenos Aires, y la falta se compensa con la humedad del suelo impregnado del derretimiento de las nieves. En esos parajes los vientos son sumamente variables y predominan los polares; el cielo que en la mitad del año permanece cubierto, en verano está limpio y claro; en enero, febrero y marzo el clima es seco y los vientos varían del oeste al sudoeste; a mediados de abril principia a caer nieve y a congelarse los manantiales. En invierno la temperatura media en Punta Arenas puede calcularse en 3° C. sobre cero; en setiembre y octubre los temporales son más frecuentes y en noviembre y diciembre vuelve a ser seco. Todo esto contribuye a que esas regiones sean sanas y que se desconozcan allí las epidemias.

Las producciones vegetales que ese clima permite son bastante numerosas: la papa da de 30 a 50 por uno; en Santa Cruz donde las he plantado, han dado un excelente resultado; el trigo puede cosecharse en el valle del Río Chico y en Santa Cruz, más no en Punta Arenas, donde, en cambio, se desarrollan la avena, la cebada y el centeno, y sobre todo, he visto algunas legumbres que adquieren proporciones enormes, como la lechuga, la zanahoria, los rábanos, los nabos, la coliflor, las coles, la remolacha, y el apio.

La Tierra del Fuego, en la isla Grande, más fría que la margen norte del Estrecho, tiene una temperatura casi igual a la de las Malvinas donde las ovejas dan magníficos resultados y hoy son su principal producto.

Al sur, en la misión inglesa de Oostrovia, a sólo 20 leguas al norte del Cabo de Hornos, viven bien las vacas, se cosechan algunas legumbres y el clima no debe ser tan crudo en esos parajes cuando los *O'onas*, los *Elisalá'as*, los *Yameshkunas*, los *Tekéenicas* y los *Aliquekeelips*, todos indígenas fueguinos, viven casi desnudos, y cuando los picaflores y los loros alcanzan hasta allí, donde, según Darwin, se sienten a veces grandes calores.

Luego de recorrer durante algunos días las pintorescas inmediaciones de Punta Arenas, me trasladé a Montevideo en el espléndido vapor inglés Galicia. Después de una deliciosa navegación desembarcaba el 8 de mayo de 1877 en esta ciudad de Buenos Aires. Contento con este viaje que me ha dado ocasión de apreciar la gran importancia que tienen para nosotros las feraces tierras inmediatas a los lagos y las que se encuentran entre el Gallegos y Punta Arenas, futuros asientos de ricas colonias nacionales; y de convencerme que la región vecina al Estrecho, en vez de ser árida, como se cree, es quizás la tierra más fértil de la parte austral de la República.

El río Santa Cruz, que tanto ansiaba conocer, lo había recorrido en toda su extensión y por esa hermosa vía fluvial, que a pesar de la velocidad de sus aguas creo que puede ser navegable para vapores de 12 pies de calado y de gran fuerza, había llegado a los hermosos lagos andinos. En ellos había vivido la vida del trópico y del polo, había comido hielo flotante de los ventisqueros eternos que baten las olas lacustres a solo 500 pies sobre el nivel del mar, en parajes situados a la misma latitud de París; había admirado la majestuosa Cordillera con su manto de hielo en su cima y su guirnalda arbórea en su base; había, en los mismos días, navegado al lado de los témpanos y habíame internado en los bosques vírgenes que recuerdan el trópico; en fin, los lagos Argentino y San Martín, situados a los lados del lago Viedma, habían sido revelados a la geografía de la patria, y con la ayuda de mis compañeros el Subteniente don Carlos M. Moyano, los tres tripulantes del grumete e Isidoro, había agregado algunas noticias más a las que teníamos sobre las tierras australes.

En fin, había cumplido con el grato deber de dar cuenta al Gobierno de la Nación[1] que la Llanura del Misterio, del almirante Fitz Roy, había sido explorada, y que las planicies que los marinos ingleses llamaron del Desengaño albergan hermosos lagos donde pronto navegaran las naves argentinas.

1   Véanse mis comunicaciones al Sr. Ministro de Relaciones Exteriores, Dr. D. Bernardo de Irigoyen (Río Santa Cruz, 26 de diciembre de 1876; Punta Arenas, 14 de abril de 1877.) Memoria de Relaciones Exteriores, 1877, t.III.

Índice

Al lector   5

Primeros ensayos. Resultados. El Museo.   9

2° y3° viaje a la Patagonia. El Limay.   15
Las Manzanas. Nahuel Huapí.

Viaje a la Patagonia Austral   27
Preparativos. Partida. Llegada al Chubut.

La Cuenca del Chubut   43

Formación geológica de las mesetas.   57

Clima, flora y fauna de Chubut.

Excursión a la Meseta Norte. Una tumba   69
india. Erupciones porfíricas.

Restos humanos. Llegada de indios.   91
Un chasque de Las Manzanas.
Recuerdos del viaje anterior.

Puerto Deseado. Excursión al interior.   105

La Bahía de Santa Cruz. Legada a la Isla Pavón.   145

Excursión a Las Salinas y a la Isla de Leones.   175

Una visita de indios patagones.   201
Excursión a Shehuen–Aiken.
La Toldería. Vista de los Andes.

Ascensión del río Santa Cruz.   237
Primeros trabajos. Antigüedades. Las mesetas. *Chickrook aiken.*
Excursión a las alturas. Malos pasos. Los guanacos. Un puma.
Formación volcánica. Su aspecto. Campamento.

Ascensión del Santa Cruz. Llegada al Lago.   259
Cerro "Tres de Febrero". Mal paso. Pumas. Rocas erráticas.
Alteraciones en las capas terciarias. Fósiles. Depósitos glacia-
les. Manantiales. Paso de indios. Primera vista de la Cordi-
llera. Enfermo. Buen camino. Nuevos tropiezos. Los Andes.
Ultimo paradero de Fitz Roy. Penoso carnaval Arroyo del bote.
Excursión a caballo. El Gran Lago. Continuación de la marcha.
Grandes trozos erráticos. El bote surca aguas lacustres.

En el Lago Argentino.   349
El bautismo. Nuestro paradero. El desagüe del Santa Cruz.
Un río nuevo. Navegamos en el lago. Tierras vírgenes. Cruzamos al sur. Los témpanos. Punta *Walichu*. Inscripciones indígenas. Una momia. Malos tiempos. Temporal en el lago. Casi
naufragio. Llegada de los indios.

Excursión hacia el norte. Las Tolderías   381
Una promesa cumplida. Borrachera. En marcha. Los caballos
salvajes. Offenbach en los toldos. Alquiler de caballos. Fiestas.
Medidas antropométricas. Vocabulario tehuelche.

El Lago San Martín. El Lago Viedma   413
Cambio de campamento. Troncos petrificados. El *Shehuen–
Tar–aiken*. El lago San Martín. Montes Lavalle. El Cerro
Kochait. Otro lago. Monte *Pana*. Carbón. Un geyser. Tém-
panos. Falta de provisiones. Retroceso. Un valle fértil. El
Shehuen. Hambre. Llegada al lago Viedma. El volcán Fitz Roy.
Un ventisquero. Ataque de un puma. El río Leona. El pa-
radero de Isidoro. Avestruces. Regreso al Lago Argentino.
Despedida. Campamento al sur del Santa Cruz.

Excursión al oeste. Punta Bandera. Los Andes.   439
Descenso del Santa Cruz. Viaje a Punta Arenas.
Conclusión.
Una isla de hielo. Paradero indio. El monte Félix Frías. Mal
camino. Paradero. El cerro de Mayo. Festejos gastronómicos.
El bosque virgen. Ultimo paso adelante. Punta Bandera. El
monte Buenos Aires. Monte Avellaneda. Precioso depósito.
Retrocedemos. Dos huemules. Ramificación del lago Argen-
tino. Los Andes. Consideraciones. Límites entre la República
Argentina y Chile. Principiamos el descenso del Santa Cruz.
Velocidad grande de su corriente. Malos pasos. Veintitres
horas y media de viaje. Los indios. Llegada a Pavón. Importancia de las tierras reconocidas. Viaje a Punta Arenas. La
Pampa alta. *Coy Inlet*. Río Gallegos. Barrancas de San Gregorio. Cabo Negro. Punta Arenas. Llegada a Buenos Aires.
Conclusión.